VALSE GETUIGE

KARIN SLAUGHTER
VALSE GETUIGE

Vertaling Ineke Lenting

HarperCollins

MIX
Paper | Supporting responsible forestry
FSC® C021394

Voor het papieren boek is papier gebruikt dat onafhankelijk is gecertificeerd door FSC®
om verantwoord bosbeheer te waarborgen.
Kijk voor meer informatie op www.harpercollins.co.uk/green.

HarperCollins is een imprint van Uitgeverij HarperCollins Holland, Amsterdam.

In dit boek worden regels geciteerd uit *The Music Man* (geschreven door Meredith Wilson).
Voor de dichtregels uit het sonnet *How Do I Love Thee?* van Elizabeth Barrett Browning op blz. 438-439 is met
toestemming gebruikgemaakt van de vertaling van A. Sonneveld, *Hoe ik je liefheb?*, https://thehiddenlaw.com/
category/poezievertaling, 2020.

ISBN 978 94 027 0959 9 (paperback)
ISBN 978 94 027 0801 1 (gebonden)
ISBN 978 94 027 6194 8 (e-book)
NUR 305
Eerste druk juni 2021
Achtste druk september 2024

Voor mijn lezers

'Het verleden is nooit waar je denkt het achtergelaten te hebben.'
– Katherine Anne Porter

ZOMER 1998

Vanuit de keuken hoorde Callie het getik van Trevors vingers op het aquarium. Ze klemde de roerspaan waarmee ze het koekjesdeeg mengde nog steviger vast. Hij was nog maar tien. Ze vermoedde dat hij op school werd gepest. Zijn vader was een klootzak. Hij was allergisch voor katten en doodsbang voor honden. Iedere psychiater kon je vertellen dat het joch de arme vissen terroriseerde in een wanhopige schreeuw om aandacht, maar Callie balanceerde zelf op het randje.

Tik-tik-tik.

Ze wreef over haar slapen om een opkomende hoofdpijn af te weren. 'Trev, tik je nou toch op het aquarium, ook al zei ik dat het niet mocht?'

Het getik stopte. 'Nee, hoor.'

'Zeker weten?'

Stilte.

Callie kwakte deeg op de bakplaat. Het getik begon weer, net een metronoom. Op elke derde tel deed ze een nieuwe kwak deeg op de plaat.

Tik-tik-kwak. Tik-tik-kwak.

Net toen ze het ovendeurtje sloot, dook Trevor als een seriemoordenaar achter haar op. Hij klemde zijn armen om haar heen. 'Ik vind je lief.'

Ze pakte hem al even stevig vast. De spanning die als een vuist haar schedel omvatte, nam iets af. Ze drukte een kusje op Trevors hoofd, dat door de broeierige hitte zoutig smaakte. Hij stond doodstil, maar zijn nerveuze energie deed haar aan een ingedrukte springveer denken. 'Lik jij de kom uit?'

Nog voor ze was uitgesproken, was de vraag al beantwoord. Hij sleepte een keukenstoel naar het aanrecht en deed Poeh-beer na die zijn kop in een honingpot stak.

Callie wiste het zweet van haar voorhoofd. De zon was al een uur onder, maar het was nog steeds stikheet in huis. De airco kon er niet tegen-op. De oven had de keuken in een sauna veranderd. Alles voelde plakkerig en vochtig, ook Trevor en zijzelf. Ze draaide de kraan open. Het koude water was onweerstaanbaar. Ze spatte het tegen haar gezicht, en tot Trevors grote pret sprenkelde ze ook een beetje in zijn nek.

Nadat het gegiechel was bedaard, stelde Callie de kraan bij om de spaan schoon te spoelen, die ze in het afdruiprek naast de schone vaat van het avondeten plaatste. Twee borden. Twee glazen. Twee vorken. Een mes om Trevors hotdog mee in stukjes te snijden. Een theelepel voor een scheutje worcestershiresaus bij de ketchup.

Trevor reikte haar de kom aan om af te wassen. Zijn lippen krulden naar links toen hij lachte, net als bij zijn vader. Hij stond zo vlak naast haar dat hij haar met zijn heup raakte.

'Heb je op het glas van het aquarium getikt?' vroeg ze.

Hij keek op. Heel even zag ze iets sluws in zijn ogen opblinken. Spre-kend zijn vader. 'Je zei dat het beginnersvissen waren. Dat ze waarschijn-lijk toch dood zouden gaan.'

Een vals weerwoord, haar moeder waardig, drukte tegen haar opeenge-klemde tanden. *Je opa gaat ook dood. Zullen we naar het verpleeghuis gaan en met naalden onder zijn nagels prikken?*

Hoewel Callie de woorden niet hardop had uitgesproken, was het alsof de springveer in Trevor nog dieper werd ingedrukt. Het trof haar telkens weer hoe ontvankelijk hij was voor haar emoties.

'Oké.' Ze droogde haar handen af aan haar short en knikte naar het aquarium. 'Kom, we moeten erachter zien te komen hoe ze heten.'

Hij keek argwanend, zoals altijd bang om de laatste te zijn die een grap doorhad. 'Vissen hebben geen naam.'

'Natuurlijk hebben ze een naam, gekkie. Die zeggen echt niet "Hallo, ik heet Vis" als ze elkaar op de eerste schooldag tegenkomen.' Zachtjes duwde ze hem de woonkamer in. Het paartje tweekleurige slijmvissen zwom zenuwachtige rondjes door het aquarium. Het installeren van de zoutwatertank was een lastig karweitje geweest en Trevors aandacht was een aantal keren verslapt, maar zodra de vissen waren gearriveerd, had hij zijn ogen er niet van af kunnen houden.

Callies knie knakte toen ze voor het aquarium neerknielde, maar de kloppende pijn was draaglijker dan Trevors vieze vingervegen op het glas.

'Wat dacht je van het kleintje?' Ze wees naar de kleinste van de twee. 'Hoe heet die?'

Trevors lippen krulden naar links toen hij zijn lachen probeerde in te houden. 'Aas?'

'Aas?'

'Voor als de haaien hem komen opeten!' Trevor begon overdreven hard te lachen en rolde over de vloer van de pret.

Callie probeerde de kloppende pijn uit haar knie te wrijven. Toen ze de kamer rondkeek, werd ze zoals altijd bevangen door moedeloosheid. Het vlekkerige hoogpolige tapijt was ergens in de jaren tachtig platgetreden. Straatlantaarnlicht laserde rond de rimpelige randen van de oranje-bruine gordijnen. Eén hoek van de kamer werd in beslag genomen door een welvoorziene bar met erachter een spiegel van rookglas. Aan een plafondrek boven de bar hingen glazen, en vier leren barkrukken stonden opeengepakt rond het L-vormige plakkerige houten blad. Het pronkstuk van de kamer was een enorme tv, die zwaarder was dan Callie. De bank had aan weerszijden een deprimerende hij-en-zijafdruk. Op de rugleuning van de geel-bruine fauteuils zaten zweetplekken. Smeulende sigaretten hadden brandgaatjes achtergelaten op de armleuningen.

Trevor schoof zijn hand in die van haar. Hij had haar stemming weer opgepikt. 'En de andere vis?' vroeg hij voorzichtig.

Glimlachend legde ze haar hoofd op dat van hem. 'Wat dacht je van...' Ze probeerde iets leuks te bedenken – An Sjovis, Dzjengis Krab, Ma Kreel. 'El Vis?'

Trevor trok zijn neus op. Duidelijk geen rock-'n-rollfan. 'Wanneer komt papa thuis?'

Buddy Waleski kwam thuis wanneer het hem uitkwam. 'Straks.'

'Zijn de koekjes al klaar?'

Met een van pijn vertrokken gezicht kwam Callie overeind om hem naar de keuken te volgen. Ze keken door het ovendeurtje naar de koekjes. 'Nog niet helemaal, maar als je straks uit bad komt –'

Trevor stoof de gang op. De badkamerdeur sloeg dicht. Ze hoorde het gepiep van de kraan. Water kletterde in de kuip. Hij begon te neuriën.

Een amateur zou de overwinning opeisen, maar Callie was geen amateur. Ze wachtte een paar minuten, waarna ze de badkamerdeur op een kiertje opende om te kijken of hij ook echt in bad zat. Net op dat moment dompelde hij zijn hoofd onder water.

9

Nog steeds geen overwinning – er was geen zeep te bekennen – maar ze was uitgeput, haar rug deed zeer en haar knie speelde op toen ze door de gang liep, dus het enige wat ze kon doen was de pijn verbijten, tot ze bij de bar was aangekomen, waar ze een martiniglas half vol Sprite schonk en aanvulde met Captain Morgan.

Ze beperkte zich tot twee slokken, waarna ze zich vooroverboog en keek of er lampjes knipperden onder de bar. Een paar maanden geleden had ze bij toeval de digitale camera ontdekt. Er was een stroomstoring geweest. Ze had naar de noodkaarsen gezocht toen ze vanuit haar ooghoek iets had zien opflitsen.

Gekneusde rug, losse knieschijf en nu raakt mijn netvlies ook nog los, was haar eerste gedachte geweest, maar het licht, dat tussen twee van de zware leren krukken onder de bar als de neus van Rudolf het Rendier was opgeflitst, was rood geweest in plaats van wit. Ze had de krukken weggetrokken en het rode licht zien opflikkeren in de koperen voetenrail langs de onderkant van de bar.

Het was een goede verstopplek. De voorkant van de bar was bekleed met een veelkleurig mozaïek. Stukken blauwe, groene en oranje tegel afgewisseld met spiegelscherven, zodat het gaatje van een paar centimeter naar de achterliggende schappen niet opviel. Achter een kartonnen doos vol wijnkurken had ze de digitale Canon-camcorder aangetroffen. Buddy had de kabel vanbinnen aan het schap vastgeplakt zodat je hem niet kon zien, maar ze hadden al urenlang geen stroom meer gehad. De batterij was bijna leeg geweest. Callie had geen idee gehad of de camera nog had opgenomen. Het apparaat was recht op de bank gericht.

Callie had er de volgende verklaring voor bedacht: Buddy had bijna elk weekend vrienden op bezoek. Ze keken naar basketbal, football of honkbal, ouwehoerden wat over zaken en vrouwen, en waarschijnlijk lieten ze zich dingen ontvallen waarmee Buddy zijn voordeel kon doen, waarmee hij later druk kon uitoefenen om een deal te sluiten. Waarschijnlijk was de camera daarvoor bedoeld.

Waarschijnlijk.

Bij het tweede glas liet ze de Sprite achterwege. De gekruide rum brandde zich een weg door haar keel naar haar neus. Ze niesde en ving het meeste op met de achterkant van haar arm. Omdat ze te moe was om een papieren handdoekje uit de keuken te halen, veegde ze het snot af aan een van de handdoeken aan de bar. Het wapen met monogram schaafde over haar huid. Ze bekeek het logo, echt Buddy in een notendop. Niet de Atlanta Falcons. Niet de Georgia Bulldogs. Zelfs niet Georgia Tech. Buddy Waleski presenteerde zichzelf als fan van de Bellwood Eagles uit de tweede divisie, een middelbareschoolteam dat het afgelopen seizoen furore had gemaakt.

Grote vis in een kleine vijver.

Callie dronk net het laatste restje rum op toen Trevor de woonkamer binnenkwam. Weer sloeg hij zijn magere armen om haar heen. Ze kuste hem op zijn hoofd. Hij smaakte nog steeds zweterig, maar ze had die dag al genoeg strijd geleverd. Het enige wat ze wilde, was dat Trevor ging slapen zodat ze de krampen en pijn in haar lijf kon wegdrinken.

Ze zaten op de vloer voor het aquarium te wachten tot de koekjes waren afgekoeld. Callie vertelde over haar eerste aquarium. Over de fouten die ze had gemaakt. Wat een verantwoordelijkheid en zorg het was om de vissen gezond te houden. Trevor was heel gedwee. Ze maakte zichzelf wijs dat het kwam door het warme bad, niet omdat de glans uit zijn ogen verdween telkens als hij haar achter de bar zag bijschenken.

Naarmate Trevors bedtijd naderde, nam Callies schuldgevoel af. Ze merkte dat hij zichzelf weer opfokte toen ze aan de keukentafel gingen zitten. Het was altijd hetzelfde liedje. Ruzie over hoeveel koekjes hij mocht eten. Gemorste melk. Weer ruzie over koekjes. Een discussie over in welk bed hij ging slapen. Een worsteling om hem in zijn pyjama te krijgen. Onderhandelingen over het aantal pagina's dat ze hem ging voorlezen. Een welterustenkus. Nog een welterustenkus. Gezeur om een glas water. Niet dat glas, maar dit glas. Niet dit water, maar dat water. Geschreeuw. Gehuil. Nog meer strijd. Nog meer gemarchandeer. Beloften voor de volgende dag – spelletjes, de dierentuin, een bezoek aan het waterpark. Enzovoort en zo verder, tot ze uiteindelijk weer alleen achter de bar stond.

Ze moest de neiging onderdrukken om niet als een wanhopige zuiplap meteen de fles open te maken. Haar handen trilden. Ze zag ze beven in de stilte van de armoedige kamer, die ze meer dan wat ook met Buddy associeerde. Het was er benauwd. Het lage plafond was bruin uitgeslagen van de rook van duizenden sigaretten en sigaartjes. Zelfs de spinnenwebben in de hoeken waren oranjebruin. Binnen trok ze nooit haar schoenen uit, want als ze het plakkerige tapijt onder haar voeten voelde, keerde haar maag zich om.

Langzaam draaide ze de dop van de rumfles. Weer kriebelde de kruidige geur in haar neus. Het water liep haar in de mond van verlangen. Alleen al bij de gedachte aan haar derde glas, niet eens het laatste, voelde ze de verdovende werking, want dat was het glas dat haar schouders zou helpen ontspannen, de kramp uit haar rug zou halen en het geklop uit haar knie.

De keukendeur vloog open. Buddy hoestte, maar het slijm zat te vast in zijn keel. Hij wierp zijn aktetas op het aanrechtblad. Schopte Trevors stoel onder de tafel. Pakte een handvol koekjes. Met zijn sigaar in zijn andere hand kauwde hij ze met open mond weg. Callie hoorde bijna hoe de kruimels van de tafel tinkelden, tegen zijn versleten schoenen stuiterden en zich over het linoleum verspreidden, als kleine cimbaaltjes die tegen elkaar aan galmden, want overal waar Buddy ging, was *lawaai, lawaai, lawaai.*

Nu zag hij haar. Even kreeg ze weer hetzelfde gevoel als in het begin, was ze blij hem te zien, verwachtte ze dat hij haar in zijn armen zou nemen en dat ze zich bijzonder zou voelen. Toen vielen er nog meer kruimels uit zijn mond. 'Schenk mij ook eens in, popje.'

Ze vulde een glas met whisky en soda. De stank van zijn sigaartje walmde door de kamer. Black & Mild. Zolang ze hem kende, stak er al een doosje uit zijn borstzak.

Terwijl hij de laatste twee koekjes soldaat maakte, liep hij met zware passen naar de bar. De vloer kraakte onder zijn voetstappen. Kruimels op het tapijt. Kruimels op zijn verkreukelde werkhemd vol zweetplekken. Hakend in zijn baardstoppels.

Buddy was bijna één meter negentig als hij rechtop stond, wat hij nooit deed. Zijn huid was altijd rood. Hij had meer haar dan de meeste mannen van zijn leeftijd, maar het werd al een beetje grijs. Hij trainde, maar alleen met gewichten zodat hij meer op een gorilla dan op een man leek: kort bovenlichaam, met armen die zo gespierd waren dat hij ze niet plat langs zijn zij kon laten hangen. Callie zag zijn handen alleen als hij ze tot vuisten had gebald. Het toonbeeld van een keiharde hufter. Mensen gingen een blokje om als ze hem op straat zagen.

Als Trevor een gespannen springveer was, dan was Buddy een sloophamer.

Hij liet zijn sigaar in de asbak vallen, slurpte de whisky op en zette het glas met een klap op de bar. 'Leuke dag gehad, pop?'

'Ja, hoor.' Ze deed een stap opzij zodat hij zichzelf kon bijschenken.

'De mijne kon niet beter. Ken je dat nieuwe winkelcentrum aan Stewart Avenue? Raad eens wie het constructiewerk gaat doen?'

'Jij,' zei Callie, hoewel Buddy haar antwoord niet had afgewacht.

'Vandaag kreeg ik de aanbetaling. Morgen wordt de fundering gestort. Niks mooiers dan geld op zak, toch?' Kloppend op zijn borst liet hij een boer. 'Haal eens wat ijs.'

Ze wilde al gaan, maar hij greep haar kont alsof hij een deurknop omdraaide.

'Kijk nou, wat een kleintje.'

Ooit, in het begin, had Callie het grappig gevonden dat hij zo geobsedeerd was door haar kleine maatje. Dan tilde hij haar met één arm op of keek vol verwondering naar zijn hand die over haar rug spande, hoe de duim en de vingers bijna de randen van haar heupbeenderen raakten. Hij noemde haar 'kleintje' en 'kindje' en 'pop', maar nu...

Was het een van de vele irritante dingen aan hem.

Met de ijsemmer tegen zich aan gedrukt liep Callie naar de keuken. Ze wierp een blik op het aquarium. De visjes waren weer gekalmeerd. Ze zwommen dwars door de belletjes uit het filter. Ze vulde de emmer met ijs, dat rook naar baksoda en vlees met vriesbrand.

Buddy keerde zich om op zijn barkruk toen ze weer naar hem toe liep. Nadat hij de punt van zijn sigaar had afgeknepen, schoof hij die weer in het doosje. 'Godverdomme, meissie, wat gaan die heupen van je toch lekker. Draai eens een rondje voor me.'

Weer rolde ze met haar ogen, niet om hem, maar om zichzelf, want er was nog steeds een minuscuul, dom, eenzaam stukje Callie dat viel voor zijn geflirt. Hij was godbetert de eerste in haar leven die haar het gevoel had gegeven dat hij oprecht van haar hield. Ze had zich nooit bijzonder gevoeld, uitverkoren, alsof ze alles betekende voor iemand anders. Bij Buddy had ze zich veilig en beschermd gevoeld.

Maar de laatste tijd wilde hij haar alleen nog maar neuken.

Hij stak de Black & Milds weer in zijn zak. Zijn klauw verdween in de ijsemmer. Ze zag de vuile halve maantjes onder zijn nagels.

'Hoe is het met de kleine jongen?' vroeg hij.

'Die slaapt.'

Nog voor ze de glinstering in zijn oog zag, had hij zijn hand al tussen haar benen geschoven. Haar knieën maakten een onhandige knik. Alsof ze op de platte laadbak van een shovel zat.

'Buddy...'

Met zijn andere hand greep hij haar kont, zodat ze klem zat tussen zijn opgepompte armen. 'Kijk nou hoe klein je bent. Als ik je in mijn zak stopte, zou niemand weten dat je er was.'

Ze proefde koekjes, whisky en tabak toen hij zijn tong in haar mond stak. Ze beantwoordde zijn kus, want als ze hem wegduwde en zijn ego kwetste, zou dat alleen maar tijd kosten zonder dat ze er een fuck mee opschoot.

Ondanks zijn gebral en geschreeuw was Buddy een watje als het op zijn gevoelens aankwam. Hij kon een volwassen man tot moes slaan zonder met zijn ogen te knipperen, maar bij Callie was hij soms zo'n open zenuw dat ze er kippenvel van kreeg. Urenlang had ze hem gerustgesteld, vertroeteld, overeind gehouden en naar zijn onzekerheden geluisterd, die aan kwamen rollen als golven die over het strand krauwden.

Waarom bleef ze bij hem? Ze zou iemand anders moeten zoeken. Hij was te min voor haar. Ze was te mooi. Te jong. Te slim. Te chic. Waarom keurde ze een domme lul zoals hij ook maar een blik waardig? Wat zag ze in hem? Nee, alles vertellen, nu! Wat vond ze nou zo leuk aan hem? Draai er niet omheen.

Hij zei de hele tijd dat ze mooi was. Hij nam haar mee naar goede restaurants, chique hotels. Hij kocht sieraden en dure kleren voor haar en gaf haar moeder geld als ze blut was. Hij sloeg elke man tegen de grond die ook maar overwoog naar haar te gluren. Anderen vonden waarschijnlijk dat Callie met haar neus in de boter was gevallen, maar heimelijk vroeg ze zich af of het niet beter zou zijn als hij even wreed tegen haar was als tegen de rest van de wereld. Dan had ze tenminste een reden om hem te haten. Iets concreets waarnaar ze kon wijzen in plaats van zijn zielige tranen die haar shirt doorweekten of hoe hij haar op zijn knieën om vergeving smeekte.

'Papa?'

Callie huiverde toen ze Trevors stem hoorde. Hij stond in de gang, met zijn deken in zijn handen geklemd.

Buddy hield Callie op haar plek. 'Ga weer naar bed, jongen.'

'Ik wil mama.'

Callie sloot haar ogen om Trevors gezicht niet te hoeven zien.

'Doe wat ik zeg,' waarschuwde Buddy. 'Nu.'

Ze hield haar adem in en blies pas weer uit toen ze Trevor langzaam over de gang weg hoorde trippelen. Zijn slaapkamerdeur knarste in de scharnieren. Ze hoorde de klik van de klink.

Callie maakte zich van hem los. Ze liep naar de achterkant van de bar, draaide de flessen met het etiket naar voren en veegde het blad af om maar niet de indruk te wekken dat ze hem op afstand hield.

Buddy lachte snuivend en wreef over zijn armen, alsof het niet stikheet was in dat ellendige huis. 'Waarom is het opeens zo koud?'

'Ik ga even bij hem kijken,' zei Callie.

'Nee.' Buddy liep ook om de bar heen, zodat ze geen kant op kon. 'Eerst ben ik aan de beurt.' Hij bracht haar hand naar de bobbel in zijn broek en bewoog hem één keer op en neer, wat haar deed denken aan het gebaar waarmee hij aan het koord van de grasmaaier trok om de motor te starten.

'Dit bedoel ik.' Hij herhaalde het gebaar.

Callie gaf toe. Ze gaf altijd toe.

'Dat is lekker.'

Ze sloot haar ogen. Ze rook de afgeknepen punt van zijn sigaar, die lag na te smeulen in de asbak. Aan de andere kant van de kamer borrelde het aquarium. Ze probeerde een paar mooie vissennamen te bedenken voor Trevor de volgende dag.

James Bot. R.O. de Poon. Donald Gup. Tank Sinatra.

'Jezus, wat heb je kleine handjes.' Buddy ritste zijn broek open. Drukte op haar schouder. Het tapijt achter de bar voelde klam. Haar knieën zonken weg in de hoge pool. 'Mijn kleine ballerina.'

Callie nam hem in haar mond.

'Christus.' Buddy klemde haar schouder vast. 'Wat is dat lekker. Ja, zo.'

Callie kneep haar ogen dicht.

Tina Tongschar. Leonardo DeKarper. Wally Vis.

Buddy klopte op haar schouder. 'Kom, schatje. Dan maken we het af op de bank.'

Callie wilde niet naar de bank. Ze wilde het nu afmaken. En dan weg. Alleen zijn. Ademhalen en haar longen vullen met alles wat niet Buddy was.

'Godverdomme!'

Callie kromp ineen.

Maar hij schreeuwde niet tegen haar.

Ze voelde aan een verandering in de lucht dat Trevor weer in de gang stond. Ze probeerde zich voor te stellen wat hij had gezien. Buddy die met een vlezige hand het blad vastklemde terwijl hij met zijn heupen naar iets onder de bar stootte.

'Papa?' vroeg hij. 'Waar is –'

'Wat heb ik nou gezegd?' bulderde Buddy.

'Ik kan niet slapen.'

'Ga je drankje drinken. Nu.'

Callie keek op naar Buddy. Hij priemde met een dikke vinger in de richting van de keuken.

Ze hoorde Trevors stoel piepend over het linoleum schuiven en met de rugleuning tegen het werkblad stoten. Geknars toen het kastje werd geopend. *Tik-tik-tik* toen Trevor de kindveilige dop van het flesje NyQuil draaide. Buddy noemde het zijn slaapmedicijn. Door de antihistaminen zou de jongen de rest van de nacht onder zeil zijn.

'Drinken,' beval Buddy.

Callie dacht aan de tere rimpels op Trevors keel wanneer hij zijn hoofd achteroverwierp en zijn melk naar binnen slokte.

'Laat maar op het blad staan,' zei Buddy. 'En nu terug naar je kamer.'

'Maar ik –'

'Terug naar je kamer, verdomme! En daar blijven, of ik sla je verrot.'

Weer hield Callie haar adem in, tot ze de *klik* hoorde waarmee Trevors slaapkamerdeur dichtviel.

'Klotejoch.'

'Buddy, misschien moet ik even –'

Ze stond op net toen Buddy zich met een ruk omdraaide. Zijn elleboog raakte haar per ongeluk recht op haar neus. De plotselinge *krak* waarmee de botten braken, spleet haar als een bliksemflits doormidden. Ze was te verbijsterd om ook maar met haar ogen te kunnen knipperen.

Buddy keek ontzet. 'Pop? Alles goed? Sorry. Ik –'

Callies zintuigen kwamen een voor een weer tot leven. Geluid raasde haar oren in. Pijn overspoelde haar zenuwen. Een waas trok voor haar ogen. Haar mond vulde zich met bloed.

Ze hapte naar lucht. Bloed werd haar keel in gezogen. De kamer begon te draaien. Nog even en ze viel flauw. Haar knieën begaven het. Ze graaide wanhopig om zich heen om maar niet te vallen. De kartonnen doos tuimelde van het schap. Haar achterhoofd sloeg tegen de vloer. Wijnkurken landden als dikke regendruppels op haar borst en gezicht. Knipperend keek ze op naar het plafond. Ze zag de tweekleurige visjes razende rondjes voor haar ogen zwemmen. Weer knipperde ze. De visjes schoten weg. Lucht kolkte in haar longen. Het geklop in haar hoofd ging gelijk op met haar hartslag. Ze veegde iets van haar borst. Het doosje Black & Mild was uit Buddy's zak gevallen, waardoor de dunne sigaartjes nu over haar hele lichaam lagen. Ze strekte haar hals op zoek naar hem.

Callie had zijn schuldbewuste puppyblik verwacht, maar hij zag haar nauwelijks. Hij hield de camcorder in zijn handen, die ze per ongeluk samen met de doos van het schap had getrokken. Bij de hoek was een stuk kunststof afgebroken. 'Shit,' klonk het scherp en zacht.

Ten slotte keek hij haar aan. Zijn blik had iets stiekems, net als die van Trevor dat soms had. Op heterdaad betrapt. Wanhopig op zoek naar een uitweg.

Callie viel met haar hoofd tegen het tapijt. Ze was nog steeds volkomen gedesoriënteerd. Alles waarnaar ze keek, pulseerde mee op het gebonk in haar schedel. De glazen die aan het rek hingen. De bruine vochtvlekken op het plafond. Ze hoestte in haar hand. Bloed bespatte haar handpalm. Ze hoorde Buddy heen en weer lopen.

Weer keek ze naar hem op. 'Buddy, ik heb al –'

Zonder te waarschuwen rukte hij haar aan haar arm overeind. Callie wankelde op haar benen. Zijn elleboog had haar harder geraakt dan ze aanvankelijk had gedacht. De wereld was gaan haperen, als de naald van een platenspeler die in een groef bleef steken. Terwijl ze naar voren strompelde, hoestte ze opnieuw. Het voelde alsof haar hele gezicht tot moes was geslagen. Een dikke stroom bloed vulde haar keel. De kamer tolde rond als een wereldbol. Had ze een hersenschudding? Zo voelde het wel.

'Buddy, ik denk dat ik –'

'Bek houden.' Hij sloeg zijn hand hard om haar nek en dwong haar via de kamer naar de keuken, alsof ze een hond was die zich had misdragen. Callie was te ontdaan om zich te verzetten. Zijn woede was altijd al als een oplaaiende brand geweest, plotseling en allesomvattend. Meestal wist ze wat de oorzaak was.

'Buddy, ik –'

Hij smeet haar tegen de tafel. 'Wil je nou je bek houden en naar me luisteren?'

Callie reikte naar achteren om haar evenwicht te bewaren. De hele keuken kantelde. Nog even en ze zou overgeven. Ze moest naar de spoelbak.

Buddy sloeg met zijn vuist op het aanrecht. 'Stop eens met die spelletjes, verdomme!'

Callie bracht haar handen naar haar oren. Zijn gezicht was knalrood van woede. Hij was razend. Waarom was hij zo razend?

'Ik ben bloedserieus.' Buddy's stem was nu zachter, maar had een laag, dreigend register. 'Je moet naar me luisteren.'

'Oké, oké. Eén momentje.' Op onvaste benen strompelde Callie naar de spoelbak. Ze draaide de kraan open en wachtte tot het water goed stroomde. Ze hield haar hoofd onder de koude straal. Haar neus stond in brand. Ze kromp ineen toen de pijn dwars door haar gezicht leek te schieten.

Buddy sloeg zijn hand om de rand van de spoelbak. Hij wachtte.

Callie hief haar hoofd. Ze was zo duizelig dat ze bijna haar evenwicht weer verloor. Ze pakte een handdoek uit de la. De ruwe stof schaafde over haar wangen. Ze drukte hem tegen haar neus in een poging het bloeden te stelpen. 'Wat heb je?'

Hij stond te wippen op de ballen van zijn voeten. 'Niemand over die camera vertellen, begrepen?'

De handdoek was inmiddels doorweekt. Het bloed bleef uit haar neus stromen, haar mond in en door haar keel naar beneden. Callie had nog nooit zo naar haar bed verlangd, naar het moment dat ze haar ogen kon sluiten. Buddy wist altijd wanneer ze daar behoefte aan had. Dan tilde hij haar op, droeg haar de gang door en stopte haar in bed, waarna hij net zolang over haar haar streelde tot ze in slaap viel.

'Callie, je moet me één ding beloven. Kijk me aan en beloof dat je het aan niemand vertelt.'

Buddy had zijn hand weer op haar schouder gelegd, maar nu voorzichtiger. De razernij in zijn binnenste raakte opgebrand. Met zijn dikke vingers tilde hij haar kin op. Ze voelde zich net een barbie die hij in een bepaalde houding zette.

'Shit, schatje. Moet je je neus zien. Gaat het?' Hij pakte een schone handdoek. 'Het spijt me, oké? Jezus, dat beeldschone snoetje van je. Gaat het echt wel?'

Callie keerde zich weer naar de spoelbak toe. Ze spuwde bloed in het afvoerputje. Haar neus voelde alsof hij tussen een bankschroef was vermalen. Het moest wel een hersenschudding zijn. Ze zag alles dubbel. Twee klodders bloed. Twee kranen. Twee afdruiprekken op het werkblad.

'Hoor eens.' Hij klemde haar armen vast, draaide haar rond en drukte haar tegen de kastjes. 'Alles komt goed, oké? Daar zorg ik voor. Maar je mag niemand over de camera vertellen, oké?'

'Oké,' zei ze, want het was altijd makkelijker om met hem in te stemmen.

'Ik meen het, pop. Kijk me aan en beloof het.'

Ze wist niet of hij bezorgd of kwaad was, tot hij haar als een lappenpop heen en weer schudde.

'Kijk me aan.'

Callie kon alleen maar traag met haar ogen knipperen. Er hing een wolk tussen haar en al het andere. 'Ik weet dat het per ongeluk gebeurde.'

'Niet je neus. Ik heb het over de camera.' Hij likte over zijn lippen, waarbij zijn tong als die van een hagedis naar buiten schoot. 'Je moet niet over die camera lopen tetteren, popje. Dan ga ik misschien de bak in.'

'De bak?' Het woord kwam uit het niets, was zonder betekenis. Hij had evengoed 'eenhoorn' kunnen zeggen. 'Waarom zou –'

'Alsjeblieft, popje. Doe niet zo dom.'

Ze knipperde weer met haar ogen. En opeens, alsof er een lens werd scherpgesteld, zag ze hem weer duidelijk.

Buddy was niet bezorgd of boos en werd evenmin verteerd door schuld. Hij was doodsbang.

Waarvoor?

Callie wist al maanden van die camera, maar ze had nooit over de bedoeling ervan willen nadenken. Ze dacht aan zijn weekendfeestjes. De koelkast barstensvol bier. De met rook gevulde kamer. De schetterende tv. Dronken mannen die grinnikten en elkaar op de rug sloegen, terwijl zij Trevor zover probeerde te krijgen dat ze naar de film konden gaan, naar het park of waar dan ook, zolang ze maar niet thuis hoefden te blijven.

'Ik moet...' Ze snoot haar neus in de handdoek. Bloedslierten verspreidden zich als een spinnenweb over het wit. Haar hoofd werd weer helder, maar haar oren tuitten nog. Hij had haar per ongeluk keihard geraakt. Waarom was hij zo onvoorzichtig geweest?

'Hoor eens.' Hij kneep hard in haar armen. 'Luisteren, pop.'

'Dat hoef je niet steeds te zeggen. Ik luister allang. Ik hoor alles wat je zegt.' Ze kreeg zo'n hevige hoestbui dat ze voorover moest buigen om haar keel vrij te maken. Ze veegde langs haar mond en keek naar hem op. 'Film je soms je vrienden? Is die camera daarvoor?'

'Vergeet die hele camera.' Ze kon Buddy's paranoia bijna ruiken. 'Je hebt een dreun tegen je kop gehad, pop. Je weet niet waar je het over hebt.'

Wat ontging haar?

Hij zei dat hij aannemer was, maar hij had geen kantoor. Hij reed de hele dag rond en werkte vanuit zijn Corvette. Ze wist dat hij bookmaker was. Hij liet zich ook als krachtpatser inhuren om mensen onder druk te zetten. Hij had altijd veel geld op zak. Hij kende altijd wel iemand die iemand kende. Nam hij zijn vrienden op als ze hem om een gunst vroegen? Werd hij betaald om hier en daar wat knieën te breken, een paar gebouwen af te branden, een drukmiddel te vinden waarmee een deal gesloten of een vijand gestraft kon worden?

Callie probeerde zich aan de stukjes van de puzzel vast te klampen die ze maar niet in elkaar kreeg in haar hoofd. 'Waar ben je mee bezig, Buddy? Chanteer je ze?'

Buddy klemde zijn tong tussen zijn tanden. Het bleef iets te lang stil, toen zei hij: 'Ja. Precies, daar hou ik me mee bezig, schat. Ik chanteer ze. Daar komt het geld vandaan. Tegen niemand zeggen dat je dat weet. Chantage is een zwaar misdrijf. Ik kan voor de rest van mijn leven achter de tralies verdwijnen.'

Callie keek de woonkamer in, zag die in haar verbeelding gevuld met zijn vrienden, altijd dezelfde vrienden. Sommigen kende ze niet, maar anderen waren een deel van haar leven, en ze voelde zich schuldig omdat ze gedeeltelijk profiteerde van Buddy's illegale praktijken. Mr Patterson, de schooldirecteur. Coach Holt van de Bellwood Eagles. Mr Humphrey, die tweedehandsauto's verkocht. Mr Ganza van de delicatessenafdeling in de supermarkt. Mr Emmett, die in de praktijk van haar tandarts werkte.

Wat hadden ze in vredesnaam op hun geweten? Wat voor verschrikkelijke dingen hadden een coach, een autoverkoper en een ouwe zak met grijpgrage handjes uitgespookt en in hun domheid aan Buddy Waleski opgebiecht?

En waarom kwamen die idioten elk weekend terug om football, basketbal, honkbal en voetbal te kijken als Buddy hen chanteerde?

Waarom rookten ze zijn sigaren? Zopen ze zijn bier? Brandden ze gaten in zijn meubilair? Schreeuwden ze tegen zijn tv?

Dan maken we het af op de bank.

Met haar blik volgde Callie de driehoek vanaf het gat van een paar centimeter dat in de voorkant van de bar was geboord naar de bank er recht tegenover en vandaar naar de gigantische tv, die zwaarder was dan zij.

Onder het toestel was een glazen schap.

Kabeldoos. Videorecorder. Splitter.

Ze was zo gewend aan de RCA-kabel die van de aansluitingen aan de voorkant van de videorecorder naar beneden hing dat ze hem bijna niet meer zag. Rood voor het rechteraudiokanaal. Wit voor het linkerkanaal. Geel voor video. Dat alles gebundeld in een lang snoer dat opgerold op het tapijt onder de tv lag. Callie had zich nooit afgevraagd waar de andere kant van dat snoer op aangesloten was.

Dan maken we het af op de bank.

'Schatje.' Buddy zweette van wanhoop. 'Misschien moet je maar naar huis gaan, oké? Ik geef je wel wat geld. Ik zei al dat ik geld heb gekregen voor die klus van morgen. Toch fijn om wat uit te delen, vind je niet?'

Nu keek Callie hem aan.

Nu keek ze hem pas echt aan.

Buddy stak zijn hand in zijn zak en haalde een stapel geld tevoorschijn. Hij telde de briefjes alsof hij daarmee alle manieren aftelde waarop hij macht over haar had. 'Koop maar een nieuw shirt, goed? Met een bijpassende broek en schoenen of wat dan ook. En een halsketting? Die ketting die ik je gaf, die vond je toch mooi? Koop er nog maar een. Of vier. Dan ben je net Mr T.'

'Film je ons soms?' De vraag was eruit voor ze besefte wat voor een hel ze mogelijk over zichzelf afriep. Ze vreeën nooit meer in bed. Het gebeurde altijd op de bank. En al die keren dat hij haar naar achteren had gedragen om haar in te stoppen? Dat was altijd meteen nadat ze het hadden afgemaakt op de bank. 'Doe je dat soms, Buddy? Film je jezelf terwijl je mij ligt te neuken en laat je dat aan je vrienden zien?'

'Doe niet zo stom.' Hij klonk net als Trevor wanneer die zwoer dat hij niet op het aquariumglas had getikt. 'Dat zou ik toch nooit doen? Ik hou van je.'

'Je bent een vuile viespeuk.'

'Oppassen met die smerige bek van je.' Zijn waarschuwing was menens. Ze zag nu heel scherp wat er aan de hand was, wat er al minstens zes maanden aan de hand was geweest.

Mr Patterson, die tijdens *pep rallies* vanaf de tribune naar haar zwaaide.

Coach Holt, die tijdens footballwedstrijden vanaf de zijlijn naar haar knipoogde.

Mr Ganza van de delicatessen, die naar haar glimlachte terwijl hij haar moeder gesneden kaas aanreikte.

'Jij...' Callies keel kneep dicht. Ze hadden haar allemaal zonder kleren gezien. Gezien wat ze met Buddy had gedaan daar op de bank. Wat Buddy met haar had gedaan. 'Ik kan niet –'

'Callie, rustig nou. Je doet hysterisch.'

'Ik bén ook hysterisch!' schreeuwde ze. 'Ze hebben me gezíén, Buddy. Ze hebben naar me gekéken. Ze weten allemaal wat ik... wat wij...'

'Kom op, pop.'

Diep vernederd nam ze haar hoofd in haar handen.

Mr Patterson. Coach Holt. Mr Ganza. Het waren geen mentoren of vaderfiguren of lieve oude mannen. Het waren viezeriken die zich lieten opgeilen door te kijken naar hoe Callie geneukt werd.

'Kom op, schat,' zei Buddy. 'Je blaast het gigantisch op.'

Tranen stroomden over haar gezicht. Ze kon nauwelijks praten. Ze had van hem gehouden. Ze had álles voor hem gedaan. 'Hoe kon je me dat aandoen?'

'Wat nou aandoen?' vroeg Buddy smalend. Zijn blik schoot naar de stapel bankbiljetten. 'Je hebt gekregen wat je hebben wilde.'

Ze schudde haar hoofd. Dit had ze nooit gewild. Ze had zich veilig willen voelen. Beschermd. Ze had iemand gewild die geïnteresseerd was in haar leven, in haar gedachten, in haar dromen.

'Kom op, schatje. Alles is voor je betaald: je pakjes, je cheerleaderskamp en je –'

'Ik zeg het tegen mijn moeder,' dreigde ze. 'Ik vertel haar precies wat je allemaal gedaan hebt.'

'Denk je dat het haar ook maar een ruk kan schelen?' Zijn lach was oprecht, want ze wisten allebei dat het waar was. 'Zolang het geld blijft stromen, maakt het je moeder niks uit.'

Callie slikte de scherven door die haar keel hadden gevuld. 'En Linda dan?'

Hij hapte als een vis naar lucht.

'Wat zal je vrouw ervan vinden als ze hoort dat je de veertienjarige oppas van haar zoontje al twee jaar neukt?'

Ze hoorde het gesis waarmee lucht langs zijn tanden werd gezogen.

In al die tijd dat Callie bij hem was geweest, had Buddy het de hele tijd over haar kleine handjes gehad, over haar smalle middeltje, haar mondje, maar nooit over het leeftijdsverschil van ruim dertig jaar.

Over het feit dat hij een crimineel was.

'Linda is nog in het ziekenhuis, hè?' Callie liep naar de telefoon naast de zijdeur. Met haar vinger nam ze het lijstje met noodnummers door dat op de muur was geplakt. Maar terwijl ze dat deed, vroeg ze zich af of ze wel moest bellen. Linda was altijd zo aardig. Ze zou kapot zijn van het nieuws. Geen denken aan dat Buddy het zover zou laten komen.

Toch nam ze de hoorn van de haak, in de volle verwachting dat Buddy haar jammerend om vergeving zou smeken en haar opnieuw al zijn liefde en toewijding zou betuigen.

Maar hij deed niets van dat alles. Hij bleef naar lucht happen en stond daar als een verstijfde gorilla, met zijn armen schuin langs zijn zij.

Callie keerde hem haar rug toe. Ze legde de hoorn op haar schouder, trok de spiraalkabel opzij en toetste de acht in op het paneel.

De hele wereld vertraagde vóór haar brein kon verwerken wat er gebeurde.

De klap tegen haar nier was als een langsscheurende auto die haar van opzij raakte. De hoorn gleed van haar schouder. Haar armen vlogen omhoog. Haar voeten verloren contact met de grond. Ze voelde wind langs haar huid strijken terwijl ze door de lucht vloog. Ze knalde met haar borst tegen de muur. Haar neus werd geplet. Haar tanden hapten in de gipswand.

'Stom kreng.' Buddy sloeg zijn hand om haar achterhoofd en ramde haar gezicht weer tegen de muur. En nog eens. Toen wierp hij zich een derde keer naar achteren.

Callie dwong haar knieën in de buigstand. Ze voelde hoe het haar van haar schedel werd gerukt toen ze zich in een bal op de vloer liet vallen. Ze was wel vaker geslagen. Ze wist hoe ze een klap moest opvangen. Maar in die situaties was haar tegenstander ongeveer even groot en sterk als zij. Iemand die anderen niet voor geld in elkaar sloeg. Iemand die nog nooit gedood had.

'Mij bedreigen, hè!' Buddy zwaaide zijn voet als een sloopkogel tegen haar buik.

Callies lichaam kwam los van de vloer. Alle lucht werd uit haar longen geslagen. Ze voelde een scherpe, stekende pijn toen een van haar ribben brak.

Buddy zat op zijn knieën. Ze keek naar hem op. Zijn ogen straalden waanzin uit. Bij zijn mondhoeken zaten spuugbelletjes. Hij sloeg zijn ene hand om haar hals. Callie probeerde weg te kruipen, maar kwam op haar rug terecht. Hij ging schrijlings op haar zitten. Zijn gewicht was ondraaglijk. Hij verstevigde zijn greep. Haar luchtpijp boog door, tegen haar nekwervels aan. Hij kneep haar adem af. Ze haalde met haar vuist naar hem uit en probeerde hem tussen zijn benen te raken. Eén keer. Twee keer. Met een zijwaartse stoot wist ze zijn greep te verslappen. Ze draaide onder hem vandaan en probeerde op te staan, weg te rennen, te vluchten.

Er klonk een luide knal, een geluid dat ze niet goed thuis kon brengen.

Callies rug stond in brand. Het voelde alsof haar huid werd afgestroopt. Hij sloeg haar met het telefoonsnoer. Bloed borrelde als zuur langs haar ruggengraat naar buiten. Ze hief haar hand en zag de huid van haar arm kronkelend openbarsten toen het snoer zich om haar pols wikkelde.

Instinctief rukte ze haar arm naar achteren. Het snoer gleed uit zijn greep. Ze zag de verbazing op zijn gezicht en schoof snel met haar rug tegen de muur. Ze haalde naar hem uit, stompend, schoppend, roekeloos zwiepend met het snoer, en schreeuwde: 'Fuck you, klootzak! Ik maak je helemaal af!'

Haar stem weergalmde door de keuken.

Opeens kwam alles zomaar tot stilstand.

Callie was er op zeker moment in geslaagd overeind te springen. Ze stond met haar hand hoog achter haar hoofd tot ze weer een zwiep met het snoer kon geven. Ze stonden dicht tegenover elkaar en gaven geen millimeter prijs.

Buddy's geschrokken lachje veranderde in een waarderend gegniffel. 'Godverdomme, meid.'

Ze had zijn wang opengehaald. Hij veegde het bloed af aan zijn vingers en stak die luid zuigend in zijn mond.

Callies maag wrong zich in een strakke knoop. Ze wist dat de smaak van geweld iets duisters in hem losmaakte.

'Kom op, tijger.' Hij hief zijn vuisten als een bokser die klaar was voor de knock-outronde. 'Kom dan.'

'Alsjeblieft, Buddy.' Op wilskracht spande Callie haar spieren. Ze dwong haar gewrichten soepel te blijven, zodat ze op haar allerhardst terug kon vechten, want de enige reden waarom hij nu zo kalm deed, was dat hij had besloten haar te vermoorden – en met alle plezier. 'Zo hoeft het niet te gaan.'

'Snoepje van me, zo heeft het altijd moeten gaan.'

Callie liet het besef tot zich doordringen. Ze wist dat hij gelijk had. Wat was ze dom geweest. 'Ik zal niks zeggen. Dat beloof ik.'

'Daarvoor is het te laat, pop. En dat weet jij ook.' Hij hield zijn vuisten nog steeds losjes voor zijn gezicht. Hij wenkte haar. 'Kom op dan, liefje. Niet opgeven zonder terug te vechten.'

Hij was zo'n halve meter groter en minstens zeventig kilo zwaarder dan zij. In zijn massieve lijf leek zowat een tweede man te huizen.

Krabben? Bijten? Zijn haren uittrekken? Sterven met zijn bloed in haar mond?

'Wat wou je nou, kleintje?' Hij hield zijn vuisten paraat. 'Ik geef je een kans. Pak je me nog of hou je het voor gezien?'

De gang?

Ze moest hem bij Trevor uit de buurt houden.

De voordeur?

Te ver weg.

De keukendeur?

Vanuit haar ooghoek zag Callie de vergulde knop.

Glanzend. Wachtend. Niet op slot.

In gedachten nam ze alle handelingen door: omkeren, linkervoet-rechtervoet, pak de deurknop, omdraaien, de carport door, de straat op, en al die tijd de longen uit haar lijf schreeuwen.

Wie nam ze in de maling?

Ze hoefde zich maar om te draaien of Buddy had haar al te pakken. Snel was hij niet, maar dat hoefde ook niet. Eén grote stap, en hij zou zijn hand weer om haar hals slaan.

Callie legde al haar haat in haar blik.

Hij haalde zijn schouders op, want het deed er niet toe.

'Waarom heb je dat gedaan?' vroeg ze. 'Waarom heb je ze onze privédingen laten zien?'

'Geld.' Hij klonk teleurgesteld omdat ze zo dom was. 'Jezus, waarom anders?'

Callie stond de gedachte niet toe dat al die volwassen mannen haar dingen hadden zien doen die ze niet wilde doen met een man die had beloofd haar altijd, wat er ook gebeurde, te zullen beschermen.

'Kom dan.' Buddy beschreef met zijn vuist een lome rechterhoek in de lucht, gevolgd door een uppercut in slow motion. 'Kom op, Rocky. Laat zien wat je in huis hebt.'

Haar blik pingpongde door de keuken.

Koelkast. Oven. Kastjes. Laden. Bakplaat met koekjes. NyQuil. Afdruiprek.

'Wou je me met de koekenpan slaan, Daffy Duck?' vroeg hij meesmuilend.

Callie rende recht op hem af, met al haar kracht, als een kogel uit de mond van een pistool. Buddy hield zijn handen voor zijn gezicht. Ze dook zo diep in elkaar dat ze tegen de tijd dat hij zijn vuisten eindelijk had laten zakken al buiten zijn bereik was.

Ze knalde tegen de spoelbak op.

Greep het mes uit het afdruiprek.

Draaide zich razendsnel om, zwiepend met het wapen.

Buddy moest lachen om het steakmes, dat eruitzag als iets wat Linda in een in Taiwan gemaakte set van zes bij de supermarkt had gekocht. Een gebarsten houten heft. Een gekarteld lemmet dat zo dun was dat het drie verschillende kanten op boog voor het weer recht werd bij de punt. Callie had er Trevors hotdog mee in stukken gesneden, want anders zou hij het hele ding in zijn mond hebben gepropt en er bijna in zijn gestikt.

Ze zag dat ze wat ketchup had laten zitten.

Langs de kartelrand liep een dunne rode veeg.

'O.' Buddy klonk verbaasd. 'O, jezus.'

Ze sloegen tegelijkertijd hun blik neer.

Het mes had een broekspijp opengehaald. De bovenkant van het linkerdijbeen, een paar centimeter van zijn kruis.

Ze zag de kakistof langzaam rood kleuren.

Callie had vanaf haar vijfde aan turnwedstrijden deelgenomen. Ze wist van heel nabij hoe je jezelf op allerlei manieren kon bezeren. Met een lelijke draai kon je de banden in je rug scheuren. Een slordige afsprong en de pezen in je knie waren naar de bliksem. Een stuk metaal – zelfs een goedkoop stuk metaal – dat door je binnendijbeen sneed, kon je beenslagader openhalen, de belangrijkste aanvoerlijn van bloed naar het onderste deel van je lichaam.

'Cal.' Buddy sloeg zijn hand tegen zijn been. Bloed sijpelde tussen zijn samengeknepen vingers door. 'Bel een... Jezus, Callie. Pak een handdoek of...'

Hij begon te vallen, zijn brede schouders sloegen tegen de kasten, zijn hoofd knalde tegen de rand van het werkblad. De hele keuken schudde onder zijn gewicht toen hij op de vloer smakte.

'Cal?' Buddy's keel bewoog. Zweet droop over zijn gezicht. 'Callie?'

Haar hele lijf stond nog strak. Nog steeds klemde ze het mes vast. Ze voelde zich omhuld door kille duisternis, alsof ze achteruit in haar eigen schaduw was gestapt.

'Callie. Schatje, je moet...' Zijn lippen hadden hun kleur verloren. Zijn tanden begonnen te klapperen, alsof haar kilte ook bij hem naar binnen sijpelde. 'B-Bel een ambulance, liefje. Bel een...'

Langzaam draaide Callie haar hoofd om. Ze keek naar de telefoon aan de muur. De hoorn was van de haak. Waar Buddy het spiraalsnoer had losgerukt staken veelkleurige draadrafels naar buiten. Ze zocht het uiteinde, volgde het snoer alsof het een aanwijzing was en vond de hoorn onder de keukentafel.

'Callie, laat liggen... Laat dat liggen, schat. Je moet...'

Ze knielde neer, reikte onder de tafel en pakte de hoorn. Die drukte ze tegen haar oor. Ze had het mes nog in haar hand. Waarom had ze het mes nog in haar hand?

'Die is k-kapot,' zei Buddy. 'Ga naar de slaapkamer, schat. B-Bel een ambulance.'

Ze drukte het stuk kunststof hard tegen haar oor. Uit haar geheugen diepte ze een spookgeluid op, de klaaglijke sirenetoon van een telefoon die te lang van de haak was.

Tu-tu-tu-tu-tu-tu...

'De slaapkamer, schat. G-Ga naar de –'

Tu-tu-tu-tu-tu-tu...

'Callie.'

Dat zou ze horen als ze de telefoon in de slaapkamer van de haak nam. Het niet-aflatende geklaag en ermee verstrengeld de mechanische stem van de telefonist.

Als u een nummer wilt bellen...

'Callie, schat, ik wilde je geen pijn doen. Ik zou je nooit pijn...'

Verbreek de verbinding en probeer het opnieuw.

'Alsjeblieft, schatje, ik moet...'

In geval van nood...

'Je moet me helpen, schatje. L-Loop alsjeblieft de gang door en...'

Verbreek de verbinding en toets 9-1-1.

'Callie?'

Ze legde het mes op de vloer en ging op haar hurken zitten. Haar knie klopte niet meer. Haar rug deed geen pijn meer. Ze voelde het niet meer pulseren op de plek waar hij haar keel had dichtgeknepen. Haar rib stak niet meer na al zijn geschop.

Als u een nummer wilt bellen...

'Fucking bitch die je bent,' bracht Buddy hijgend uit. 'Keiharde, f-fucking bitch.'

Verbreek de verbinding en probeer het opnieuw.

VOORJAAR 2021

Zondag

1

Leigh Collier beet op haar lip toen een meisje uit de brugklas een verrukt publiek uit volle borst op 'Ya Got Trouble' trakteerde. Een troepje pre-pubers huppelde over het podium, terwijl Professor Hill de goegemeente waarschuwde voor kerels van buiten die hun zonen tot het gokken op paarden wilden verleiden.

Not a wholesome trottin' race, no! But a race where they set right down on the horse!

Ze betwijfelde of een generatie die was opgegroeid met WAP, reuzenhoornaars, covid, rampzalige maatschappelijke onrust en gedwongen thuisonderwijs onder toezicht van een stel depressieve vroegdrinkers wel echt doordrongen was van het gevaar van gokhallen, maar ze moest het de dramadocent nageven dat die een genderneutrale productie van *The Music Man* op de planken had gebracht, een van de saaiste en minst aanstootgevende musicals die ooit op een school waren opgevoerd.

Leighs dochter was pas zestien geworden. Ze had gedacht eindelijk bevrijd te zijn van zingende neuspeuteraars, moederskindjes en podiumbeesten, maar toen wilde Maddy opeens choreografieles geven, en nu zaten ze weer in dit helse oord van '*Trouble with a capital T and that rhymes with P and that stands for pool*'.

Ze zocht naar Walter. Hij zat twee rijen verderop, dichter bij het middenpad. Hij hield zijn hoofd merkwaardig schuin, half op het podium gericht en half op de rugleuning van de lege stoel voor hem. Ook zonder te zien wat hij in zijn hand had wist Leigh dat hij Fantasy Football zat te spelen op zijn telefoon.

Ze nam haar eigen telefoon uit haar tas en stuurde hem een bericht: Maddy gaat je straks naar de voorstelling vragen.

Walter hield zijn hoofd gebogen, maar ze zag aan de bewegende puntjes dat hij een antwoord tikte – Ik kan twee dingen tegelijk.

Als dat waar was, zouden we nog steeds bij elkaar zijn, antwoordde Leigh.

Hij draaide zich naar haar toe. Aan de rimpeltjes bij zijn ooghoeken zag ze dat hij grijnsde vanachter zijn mondkapje.

Onwillekeurig maakte Leighs hart een sprongetje. Hun huwelijk was gestrand toen Maddy twaalf was, maar tijdens de lockdown van het vorige jaar waren ze weer bij Walter ingetrokken. Leigh was weer in zijn bed beland en had opnieuw ontdekt waar het ooit op was stukgelopen. Walter was een geweldige vader, maar ze had eindelijk geaccepteerd dat zij het soort slechte vrouw was dat het niet uithield bij een goede man.

Op het podium was het decor gewijzigd. Een schijnwerper stond op een Nederlandse uitwisselingsleerling gericht die de rol van Marion Paroo vertolkte. Hij zei tegen zijn moeder dat een man met een koffer hem naar huis was gevolgd, een scenario dat tegenwoordig zou zijn geëindigd in een confrontatie met een SWAT-team.

Leigh liet haar blik over het publiek gaan. Het was de laatste uitvoering na vijf opeenvolgende zondagsvoorstellingen. Alleen zo konden alle ouders hun kinderen zien optreden, of ze het wilden of niet. De aula was voor een kwart gevuld, en de lege stoelen waren met lint afgezet om voldoende afstand te creëren. Mondkapjes waren verplicht. Handgel vloeide even rijkelijk als perziklikeur op een schoolbal. Niemand zat te wachten op weer een Nacht van de Lange Wattenstaven.

Walter had zijn Fantasy Football. Leigh had haar Fantasy Apocalypse Fight Club. Ze mocht van zichzelf tien teamleden kiezen. Uiteraard was Janey Pringle haar eerste keuze. Het mens had voldoende toiletpapier, chloordoekjes en handgel op de zwarte markt verkocht om een splinternieuwe Macbook Pro voor haar zoon te kunnen kopen. Gillian Nolan kon goed roosters opstellen. Lisa Regan was een buitenmens, op het overdrevene af, dus die mocht kampvuren bouwen en dat soort dingen. Denene Millner had een pitbull een dreun voor zijn kop verkocht toen die haar kind aanviel. Ronnie Copeland had altijd tampons in haar tas. Ginger Vishnoo had de natuurkundedocent aan het huilen gemaakt. Tommi Adams pijpte alles met een kloppend hart.

Leighs blik schoof naar rechts, naar de brede, gespierde schouders van Darryl Washington. Hij had ontslag genomen om voor de kinderen te zorgen, terwijl zijn vrouw haar goedbetaalde baan in het bedrijfsleven hield. Wat superschattig was, maar Leigh was niet van plan de apocalyps te overleven om uiteindelijk een gespierdere versie van Walter te neuken.

De mannen waren het probleem bij dit spel. Je kon één, hooguit twee mannen in je team hebben, maar met drie of meer zouden de vrouwen waarschijnlijk in een ondergrondse bunker eindigen, vastgeketend aan bedden.

Het zaallicht ging aan. De blauw-gouden gordijnen zoefden dicht. Leigh wist niet of ze was weggedommeld of in sluimertoestand was geraakt, maar ze was buitengewoon blij dat het eindelijk pauze was.

Niemand stond als eerste op. Mensen schoven wat ongemakkelijk op hun stoel heen en weer, terwijl ze overwogen of ze naar het toilet zouden gaan. Het was heel anders dan vroeger, toen iedereen niet wist hoe snel hij de zaal uit moest om in de foyer onder het genot van cupcakes en punch uit papieren bekertjes gezellig te kletsen. Bij de ingang had een bord gestaan met de opdracht om bij het betreden van de aula een plastic tasje mee te nemen. In elk tasje zat een *Playbill*, een flesje water, een papieren mondkapje en een briefje met het verzoek handen te wassen en de officiële covidvoorschriften op te volgen. De dwaalgeesten onder de ouders, of ouders met een afwijkende mening, zoals ze door de school werden genoemd, kregen een Zoom-wachtwoord zodat ze de voorstelling in het mondkaploze comfort van hun eigen huiskamer konden volgen.

Leigh pakte haar telefoon. Snel tikte ze een berichtje aan Maddy: Het dansen ging fantastisch! En wat was die kleine bibliothecaresse schattig! Heel trots op je!

Meteen kwam er antwoord: Mam ik ben aan het werk.

Geen interpunctie. Geen emoji's of stickers. Als er geen social media waren geweest, zou Leigh geen idee hebben of haar dochter nog tot lachen in staat was.

Zo voelde 'Death by a Thousand Cuts'.

Ze zocht weer naar Walter. Zijn stoel was leeg. Ze zag hem bij de uitgang, waar hij in gesprek was met een andere breedgeschouderde vader. De man stond met zijn rug naar Leigh toe, maar uit Walters armgebaren maakte ze op dat ze het over football hadden.

Ze liet haar blik door de aula gaan. De meeste ouders waren te jong en gezond om voorrang te krijgen bij het vaccineren, of slim en rijk genoeg om te beseffen dat ze maar beter konden liegen over het kopen van voorrang. Ze stonden allemaal in ongerijmde paren zachtjes en op gepaste afstand met elkaar te praten. Nadat er tijdens de recente Niet-Confessionele Viering Die Toevallig Rond Kerst Plaatsvond een akelige ruzie was ontstaan, werd er niet meer over politiek gepraat. In plaats daarvan ving Leigh flarden op van gesprekken over nog meer sport, over hoe jammer het was dat er geen taart meer werd verkocht, over wie in wiens bubbel zat, wiens ouders covidioten of mondkapjesweigeraars waren, en over het feit dat de mannen die hun mondkapje onder hun neus droegen dezelfde mannen waren die vonden dat het dragen van een condoom een schending van een mensenrecht was.

Ze richtte haar aandacht weer op de gesloten toneelgordijnen en spitste haar oren om het geschraap, gestamp en verhitte gefluister op te vangen waarmee de leerlingen het decor verwisselden. Weer maakte Leighs hart dat vertrouwde sprongetje, deze keer niet vanwege Walter, maar omdat ze zo naar haar dochter verlangde. Ze wilde thuiskomen in een rommelige keuken. Boos worden over huiswerk en schermtijd. In haar kast naar een jurk reiken die toevallig 'geleend' was of naar een paar schoenen zoeken dat achteloos onder het bed was geschopt. Ze wilde haar protesterende, zich in bochten wringende dochter in haar armen sluiten. Samen op de bank naar een domme film kijken. Maddy horen giechelen om iets grappigs op haar telefoon. De vernietigende blik van haar dochter ondergaan bij de vraag wat er zo grappig was.

De laatste tijd maakten ze alleen maar ruzie, meestal 's morgens via appjes en om klokslag zes uur 's avonds aan de telefoon. Als Leigh ook maar een greintje verstand had, zou ze zich afzijdig houden, maar zich afzijdig houden voelde te veel als loslaten. Ze kon het niet verkroppen dat ze niet wist of Maddy een vriendje of vriendinnetje had, of ze een hele reeks gebroken harten op haar geweten had of had besloten kunst en mindfulness na te jagen in plaats van de liefde. Het enige wat Leigh met zekerheid wist, was dat alle rottigheid die ze haar eigen moeder ooit had aangedaan of naar het hoofd had geslingerd, haar telkens weer onderuithaalde, als een vloedgolf die niet van ophouden wist.

Alleen had haar moeder het verdiend.

Ze hield zichzelf voor dat de afstand tussen hen er juist ook voor Maddy's veiligheid was. Leigh was in het appartement in het centrum gebleven dat ze vroeger hadden gedeeld. Maddy was samen met Walter naar de voorstad vertrokken. Het was een beslissing die ze met zijn allen hadden genomen.

Walter was jurist bij de vakbond voor brandweerlieden in Atlanta, en hij deed zijn werk vanuit de beschutting van zijn thuiskantoor via telefoontjes en Microsoft Teams. Leigh was strafrechtadvocaat. Een deel van haar werk kon ze online af, maar ze moest nog wel naar kantoor om cliënten te spreken. Ze moest nog wel naar het gerechtshof, juryselecties bijwonen en het woord voeren tijdens rechtszaken. Leigh had het virus het vorige jaar opgelopen, tijdens de eerste golf. Negen martelende dagen lang had ze het gevoel gehad dat er een muildier tegen haar borst trapte. Voor zover men wist, liepen jongeren nauwelijks risico – op de website van de school werd gepronkt met een besmettingsgraad van minder dan een procent – maar ze moest er niet aan denken haar dochter te besmetten.

'Leigh Collier, ben jij dat?'

Ruby Heyer trok haar mondkapje tot onder haar neus en hees het toen meteen weer op, alsof het veilig was wanneer je het snel deed.

'Ruby. Hoi.' Leigh was blij met de ruim anderhalve meter die hen scheidde. Ruby was de moeder van een vriendinnetje van Maddy, een onmisbare metgezel in de tijd dat hun kinderen peutertjes waren en je moest kiezen tussen een speelafspraak en je hersenpan leegschieten op de salontafel. 'Hoe is het met Keely?'

'Goed, maar wat is het alweer lang geleden, hè?' Ruby's bril met rood montuur wipte omhoog op haar glimlachende wangen. Ze was een waardeloze pokeraar. 'Grappig om Maddy hier op school te zien. Je zei toch altijd dat je je dochter naar een school in het centrum wilde sturen?'

Leigh voelde hoe haar mondkapje haar mond in werd gezogen toen haar milde ergernis overging in de behoefte heel hard 'Krijg de klere, kutwijf!' te roepen.

'Ha, dames. Wat doen die kinderen het geweldig, hè?' Walter stond in het middenpad, met zijn handen in zijn broekzakken. 'Leuk je te zien, Ruby.'

Ruby besteeg haar bezemsteel, klaar om weg te vliegen. 'Altijd een genoegen, Wálter.'

Het ontging Leigh niet dat zij dus niet deel van het genoegen was, maar Walter schonk haar zijn nu-niet-bitchen-blik, die ze beantwoordde met haar eigen krijg-ook-de-klere-blik.

Hun hele huwelijk in twee blikken.

'Blij dat we nooit dat triootje met haar hebben gedaan,' zei Walter.

Leigh moest lachen. Had Walter maar eens een triootje voorgesteld.

'Als dit een weeshuis was, zou het een fantastische school zijn.'

'Is het echt nodig om dingen altijd op de spits te drijven?'

Hoofdschuddend keek ze op naar het met bladgoud beklede plafond en de professionele geluids- en lichtinstallaties. 'Het lijkt hier wel een Broadway-theater.'

'Inderdaad.'

'Op Maddy's oude school –'

'Hadden ze een kartonnen doos als podium, een zaklamp als schijnwerper en een draadloze microfoon voor het geluid, en Maddy vond het geweldig.'

Leigh streek met haar hand over het blauwe fluweel van de rugleuning voor haar. Aan de bovenkant was met gouddraad het logo van Hollis Academy gestikt, waarschijnlijk met dank aan een rijke ouder die te veel geld en te weinig smaak had. Zowel zij als Walter was een goddeloze linkse rakker en voorstander van openbaar onderwijs geweest, tot het virus toesloeg. Nu schraapten ze al hun geld tot de laatste cent bijeen om Maddy naar een onuitstaanbaar snobistische particuliere school te kunnen sturen, waar een op de twee auto's een BMW was en een op de twee leerlingen een bevoorrechte etterbak.

De klassen waren kleiner. De leerlingen hadden afwisselend les in groepen van tien. Extra personeel hield de lokalen schoon. Persoonlijke beschermingsmiddelen waren verplicht. Iedereen volgde het protocol. In de voorsteden waren nauwelijks plaatselijke lockdowns. De meeste ouders hadden de luxe thuis te kunnen werken.

'Schat.' Walters geduldige toon werkte op haar zenuwen. 'Als het kon, zou iedere ouder zijn kind hiernaartoe sturen.'

'Dat zou geen ouder moeten willen.'

In haar tas zoemde haar werktelefoon. Leigh voelde haar schouders verstrakken. Een jaar geleden was ze een overwerkte, onderbetaalde, zelf-

standige advocaat geweest, die prostituees, drugsverslaafden en kruimel-
dieven hielp hun weg te vinden in het rechtssysteem. Tegenwoordig was
ze een radertje in een reusachtig bedrijfsapparaat dat bankiers en kleine
ondernemers vertegenwoordigde die dezelfde misdrijven pleegden als
haar voormalige cliënten, maar over het geld beschikten om ermee weg te
komen.

'Ze kunnen niet van je verwachten dat je op zondagavond werkt,' zei
Walter.

Leigh snoof om zoveel naïviteit. Ze moest concurreren met tientallen
twintigers die zo'n hoge studieschuld hadden dat ze op kantoor sliepen.
Zoekend in haar tas zei ze: 'Ik heb tegen Liz gezegd dat ze me alleen lastig
mocht vallen als het een zaak van leven of dood betrof.'

'Misschien heeft een of andere rijke stinkerd net zijn vrouw vermoord.'

Ze schonk hem haar krijg-de-klere-blik voor ze op haar telefoon keek.
'Octavia Bacca heeft me net een bericht gestuurd.'

'Alles goed?'

'Ja, maar...' Ze had al weken niets van Octavia gehoord. Ze hadden half
en half afgesproken om in de Botanische Tuin te gaan wandelen, maar
Leigh had er niets meer over vernomen en was ervan uitgegaan dat Octavia het te druk had.

Ze kon het bericht zien dat ze aan het eind van de vorige maand had
gestuurd: Gaan we nog steeds wandelen?

Octavia had nu pas geantwoord: Echt shit. Niet boos worden.

Onder het bericht verscheen een link naar een nieuwsartikel. Een foto
toonde een verzorgde man van begin dertig, die niet verschilde van welke
andere verzorgde man van begin dertig ook.

VERDACHTE VERKRACHTING BEROEPT ZICH OP RECHT OP SNEL PROCES.

'Maar?' vroeg Walter.

'Ik vermoed dat Octavia druk is met deze zaak.' Leigh scrolde door
het verhaal en las de details voor. 'Aanranding door onbekende, geen
daterape, wat afwijkt van de norm. De cliënt kan een aantal zware aanklachten verwachten. Hij beweert onschuldig te zijn – haha. Hij eist een
juryproces.'

'Daar zal de rechter blij mee zijn.'

'Anders de jury wel.' Niemand wilde zich blootstellen aan het virus om
een verkrachter te horen zeggen dat hij het niet had gedaan. En zelfs in
het waarschijnlijke geval dat hij het wel had gedaan, was een aanklacht

wegens verkrachting vrij gemakkelijk af te zwakken. De meeste openbare aanklagers aarzelden om een dergelijke zaak op te pakken, want doorgaans betrof het mensen die elkaar kenden, wat de kwestie van instemming nog troebeler maakte. Als advocaat van de verdachte probeerde je er wederrechtelijke vrijheidsberoving uit te halen of een lichtere aanklacht, waarmee je voorkwam dat je cliënt als zedendelinquent werd geregistreerd en de bak in ging, en vervolgens ging je naar huis en nam je een lange, hete douche om de stank van je lijf te spoelen.

'Is hij op borgtocht vrij?' vroeg Walter.

'Coronaregels.' Met het oog op het coronavirus hielden rechters verdachten liever niet in hechtenis in afwachting van het proces. In plaats daarvan moesten ze een enkelband dragen en werden ze gewaarschuwd de regels niet te overtreden. Gevangenissen en politiecellen waren erger dan verpleeghuizen. Leigh kon het weten. Ze had haar eigen besmetting te danken aan een bezoek aan het huis van bewaring in Atlanta.

'Heeft de openbare aanklager geen schikking voorgesteld?'

'Ik zou geschokt zijn als dat niet was gebeurd, maar het maakt niet uit als de cliënt er niet op ingaat. Geen wonder dat Octavia al die tijd offline was.' Ze keek op van haar telefoon. 'Hé, als de regen wegblijft, denk je dat ik Maddy dan kan overhalen om een tijdje met mij op je achterveranda te zitten?'

'Ik heb paraplu's, sweetheart, maar je weet dat ze een afterparty heeft met haar bubbel.'

De tranen sprongen in Leighs ogen. Ze vond het vreselijk om buitengesloten te zijn. Hoewel er al een jaar voorbij was, ging ze nog steeds minstens één keer per maand Maddy's lege kamer in om een potje te janken. 'Vond jij het ook zo moeilijk toen ze bij mij woonde?'

'Het is een stuk makkelijker om een twaalfjarige blij te maken dan te moeten vechten om de aandacht van een zestienjarige.' Zijn ooghoeken rimpelden weer. 'Ze houdt heel veel van je, sweetheart. Je bent de beste moeder die ze zich kan wensen.'

Nu begonnen de tranen pas echt te stromen. 'Wat ben je toch een goed mens, Walter.'

'Te goed.'

Hij maakte geen grapje.

De lampen flikkerden. De pauze was voorbij. Leigh wilde net gaan zitten toen haar telefoon weer begon te zoemen. 'Werk.'

'Bofkont,' fluisterde Walter.

Ze sloop door het middenpad naar de uitgang. Een paar ouders wierpen haar van boven hun mondkapjes woedende blikken toe. Ze had geen idee of het was omdat ze storend bezig was of om haar aandeel in de akelige ruzie van vorig jaar kerst. Ze negeerde de blikken en deed alsof ze in haar telefoon verdiept was. De nummerweergave meldde Bradley, wat vreemd was, want als haar assistente belde stond er gewoonlijk Bradley, Canfield & Marks.

Midden in de belachelijk chique foyer bleef ze staan, zonder ook maar een blik op de gouden wandlampen te werpen, die waarschijnlijk uit een heuse graftombe waren geroofd. Walter beweerde dat ze iets had tegen opzichtig vertoon van rijkdom, maar Walter had dan ook niet tijdens zijn eerste studiejaar in zijn auto gewoond omdat hij geen huur kon betalen.

Ze nam op. 'Liz?'

'Nee, Ms Collier. U spreekt met Cole Bradley. Hopelijk stoor ik niet.'

Bijna slikte ze haar tong in. Tussen Leigh Collier en de man die de firma had opgericht, zaten twintig verdiepingen en waarschijnlijk het dubbele aan miljoenen dollars. Ze had hem nog maar één keer gezien. Leigh had in de liftlobby op haar beurt staan wachten toen Cole Bradley met een sleutel de privélift had opgeroepen die rechtstreeks naar de bovenste verdieping ging. Hij was een langere, slankere versie van Anthony Hopkins, tenminste als Anthony Hopkins kort na zijn rechtenstudie aan de University of Georgia een plastisch chirurg in vaste dienst had genomen.

'Ms Collier?'

'Ja... ik ben...' Ze probeerde weer grip op zichzelf te krijgen. 'Sorry. Ik ben bij de schoolvoorstelling van mijn dochter.'

Aan gekeuvel deed hij niet. 'Ik zit met een gevoelige kwestie die uw onmiddellijke aandacht vereist.'

Haar mond viel open. Leigh was bepaald geen hoogvlieger bij Bradley, Canfield & Marks. Ze deed precies genoeg om een dak boven haar hoofd en haar dochter op een particuliere school te kunnen houden. Cole Bradley had minstens honderd junioradvocaten in dienst die in ruil voor dit telefoontje met liefde een mes in haar gezicht zouden steken.

'Ms Collier?'

'Sorry,' zei Leigh. 'Alleen... Echt, Mr Bradley, ik sta geheel tot uw dienst, maar ik betwijfel of ik de juiste persoon ben.'

'In alle eerlijkheid, Ms Collier, was ik me tot vanavond niet eens bewust van uw bestaan, maar de cliënt heeft specifiek naar u gevraagd. Hij zit op dit moment in mijn kamer te wachten.'

Nu was ze pas echt verbaasd. Leighs belangrijkste cliënt was de eigenaar van een pakhuis voor dierenbenodigdheden die was aangeklaagd omdat hij had ingebroken in het huis van zijn ex-vrouw en in haar ondergoedla had geplast. In een van de lokale kranten waren er grapjes over de zaak gemaakt, maar het zou haar verbazen als Cole Bradley *Atlanta INtown* las.

'Hij heet Andrew Tenant,' zei Bradley. 'U hebt ongetwijfeld van hem gehoord.'

'Ja, inderdaad.' Leigh kende de naam omdat ze die zojuist had gelezen in het verhaal dat Octavia Bacca haar had gestuurd.

Echt shit. Niet boos worden.

Octavia woonde samen met haar bejaarde ouders en een man met ernstige astma. Leigh kon maar twee redenen bedenken waarom haar vriendin een zaak naar iemand anders verwees. Of ze liet een juryproces liever aan zich voorbijgaan vanwege het virus, of ze kreeg de rillingen van haar cliënt, de vermoedelijke verkrachter. Niet dat Octavia's motieven ertoe deden, want Leigh had geen keuze.

'Ik ben er over een halfuur,' zei ze tegen Bradley.

De meeste passagiers die op Atlanta Airport landden, dachten als ze uit het raampje keken dat Buckhead het centrum was, maar de groep wolkenkrabbers aan het chiquere deel van Peachtree Street was niet gebouwd voor congresgangers, overheidsdiensten of bezadigde financiële instellingen. De verdiepingen waren gevuld met peperdure advocaten, daghandelaren en kapitaalbeheerders, die zich richtten op het omringende cliëntenpotentieel, dat in een van de rijkste postcodegebieden in het zuidoosten woonde.

Het hoofdkantoor van Bradley, Canfield & Marks torende boven het zakendistrict van Buckhead uit, een glazen kolos die zich aan de bovenkant omkrulde als een brekende golf. Leigh bevond zich in de buik van het beest en sjouwde de trap van de parkeergarage op. Het hek voor het bezoekersparkeerdek was gesloten. De eerste vrije plek die ze had kunnen vinden, bevond zich drie verdiepingen onder de grond. Het betonnen trappenhuis voelde als het decor voor een moord, maar de liften waren gesloten en ze had nergens een beveiliger gezien. Ze benutte de tijd door in gedachten nog eens door te nemen wat Octavia Bacca haar tijdens de rit had verteld.

Of wat ze haar niet had kunnen vertellen.

Andrew Tenant had Octavia twee dagen geleden ontslagen. Nee, hij had niet gezegd waarom. Ja, Octavia had tot op dat moment gemeend dat Andrew tevreden was met haar werk. Nee, ze had geen idee waarom Tenant tot deze wijziging had besloten, maar twee uur geleden had ze opdracht gekregen alle dossiers van zijn zaak naar BC&M te sturen, ter attentie van Leigh Collier. Dat echt-shit-berichtje was bedoeld als excuus omdat ze haar met een juryproces opzadelde dat acht dagen later zou beginnen. Leigh had geen idee waarom een cliënt een van de beste strafpleiters van de stad liet vallen terwijl zijn leven op het spel stond, maar ze moest wel concluderen dat hij gek was.

Een groter raadsel was waar Andrew Tenant Leighs naam van kende. Ze had Walter een bericht gestuurd, maar die had ook geen idee, en daarmee had Leigh alle mogelijkheden uitgeput om informatie uit haar verleden op te diepen, want Walter was de enige in haar huidige leven die haar al sinds haar studententijd kende.

Het zweet droop over haar rug toen ze bovenaan de trap bleef staan. Snel checkte ze hoe ze eruitzag. Ze had zich bepaald niet gekleed voor een avond in het theater. Ze had haar haar opgestoken in een oudedamesknot, jeans aangetrokken waar ze al twee dagen in liep, plus een verschoten T-shirt van Aerosmith, al was het alleen maar om een contrast te vormen met de Birkin-tasbitches in het publiek. Op weg naar de bovenste verdieping zou ze even langs haar kantoor moeten. Zoals iedereen had Leigh een rechtbanktenue op het werk liggen. Haar make-uptasje lag in haar bureaula. De gedachte dat ze zich op een zondagavond die ze met haar gezin hoorde door te brengen, moest opmaken voor een vermoedelijke verkrachter wakkerde haar ergernis alleen maar aan. Ze haatte dit gebouw. Ze haatte deze baan. Ze haatte haar leven.

Ze hield van haar kind.

Leigh zocht naar een mondkapje in haar tas, die door Walter haar voederzak werd genoemd omdat ze hem als aktetas gebruikte en in het afgelopen jaar ook als minipandemievoorraadwinkel. Handgel. Chloordoekjes. Mondkapjes. Nitrilhandschoenen, want je wist maar nooit. Hoewel het bedrijf hen twee keer per week liet testen en Leigh het virus al had gehad, nam ze met alle varianten die de ronde deden liever het zekere voor het onzekere.

Met een blik op haar horloge floepte ze het mondkapje over haar oren. Ze had nog een paar seconden over voor haar dochter. Jonglerend met haar twee telefoons pikte ze de opvallende blauw-gouden hoes van Hollis Academy eruit, die om haar privétoestel zat. Als achtergrond had ze gekozen voor een foto van Tim Tam, de gezinshond, want van de chocoladebruine labrador had Leigh de laatste tijd veel meer liefde ontvangen dan van haar dochter.

Met een zucht keek ze op het scherm. Maddy had niet gereageerd op haar uitgebreide excuses voor haar voortijdige vertrek. Een snelle blik op Instagram leerde dat haar dochter met vriendinnen aan het dansen was op een feestje, zo te zien in het souterrain van Keely Heyer. Tim Tam sliep op een zitzak in de hoek. Over onvoorwaardelijke toewijding gesproken.

Leigh liet haar vingers over het scherm glijden voor een nieuw bericht aan Maddy: Sorry dat ik weg moest, schat. Heel veel liefs.

Tegen beter weten in wachtte ze nog even op antwoord voor ze de deur opende.

De overdadig gekoelde hal omhulde haar met zijn kille staal en marmer. Leigh knikte naar de beveiliger in zijn hokje van plexiglas. Lorenzo zat over een beker soep gebogen, met opgetrokken schouders en de kom vlak bij zijn mond. Leigh moest denken aan een vetplant die haar moeder vroeger voor het keukenraam had staan.

'Ms Collier.'

Stille paniek sloeg toe toen Leigh Cole Bradley in de liftlobby zag staan. Haar hand vloog naar haar achterhoofd. Ze voelde slierten haar alle kanten op steken, als de tentakels van een platgeslagen inktvis. Het BAD BOYS-logo op haar verschoten T-shirt vloekte met zijn Italiaanse maatpak.

'U hebt me betrapt.' Hij schoof een pakje sigaretten in zijn borstzak. 'Ik was even buiten om te roken.'

Leigh trok haar wenkbrauwen op. Bradley was zo'n beetje de eigenaar van het gebouw. Niemand die hem de les zou lezen.

Hij glimlachte. Dat dacht ze tenminste. Hij was over de tachtig, maar zijn huid stond zo strak dat alleen de puntjes van zijn oren trilden.

'Gezien het politieke klimaat kun je je in het openbaar maar beter aan de regels houden,' zei hij.

De bel voor de privélift van de directie ging. Het tingeltje klonk als het belletje van Lady Hoepelrok die de butler ontbood voor de afternoontea.

Bradley viste een mondkapje uit zijn borstzak. Ze ging ervan uit dat ook dat voor de schijn was. Alleen al door zijn leeftijd hoorde hij bij de eerste groep die in aanmerking was gekomen voor het vaccin. Maar zolang niet vrijwel iedereen was gevaccineerd, was het vaccin geen verlaat-de-gevangenis-zonder-betalen-kaartje.

'Ms Collier?' Bradley stond bij de open liftdeuren te wachten.

Leigh aarzelde, want ze wist niet of ondergeschikten in de privélift mochten. 'Ik wilde even langs mijn kantoor om iets geschikters aan te trekken.'

'Niet nodig. Ze begrijpen dat het laat op de avond is.' Hij liet haar met een handgebaar voorgaan.

Ondanks zijn toestemming voelde Leigh zich een indringer toen ze de chique lift in stapte. Ze drukte haar kuiten tegen de smalle, rode bank langs de achterwand. Ze had één keer een blik in de privélift geworpen, maar van dichtbij zag ze pas dat de zwarte wanden bekleed waren met struisvogelhuid. De vloer was een reusachtige plaat zwart marmer. Het plafond en de bedieningsknoppen waren met rood en zwart afgezet, want als je was afgestudeerd aan de University of Georgia, was zo ongeveer het allerbelangrijkste feit in je leven dat je was afgestudeerd aan de University of Georgia.

De spiegeldeuren schoven dicht. Bradley stond kaarsrecht. Zijn mondkapje was zwart met een rode bies. Hij droeg een reversspeldje van Uga, de mascotte van de Georgia Bulldogs. Met een druk op de knop naar boven zond hij hen naar het penthouse.

Nog steeds onzeker over de etiquette keek Leigh strak voor zich uit. In de lift voor het plebs waren bordjes waarop mensen gemaand werden afstand te bewaren en niet met elkaar te praten. Hier ontbraken dergelijke bordjes, er was zelfs geen onderhoudsbord. Bradleys aftershave gemengd met sigarettenrook kriebelde in haar neus. Ze had een hekel aan rokende mannen. Achter haar mondkapje deed ze haar lippen van elkaar om te kunnen ademen.

Bradley kuchte. 'Wat ik me afvraag, Ms Collier: hoeveel van uw medeleerlingen op Lake Point High School zijn uiteindelijk cum laude afgestudeerd aan Northwestern University?'

Terwijl zij door de geluidsbarrière brak om hier te komen, had hij zijn huiswerk gedaan. Hij wist dat ze in het slechte deel van de stad was opgegroeid. Hij wist ook dat ze aan een van de beste rechtenfaculteiten van het land was afgestudeerd.

'De University of Georgia had me op de wachtlijst gezet,' zei Leigh.

Als de botox het had toegestaan, zou hij ongetwijfeld een wenkbrauw hebben opgetrokken. Cole Bradley was het niet gewend als ondergeschikten van persoonlijkheid blijk gaven.

'U hebt stage gelopen bij een socialeadvocatuurfirma gevestigd in Cabrini Green, een volkshuisvestingsproject. Na uw studie bent u teruggekeerd naar Atlanta om voor een rechtshulporganisatie te gaan werken. Vijf jaar later bent u een eigen praktijk begonnen, gespecialiseerd in strafrecht. U was heel succesvol, tot de gerechtshoven sloten vanwege de pandemie. Aan het eind van deze maand werkt u een jaar bij BC&M.'

Ze verwachtte een vraag.

'Uw keuzes komen nogal onconventioneel op me over.' Hij zweeg even om haar ruimte te bieden voor een opmerking. 'Ik ga ervan uit dat u de luxe had beurzen te ontvangen, zodat geld niet leidend is geweest bij uw carrièreopties.'

Ze wachtte nog steeds.

'Maar nu bent u in dienst van mijn firma.' Weer was het even stil. Weer een gemiste kans. 'Is het erg onbeleefd om vast te stellen dat u dichter bij de veertig bent dan de meeste anderen die dit jaar in dienst zijn getreden?'

Nu keek ze hem aan. 'Dat is juist.'

Hij bestudeerde haar openlijk. 'Waar kent u Andrew Tenant van?'

'Ik ken hem niet, en ik heb geen idee waar hij mij van kent.'

Na een diepe zucht zei Bradley: 'Andrew is de telg van Gregory Tenant, een van mijn allereerste cliënten. We kennen elkaar al zo lang dat Jezus Christus in eigen persoon ons aan elkaar heeft voorgesteld. Hij stond ook op de wachtlijst van UGA.'

'Jezus of Gregory?'

Zijn oren bewogen licht, wat bij hem voor een glimlach moest doorgaan, besefte ze.

'Tenant Automotive Group begon in de jaren zeventig met één Fordgarage,' zei Bradley. 'U bent te jong om zich het reclamefilmpje te kunnen herinneren, maar dat had een heel pakkende jingle. Gregory Tenant senior was een corpsgenoot van me. Toen hij stierf, erfde Greg junior het bedrijf en bouwde het uit tot een netwerk van achtendertig garages in het hele zuidoosten. Greg is vorig jaar overleden aan een zeer agressieve vorm van kanker. Zijn zus heeft de dagelijkse bedrijfsvoering overgenomen. Andrew is haar zoon.'

Leigh verwonderde zich er nog steeds over dat iemand het woord 'telg' in de mond nam.

De liftbel tingelde. De deuren gleden open. Ze waren op de bovenste verdieping. Ze voelde de koude lucht strijden tegen de koepel van hitte aan de buitenkant. De spelonkachtige ruimte deed aan een vliegtuighangar denken. De plafondlampen waren uit. Het enige licht kwam van de lampen op de glazen bureaus met stalen poten die de wacht hielden naast gesloten kantoordeuren.

Bradley liep naar het midden van de ruimte en bleef staan. 'Ik vind het altijd weer adembenemend.'

Leigh begreep dat hij het uitzicht bedoelde. Ze bevonden zich in het dal van de gigantische golf aan de bovenkant van het gebouw. Reusachtige stukken glas reikten wel vijftien meter omhoog naar de kam. De bovenverdieping bevond zich zo hoog boven de lichtvervuiling dat ze speldenprikjes van de sterren konden zien die de nachthemel doorboorden. In de diepte trokken de auto's op Peachtree Street een rood-wit spoor naar de stralende steenmassa van de binnenstad.

'Net een sneeuwbol,' zei ze.

Bradley keerde zich naar haar toe. Hij had zijn mondkapje afgenomen. 'Hoe denkt u over verkrachting?'

'Faliekant tegen,' antwoordde ze.

Zijn blik gaf aan dat de tijd was verstreken om blijk te mogen geven van persoonlijkheid.

'In de loop van de jaren heb ik tientallen aanrandingszaken gedaan,' zei ze. 'De aard van de aanklacht is niet relevant. De meerderheid van mijn cliënten is feitelijk schuldig. De openbare aanklager moet die feiten buiten gerede twijfel bewijzen. U betaalt me een vorstelijk bedrag om die twijfel te vinden.'

Hij knikte, ingenomen met haar antwoord. 'De juryselectie is op donderdag, en het proces begint morgen over een week. Geen rechter die u verdaging zal gunnen gebaseerd op wisseling van advocaat. Ik kan u twee fulltime junioren bieden. Is het ingekorte tijdpad een probleem?'

'Het is een uitdaging,' zei Leigh. 'Maar geen probleem.'

'Andrew kreeg een gereduceerde aanklacht aangeboden in ruil voor een jaar proeftijd onder toezicht.'

Leigh trok haar eigen mondkapje naar beneden. 'Geen registratie als zedendelinquent?'

'Nee. En de aanklachten vervallen als hij zich drie jaar lang goed gedraagt.'

Nog altijd verbaasde Leigh zich erover hoe fantastisch het was om een rijke, witte man te zijn. 'Dat lijkt op een minnelijke schikking. Wat vertelt u me niet?'

Bradley vertrok zijn gezicht, maar alleen de huid rond zijn wangen rimpelde. 'Het vorige advocatenkantoor had een privédetective ingeschakeld om het een en ander op te diepen. Een schuldbekentenis in ruil voor een gereduceerde aanklacht zou ertoe kunnen leiden dat er meer zaken aan het licht komen.'

Dat had Octavia niet vermeld. Misschien was ze niet van de nieuwste ontwikkelingen op de hoogte gebracht voor ze werd ontslagen, of misschien had ze het vuile spelletje doorzien en was ze blij ervan af te zijn. Als de privédetective gelijk had, probeerde de aanklager Andrew Tenant over te halen schuld te bekennen aan één verkrachting om een gedragspatroon te kunnen aantonen dat hem aan andere geweldplegingen koppelde.

'Hoeveel andere zaken?' vroeg Leigh.

'Twee, mogelijk drie.'

Vróúwen, dacht ze. Nog twee of drie vróúwen die waren verkracht.

'Van de eventuele andere zaken is geen DNA,' zei Bradley. 'Ik heb begrepen dat er enig indirect bewijs is, maar niets onoverkomelijks.'

'Een alibi?'

'Zijn verloofde, maar…' Bradley wees dit als onbeduidend af, net als een jury zou doen. 'Ideeën?'

Leigh had er twee: of Tenant was een serieverkrachter, of de officier van justitie probeerde een schuldbekentenis af te dwingen zodat hij als serieverkrachter kon worden weggezet. Toen ze nog voor zichzelf werkte, had ze dat soort aanklagersgekloot vaker gezien, maar Andrew Tenant was geen hulpkelner die een schuldbekentenis aflegde omdat hij geen geld had om de aanklacht aan te vechten.

Ze voelde dat Bradley iets achterhield. Ze koos haar woorden met zorg: 'Andrew is een telg uit een rijke familie. De officier van justitie weet dat je in zo'n geval heel zeker moet zijn van je zaak.'

Bradley reageerde niet, maar zijn houding werd wat behoedzamer. Leigh hoorde Walters vraag door haar hoofd zoemen. Had ze het op de spits gedreven? Cole Bradley had gevraagd hoe ze over verkrachtingszaken dacht. Hij had niet gevraagd hoe ze over onschuldige cliënten dacht. Hij had zelf gezegd dat hij de familie Tenant al vanaf zijn kindertijd kende. Het zou haar niet verbazen als hij de peetvader van Andrew Tenant was.

Bradley was duidelijk niet van plan het achterste van zijn tong te laten zien. Hij wees naar de laatste gesloten deur rechts. 'Andrew zit in mijn vergaderkamer, samen met zijn moeder en zijn verloofde.'

Leigh trok haar mondkapje weer omhoog toen ze haar baas passeerde. Ze nam afstand van haar identiteit als Walters vrouw, Maddy's moeder en pittige meid die zojuist in een privélift grapjes had gemaakt met een menselijk skelet. Andrew Tenant had specifiek naar haar gevraagd, waarschijnlijk omdat ze nog steeds dreef op haar reputatie van de tijd voordat ze bij BC&M ging werken, een reputatie die het midden hield tussen een kolibrie en een hyena. Die persoon moest ze nu zijn, anders raakte ze niet alleen haar cliënt kwijt, maar mogelijk ook haar baan.

Bradley reikte langs haar om de deur te openen.

De vergaderkamers beneden waren kleiner dan een toilet in een Holiday Inn, en ze werkten op basis van wie het eerst komt, het eerst maalt. Leigh had een iets grotere versie daarvan verwacht, maar Cole Bradleys persoonlijke vergaderruimte had meer weg van een suite in het Waldorf, inclusief open haard en barmeubel. Op een pedestal stond een zware glazen vaas met bloemen. Aan de achterwand prijkten foto's van uiteenlopende Uga-bulldogs door de jaren heen. Boven de haard hing een schilderij van Vince Dooley. Op het dressoir van zwart marmer lagen stapels blocnotes met pennen. Trofeeën voor allerlei juridische onderscheidingen vochten om ruimte met flesjes water. De vergadertafel, een kleine vier meter lang en bijna twee meter breed, was gemaakt van roodhout. De stoelen waren bekleed met zwart leer.

Aan het uiteinde van de tafel zaten drie mensen, allemaal met onbedekt gezicht. Ze herkende Andrew Tenant van zijn foto in het krantenartikel, hoewel hij in het echt knapper was. De vrouw die zijn rechterarm vastklemde, was achter in de twintig, had een tattoosleeve en het soort zelfingenomen grijns waar elke schoonmoeder een moord voor zou doen.

De schoonmoeder in kwestie zat stijfjes op haar stoel, met haar gevouwen armen laag voor haar borst. Haar korte blonde haar had grijze strengen. Een dunne gouden choker omvatte haar gebruinde hals. Ze droeg een heus lichtgeel Izod-shirt, inclusief het krokodilletje. De opstaande kraag gaf haar het air van iemand die net van de golfbaan was gekomen om aan de rand van het zwembad een bloody mary te drinken. Het soort vrouw, kortom, dat Leigh alleen kende van het bingen van *Gossip Girl*-herhalingen, samen met haar dochter.

'Sorry dat we jullie hebben laten wachten.' Bradley schoof een dikke stapel dossiers naar de andere kant van de tafel en wees Leigh haar plaats. 'Dit is Sidney Winslow, Andrews verloofde.'

'Sid,' zei de jonge vrouw.

Op het moment dat Leigh de talloze piercings, de korrelige mascara en het gitzwarte warrige kapsel had gezien, had ze geweten dat ze Sid, Punkie of Katniss moest heten. Toch stelde ze zich positief op tegenover de wederhelft van haar cliënt. 'Vervelend om onder deze omstandigheden kennis met je te maken.'

'Deze hele toestand is een nachtmerrie.' Sidneys stem klonk voorspelbaar hees. Ze schoof haar haar naar achteren en toonde daarbij even haar donkerblauwe nagellak en een leren armband met puntige metalen studs. 'Andy heeft maar twee nachten in de cel gezeten, maar werd bijna vermoord. Hij is zo onschuldig als wat. Dat is duidelijk. Niemand is meer veilig. Een of andere gestoorde bitch hoeft maar met haar vinger te wijzen en –'

'Sidney, laat die vrouw even.' De nauwelijks ingehouden woede in de toon van de moeder deed Leigh denken aan haar eigen stem wanneer ze Maddy in aanwezigheid van anderen terechtwees. 'Neem er de tijd voor, Leigh.'

Leigh hield de glimlach van de vrouw een paar tellen vast voor ze haar werkgezicht opzette. 'Momentje graag.' Ze sloeg het dossier open in de hoop dat een detail haar geheugen opfriste en ze weer wist wie deze lieden waren. De bovenste pagina toonde het arrestatieformulier van Andrew Tenant. Drieëndertig jaar oud. Autohandelaar. Adres in een welgestelde buurt. Beschuldigd van ontvoering en verkrachting op 13 maart 2020, aan het begin van de eerste pandemiegolf.

Leigh las de details slechts vluchtig door, want er ging een belletje rinkelen dat zich moeilijk tot zwijgen liet brengen. Eerst moest ze Andrews versie van de gebeurtenissen horen. Eén ding wist ze zeker: Andrew Trevor Tenant had geen slechter moment kunnen kiezen voor de behandeling van zijn zaak. Vanwege het virus was zowat iedereen boven de vijfenzestig vrijgesteld van juryplicht. Alleen mensen jonger dan vijfenzestig zouden geloven dat er in deze keurige, knappe jongeman een serieverkrachter school.

Ze keek op van het dossier. In gedachten bezon ze zich op haar aanpak. Moeder en zoon dachten blijkbaar dat Leigh hen kende. Maar Leigh kende hen niet. Als Andrew Tenant haar als advocaat wilde, handelde ze te kwader trouw als ze bij hun eerste ontmoeting al tegen hem loog.

Dat besloot ze te zeggen en ze ademde al in, maar Bradley was haar voor.

'Vertel nog eens, Linda, waar je Ms Collier van kent.'

Linda.

De naam maakte iets los in Leighs hoofd. Ze bracht haar hand zelfs naar haar schedel alsof ze het naar buiten kon krabben. Maar het was niet de moeder die haar geheugen prikkelde. Leighs blik schoot langs de oudere vrouw en bleef rusten op haar zoon.

Andrew Tenant keek haar glimlachend aan. Zijn lippen krulden naar links. 'Dat is lang geleden, hè?'

'Tientallen jaren,' zei Linda tegen Bradley. 'Andrew kent de meiden beter dan ik. Ik werkte toen nog in de verpleging. Nachtdiensten. Leigh en haar zusje waren de enige babysitters die ik vertrouwde.'

Leighs maag balde zich tot een vuist die langzaam haar keel in werd geduwd.

'Hoe is het met Callie?' vroeg Andrew. 'Wat doet ze tegenwoordig?'

Callie.

'Leigh?' Andrews toon gaf aan dat ze zich vreemd gedroeg. 'Waar woont je zus tegenwoordig?'

'Ze...' Het klamme zweet brak Leigh uit. Omdat haar handen trilden, sloeg ze ze onder de tafel in elkaar. 'Ze woont op een boerderij in Iowa. Ze heeft kinderen. Haar man heeft koeien, hij is melkveehouder.'

'Dat klinkt goed,' zei Andrew. 'Callie was dol op dieren. Door haar raakte ik in aquariums geïnteresseerd.'

Dat laatste zei hij tegen Sidney, waarna hij over zijn eerste zoutwaterbak begon.

'Oké,' zei Sidney. 'Zij was dus de cheerleader.'

Leigh kon alleen maar veinzen dat ze luisterde. Ondertussen klemde ze haar kaken op elkaar om het niet uit te schreeuwen. Dit kon niet goed zijn. Dit was helemaal niet goed.

Ze keek naar het etiket op het dossier.

TENANT, ANDREW TREVOR

De gebalde vuist drong zich verder haar keel in. Elk afgrijselijk detail dat ze de afgelopen drieëntwintig jaar had verdrongen, dreigde haar nu te verstikken.

Callies angstaanjagende telefoontje. Leighs razende rit door de stad. Het gruwelijke tafereel in de keuken. De bekende geur van het dompige huis, de sigaren, de whisky, het bloed – zoveel bloed.

Leigh moest het zeker weten. Ze moest het hardop horen. 'Trevor?' vroeg ze, en wat ze hoorde was haar tienerstem.

Het was ijzingwekkend vertrouwd zoals Andrews lippen naar links opkrulden. Kippenvel tintelde over haar huid. Ze was zijn oppas geweest, en toen ze oud genoeg was voor echt werk, had ze het baantje naar haar zusje doorgeschoven.

'Tegenwoordig heet ik Andrew,' zei hij. 'Tenant is mijn moeders meisjesnaam. We vonden het allebei beter om dingen te veranderen na wat er met mijn vader was gebeurd.'

Na wat er met mijn vader was gebeurd.

Buddy Waleski was verdwenen. Hij had zijn vrouw en zoon in de steek gelaten. Geen briefje. Geen excuses. Zo hadden Leigh en Callie het doen voorkomen. Dat hadden ze tegen de politie gezegd. Buddy had heel veel slechts op zijn geweten gehad. Hij had schulden gemaakt bij allerlei verkeerd volk. Het was heel logisch geweest. Destijds was het allemaal heel logisch geweest.

Andrew zag het met plezier aan dat het haar begon te dagen. Zijn glimlach werd milder, de opwaartse boog van zijn lippen trok langzaam recht.

'Da's lang geleden, Harleigh,' zei hij.

Harleigh.

Er was maar één persoon in haar leven die haar nog steeds zo noemde. 'Ik dacht dat je me was vergeten,' zei hij.

Leigh schudde haar hoofd. Ze zou hem nooit vergeten. Trevor Waleski was een lief jongetje geweest. Wat onhandig. Heel aanhalig. De laatste keer dat Leigh hem had gezien, was hij totaal van de wereld geweest. Ze had toegekeken terwijl haar zusje hem zachtjes op zijn hoofd kuste.

Toen was het tweetal naar de keuken teruggekeerd om de moord op zijn vader af te maken.

Maandag

2

Leigh parkeerde haar Audi A4 voor het kantoor van Reginald Paltz and Partners, het privédetectivebureau dat de zaak-Andrew Tenant behandelde. Het gebouw van twee verdiepingen was bedoeld voor kleine bedrijven, maar de buitenkant deed aan een koloniaal huis denken. Het voelde tegelijkertijd te nieuw en te oud, zo kenmerkend voor de bouw uit de jaren tachtig. Vergulde armaturen. Kunststof kozijnen. Dunne bakstenen stroken. Een afbrokkelende betonnen trap naar een stel glazen deuren. In de hal met zijn booggewelf hing een scheve, vergulde kroonluchter boven een wenteltrap.

Buiten liep de temperatuur al op, naar verwachting tot tegen de vijfentwintig graden in de middag. Leigh liet de motor draaien zodat de airco aan bleef. Ze was vroeg en had nog twintig minuten om in de beslotenheid van haar auto haar zaken op orde te krijgen. Ze was een goede student geweest en later een goede advocaat geworden doordat ze zich altijd voor alle bullshit kon afsluiten en haar vlijmscherpe concentratie kon richten op de zaak die voor haar lag. Je kon geen man van honderdvijftien kilo in stukken helpen hakken en toch als beste van je klas eindigen als je niet had geleerd dingen in vakjes onder te brengen.

Nu ging het erom die vlijmscherpe concentratie niet op Andrew Tenant te richten, maar op de zaak-Andrew Tenant. Leigh was een dure topadvocaat. Andrews rechtszaak zou over een week plaatsvinden. Aan het eind van de volgende dag had haar baas om een uitgebreide strategiebijeenkomst verzocht. Ze had een cliënt die van een zwaar misdrijf werd beschuldigd en een aanklager die het niet bij de gebruikelijke aanklagers-spelletjes hield. Aan haar de taak om voldoende gaten in de zaak te prikken om in elk geval één jurylid om te krijgen.

Ze blies een stoot stress uit om haar gedachten te ordenen. Ze pakte Andrews dossier van de passagiersstoel en bladerde het document door tot ze de samenvatting had gevonden.

Tammy Karlsen. Comma Chameleon. Vingerafdrukken. CCTV.

Leigh las de hele samenvatting door zonder er iets van te begrijpen. De losse woorden snapte ze wel, maar ze slaagde er niet in er samenhangende zinnen van te maken. Ze probeerde weer bij het begin te beginnen. De regels tekst draaiden rond tot haar maag begon mee te draaien. Ze sloot het dossier. Ze reikte naar de hendel van het portier, zonder het te openen. Ze hapte naar lucht. En nog eens. En nog eens. En nog een keer, tot ze de gal had doorgeslikt die zich door haar keel naar boven wrong.

Leighs dochter was het enige levende wezen dat haar focus ooit had kunnen doorbreken. Als Maddy ziek was of verdrietig of terecht boos, voelde Leigh zich ellendig tot alles weer goed was. Maar die ongerustheid was niets vergeleken met hoe ze zich nu voelde. Het voelde alsof elk zenuwuiteinde in haar lichaam werd verpulverd door de rammelende ketenen van de geest van Buddy Waleski.

Ze smeet het dossier op de stoel naast haar. Kneep haar ogen dicht. Duwde haar hoofd naar achteren. Het bleef maar kolken in haar maag. Bijna de hele nacht had ze braakneigingen gehad. Ze had niet kunnen slapen. Ze was niet eens naar bed geweest. Ze had urenlang in het donker op de bank zitten peinzen hoe ze onder de verdediging van Andrew uit kon komen.

Trevor.

Op de avond van Buddy's dood was Trevor door de NyQuil vrijwel in coma geweest. Maar ze hadden het zeker moeten weten. Leigh had een aantal keren zijn naam geroepen, telkens iets luider. Callie had vlak bij zijn oor met haar vingers geknipt en vervolgens voor zijn gezicht in haar handen geklapt. Ze had zelfs zachtjes aan hem geschud en hem als een deegroller over een lap deeg heen en weer bewogen.

De politie had Buddy's lichaam nooit gevonden. Tegen de tijd dat zijn Corvette was aangetroffen in een nog beroerder deel van de stad, was de hele auto al gestript. Buddy had geen kantoor gehad, dus een papieren spoor ontbrak. De digitale Canon-camcorder die in de bar was verstopt, was met een hamer aan stukken geslagen, en de stukken waren over de hele stad verspreid. Ze hadden naar andere minicassettes gespeurd, maar niets gevonden. Ze hadden naar compromitterende foto's gezocht, maar niets gevonden. Ze hadden de bank op zijn kop gezet, matrassen omgedraaid, laden en kasten doorzocht, roosters van ventilatieopeningen geschroefd en in zakken, op boekenplanken en in Buddy's Corvette gesnuffeld. Ten slotte hadden ze alles zorgvuldig schoongemaakt en teruggezet, waarna ze nog voor Linda's thuiskomst waren vertrokken.

Wat gaan we doen, Harleigh?

Je blijft bij je verhaal, anders belanden we allebei in de gevangenis.

Leigh had in haar leven veel rottigheid uitgehaald die nog steeds op haar geweten drukte, maar de moord op Buddy Waleski was vederlicht. Hij had zijn dood verdiend. Het speet haar alleen dat het niet jaren eerder was gebeurd, voor hij zijn klauwen in Callie had geslagen. De volmaakte misdaad bestond niet, maar Leigh was ervan overtuigd geweest dat ze met de moord waren weggekomen.

Tot gisteravond.

Haar handen begonnen pijn te doen. Ze sloeg haar blik neer. Ze had haar vingers om de onderkant van het stuur geslagen. De knokkels waren als felwitte tanden die in het leer beten. Ze keek op de klok. Haar angstaanval had tien volle minuten geduurd.

'Concentreren,' zei ze streng.

Andrew Trevor Tenant.

Zijn dossier lag nog op de passagiersstoel. Leigh sloot weer heel even haar ogen en dacht terug aan de lieve, malle Trevor, die het heerlijk had gevonden om door de tuin te rennen en af en toe deeg te eten. Daarom wilden Linda en Andrew dat zij hem verdedigde. Ze hadden geen idee dat ze betrokken was geweest bij Buddy's plotselinge verdwijning. Ze wilden een advocaat die in Andrew nog steeds dat onschuldige joch van drieëntwintig jaar geleden zag. Ze wilden niet dat ze hem associeerde met de monsterlijke daden waarvan hij werd beschuldigd.

Leigh pakte het dossier. Tijd om zich in die monsterlijke daden te verdiepen.

Om zichzelf te herpakken haalde ze nogmaals diep adem. Ze geloofde niet dat slechtheid in je bloed zat of dat appels nooit ver van de boom vielen. Anders zou ze zelf een gewelddadige alcoholica zijn met een veroordeling wegens mishandeling. Mensen konden hun omstandigheden ontstijgen. De cirkel kon altijd doorbroken worden.

Had Andrew Tenant de cirkel doorbroken?

Leigh sloeg het dossier open. Voor het eerst las ze de lijst met delicten helemaal door.

Ontvoering. Verkrachting. Zware mishandeling. Ernstige sodomie. Zware seksuele mishandeling.

Je hoefde Wikipedia maar te openen om de algemeen aanvaarde definities van ontvoering, verkrachting, sodomie en mishandeling te begrijpen. De juridische definities waren ingewikkelder. De meeste staten gebruikten de algemene term 'aanranding' voor seksuele misdaden van uiteenlopende aard, zodat de aanklacht aanranding naar alles kon verwijzen van ongewenste kontknijperij tot gewelddadige verkrachting.

Sommige staten gebruikten een gradensysteem om de ernst van het misdrijf aan te geven. 'Eerstegraads' was het ernstigst, daarna volgden minder ernstige vergrijpen, doorgaans van elkaar te onderscheiden door de aard van de daad – van penetratie tot dwang tot ongewenste aanraking. Als er een wapen was gebruikt, of als het slachtoffer een kind, een politieagent of een gehandicapte was, was er sprake van een zwaar misdrijf.

In Florida werd de term 'seksuele mishandeling' gebruikt, en of het nu om een gruwelijke of minder gruwelijke daad ging, je werd altijd voor een zwaar misdrijf aangeklaagd waarvoor je levenslang kon krijgen, tenzij je een rijke pedofiel met politieke connecties was. In Californië kon je voor een lichter seksueel vergrijp voor een halfjaar in de cel belanden. Op een zwaar seksueel vergrijp stond een jaar in het huis van bewaring tot vier jaar tussen de echte boeven.

De staat Georgia volgde dezelfde lijn als de meeste staten en schaarde alles tussen ongewenste aanrakingen en complete necrofilie onder 'aanranding'. De term 'zwaar' of 'ernstig' werd voor de ernstigste aanklachten gehanteerd. Ernstige sodomie hield in dat geweld was gebruikt tegen de wil van het slachtoffer. Er werd van zwaar geweld gesproken als er een pistool of een ander levensbedreigend wapen in het spel was geweest. Iemand die een ernstig seksueel misdrijf pleegde, drong zonder instemming met een vreemd voorwerp binnen in het geslachtsorgaan of de anus van de ander. Alleen al op dat delict stond levenslang of vijfentwintig jaar cel met een levenslange proeftijd. In beide gevallen stond de dader voor de rest van zijn leven als zedendelinquent geregistreerd. Als je nog geen verstokte crimineel was wanneer je achter de tralies verdween, was je dat wel tegen de tijd dat je vrijkwam.

Leigh vond de arrestatiefoto van Andrew Tenant.

Trevor.

Het was de vorm van zijn gezicht die haar aan de jongen van vroeger deed denken. Ontelbare avonden had hij tijdens het voorlezen met zijn hoofd op haar schoot gelegen, waarbij ze telkens even naar beneden keek, in de vurige hoop dat hij in slaap was gevallen zodat zij haar huiswerk kon maken.

Leigh had de nodige arrestatiefoto's gezien. Soms staken verdachten hun kin naar voren, keken woedend in de camera of deden andere stomme dingen waarmee ze een stoere indruk dachten te maken, maar die een te verwachten effect hadden op een jury. Op Andrews foto deed hij duidelijk zijn best zijn angst te verbergen, wat begrijpelijk was. Een telg werd zelden gearresteerd en meegesleept naar het politiebureau. Je zag dat hij op de binnenkant van zijn wang beet. Hij had zijn neusgaten opengesperd. Door de felle flits van de camera lag er een onnatuurlijke glans in zijn ogen.

Was dit een gewelddadige verkrachter? Had het jongetje dat ze had voorgelezen, met wie ze had zitten kleuren en die het had uitgegierd van het lachen terwijl ze hem door de kale achtertuin achterna had gejaagd, kunnen uitgroeien tot net zo'n walgelijk roofdier als zijn vader?

'Harleigh?'

Leigh schrok op. Papieren vlogen door de lucht en een kreet ontsnapte aan haar lippen.

'O, sorry.' Andrews stem klonk gedempt vanachter het gesloten raampje. 'Heb ik je laten schrikken?'

'Jezus, nou en of!' Leigh griste de losse blaadjes bijeen. Het hart klopte haar in de keel. Ze was vergeten hoe Trevor haar altijd besloop toen hij nog klein was.

'Sorry, echt,' herhaalde Andrew.

De blik die ze hem schonk, reserveerde ze doorgaans voor haar familie. Maar toen hield ze zichzelf voor dat hij haar cliënt was. 'Geeft niet.'

Zijn gezicht was rood van gêne. Het mondkapje dat om zijn kin hing, ging weer omhoog. Het was blauw, met op de voorkant een wit Mercedeslogo. Hij werd er niet knapper van. Nu leek hij net een gemuilkorfd dier. Wel deed hij een stap terug zodat ze het portier kon openen.

Leighs handen trilden weer toen ze de motor uitzette en het dossier opstapelde. Ze was nog nooit zo blij geweest met de tijd die ze nodig had om een mondkapje te pakken en haar gezicht te bedekken. Bij het uitstappen had ze slappe knieën. Ze dacht de hele tijd aan de laatste keer dat ze Trevor had gezien. Hij had in bed gelegen, met zijn ogen dicht, zich totaal niet bewust van wat er in de keuken gebeurde.

'Goeiemorgen,' deed Andrew een nieuwe poging.

Leigh zwaaide haar tas over haar schouder. Ze duwde het dossier er diep in. Op hakken was ze ongeveer even groot als Andrew. Hij had zijn blonde haar achterovergekamd. Zijn borstkas en armen waren afgetraind, maar hij had zijn vaders lengte en korte bovenlijf. Leigh keek afkeurend naar zijn pak, van het soort dat je bij een Mercedes-verkoper zou verwachten: te blauw, te gegoten, te glad. Een monteur of loodgieter in de jury zou bij het zien van dat pak gelijk een hekel aan hem hebben.

'Eh...' Andrew wees naar de grote beker van Dunkin' Donuts, die hij op het dak van haar auto had gezet. 'Ik heb koffie voor je meegebracht, maar dat lijkt inmiddels niet meer zo'n goed idee.'

'Dank je,' zei ze, alsof ze niet midden in een dodelijke pandemie zaten.

'Sorry dat ik je aan het schrikken heb gemaakt, Har-Leigh. Laat ik je maar Leigh noemen. En dan noem je mij Andrew. We zijn nu allebei andere mensen.'

'Inderdaad.' Leigh moest haar onrust zien te bedwingen. Ze zocht naar vertrouwde grond. 'Gisteravond heb ik een spoedverzoek ingediend bij de rechtbank om mezelf als advocaat te laten aanstellen. Octavia had zich al teruggetrokken als door de rechtbank erkend advocaat, dus goedkeuring zou een pro-formazaak moeten zijn. Rechters houden niet van dergelijke trucjes op het laatste moment. Verdaging kunnen we vergeten. Met het oog op covid moeten we op elk moment klaarstaan. Als de cellen dichtgaan vanwege een uitbraak of als er weer een personeelstekort is, moeten we er klaar voor zijn. Anders dreigen we onze plaats te verliezen en worden we opgeschoven naar volgende week of volgende maand.'

'Dank je.' Hij knikte haar toe, alsof hij alleen maar had gewacht op een goed moment om zelf het woord te kunnen nemen. 'Mijn moeder kan er helaas niet bij zijn,' vervolgde hij. 'Elke maandagochtend is er een plenaire bedrijfsvergadering. Sidney is al binnen. Ik wilde je even onder vier ogen spreken, als je het goedvindt.'

'Uiteraard.' Leighs angsten speelden weer op. Nu ging hij haar over zijn vader vragen. Om een reden te hebben om zich om te draaien nam ze de beker van het autodak. Ze voelde de hete koffie door het papier heen. Bij de gedachte die te moeten drinken werd ze nog misselijker.

'Heb je…' Andrew wees naar haar tas, waarin ze het dossier had weggestouwd. 'Heb je het al gelezen?'

Leigh knikte, want ze vertrouwde haar stem niet.

'Ik kon het niet uitlezen. Vreselijk wat er met Tammy is gebeurd. Ik dacht dat het klikte tussen ons. Ik weet niet waarom ze me dit aandoet. Ze leek zo aardig. Je praat niet achtennegentig minuten lang met iemand die je een monster vindt.'

Het precieze aantal minuten was vreemd, maar nu had hij haar wel een paar broodnodige aanknopingspunten gegeven. In gedachten diepte ze de losse woorden en namen op uit de samenvatting in zijn dossier: Tammy Karlsen. Comma Chameleon. Vingerafdrukken. cctv.

Tammy Karlsen was het slachtoffer. Vóór de pandemie was Comma Chameleon een populaire singlesbar in Buckhead geweest. De politie had Andrews vingerafdrukken aangetroffen op plekken waar ze niet hoorden te zitten. Andrews gangen waren op camera vastgelegd.

Uit haar geheugen voegde ze daar een los detail aan toe dat ze de vorige avond van Cole Bradley had vernomen. 'Is Sidney je alibi voor het tijdstip van de aanranding?'

'We waren destijds nog geen stel, maar toen ik thuiskwam van de bar, stond zij me op mijn stoep op te wachten.' Hij hief zijn handen als om haar het zwijgen op te leggen. 'Dat klinkt wel heel toevallig, hè? Uitgerekend op de avond dat ik een alibi nodig heb, zoekt Sid me thuis op. Maar zo ging het wel.'

Leigh wist dat zowel de beste als de slechtste alibi's idioot toevallig konden klinken. Maar ze was hier niet om Andrew Tenant op zijn woord te geloven. Ze was hier om hem onschuldig te laten verklaren. 'Wanneer zijn jullie verloofd?'

'Vorig jaar, op 10 april. We hebben twee jaar een knipperlichtrelatie gehad, maar de arrestatie en de pandemie hebben ons dichter bij elkaar gebracht.'

'Wat romantisch.' Leigh probeerde niet te klinken als een advocaat die de eerste maanden van het virus had overleefd dankzij tientallen verzoeken tot het aanvragen van schuldloze covidscheidingen. 'Hebben jullie al een datum?'

'Woensdag, voor de juryselectie op donderdag. Tenzij je denkt dat je de zaak niet-ontvankelijk kunt laten verklaren?'

Zijn hoopvolle toon voerde haar rechtstreeks terug naar de keuken van de Waleski's, toen Trevor haar had gevraagd of zijn moeder gauw thuiskwam. Destijds had Leigh niet tegen hem gelogen en dat kon ze nu ook niet. 'Nee, dit blijft overeind. Ze hebben het op je gemunt. Er zit niks anders op dan ons voor te bereiden op de strijd.'

Hij knikte en krabde over zijn mondkapje. 'Het zal wel dom van me zijn om te denken dat ik op een ochtend wakker word en dat deze hele nachtmerrie dan voorbij is.'

Leigh liet haar blik over het parkeerterrein gaan om te zien of ze alleen waren. 'Andrew, gisteravond konden we niet in detail treden waar Sidney en Linda bij waren, maar Mr Bradley heeft je uitgelegd dat er andere zaken zijn die de officier van justitie waarschijnlijk zal openen als je schuld bekent, toch?'

'Ja, klopt.'

'En hij heeft gezegd dat als je het proces verliest, die andere zaken nog steeds –'

'Cole heeft ook gezegd dat je keihard bent in de rechtszaal.' Andrew haalde zijn schouders op, alsof er niet meer bij kwam kijken dan dat. 'Hij heeft tegen mijn moeder gezegd dat hij je in dienst had genomen omdat je een van de beste advocaten van de stad bent.'

Cole Bradley lulde uit zijn nek. Hij wist niet eens op welke verdieping Leigh werkte. 'Ik ben ook genadeloos eerlijk. Als dat proces verkeerd afloopt, staat je een lange gevangenisstraf te wachten.'

'Je bent geen klap veranderd, Harleigh. Je legde altijd al je kaarten op tafel. Daarom wilde ik met jou werken.' Andrew was nog niet uitgesproken. 'Weet je wat het treurige is? De MeToobeweging heeft me echt wakker geschud. Ik doe mijn stinkende best om erachter te staan. We moeten vrouwen geloven, maar dit... dit is schandalig. Valse beschuldigingen raken alleen andere vrouwen.'

Leigh knikte, hoewel ze zijn verhaal op geen enkele manier overtuigend vond. Het probleem met verkrachting was dat een schuldige doorgaans genoeg wist over de heersende cultuur om dezelfde dingen te zeggen als een onschuldige. Nog even en hij zou over 'een eerlijk proces' beginnen, zonder te beseffen dat wat hij nu kreeg precies dát was.

'Kom, laten we naar binnen gaan,' zei ze.

Andrew deed een stap terug om haar voor te laten gaan.

Onder het lopen probeerde Leigh haar gedachten te ordenen. Ze moest zich niet langer gedragen als een crimineel van het ergste soort. Als strafrechtadvocaat wist ze dat haar cliënten niet gepakt werden omdat politiemensen zulke briljante speurneuzen waren. Meestal liep een cliënt in een juridische valkuil door domheid of een slecht geweten. Hij schepte op tegen de verkeerde, bekende schuld tegenover de verkeerde of, in het gros van de gevallen, schoot hij zichzelf in de voet, en dan had hij een advocaat nodig.

Leigh maakte zich geen zorgen om een slecht geweten, maar ze moest goed opletten dat haar angst om ontdekt te worden haar niet op de een of andere manier verraadde.

Ze nam de koffiebeker in haar andere hand. Ze herpakte zich en liep de verbrokkelende betonnen trap naar de ingang op.

'Ik heb in de loop van de jaren vaak naar Callie gezocht,' zei Andrew. 'In welk deel van Iowa woont ze?'

Leighs nekharen gingen overeind staan. De grootste fout die je als leugenaar kon maken, was te veel details prijsgeven. 'In de noordwesthoek, bij de grens met Nebraska.'

'Zou je me het adres willen geven?'

Shit.

Andrew reikte langs haar heen om de deur naar de hal te openen. Het tapijt voor de trap was versleten. Er zaten slijtplekken op de muren. Vanbinnen was het gebouw somberder en triester dan het vanbuiten had geleken.

Leigh draaide zich om. Andrew was neergeknield om de pijp van zijn broek los te trekken van de enkelband. Het apparaat had gps en beperkte zijn vrijheid tot zijn huis, zijn werk en afspraken met zijn advocaten. Zodra hij daarvan afweek, ging er in de centrale meldkamer een alarm af. Theoretisch. Net zoals de helft van de instellingen in de door de pandemie geteisterde stad had ook de reclassering met tekorten te kampen.

Andrew keek naar haar op. 'Waarom Iowa?' vroeg hij.

Hier had Leigh zich tenminste op voorbereid. 'Ze werd verliefd. Werd zwanger. Ging trouwen. Werd weer zwanger.'

Leigh keek op het bord. REGINALD PALTZ & PARTNERS bevond zich boven.

Opnieuw liet Andrew haar voorgaan. 'Callie is vast een geweldige moeder. Ze was altijd heel lief voor me. Alsof ze mijn zus was, zo voelde het.'

Leigh klemde haar kaken op elkaar toen ze bij het tussenbordes was. Ze wist niet of Andrews vragen gepast of opdringerig waren. Als jongetje was hij heel open geweest: te kinderlijk voor zijn leeftijd, lichtgelovig, makkelijk te doorgronden. Nu liet haar zo scherp afgestelde intuïtie het afweten. 'De noordwesthoek,' zei hij. 'Is dat waar ze die *derecho* hadden?'

Ze kneep zo hard in de koffiebeker dat het deksel er bijna afvloog. Had hij de vorige avond alles over Iowa gelezen wat er te vinden was? 'Ze hebben wat wateroverlast gehad, maar verder gaat het goed.'

'Is ze nog lang cheerleader gebleven?'

Bovenaan de trap draaide Leigh zich om. Ze moest het gesprek een andere wending geven voor hij haar nog meer in de mond legde. 'Ik was vergeten dat jullie zijn verhuisd na Buddy's verdwijning.'

Hij was op het bordes blijven staan en keek zwijgend naar haar op.

Er was iets raars met zijn gezichtsuitdrukking, hoewel ze niet kon zeggen wat, want ze zag alleen zijn ogen. In gedachten nam ze het gesprek nog eens door om te zien waar het fout kon zijn gegaan. Gedroeg hij zich vreemd? Of zij?

'Waar zijn jullie naartoe gegaan?' vroeg ze.

Hij trok zijn mondkapje recht en kneep het vast op de rug van zijn neus. 'Naar Tuxedo Park. We zijn bij mijn oom Greg ingetrokken.'

Tuxedo Park was een van de oudste, rijkste wijken van Atlanta. 'Een echte Fresh Prince, dus.'

'Reken maar.' Zijn lach klonk gemaakt.

Eigenlijk voelde alles aan hem gemaakt. Door haar werk met talloze criminelen had ze inmiddels een intern waarschuwingssysteem ontwikkeld. Dat flitste felrood op toen ze Andrew weer aan zijn mondkapje zag trekken. Hij was volslagen ongrijpbaar. Ze had nog nooit iemand gezien met zo'n vlakke, lege blik in zijn ogen.

'Misschien ken je het verhaal niet,' zei hij, 'maar mijn moeder was heel jong toen ze mijn vader ontmoette. Haar ouders stelden haar voor de keuze: we ondertekenen de documenten zodat jullie kunnen trouwen, maar als je het ook echt doet, verstoten we je.'

Leigh klemde haar kiezen op elkaar, anders zou haar mond openvallen. De wettelijke leeftijd om te mogen trouwen met ouderlijke toestemming was zestien. Als tiener had Leigh alle volwassenen oud gevonden, maar nu besefte ze dat Buddy minstens twee keer zo oud als Linda was geweest.

'Die hufters maakten werk van hun dreigement. Ze lieten mijn moeder vallen. Ze lieten ons vallen,' zei Andrew. 'Mijn opa had destijds nog maar één garage, maar ze barstten van het geld. Genoeg om ons leven aangenamer te kunnen maken. Niemand die een vinger uitstak. Pas toen mijn vader was verdwenen, stond oom Greg op de stoep met zijn praatjes over vergeving en al die religieuze shit. Van hem moesten we onze achternaam veranderen. Wist je dat?'

Leigh schudde haar hoofd. De vorige avond had hij de indruk gewekt dat het uit vrije wil was geweest.

'Ons leven was kapot toen mijn vader verdween. Ik wil dat degene die voor zijn verdwijning verantwoordelijk is, weet hoe dat voelde.'

Leigh dwong een golf paranoia terug.

'Hoe dan ook, het is allemaal goed gekomen, toch?' Hij lachte wat deemoedig. 'Nu.'

Zwijgend klom hij de trap op. Heel even had er woede in zijn stem doorgeklonken, maar die had hij snel weer onder controle. Leigh bedacht dat haar eigen schuldgevoel hier misschien niet aan de orde was. Andrew kon er zijn redenen voor hebben om zich ongemakkelijk te voelen in haar gezelschap. Waarschijnlijk had hij het gevoel dat ze hem op de proef stelde, zijn schuld of onschuld afwoog. Hij wilde de indruk wekken een goed mens te zijn, zodat ze harder voor hem zou knokken.

Dat was zonde van zijn tijd. Leigh hield zich zelden bezig met schuld of onschuld. De meesten van haar cliënten waren zo schuldig als de pest. Sommigen waren aardig. Anderen waren klootzakken. Dat deed er allemaal niet toe want het recht was blind, behalve waar het dollargroen betrof. Met het geld van zijn familie beschikte Andrew Tenant over alle middelen die er te koop waren: privédetectives, specialisten, forensisch experts en wie dan ook die zich met klinkende munt liet overhalen een jury van zijn onschuld te overtuigen. Eén les die Leigh door haar werk bij BC&M had geleerd was dat je beter schuldig en rijk kon zijn dan onschuldig en arm.

Andrew wees naar een dichte deur aan het eind van de gang. 'Hij is d–'

Vanuit de verte galmde de onmiskenbare hese lach van Sidney Winslow hun tegemoet.

'Sorry. Ze is soms wat luidruchtig.' Andrews wangen kleurden roze boven zijn mondkapje. 'Na jou,' zei hij tegen Leigh.

Ze bleef staan. Weer hield ze zichzelf voor dat Andrew geen idee had wat haar aandeel was geweest in het lot van zijn vader. Alleen als ze een domme fout maakte, kon hij vragen gaan stellen. Wat voor signalen Andrew ook afgaf, ze waren waarschijnlijk terug te voeren op het feit dat hij een verkrachter was.

En Leigh was zijn advocaat.

Eindelijk stak ze het verhaal af dat ze hem al op het parkeerterrein had moeten vertellen. 'Je bent ervan op de hoogte dat Octavia Bacca's kantoor Mr Paltz had ingehuurd om het onderzoek te verrichten. En nu heeft Bradley, Canfield & Marks hem ingehuurd om aan de zaak te blijven werken, klopt dat?'

'Eh… ik heb Reggie zelf meegenomen, maar verder klopt het.'

Op dat 'Reggie' zou Leigh later terugkomen. Eerst moest ze er zeker van zijn dat Andrew ingedekt was. 'Je moet begrijpen dat een detective wordt ingeschakeld door het advocatenkantoor in plaats van door de cliënt, omdat discussies over strategie of gegeven adviezen tot mijn werkproduct behoren, en dat is vertrouwelijke informatie. Wat betekent dat de aanklager de detective niet kan dwingen getuigenis af te leggen over wat we hebben besproken.'

Andrew knikte nog voor ze was uitgesproken. 'Ja, dat snap ik.'

Voorzichtig kaartte Leigh het volgende punt aan, dat toevallig tot haar expertise behoorde. 'Sidney heeft dat voorrecht niet.'

'Nee, maar we gaan nog voor het proces trouwen, dus dan heeft ze het wel.'

Leigh wist uit ervaring dat er van alles kon gebeuren tussen nu en het proces. 'Maar jullie zijn nu nog niet getrouwd, dus alles wat je nú tegen haar zegt, is niet beschermd.'

Ze wist niet of Andrews blik boven zijn mondkapje van schrik of van oprechte verbazing getuigde.

'Zelfs nadat jullie getrouwd zijn, blijft het riskant.' Leigh legde het uit: 'In Georgia hebben huwelijkspartners bij een strafrechtelijke procedure het recht om niet te getuigen – dat houdt in dat ze niet gedwongen kunnen worden getuigenis af te leggen. Ook hebben ze het verschoningsrecht, wat betekent dat jij kunt voorkomen dat je huwelijkspartner getuigenis aflegt over iets wat je binnen je huwelijksrelatie tegen haar hebt gezegd.'

Hij knikte, maar ze zag dat hij het niet helemaal volgde.

'Stel dat Sidney en jij getrouwd zijn en je op een avond samen met haar in de keuken bent en zegt: "Hé, ik vind dat ik eigenlijk geen geheimen voor je hoor te hebben, je moet dus weten dat ik een seriemoordenaar ben." Dan kun je je dus beroepen op het verschoningsrecht, zodat ze niet mag getuigen.'

Nu lette Andrew op. 'En wanneer wordt het riskant?'

'Als Sidney tegen een vriendin zegt: "Het klinkt krankzinnig, maar Andrew heeft me verteld dat hij een seriemoordenaar is." Dan kan die vriendin worden opgeroepen als getuige om een verklaring van horen zeggen af te leggen.'

De onderkant van zijn mondkapje bewoog. Hij beet op de binnenkant van zijn lip.

Toen liet Leigh de bom afgaan die ze al had horen tikken vanaf het moment dat ze Sidneys leren accessoires en verzameling piercings had gezien. 'Of Sidney heeft bijvoorbeeld tegen een vriendin gezegd dat je kinky bezig was geweest in bed. En dat die kinky handelingen veel leken op wat er met het slachtoffer was gedaan. Dan zou die vriendin over dat kinky gedrag kunnen getuigen, en de aanklager zou kunnen beweren dat het een bepaald patroon vertoonde.'

Andrews keel verstrakte. Zijn angst was bijna tastbaar. 'Dus ik moet tegen Sid zeggen –'

'Als jouw advocaat kan ik je niet vertellen wat je moet zeggen. Ik kan alleen de wet aan je uitleggen zodat je de implicaties begrijpt. Begrijp je de implicaties?' vroeg ze.

'Ja, die begrijp ik.'

'Hé!' Sidney kloste op hen af op haar zware legerkisten. Ze droeg een zwart mondkapje met verchroomde studs. Ze was die dag iets minder gothic, maar straalde nog steeds een onvoorspelbare energie uit. Alsof Leigh zichzelf zag op die leeftijd, wat zowel irritant als deprimerend was.

'We waren net –' begon Andrew.

'Over Callie aan het praten?' Sidney richtte zich tot Leigh. 'Hij is bezeten van je zus, ik zweer het. Heeft hij verteld dat hij smoorverliefd op haar was? Ik laat hem maar. Heeft hij het niet verteld?'

Leigh schudde haar hoofd, niet om nee te zeggen, maar omdat ze haar wezenloze brein wakker moest maken. Natuurlijk was Andrew nog steeds smoorverliefd op Callie. Daarom begon hij telkens weer over haar.

Om het gesprek op een ander onderwerp te brengen vroeg ze aan Andrew: 'Waar ken je Reggie Paltz van?'

'We zijn al heel lang vrienden, al sinds…' Hij haalde zijn schouders op, want hij lette niet echt meer op Leigh. Hij dacht na over wat ze hem over de rechten van huwelijkspartners had verteld.

Sidney voelde de spanning. 'Wat is er, schat?' vroeg ze. 'Is er nog iets gebeurd?'

Leigh voelde geen behoefte of noodzaak om bij de rest van het gesprek aanwezig te zijn. 'Ik ga alvast naar de detective, terwijl jullie nog even praten.'

Sidney trok een overdreven ronde wenkbrauw op. Leigh besefte dat ze koeler had geklonken dan haar bedoeling was geweest. Ze probeerde neutraliteit uit te stralen toen ze de jonge vrouw passeerde op de gang, en ze vocht tegen de neiging een lijst op te stellen van alles wat ze irritant aan haar vond. Ze twijfelde er niet aan of Sidney sprak met haar vriendinnen over Andrew. Als je zo jong en dom was, was seks je enige wisselgeld.

'Kom op, Andy,' zei Sidney met hese stem. 'Wat is er, schatje, waarom kijk je zo verslagen?'

Leigh trok de deur achter zich dicht.

Ze stond in een krappe ontvangstruimte met een metalen bureau, maar zonder secretaresse of stoel. Langs de zijmuur bevond zich een ingebouwd keukentje. Ze goot de koffie in de spoelbak en wierp de beker in de afvalbak. De inventaris was voorspelbaar: een koffiezetapparaat, een fluitketel, handgel en een stapel wegwerpmondkapjes. Een open deur voerde naar een korte gang, maar Leigh wilde de omgeving eerst op zich in laten werken voor ze met Reggie Paltz kennismaakte.

Witte muren. Donkerblauw vast tapijt. Popcornplafond. De foto's aan de muur waren niet professioneel genoeg om voor iets anders dan vakantiekiekjes door te gaan: een zonsopkomst aan een tropisch strand, hondensleeën op de toendra, met sneeuw bedekte bergtoppen, de trappen van Machu Picchu. Aan de muur boven een zwartleren tweezitsbankje hing een gebutste lacrossestick. De glazen salontafel lag bezaaid met oude nummers van *Fortune*. Een geknoopverfd kleed, rechtstreeks uit een catalogus voor kantoorinrichting, lag als een postzegel onder het glas.

Jonger dan ze had gedacht. Goed opgeleid, anders speelde je geen lacrosse. Geen politieman. Waarschijnlijk gescheiden. Geen kinderen, want alimentatie sloot exotische vakantiebestemmingen uit. Had tijdens zijn studie in het universiteitsteam gespeeld en wilde de glorie niet opgeven. Waarschijnlijk een niet-afgemaakte MBA. Gewend aan geld op zak.

Leigh gebruikte de handgel voor ze naar achteren liep.

Reggie Paltz zat achter een bureau dat rechtstreeks uit het Oval Office afkomstig leek. Zijn kantoor was spaarzaam ingericht, met de geijkte leren bank tegen een muur en twee niet bij elkaar passende stoelen voor het bureau. Hij had hetzelfde leren vloeiblad en dezelfde mannelijke accessoires als iedere andere vent die ooit een kantoor had gehad, van de gekleurde glazen presse-papier en de gepersonaliseerde visitekaartjeshouder tot dezelfde zilveren Tiffany-briefopener die Leigh een paar jaar geleden als kerstcadeau voor Walter had gekocht.

'Mr Paltz?' zei ze.

Hij stond op van zijn bureau. Geen mondkapje, zodat ze zag hoe een ooit scherpe kaaklijn in papperigheid oploste. Leighs eerste indruk was niet ver bezijden de waarheid geweest. Hij was midden dertig, had een strak getrimde sik en in zijn dunner wordende donkere haar zat een losse slag à la de jongere Hugh Grant. Hij droeg een kakibroek en een lichtgrijs overhemd. Om zijn dikke nek hing een dunne gouden ketting. Hij nam haar vluchtig op, met die geoefende gezicht-borsten-benen-blik waaraan Leigh al vanaf de puberteit gewend was. Een eikel met een knappe kop, maar niet Leighs type eikel met knappe kop.

'Mrs Collier.' In normale tijden zouden ze elkaar de hand hebben geschud. Nu hield hij zijn handen in zijn zakken. 'Zeg maar Reggie. Fijn om eindelijk kennis te maken.'

Elke spier in Leighs lijf verstrakte bij dat 'Mrs' en 'eindelijk'. De hele tijd had ze zich suf gepiekerd hoe ze van deze ellendige zaak af kon komen zonder er ook maar een moment bij stil te staan hoe ze erin verzeild was geraakt.

Mrs.

Leigh had Walters achternaam aangenomen toen ze tijdens hun studie getrouwd waren. Ze had niet de moeite genomen om haar eigen naam terug te nemen, want ze had niet de moeite genomen om van hem te scheiden. Drie jaar voor ze elkaar hadden ontmoet, had ze haar roepnaam officieel van Harleigh in Leigh veranderd.

Dus hoe wist Andrew dat hij naar Leigh Collier moest vragen? Voor zover hij wist, heette ze nog steeds Harleigh en gebruikte ze nog steeds haar moeders achternaam. Leigh had er in de loop van de jaren alles aan gedaan om ervoor te zorgen dat je door allerlei hoepels moest springen om haar verleden aan haar heden te kunnen koppelen.

Dat voerde naar de grotere vraag, namelijk hoe Andrew had ontdekt dat ze advocaat was. De familie Tenant kende Cole Bradley, maar Cole Bradley had tot twaalf uur geleden nog nooit van Leigh gehoord.

Eindelijk.

Andrew moest Paltz hebben ingehuurd om haar te vinden. Hij was blij dat hij 'eindelijk' met haar kennismaakte nadat hij met een diepe duik en door allerlei hoepels springend midden in Leighs leven was beland. En als hij wist dat Harleigh in Leigh was veranderd, dan wist hij ook van Walter en Maddy en –

Callie.

'Sorry, jongens.' Hoofdschuddend kwam Andrew de kamer binnen. Hij plofte neer op de lage bank. 'Sid zit in de auto. Dat ging niet echt lekker.'

Reggie trok een scheef gezicht. 'Gast, gaat het ooit lekker?'

Leighs knieën verslapten. Ze liet zich zakken op de stoel die het dichtst bij de deur stond. Zweet gutste over haar rug. Ze keek toe terwijl Andrew zijn mondkapje op zijn kin schoof. Hij tikte een bericht op zijn telefoon. 'Ze vraagt nu al hoelang het gaat duren.'

Reggies stoel piepte toen hij weer ging zitten. 'Zeg dat ze d'r bek moet houden.'

'Bedankt voor het advies. Nee, daar wordt ze rustig van.' Andrews duimen gleden weer over het scherm. Eindelijk had een emotie een gat in zijn ondoorgrondelijke vernislaag geslagen. Hij was zichtbaar bezorgd. 'Shit. Ze is razend.'

'Dan antwoord je toch niet meer, man.' Reggie tikte zijn laptop wakker. 'Zo jagen we je moeders geld er wel heel snel doorheen.'

Leigh haakte haar mondkapje los. Dat 'Mrs' en dat 'eindelijk' bleven maar rondzeuren in haar hoofd. Ze kuchte even voor ze iets kon zeggen. 'Waar kennen jullie elkaar van?'

'Andrew heeft me mijn eerste Mercedes verkocht,' zei Reggie. 'Hoelang geleden is dat alweer? Drie, vier jaar?'

In afwachting van Andrews reactie kuchte Leigh opnieuw, maar Andrew was nog steeds in zijn telefoon verdiept. 'Is dat zo?' vroeg ze ten slotte.

'Ja, deze man was trouwens een echte dekhengst tot Sid hem castreerde met die verlovingsring.' Na een scherpe blik van Andrew ging hij abrupt op zaken over en zei tegen Leigh: 'Ik heb vanochtend de encryptiesleutel van jullie bedrijfsserver van je assistente gekregen. Ik zorg dat vanmiddag alles naar je is geüpload.'

Leigh schonk hem een moeizaam knikje. Ze deed een poging haar paranoia te beteugelen. Dat 'Mrs' kwam doordat hij zijn huiswerk had gedaan. Het was niet ongebruikelijk dat welgestelde cliënten wilden weten met wie ze te maken hadden. Dat 'eindelijk' betekende... Ja, wat eigenlijk? De simpelste verklaring was dezelfde als die voor dat 'Mrs'. Andrew had Reggie Paltz ingehuurd om onderzoek naar haar te doen, om zich in haar leven en gezin te verdiepen, en nu ontmoette hij haar dan 'eindelijk' nadat hij zoveel over haar had gelezen.

'Sorry, jongens.' Andrew stond op, met zijn blik nog steeds op zijn telefoon gericht. 'Ik moet even bij haar gaan kijken.'

'Vraag gelijk je ballen terug.' Reggie keek Leigh hoofdschuddend aan. 'Die gast is net een schooljongen wat die meid betreft.'

Leigh voelde haar handen weer akelig trillen toen Reggie zich over zijn laptop boog. De simpelste verklaring was nog steeds geen antwoord op de belangrijkste vraag. Hoe was Andrew haar eigenlijk op het spoor gekomen? Hij werd verdacht van verkrachting en over een week stond hem een juryproces te wachten. Het sloeg nergens op dat hij midden in de voorbereidingen tijd vrijmaakte om zijn oppas van twintig jaar geleden te zoeken.

En daarom flitste haar interne waarschuwingssysteem nog steeds felrood op.

'Mrs Collier?' Reggie had zijn hoofd naar haar toe gedraaid. 'Gaat het wel?'

Leigh moest haar op hol geslagen emoties een halt toeroepen. Walters eeuwige verwijt betrof nu juist de eigenschap waardoor ze zich altijd staande kon houden. Haar persoonlijkheid veranderde afhankelijk van degene die ze tegenover zich had. Ze was sweetheart of mam of Collier of mevrouw de advocaat of liefje of kutwijf of heel af en toe Harleigh. Iedereen kreeg een ander stukje van haar, maar niemand kreeg het hele plaatje.

Ze voelde Reggies hete adem, dus ze besloot voor ijskoningin te spelen.

Ze nam haar notitieblok en Andrews dossier uit haar tas en klikte haar pen open. 'Mijn tijd is beperkt, Mr Paltz. Mijn baas wil morgenmiddag een volledig verslag. Graag een snel overzicht.'

'Zeg maar Reggie.' Hij draaide zijn laptop zodat ze allebei op het scherm konden kijken: de ingang van een nachtclub, een neonbord met daarop een grote komma gevolgd door de naam CHAMELEON. 'De camerabeelden laten alles zien wat Andrew gedaan heeft, op schijten na. Ik heb ze aan elkaar gemonteerd. Dat heeft me zes uur gekost, maar het zijn Linda's centen.'

Leigh drukte haar pen op het papier. 'Ik ben zover.'

Hij startte de film. De datum gaf 2 februari 2020 aan, bijna een maand voor de pandemie alles op slot gooide. 'De camera's zijn 4K, dus je kunt elk stofje op de vloer zien. Dit is Andrew aan het begin. Hij praatte met wat mooie vrouwen, eentje op het dakterras en eentje beneden aan de bar. Het schatje op het dak gaf Andy haar nummer. Ik heb haar nagetrokken, maar die wil je niet als getuige. Zodra ze doorhad waarom ik met haar sprak, begon ze over al die MeTooshit en ging helemaal over de zeik.'

Leigh keek op haar notitieblok. Op de automatische piloot noteerde ze de bijzonderheden. Ze wilde het blad omslaan, maar haar hand stopte. *Mrs.*

Haar trouwring. Die had ze nooit afgedaan, ook al waren Walter en zij al vier jaar uit elkaar. Ze opende haar mond en liet een deel van de stress langzaam ontsnappen.

'Hier.' Reggie wees naar het scherm. 'Hier ziet Andrew Tammy Karlsen voor het eerst. Mooi lijf. Gezicht valt wat tegen.'

Leigh negeerde de terloopse neerbuigendheid en richtte haar blik op de film. Ze zag Andrew op een lage, beklede bank zitten, met een tengere vrouw, die met haar rug naar de camera zat. Haar bruine haar viel op haar schouders. Ze droeg een strakke zwarte jurk met driekwartmouwen. Ze draaide haar hoofd toen ze haar glas van de salontafel pakte en lachte om iets wat Andrew had gezegd. Tammy Karlsen had een aantrekkelijk profiel. Dopneus, hoge jukbeenderen.

'Lichaamstaal zegt alles.' Reggie tikte op een toets om de film door te spoelen. 'Naarmate de avond vordert, schuift Karlsen dichter naar hem toe. Op ongeveer tien minuten begint ze zijn hand aan te raken om iets te benadrukken of wanneer ze om een van zijn grapjes moet lachen.' Hij keek op en zei: 'Ik heb het vermoeden dat ze toen doorkreeg dat hij de Tenant van Tenant Automotive was. Zelf zou ik ook tegen een vent met dat soort geld aanschuren.'

Leigh zweeg afwachtend.

Reggie spoelde de film nog sneller door. 'Uiteindelijk legt Andrew zijn arm over de rugleuning van de bank en begint haar schouder te strelen. Je ziet hem naar haar tieten loeren, dus hij zit duidelijk signalen af te geven die zij voor honderd procent ontvangt. Na ongeveer veertig minuten begint ze over zijn dijbeen te wrijven, als een stripper tijdens een lapdance. En dat ging achtennegentig minuten zo door.'

Achtennegentig minuten.

Leigh herinnerde zich dat Andrew op het parkeerterrein hetzelfde aantal had genoemd. 'Weet je zeker dat het zo lang geduurd heeft?'

'Zo zeker als wat. Al dat soort shit kan tot op de metadata gefaket worden als je weet wat je doet, maar ik heb de ruwe beelden rechtstreeks van de bar, niet via de aanklager.'

'Heeft Andrew de film gezien?'

'Ik heb het sterke vermoeden van niet. Ik heb Linda een kopie gestuurd, maar Andrew zit tot aan zijn nek in de ontkenningsfase. Die denkt dat dit wel overwaait en dat hij zijn leven terugkrijgt.' Reggie spoelde door naar het volgende fragment dat hij haar wilde laten zien. 'Moet je zien, hier is het iets na middernacht. Andrew loopt met Karlsen de trap af naar de parkeerbedienden. Ondertussen heeft hij zijn hand op haar rug. Zij houdt zijn arm vast tot ze bij de parkeerbedienden zijn. Terwijl ze staan te wachten, leunt ze tegen hem aan en hij snapt de hint.'

Leigh zag dat Andrew Tammy Karlsen op haar mond kuste. De vrouw sloeg haar armen om zijn schouders. De ruimte tussen hun lichamen loste op. Eigenlijk had ze moeten bijhouden hoeveel seconden hun kus duurde, maar ze was afgeleid door de uitdrukking op Andrews gezicht vlak voor hun lippen elkaar raakten.

Macht? Spot?

Hoewel hij die vertrouwde lege, ondoorgrondelijke blik in zijn ogen had gehad, hadden zijn lippen even getrild en had hij zijn linkermondhoek zelfvoldaan opgetrokken, net als toen hij als jongetje had gezworen dat hij het laatste koekje niet had opgegeten, dat hij geen idee had waar haar geschiedenishuiswerk was gebleven, dat hij geen dinosaurus in haar algebraboek had getekend.

Ze noteerde het tijdstip zodat ze het later weer kon opzoeken.

Reggie leverde het overbodige commentaar. 'De parkeerbedienden brengen hun auto's. Andrew geeft beide jongens een fooi. Hier zie je dat Karlsen haar visitekaartje aan Andrew geeft. Na een kusje op zijn wang stapt zij in haar Beemer, hij in zijn Mercedes. Ze rijden allebei dezelfde kant op, in noordelijke richting over Wesley Road. Voor hem niet de snelste route naar huis, maar het is een route.'

Leigh sloot zich af voor Reggies opsomming van elke bocht en afslag die de twee auto's namen. Ze dacht weer aan dat 'eindelijk', hoe fijn het was om 'eindelijk' kennis met haar te maken. Ze was de vorige avond op de zaak gezet, maar Andrew had Octavia twee dagen geleden ontslagen. Reggie Paltz had dus minimaal achtenveertig uur gehad om zich in haar leven te verdiepen. Wat had dat 'eindelijk' hem nog meer gebracht? Was hij ook Callie op het spoor gekomen?

'Dan in zuidelijke richting over Vaughn Street, en daarna zijn er geen bewakings- of verkeerscamera's meer,' vervolgde Reggie, zich kennelijk niet bewust van de vragen in haar hoofd. 'Op die laatste opname zie je dat Andrews Mercedes een dealerskentekenplaat heeft.'

Leigh wist dat hij een reactie verwachtte. 'Waarom is dat belangrijk?'

'Andrew had die avond een leenauto van het bedrijf meegenomen. Zijn privéauto stond in de werkplaats. Het luistert nauw met klassieke wagens. Soms gaat het fout, maar niet vaak.'

Leigh tekende een vierkantje om het woord 'auto'. Toen ze opkeek, zag ze dat Reggie haar weer observeerde. Ze hoefde het hele gesprek niet na te lopen om te weten waarom. Ze kwamen nu bij het gedeelte waar Andrews handelingen lastiger te verklaren waren. Reggie had Leigh getest met zijn grove taal, gekeken of zijn 'tieten' en 'lapdance' een afkeurende opmerking aan haar ontlokten waaruit bleek dat ze niet aan Andrews kant stond.

Nog steeds op ijzige toon vroeg ze: 'Heeft Karlsen Andrew gevraagd haar naar haar huis te volgen?'

'Nee.' Hij liet een stilte vallen om er geen misverstand over te laten bestaan dat hij op zijn hoede was. 'In haar verklaring zegt Karlsen dat ze heeft gezegd dat hij haar kon bellen als hij geïnteresseerd was. Haar geheugen werd wat rammelig nadat ze haar auto van de parkeerbediende had overgenomen. Het volgende dat ze zeker weet, is dat ze wakker wordt en dat het ochtend is.'

'Denkt de politie dat Andrew iets in haar drankje heeft gedaan?'

'Zo luidt de theorie, maar als hij haar een *roofie* heeft gegeven, blijkt dat niet uit de film of uit haar drugstest. Onder ons gezegd en gezwegen hoop ik van harte dat ze gedrogeerd was. Je weet gelijk wat ik bedoel als we bij de politiefoto's aankomen. Je zult je uiterste best moeten doen om die achter te houden. Ik heb de bestanden niet eens op mijn laptop gedownload. Alles is gecodeerd onder Triple DES. Niets gaat naar een cloud, want een cloud kan gehackt worden. Zowel de hoofdserver als de back-upserver zitten in die afgesloten kast daar.'

Leigh keek achterom en zag een indrukwekkend hangslot aan de stalen deur.

'Ik ben uiterst voorzichtig wanneer ik aan dit soort geruchtmakende zaken werk. Je wilt niet dat deze shit naar buiten komt, vooral niet als het een rijke cliënt betreft. Mensen duiken uit alle hoeken en gaten op, met dollartekens in hun ogen.' Reggie had de laptop weer naar zich toe gedraaid. Hij tikte met twee vingers. 'Die idioten beseffen niet dat het veel meer oplevert als je van binnenuit werkt dan als je met je neus tegen het glas staat.'

'Waar ken je me van?' vroeg Leigh.

Weer zweeg hij even. 'Hoezo?'

'Je zei dat het fijn was om "eindelijk" kennis te maken. Dat impliceert dat je over me gehoord had, of dat je ernaar uitkeek om –'

'Ah, ik snap 'm. Momentje.' Weer roffelde hij op zijn stomme laptop. Hij draaide het scherm naar haar toe. Het logo van *Atlanta INtown* vulde de bovenkant van de pagina. Leigh zag een foto waarop ze uit het gerechtsgebouw kwam. Ze glimlachte. De krantenkop legde uit waarom.

ADVOCAAT: ER STAAT GEEN DATUM OP URINE

Reggie schonk haar een brede, zelfingenomen grijns. 'Over een sterk staaltje advocatuur gesproken, Collier. Je hebt hun eigen getuige-deskundige laten toegeven dat hij niet wist of de man voor of na de scheiding in de ondergoedla van zijn vrouw had gepist.'

Leigh voelde de knoop in haar maag losschieten.

'En wat een lef om tegen een rechter te zeggen dat plasseks onder het verschoningsrecht valt.' Reggie lachte keihard. 'Ik heb die shit aan iedereen die ik ken laten lezen.'

Ze moest het uit zijn eigen mond horen. 'Heb je Andrew dat artikel laten lezen?'

'Reken maar. Niks slechts over Octavia Bacca, maar toen ik hoorde dat de politie Andrew op die drie andere zaken probeerde te pakken, wist ik dat hij een cheeta met een kapmes moest hebben.' Hij kantelde zijn stoel naar achteren. 'Idioot dat hij je gezicht herkende, hè?'

Leigh wilde hem maar al te graag geloven. Zowel de beste als de slechtste alibi's konden bizar toevallig klinken. 'Wanneer heb je het hem laten lezen?'

'Twee dagen geleden.'

De dag dat Andrew Octavia Bacca had weggestuurd. 'Droeg hij je op onderzoek naar mij te doen?'

Weer vulde Reggie de ruimte met een theatraal zwijgen. 'Je vraagt wel erg veel.'

'Ik ben degene die je facturen ondertekent.'

Hij keek nerveus, wat zijn hele spel verraadde. Reggie Paltz was niet op een of andere geheime missie. Hij zat op te scheppen over zijn gecodeerde server en het belang van discretie omdat hij via Leigh aan meer opdrachten hoopte te komen.

Ze stelde haar inschatting bij en kon zichzelf wel voor het hoofd slaan omdat ze het type niet had herkend: een arme jongen die zich dankzij een beurs in het selecte gezelschap van de superrijken had weten te wurmen. Dat verklaarde de lacrossestick, de exotische reisjes, het stomme kantoor, de dure Mercedes en zijn voortdurende verwijzingen naar geld. Geld was net seks. Je sprak er niet over, tenzij je er gebrek aan had.

Om hem te testen zei ze: 'Bij veel zaken werk ik met privédetectives.'

Reggie lachte, als de ene haai naar de andere. Hij was slim genoeg om niet meteen toe te happen. 'Waarom heb je je naam veranderd? Harleigh is een gave naam.'

'Past niet bij ondernemingsrecht.'

'Je ging pas over naar de Duistere Kant toen de pandemie uitbrak.' Reggie leunde naar voren en dempte zijn stem. 'Als je je zorgen maakt over wat ik vermoed: hij heeft het me niet gevraagd. Nog niet.'

Er was zoveel waarop hij mogelijk doelde dat Leigh zich alleen maar van de domme kon houden.

'Weet je het echt niet?' vroeg Reggie. 'Die gast geilt gigantisch op je zus.'

Leigh voelde haar maag weer verkrampen. 'En nu moet jij haar zoeken?'

'Ze duikt al jaren af en toe in zijn verhalen op, maar met jou in de buurt denkt hij dagelijks aan haar.' Reggie haalde zijn schouders op. 'Uiteindelijk vraagt hij het.'

Alsof er wespen onder haar huid zaten. 'Je bent met Andrew bevriend. Over minder dan een week is zijn proces. Denk je dat hij dat soort afleiding nu kan gebruiken?'

'Als Sid erachter komt dat hij zijn eerste natte droom najaagt, eindigt onze man vermoedelijk met een mes in zijn borst en dan staan we allebei op straat.'

Leigh keek even het gangetje naar de receptie in om te zien of ze alleen waren. 'Callie heeft na de middelbare school wat problemen gehad, maar ze woont nu in het noorden van Iowa. Ze heeft twee kinderen. Ze is met een boer getrouwd. Ze heeft een punt achter haar verleden gezet.'

Na een veel te lange stilte zei Reggie: 'Als Andrew het vraagt, kan ik zeggen dat ik het te druk heb met andere zaken.'

Leigh hield hem nog wat aas voor. 'Ik heb een cliënte met een vreemd-gaande echtgenoot die gek is op reisjes.'

'Past helemaal in mijn straatje.'

Leigh knikte en hoopte met heel haar hart dat ze een deal hadden.

Toch vormde Reggie Paltz maar een deel van het probleem. Leigh was nog maar een paar dagen verwijderd van wat een zeer bezwarende zaak tegen haar cliënt beloofde te worden. 'Vertel eens over die andere slacht-offers die de aanklager in reserve houdt,' zei ze.

'Het zijn er drie, en ze hangen als een guillotine boven Andy's nek. Als die naar beneden komt, is zijn leven voorbij.'

'Hoe heb je over hen gehoord?'

'Beroepsgeheim,' zei hij, het antwoord van elke detective als hij een po-litie-informant niet wilde verlinken. 'Maar je kunt er gif op innemen. Als je Andrew niet onder die aanklacht van Karlsen uit krijgt, moet hij de rest van zijn leven oppassen dat hij bij het douchen het zeepje niet laat vallen.'

Leigh had te veel cliënten achter de tralies om gevangenisgrapjes nog leuk te vinden. 'Wat is het verband tussen de aanval op Tammy Karlsen en die op de anderen?'

'Dezelfde werkwijze, dezelfde kneuzingen, dezelfde wonden, dezelfde morning after.' Weer haalde Reggie zijn schouders op, alsof het om hypo-thetisch letsel ging in plaats van om echte schade bij echte vrouwen. 'Het punt is dat Andrews creditcard is gepingd in of bij verscheidene zaken waar ze het laatst zijn gezien.'

'In of bij?' vroeg Leigh. 'Woont Andrew bij die zaken in de buurt? Zijn dat zaken waar hij normaal altijd komt?'

'Kijk, daarom heb ik tegen Andy gezegd dat hij jou moest inhuren.' Reggie tikte op zijn slaap ten teken dat hij de slimmerik was. 'De drie aan-randingen vonden plaats in de loop van 2019, allemaal in DeKalb County, waar Andrew woont. Het eerste slachtoffer was in de CinéBistro, op een steenworp van Andrews huis. Volgens zijn creditcard was hij op 22 juni bij de middagvoorstelling van *Men in Black*. Het slachtoffer was daar drie uur later voor *Toy Story 4*.'

Nu begon Leigh serieus aantekeningen te maken. 'Hangen er camera's in de foyer?'

'Ja. Je ziet dat hij aankomt, popcorn en cola bestelt en weer vertrekt wanneer de aftiteling begint. Geen overlapping tussen hem en het eerste slachtoffer, maar hij ging lopend naar huis. Geen mobiele gegevens. Hij zei dat hij zijn mobiel was vergeten.'

Leigh onderstreepte de datum. Ze moest checken of het geregend had, want dat zou de aanklager zeker doen. Ook zonder regen liep in juni de temperatuur in Atlanta op tot boven de dertig graden en was de luchtvochtigheid zo onaangenaam dat er een officiële gezondheidswaarschuwing uitging. 'Hoe laat begon die middagvoorstelling?'

'Om kwart over twaalf, rond lunchtijd.'

Leigh schudde haar hoofd. Het warmste moment van de dag. Weer een punt in Andrews nadeel.

'Als het iets uitmaakt,' zei Reggie, 'al die plekken waar de slachtoffers voor het laatst zijn gezien, zijn plekken die Andrew heel regelmatig bezocht.'

Dat hoefde niet in zijn voordeel te werken. De aanklager kon beweren dat hij het terrein verkende. 'Het tweede slachtoffer?'

'Die was nog laat uit eten met haar vriendinnen in een winkelcentrum waar een Mexicaans restaurant zit.'

'Was Andrew er die avond ook?'

'Het is een van zijn vaste tenten. Hij komt er minstens twee keer per maand. Hij bestelde een afhaalmaaltijd, een halfuur voor het tweede slachtoffer daar arriveerde. En zoals altijd betaalde hij met zijn creditcard. Weer zonder auto. Zonder telefoon. Hij ging weer lopen in die hitte.' Het had iets defensiefs zoals Reggie zijn schouders ophaalde. Hij wist dat het er niet goed uitzag. 'Zoals ik al zei, het is een guillotine.'

Leigh stopte met schrijven. Het was geen guillotine. De zaak zat buitengewoon goed in elkaar.

Atlanta lag voor negentig procent in Fulton County en voor de resterende tien procent in DeKalb. De stad had een eigen politiekorps, maar in DeKalb werd alle onderzoek afgehandeld door het DeKalb Police Department. Verreweg de meeste gewelddadige misdaden vonden in Fulton plaats, maar met MeToo en de pandemie waren er de afgelopen twee jaar in het hele gebied uitzonderlijk veel verkrachtingen gemeld.

Leigh zag een rechercheur voor zich van het toch al overbelaste bureau in DeKalb, die urenlang honderden creditcardbetalingen bij een bioscoop en een Mexicaans restaurant turfde tegen gemelde aanrandingen. Andrews naam was niet uit de lucht komen vallen. Ze hadden het moment afgewacht dat hij de fout in ging.

'Vertel eens over het derde slachtoffer,' zei ze.

'Die zat in een bar genaamd de Maplecroft, en Andrew was toentertijd op vrouwenjacht. Dat zie je aan zijn creditcardafschriften. Hij koopt er zelfs een pakje kauwgom mee. Die gast heeft nooit cash op zak. Gebruikt nooit taxi's of huurauto's. Heeft zelden zijn telefoon bij zich. Maar hij kocht wel veel drankjes voor allerlei vrouwen in de stad.'

Leigh wilde hem zelf de conclusie laten trekken. 'Volgens Andrews creditcardafschriften was hij op de avond van de aanval in de Maplecroft?'

'Twee uur voor het derde slachtoffer verdween. Maar Andrew was er minstens vijf keer eerder geweest. Deze keer zijn er geen bewakingsbeelden. De bar is aan het begin van de pandemie afgebrand. Dat kwam de eigenaar heel goed uit, maar ook voor Andy was het gunstig, want de server smolt en ze hadden geen back-up in de cloud.'

Leigh zocht naar een patroon dat de drie zaken met elkaar verbond, zoals een rechercheur dat zou doen. Een bioscoop. Een restaurant. Een bar. Allemaal zaken waar je drinkt uit een glas of beker. 'Denkt de politie dat Andrew ze alle drie roofies heeft gegeven?'

'Het is al net als met Tammy Karlsen,' zei hij. 'Ze kunnen zich geen van allen ook maar iets van de aanval herinneren.'

Leigh tikte met haar pen op het notitieblok. Rohypnol was binnen vierentwintig uur uit het bloed verdwenen en binnen tweeënzeventig uur uit de urine. Het gedeeltelijke geheugenverlies, een vaak voorkomende bijwerking, was soms blijvend. 'Reden de slachtoffers zelf naar deze plekken?'

'Alle drie. De auto's van de eerste twee zijn niet van het parkeerterrein af geweest. De politie vond die de volgende ochtend. Het derde slachtoffer, uit de Maplecroft, kreeg een ongeluk met haar auto. Ze raakte een telefoonpaal op ruim drie kilometer van haar huis. Geen beelden van verkeers- of bewakingscamera's. De auto werd leeg aangetroffen, en niet op slot. De BMW van Tammy Karlsen stond in een zijstraat op zo'n anderhalve kilometer van het Little Nancy Creek Park. Haar tas lag nog in de auto. Evenmin als bij de anderen waren er beelden van bewakings- of verkeerscamera's, dus de man is een boosaardig genie of hij heeft verdomd veel geluk.'

Of hij was zo slim geweest om de plekken van tevoren goed te verkennen. 'Waar werden de slachtoffers de volgende dag gevonden?'

'Allemaal in parken in Atlanta die onder DeKalb County vallen.'

Daar had hij mee moeten beginnen, want dat werd een modus operandi genoemd door mensen die er verstand van hadden. 'Waren al die parken op loopafstand van Andrews huis?'

'Op één na.' Reggie hield een slag om de arm. 'Maar er wonen weet ik hoeveel mensen op loopafstand van die plekken. In Atlanta stikt het van de parken. Driehonderdachtendertig, om precies te zijn. De afdeling parken en recreatie onderhoudt er tweehonderdachtenveertig. De rest wordt verzorgd door vrijwilligersorganisaties.'

Ze zat niet op een Wikipedia-citaat te wachten. 'En mobieletelefoongegevens?'

'Niks.' Reggie leek nu op zijn hoede. 'Maar ik zei al dat Andrew zijn telefoon nooit op zak heeft.'

Leigh kneep haar ogen samen. 'Heeft hij misschien een aparte werktelefoon en een privételefoon?'

'Hij heeft er maar één. Hij is zo iemand die zegt dat hij niet de hele tijd bereikbaar wil zijn, maar als we uitgaan, leent hij wel steeds mijn telefoon.'

'Op de avond dat Andrew Karlsen ontmoette, reed hij in een Mercedes van de zaak,' zei Leigh. 'Ik herinner me dat ik over een Big Brother-zaak in het Verenigd Koninkrijk heb gelezen, iets met automatische tracking.'

'Die hebben ze hier ook. Het heet Mercedes Me, maar je moet een account aanmaken en met de voorwaarden instemmen voor het systeem wordt geactiveerd. Tenminste, dat zeggen de Duitsers.'

Leigh had zeven dagen tot aan het proces. Het ontbrak haar aan tijd om het na te trekken. Ze hoopte dat de aanklager er net zo over dacht. Eén ding werkte in Andrews voordeel, namelijk dat het astronomische aantal coviddoden in december en de couppoging in januari de trans-Atlantische goodwill op pauze hadden gezet.

'Wat heb je verder nog?' vroeg ze.

Reggie sloot het filmpje van de verkeerscamera en begon te tikken en te klikken. Leigh zag zes mappen: LNC-KAART, FOTO'S PLAATS DELICT, FOTO'S SLACHTOFFERS, PROCES-VERBAAL, RELEVANTE DOCUMENTEN.

Hij opende FOTO'S SLACHTOFFERS.

'Hier heb je Karlsen. Ze werd wakker onder een picknicktafel. Zoals ik al zei, kon ze zich niet herinneren wat er was gebeurd, maar ze wist wel dat het de vorige avond vreselijk uit de hand was gelopen.'

Leigh kromp ineen toen de foto werd geladen. Het gezicht van de vrouw was nauwelijks herkenbaar. Het was tot moes geslagen. Haar linkerjukbeen hing scheef. Haar neus was gebroken. Rond haar hals zaten blauwe plekken. Haar borst en armen waren bezaaid met rode en zwarte vlekken.

Zware mishandeling.

Reggie klikte de map LNC-KAART open. 'Dit is een schets van het Little Nancy Creek Park. Gesloten van elf uur 's avonds tot zes uur 's ochtends. Geen verlichting. Geen camera's. Hier zie je het paviljoen. Daar is Karlsen de volgende ochtend gevonden door iemand die zijn hond uitliet.'

Leigh concentreerde zich op de kaart. Een hardlooppad van twee kilometer. Een brug van hout en staal. Een gemeenschapstuin. Een speelplaats. Een openluchtpaviljoen.

Reggie opende FOTO'S PLAATS DELICT en klikte op een reeks jpegs. Genummerde gele bordjes markeerden bewijs. Een spoor van bloedspatten over de trap naar beneden. Een schoenafdruk in de modder. Een colafles op een stuk gras.

Leigh ging op het puntje van haar stoel zitten. 'Dat is een glazen colafles.'

'Die worden hier nog steeds gemaakt,' zei Reggie, 'maar deze komt uit Mexico. Ze gebruiken daar echt suikerriet, geen maïssiroop met een hoog fructosegehalte. Je proeft het verschil. De eerste keer dat ik het dronk, was toen mijn Mercedes een onderhoudsbeurt kreeg bij Tenant. Ze hebben een voorraadje achter de bar in het servicecenter. Blijkbaar wil Andrew dat.'

Voor het eerst sinds Leigh in het kantoortje was, keek ze hem recht aan. 'Hoe ver woont Andrew van het park?'

'Op drie kilometer met de auto, minder als je lopend via de countryclub gaat.'

Leigh richtte haar aandacht weer op de kaart. Ze zou het terrein zelf moeten verkennen. 'Is Andrew weleens eerder in het park geweest?'

'Hij schijnt een natuurfreak te zijn. Kijkt graag naar vlinders.' Reggie glimlachte, maar hij wist dat dit er niet goed uitzag, merkte ze. 'Vingerafdrukken zijn net als urine, toch? Je kunt er de tijd of de datum niet aan aflezen. Je kunt niet bewijzen wanneer dat colaflesje in het park is achtergelaten of wanneer Andrew het heeft aangeraakt. De echte dader had misschien handschoenen aan.'

Leigh negeerde het lesje. 'En die schoenafdruk in de modder?'

'Wat is daarmee?' vroeg hij. 'Er zou een mogelijke match zijn met een paar Nikes die bij Andrew in de kast zijn gevonden, maar "mogelijk" is niet genoeg om ze over de streep te trekken.'

Leigh was het zat dat Reggie het tempo bepaalde. Ze trok de laptop naar zich toe en klikte zelf door de foto's. Nu kreeg de zaak van de aanklager pas goed reliëf. Ze gaf Reggie een lesje in ter zake komen.

'Op het flesje werd een afdruk van Andrews rechterwijsvinger gevonden plus DNA van Tammy Karlsen. Zwaar seksueel geweld. Dat daar lijkt op ontlasting. Ernstige sodomie. Blauwe plekken op haar dijbenen die wijzen op penetratie. Verkrachting. Ze werd naar een afgelegen plek gebracht. Ontvoering. Er kan niet bewezen worden dat ze gedrogeerd was, anders zou dat ook in de aanklacht staan. Waren er wapens?'

'Een mes,' zei Andrew.

Leigh draaide zich om.

Andrew leunde tegen het deurkozijn. Hij had zijn colbert uitgetrokken. De mouwen van zijn overhemd waren opgerold. Het gesprek met Sidney was duidelijk niet goed gegaan. Hij maakte een uitgeputte indruk.

Maar zijn blik had nog steeds die verontrustende leegte.

Daar zou ze later over nadenken, besloot Leigh. Nu nam ze snel de rest van de foto's door. Ze trof geen nieuw fysiek bewijs meer aan. Alleen het filmpje van de bar, de twijfelachtige Nike-afdruk en de vingerafdruk op het glazen colaflesje. Ze ging ervan uit dat Andrews vingerafdrukken niet in de databank van de staat waren opgeslagen. In Georgia viel die twijfelachtige eer je alleen te beurt als je was veroordeeld voor een zwaar misdrijf.

'Weet je hoe ze achter je identiteit zijn gekomen?' vroeg Leigh.

'Tammy zei tegen de politie dat ze mijn stem herkende van de bar, maar dat is niet… Ik bedoel, ze had me nog maar net ontmoet, dus ze weet niet echt hoe mijn stem klinkt, toch?'

Leigh perste haar lippen op elkaar. Je kon met hetzelfde gemak zeggen dat het slachtoffer dat nog heel goed wist, vooral nadat Andrew achtennegentig minuten aan het woord was geweest. Tot dusver werkte de rohypnol nog het meest in zijn voordeel. Leigh had een getuige-deskundige die kon aantonen dat het door de drug veroorzaakte geheugenverlies de identificatie door Karlsen onbetrouwbaar maakte.

'Wanneer heeft de politie je vingerafdrukken afgenomen?' vroeg ze.

'Ze kwamen naar mijn werk en dreigden me onder dwang mee te nemen naar het politiebureau als ik niet uit vrije wil met hen meeging.'

'Je had meteen een advocaat moeten bellen,' zei Reggie.

Met zichtbare spijt schudde Andrew zijn hoofd. 'Ik dacht dat ik het allemaal recht kon zetten.'

'Tja, vriend, de smerissen willen jou helemaal niks laten rechtzetten. Die willen je arresteren.'

Leigh draaide zich weer om. Ze bladerde het dossier door. Ze vond een bevelschrift voor het afnemen van vingerafdrukken, ondertekend door een rechter die een bevelschrift voor waterboarding nog zou ondertekenen als hij daardoor sneller naar de golfbaan kon. Maar het feit dat ze een bevelschrift hadden gekregen zodat ze zijn vingerafdrukken niet van een waterflesje in de verhoorkamer hadden hoeven halen, gaf aan dat het de aanklager menens was.

'Ik dacht altijd dat je als je onschuldig was niets te verbergen had,' zei Andrew. 'En moet je mij nu zien. Mijn hele leven naar de kloten alleen omdat één iemand met haar vinger naar me heeft gewezen.'

'Daarom zijn wij hier, gast,' zei Reggie. 'Collier haalt die bitch met twee vingers in haar neus onderuit.'

'Dat zou niet nodig moeten zijn,' zei Andrew. 'Tammy en ik hadden het hartstikke leuk. Als Sid niet op de stoep had gestaan, zou ik haar de volgende dag gebeld hebben.'

Reggies stoel piepte toen hij achteroverleunde. 'Hoor eens, vriend, dit is oorlog. Je vecht voor je leven. Je moet wel vuil spel spelen, want de tegenpartij doet dat zeker. Anders zit je straks met je vette reet in de gevangenis "had ik maar" te denken. Zeg het maar tegen hem, Collier. Dit is niet het moment om de gentleman uit te hangen.'

Leigh ging zich er niet in mengen. Ze trok de laptop nog dichter naar zich toe en richtte zich weer op het bestand FOTO'S SLACHTOFFERS. Met haar vinger op de pijltjestoets bladerde ze door de documentatie van het verkrachtingsonderzoek. Elke nieuwe close-up was nog schokkender dan de vorige. God wist dat Leigh het nodige geweld onder ogen had gekregen, maar opeens voelde ze zich kwetsbaar nu ze in dit kamertje zat met twee luidruchtige mannen die het over bitches hadden en terwijl het gruwelijke bewijs van een beestachtige verkrachting over het scherm flitste.

De huid was van Tammy Karlsens rug gekrabd. Haar borsten en schouders zaten vol bijtwonden. Handen hadden blauwe plekken achtergelaten op haar armen, over haar hele achterste en op de achterkant van haar benen. Het colaflesje had haar opengereten. Van haar dijbenen tot haar liezen was ze gekneusd en opengescheurd. Barsten doorsneden haar anus. Haar clitoris was losgerukt en zat nog maar met een flintertje weefsel vast. De wonden hadden zo hevig gebloed dat de afdruk van haar billen een bloedzegel had achtergelaten op het beton van de paviljoenvloer.

'Jezus,' zei Andrew.

Leigh onderdrukte een huivering. Hij stond pal achter haar. De foto op de laptop toonde de verminkte borst van Tammy Karlsen. Tot diep in het zachte vlees rond de tepel waren bijtwonden zichtbaar.

'Hoe kan iemand denken dat ik dat gedaan heb?' vroeg hij zich hardop af. 'En hoe dom had ik moeten zijn om haar vanaf de bar te volgen, met al die camera's?'

Leigh was opgelucht toen hij weer naar de bank liep.

'Het klopt niet, Harleigh,' vervolgde Andrew op zachte toon toen hij ging zitten. 'Ik ga er altijd van uit dat ik gefilmd word. Niet alleen in een bar. Bij een pinautomaat. Op straat. Op de zaak. Mensen hebben camera's bij hun oprit, op hun deurbel. Ze zitten overal. Alles wordt gezien. Alles wat je doet wordt de hele tijd vastgelegd. Het gaat tegen alle logica in om aan te nemen dat je iemand – wie dan ook – iets kunt aandoen zonder dat je door een camera betrapt wordt.'

Leigh had het verkeerde moment uitgekozen om hem aan te kijken. Andrew had zijn blik strak op haar gericht. Ze zag zijn gezichtsuitdrukking veranderen, zag hoe hij zijn linkermondhoek zelfgenoegzaam optrok. In een paar tellen was hij van onfortuinlijke onschuldige veranderd in de minzame psychopaat die Tammy Karlsen had gekust, achter haar aan was gereden en had gewacht tot ze bewusteloos was zodat hij haar kon meenemen en verkrachten.

'Harleigh,' zei hij, bijna fluisterend. 'Denk eens aan waar ik allemaal van verdacht word.'

Ontvoering. Verkrachting. Zware geweldpleging. Ernstige sodomie. Zware seksuele mishandeling.

'Op mijn moeder na ken je me langer dan wie ook,' zei Andrew. 'Zou ik zoiets kunnen doen?'

Leigh hoefde niet op de laptop te kijken om de foto's van het verkrachtingsonderzoek langs te zien flitsen. Open wonden, diepe groeven, beten, krabben, allemaal veroorzaakt door het beest dat haar nu aankeek alsof ze een verse prooi was.

'Bedenk eens hoe slim ik had moeten zijn,' zei Andrew. 'Mijd de camera's. Mijd getuigen. Laat geen sporen na.'

Haar keel kneep dicht toen ze wilde slikken.

'Wat ik me afvraag, Harleigh: als jij een vreselijke misdaad ging plegen, een misdaad die het leven van een ander zou verwoesten, zou jij dan weten hoe je ermee weg moest komen?' Hij was naar de rand van de bank geschoven. Zijn hele lijf was gespannen. Zijn handen waren tot vuisten gebald. 'Het is nu anders dan toen we jong waren. Toen kon je nog met keiharde moord wegkomen. Toch, Harleigh?'

Leigh voelde zich terugglijden in de tijd. Ze was achttien en pakte haar spullen voor de universiteit, ook al was dat pas over een maand. Ze nam de telefoon op in de keuken bij haar moeder thuis. Ze hoorde Callie zeggen dat Buddy dood was. Het volgende moment zat ze in haar auto. Stond ze in Trevors kamer. Stond ze in de keuken. Ze vertelde Callie wat ze moesten doen, hoe ze het bloed moesten wegboenen, waar ze de brokstukken van de kapotte camcorder moesten laten, hoe ze zich van het lijk moesten ontdoen, wat ze met het geld moesten doen, wat ze tegen de politie moesten zeggen, hoe ze hiermee weg konden komen, want ze had aan alles gedacht.

Aan bijna alles.

Langzaam keerde ze zich naar Reggie toe. Zich van niets bewust zat hij verstrooid wat op zijn telefoon te tikken.

'Heeft…' Het woord bleef in haar keel steken. 'De aanvaller gebruikte een mes bij Karlsen. Heeft de politie dat mes gevonden?'

'Dat niet.' Reggie tikte ondertussen door. 'Maar te oordelen naar de afmeting en diepte van de wond denken ze dat het een kartelmes was met een lemmet van zo'n twaalf centimeter. Waarschijnlijk een goedkoop keukenmes.'

Een gebarsten houten heft. Gebogen lemmet. Scherpe kartels.

Reggie stopte met tikken. 'Dat kun je terugvinden in de dossiers wanneer ik die op je server heb gezet. Volgens de politie is hetzelfde mes ook bij de drie andere slachtoffers gebruikt. Ze hadden allemaal dezelfde wond op dezelfde plek.'

'Wond?' Leigh hoorde haar stem weergalmen in haar oren. 'Wat voor wond?'

'Linkerdijbeen, een paar centimeter onder de lies.' Reggie haalde zijn schouders op. 'Ze hebben geluk gehad. Iets dieper en hij zou de dijbeenslagader hebben opengehaald.'

3

Leigh was nog geen anderhalve kilometer van Reggies kantoor verwijderd toen haar maag zich binnenstebuiten keerde. Er werd luid getoeterd op het moment dat ze haar auto met een zwaai naar de kant van de weg stuurde. Ze dook over de passagiersstoel. Het portier vloog open. Gal stroomde haar mond uit. Ook toen ze niets meer had, bleef ze kokhalzen. Dolken staken in haar onderlijf. Haar hoofd hing zo ver naar beneden dat haar gezicht bijna de grond raakte. Door de stank moest ze opnieuw kokhalzen, maar er kwam niets. Tranen stroomden uit haar ogen. Zweet parelde op haar gezicht.

...denken ze dat het een kartelmes was.

Ze hoestte zo hevig dat ze sterretjes zag. Ze klemde het portier vast om niet te vallen. Martelende krampen teisterden haar lichaam. Pijnlijk langzaam nam het kokhalzen af. Toch bleef ze nog even met dichtgeknepen ogen uit de auto hangen, haar lichaam smekend om te stoppen met beven.

Met een lemmet van zo'n twaalf centimeter.

Leigh opende haar ogen. Een sliertje speeksel droop uit haar mond en vormde een plasje op het geplette gras. Ze nam een grote hap lucht en liet haar ogen weer dichtvallen. Ze wachtte tot er nog iets kwam, maar er kwam niets.

Waarschijnlijk een goedkoop keukenmes.

Om zichzelf te testen kwam ze voorzichtig overeind. Ze veegde haar mond af, trok het portier dicht en richtte haar blik op het stuur. Doordat ze zich over de middenconsole heen had gebogen, deden haar ribben nu pijn. De auto schudde toen een vrachtwagen langsscheurde.

In het kantoor van Reggie Paltz was Leigh niet in paniek geraakt. Een soort schemertoestand had bezit van haar genomen, waarbij ze fysiek aanwezig was geweest maar ook weer niet. Haar ziel had boven de kamer gezweefd en had alles gezien, maar niets gevoeld.

Onder zich had ze de andere Leigh op haar horloge zien kijken, verbaasd omdat het al zo laat was. Ze had een smoes verzonnen, dat ze een vergadering in het centrum had. Andrew en Reggie waren in navolging van haar opgestaan. De andere Leigh had haar tas om haar schouder gehesen. Reggie had zich weer op zijn laptop gericht. Andrew had elke beweging van haar gevolgd. Als een tl-buis die aanflikkerde, was hij opeens weer een en al onderdanigheid en onschuld geweest. Zijn woorden waren als door een brandslang naar buiten gestroomd: *jammer dat je weg moet ik dacht dat we net goed op gang kwamen zal ik je bellen of zie ik je morgenmiddag bij die afspraak met Cole?*

Zwevend tegen het plafond had Leigh haar andere zelf beloften of excuses zien maken, ze wist niet precies welke, want ze kon haar eigen stem niet horen. Toen had ze haar mondkapje om haar oren gehaakt. Ze had ten afscheid gezwaaid. Vervolgens was ze de receptie door gelopen.

Haar andere zelf bleef uiterlijk rust uitstralen. Ze was gestopt om wat handgel te pakken. Ze had naar de lege Dunkin' Donuts-beker gekeken, die weer uit de afvalbak was gevist en midden op de balie was gezet. Toen was ze de gang door gelopen. Ze had de trap naar beneden genomen en de glazen deur geopend. Ze was de betonnen stoep op gestapt. Was voorzichtig de afbrokkelende treden af gedaald. Had haar blik over het parkeerterrein laten gaan.

Sidney Winslow had een sigaret staan roken. Bij het zien van Leigh had ze walgend haar mond vertrokken. Leunend tegen een lage sportwagen had ze wat as afgetikt.

Andrews auto.

Leigh was wankelend doorgelopen, nog duizelig van de klap waarmee haar ziel weer in haar lichaam was ingedaald. Ze was weer zichzelf, één persoon, één vrouw, die zojuist een sadistische verkrachter zo ongeveer had horen bekennen dat hij niet alleen wist dat Leigh bij de moord op Buddy betrokken was geweest, maar dat hij haar techniek verfijnde door die op zijn eigen slachtoffers toe te passen.

Iets dieper en hij zou de dijbeenslagader hebben opengehaald.

'Hé, bitch.' Sidney had zich strijdlustig van de auto af geduwd. 'Ik vind het maar niks dat mijn eigen verloofde me volgens jou niet kan vertrouwen.'

Leigh had niets gezegd, had het domme wicht alleen maar aangekeken. Haar hart was op hol geslagen. Ze had het warm en koud tegelijk gehad. Haar maag had zich gevuld met scheermesjes. En dat alles vanwege Andrews auto.

Hij reed in een gele Corvette.

Dezelfde kleur, hetzelfde type als de auto waarin Buddy had gereden.

Opeens hoorde Leigh een luide claxon. De Audi schudde hevig toen een vrachtwagen langszwenkte. Ze keek in de zijspiegel. Haar achterwiel stond op de streep. In plaats van in actie te komen keek ze naar het naderende verkeer, in gedachten wie dan ook uitdagend om haar aan te rijden. Weer getoeter. Weer een vrachtwagen weer een personenauto weer een SUV maar geen gele flits van Buddy's Corvette.

Andrew.

Voor haar zou hij nooit meer Trevor zijn. Deze drieëndertigjarige man was niet de vervelende vijfjarige die altijd achter de bank vandaan sprong om haar aan het schrikken te maken. Leigh herinnerde zich de onzichtbare tranen die het jongetje had weggeveegd als ze hem had toegeroepen dat hij moest ophouden. Het was duidelijk dat Andrew bepaalde bijzonderheden wist over zijn vaders dood, maar hoe? Wat hadden ze gedaan om zichzelf te verraden? Wat had Leigh die avond voor domme fout gemaakt waardoor Andrew uiteindelijk de puzzelstukjes in elkaar had kunnen passen?

Als jij een vreselijke misdaad ging plegen, een misdaad die het leven van een ander zou verwoesten, zou jij dan weten hoe je ermee weg moest komen?

Leigh snoof, en een dikke, stinkende brok gleed door haar keel. Ze zocht in haar tas naar een tissue, maar kon niks vinden. Ze dumpte de tas op de passagiersstoel. De inhoud vloog alle kanten op. Het pakje tissues onttrok een opvallend oranje pillenpotje aan het oog.

Valium.

Iedereen had iets nodig gehad om het afgelopen jaar door te komen. Leigh dronk niet. Ze vond het vreselijk om de controle te verliezen, maar ze vond het nog erger om niet te kunnen slapen. Tijdens de lang uitgerekte verkiezingswaanzin had ze een recept voor valium gekregen. De dokter had de pillen pandemiezoetjes genoemd.

Slaapmedicijn.

Zo had Buddy Andrews NyQuil genoemd. Altijd wanneer Buddy

thuiskwam en Andrew nog wakker was, zei hij tegen Leigh: 'Hé, pop, ik kan die shit er vanavond niet bij hebben, dus doe me een lol en geef die jongen voor je weggaat zijn slaapmedicijn.'

Leigh hoorde Buddy's onmiskenbare bariton, alsof hij op de achterbank van haar auto zat. Onwillekeurig voelde ze zijn tastende handen over haar schouders wrijven. Haar eigen handen begonnen zo te trillen dat ze met haar tanden de dop van het valiumpotje moest draaien. Drie oranje pilletjes vielen op haar handpalm. Ze floepte ze alle drie in haar mond en slikte ze droog door, alsof het snoepjes waren.

Ze sloeg haar handen ineen om het trillen tegen te gaan. Ze wachtte op de ontspanning. In het potje zaten nog vier pillen. Als het moest, nam ze ze allemaal. Dit kon ze er nu niet bij hebben. Zich wentelen in angst was een luxe die ze zich niet kon veroorloven.

Andrew en Linda Tenant waren niet langer armoedzaaierige Waleski's. Dankzij Tenant Auto Sales zwommen ze in het geld. Reggie Paltz kon waarschijnlijk afgekocht worden met de belofte van meer werk via Leighs kantoor, maar hij was niet de enige privédetective in de stad. Andrew kon een heel team aan detectives inhuren die vragen konden gaan stellen die niemand drieëntwintig jaar geleden de moeite waard had gevonden, zoals...

Als Callie zich zorgen had gemaakt om Buddy, waarom had ze Linda dan niet gebeld? Haar nummer was naast de keukentelefoon op de muur geplakt.

Als Andrew inderdaad per ongeluk het telefoonsnoer uit de muur had gerukt, waarom kon hij het zich dan niet herinneren? En waarom was hij de volgende dag zo suf geweest?

Waarom had Callie die avond Leigh gebeld om te vragen of ze haar wilde halen? Ze had het wandelingetje van tien minuten naar haar huis al honderd keer gemaakt.

Waarom zeiden de naaste buren dat ze Buddy's Corvette verscheidene keren hadden horen afslaan op de oprit? Hij wist toch hoe hij een handgeschakelde auto moest bedienen?

Wat was er met het kapmes in het schuurtje gebeurd?

Waarom ontbrak de jerrycan met benzine?

Hoe kwam Callie aan die gebroken neus, die wonden en blauwe plekken?

En waarom vertrok Leigh een maand te vroeg naar de universiteit, terwijl ze nog geen onderdak had en nauwelijks geld?

Zesentachtigduizend negenhonderdveertig dollar.

De avond dat Buddy stierf, had hij net geld gekregen voor een grote klus. In zijn bomvolle tas had vijftigduizend dollar gezeten. De rest hadden ze op verschillende plekken in het huis gevonden.

Callie en Leigh hadden geruzied over wat ze met het geld moesten doen. Callie had gezegd dat ze iets voor Linda moesten achterlaten. Leigh had daarop geantwoord dat één achtergelaten cent hen al zou verraden.

Als Buddy Waleski er echt vandoor was gegaan, zou hij al het geld hebben meegenomen waar hij de hand op had kunnen leggen, want hij gaf alleen om zichzelf.

Leigh kon zich nog woordelijk herinneren hoe ze Callie uiteindelijk op andere gedachten had gebracht.

Het is geen bloedgeld als je er met je eigen bloed voor betaald hebt.

Opnieuw klonk er getoeter. Weer schrok Leigh op. Het zweet was koud opgedroogd op haar huid. Ze zette de airco wat lager. Ze voelde zich jankerig, maar daar schoot ze niets mee op. Nu kwam het op concentratie aan. In de rechtszaal moest ze iedereen altijd tien stappen voor zijn, maar nu kostte het haar al enorm veel moeite om te bedenken wat de eerste stap in de goede richting was.

Ze hoorde Andrews woorden weer, zag de spottende grijns om zijn lippen.

Het is nu anders dan toen we jong waren. Toen kon je nog met keiharde moord wegkomen.

Wat hadden Callie en zij over het hoofd gezien? Niet dat ze echte tienergangsters waren geweest, maar ze hadden allebei in de jeugdgevangenis gezeten en waren allebei in een slechte buurt opgegroeid. Ze wisten intuïtief hoe ze hun sporen moesten wissen. Hun bebloede kleren en schoenen waren in een vuurton verdwenen. De camcorder hadden ze aan stukken geslagen. Het hele huis hadden ze schoongeboend. Buddy's auto was gestript en uitgebrand. Zijn tas was vernietigd. Ze hadden zelfs een koffer gevuld met zijn kleren en er nog een paar schoenen bij gedaan.

Alleen het mes was achtergebleven.

Leigh had het weg willen doen. Callie had gezegd dat Linda het zou missen in de set. Uiteindelijk had Callie het streepje bloed in de spoelbak afgewassen. Daarna hadden ze het houten heft in bleekmiddel geweekt. Callie had zelfs met een tandenstoker de doorn schoongepeuterd, een woord dat Leigh alleen in deze context had onthouden omdat ze de gewoonte had ontwikkeld om na elk verstreken jaar alle details door te nemen die mogelijk ooit tegen hen gebruikt zouden kunnen worden.

Snel liet ze alles weer de revue passeren, die hele lange lijst met vragen, waarop het antwoord afhing van kinderherinneringen of die van een paar bejaarde buren die allebei achttien jaar geleden gestorven waren.

Fysiek bewijs ontbrak. Er was geen lijk gevonden. Geen moordwapen. Geen onverklaarbare haren, tanden, bloedspatten, vingerafdrukken of DNA-sporen. Geen kinderporno. De enigen die wisten dat Buddy Waleski Callie regelmatig had verkracht, waren de mannen die er baat bij hadden hun ranzige pedobek te houden.

Mr Patterson. Coach Holt. Mr Humphrey. Mr Ganza. Mr Emmett. *Maddy. Walter. Callie.*

Leigh moest haar prioriteiten voor ogen houden. Ze mocht niet langer zwelgen in angst. Ze keek in de zijspiegel, wachtte tot de rijbaan vrij was en reed de weg op.

Tijdens het rijden verspreidde de valium zich door haar bloedbaan. Hier en daar werden de scherpe randjes gladgestreken. Haar schouders ontspanden tegen de rugleuning. De gele streep op de weg veranderde in een loopband. Gebouwen, bomen, verkeers- en reclameborden trokken als in een waas voorbij: Colonnade Restaurant, Uptown Novelty, BRENG DE CIJFERS NEER EN VACCINEER! HOUD ATLANTA OPEN VOOR ZAKEN!

'Shit,' siste ze, met haar voet op de rem. De auto voor haar was plotseling gestopt. Leigh zette de airco weer hoger. De koude lucht sloeg in haar gezicht. Ze reed langs de stilstaande auto, zo voorzichtig dat ze zich net een oud dametje voelde. Een eindje verderop sprong het licht op groen, maar in plaats van gas te geven liet ze de auto uitrollen en tikte de richtingaanwijzer aan. Het digitale bord bij de bank vermeldde de tijd en de temperatuur.

Twee minuten voor twaalf. Vijfentwintig graden.

Leigh zette de airco uit en opende het raampje. Warmte omhulde haar. Dat ze zweette voelde alleen maar gepast. Aan het eind van de stikhete avond waarop Buddy Waleski was gestorven, waren hun kleren drijfnat geweest van bloed en zweet.

Buddy was aannemer geweest, dat had hij tenminste tegen iedereen beweerd. In de kleine kofferbak van zijn Corvette stond een gereedschapskist met tangen en een hamer. In het schuurtje in de achtertuin lagen zeildoek, tape en plastic, en aan een haak achter de deur hing een gigantisch kapmes.

Eerst hadden ze Buddy op het plastic gerold. Toen hadden ze op handen en knieën al het bloed verwijderd dat onder hem had gelegen. Daarna hadden ze met behulp van de keukentafel en stoelen een geïmproviseerde badkuip rond het lijk gebouwd.

Elke seconde van wat er daarna was gebeurd stond op Leighs netvlies gegrift. Met de scherpste messen hadden ze stukken huid afgesneden. Met het kapmes gewrichten doorgehakt. Met de hamer tanden kapotgeslagen. Met tangen vingernagels losgewrikt voor het geval er huidresten van Callie onder zaten. Met een scheermes vingers bekrast om vingerafdrukken onbruikbaar te maken. Ze hadden alles met bleekmiddel overgoten om elk spoortje DNA uit te wissen.

Ze hadden elkaar afgelost, want het werk was niet alleen mentaal slopend geweest. Het zware lijf in stukken hakken en de resten in zwarte tuinafvalzakken proppen had al hun krachten gevergd. Leigh had haar kaken de hele tijd op elkaar geklemd. Callie had telkens weer hetzelfde gekmakende zinnetje gezongen.

Als u een nummer wilt bellen, verbreek de verbinding en probeer het opnieuw... in geval van nood...

In gedachten had Leigh er haar eigen deuntje aan toegevoegd.

Het-is-mijn-schuld-het-is-allemaal-mijn-schuld-het-is-mijn-schuld...

Leigh was dertien geweest en Trevor vijf toen ze bij de Waleski's met oppassen was begonnen. Ze was via mond-tot-mondreclame aan het baantje gekomen. Die eerste avond had Linda een langdradige preek afgestoken over het belang van betrouwbaarheid, waarna ze Leigh de lijst met noodnummers naast de keukentelefoon hardop had laten voorlezen. Antigifcentrum. Brandweer. Politie. Kinderarts. Linda's nummer in het ziekenhuis.

Ze had een snelle rondleiding door het deprimerende huis gekregen, en al die tijd had Andrew zich als een wanhopig aapje aan Linda's middel vastgeklemd. Lampen werden aan- en uitgedaan. De koelkast en keukenkastjes werden geopend en gesloten. Hier stond avondeten. Daar waren de snacks. Zo laat ging hij naar bed. Die boeken mocht ze voorlezen. Buddy zou uiterlijk om middernacht thuis zijn, maar Leigh moest zweren dat ze pas weg zou gaan wanneer Buddy terug was. En als hij niet thuiskwam of dronken was – stomdronken, niet aangeschoten – moest Leigh meteen Linda bellen, die dan thuis zou komen.

De preek had overdreven aangevoeld. Leigh was in Lake Point opgegroeid, waar de laatste rijke witte bewoners bij hun vertrek het meer hadden laten leeglopen zodat zwarte mensen er niet meer in konden zwemmen. De verlaten huisjes waren in crackholen veranderd. Op alle uren van de dag klonken er schoten. Leigh kwam op weg naar school langs een park waar de kapotte injectiespuiten de kinderen in aantal overtroffen. Tijdens de twee vorige jaren dat ze op kinderen had gepast, had niemand haar straatwijsheid ooit in twijfel getrokken.

Linda had haar wrevel ongetwijfeld aangevoeld, want ze had het dreigingsniveau vlug teruggeschroefd. Kennelijk hadden de Waleski's te kampen gehad met onverantwoordelijke imbecielen. Eén oppas had Andrew thuis achtergelaten zonder ook maar de deur op slot te doen. Een ander was niet meer komen opdagen. Weer een ander had de telefoon niet opgenomen. Linda begreep er niets van. Leigh evenmin.

En toen, drie uur nadat Linda naar haar werk was vertrokken, was Buddy thuisgekomen.

Hij had naar Leigh gekeken zoals nog nooit iemand naar haar had gekeken. Van top tot teen. Keurend. Op waarde schattend. Zijn blik was blijven rusten op haar lippen, op de twee kleine bobbeltjes die tegen de voorkant van haar verschoten Aerosmith-T-shirt drukten.

Buddy was zo groot en fors dat het hele huis schudde toen hij naar de bar liep. Hij had zichzelf een glas ingeschonken. Met de rug van zijn hand had hij zijn morsige mond afgeveegd. Toen hij begon te praten, tuimelden zijn woorden over elkaar heen, een stortvloed aan insinuerende vragen ingekapseld in ongepaste complimenten.

Hoe oud ben je popje vast niet ouder dan dertien maar verdomd je lijkt wel een volwassen vrouw wedden dat je papa je de jongens met een stok van het lijf moet houden wat zeg je me nou je kent je papa niet eens wat erg schatje zo'n kleintje als jij kan niet zonder een grote stoere kerel die haar beschermt.

Eerst had Leigh gedacht dat Buddy haar een verhoor afnam, net als Linda had gedaan, maar achteraf begreep ze dat hij de situatie voorzichtig had gepeild. De politie noemde dat grooming, en pedofielen volgden altijd dezelfde onwrikbaar voorspelbare regels.

Buddy had gevraagd naar haar hobby's, naar haar lievelingsvakken op school, had grapjes gemaakt over hoe serieus ze was, gesuggereerd dat ze slimmer en interessanter was dan hij, een boeiender leven leidde. Hij wilde alles van haar weten. Ze mocht niet denken dat hij net zo was als al die andere ouwe lullen die ze kende. Ja, hij was ook een ouwe lul, maar hij begreep wat jonge mensen doormaakten. Hij bood haar wat wiet aan. Ze weigerde. Hij bood haar iets te drinken aan. Ze nam een slokje van iets wat naar hoestsiroop smaakte en smeekte hem in stilte om haar alsjeblieft-alsjeblieft naar huis te laten gaan zodat ze haar huiswerk kon maken.

Ten slotte had Buddy geschrokken op het enorme gouden horloge om zijn dikke pols gekeken. Hij had zijn mond theatraal laten openvallen.

Wauw popje, waar blijft de tijd ik zou de hele nacht wel met je kunnen praten maar je moeder zit vast op je te wachten en ik wed dat ze retestreng is dat ze je altijd in de gaten houdt ook al ben je al een grote meid en zou je zelf mogen beslissen wat jij?

Onwillekeurig had Leigh met haar ogen gerold, want als haar moeder nog op was, was dat alleen om het geld in ontvangst te nemen dat haar dochter had verdiend door op Trevor te passen.

Had Buddy haar met haar ogen zien rollen? Leigh wist alleen dat alles op dat moment was veranderd. Misschien was hij de informatie aan het verwerken die hij had verzameld. Geen vader. Waardeloze moeder. Niet veel vrienden op school. Die hield haar mond wel.

Toen had hij gezegd dat het buiten stikdonker was. Dat het een slechte buurt was. Dat het misschien ging regenen. Weliswaar woonde Leigh op tien minuten lopen afstand, maar ze was te mooi om in haar eentje 's avonds op straat te zijn.

Zo'n teer popje als jij straks word je door een of andere foute gast opgetild en in zijn zak gestopt en wat een drama zou dat zijn want dan zou Buddy haar mooie gezichtje nooit meer zien dat wilde ze toch niet hij zou er kapot van zijn zoiets vreselijks wilde ze hem toch niet aandoen?

Leigh was misselijk geweest, had zich schuldig gevoeld, beschaamd en nog erger: klemgezet. Ze was doodsbang geweest dat ze zou moeten blijven slapen. Maar toen had Buddy gezegd dat hij haar met de auto thuis zou brengen. Ze was zo opgelucht geweest dat ze niet had tegengesputterd, alleen haar huiswerk had gepakt en alles in haar rugzak had gepropt.

Het licht sprong op groen, maar Leigh was zo in gedachten verzonken dat ze het niet meteen doorhad. Weer werd er driftig getoeterd. Ze nam de afslag. Als een robot reed ze door een schaduwrijke zijstraat. Er ritselde geen wind door de bomen, maar ze hoorde wel lucht door haar open raampje stromen toen ze met een vaart doorreed.

De Waleski's hadden een carport aan de zijkant van hun huis. De raampjes van Buddy's gele Corvette hadden al opengestaan toen ze via de keukendeur naar buiten waren gegaan. De auto was een ouder model. Roest omrandde de motorkap. De lak was dof. Een olievlek op het beton markeerde de plek waar hij altijd stond. Vanbinnen had het naar zweet, sigaren en zaagsel geroken. Met een overdreven gebaar had hij het portier voor Leigh geopend en daarbij zijn biceps laten rollen om te laten zien hoe sterk hij was.

Prince Charming tot uw orders jongedame knip maar met je vingers en je ouwe makker Buddy staat klaar.

Toen was hij naar de bestuurderskant gelopen, en het eerste wat ze had gedacht was dat hij net een clown was die zichzelf in een speelgoedauto wurmde. Kreunend en steunend had hij zijn logge lijf achter het stuur gepropt. Schouders gekromd. De stoel naar achteren. Leigh herinnerde zich nog hoe hij zijn enorme hand om de pook had geslagen. De hele versnellingsbak was verdwenen. Hij had zijn berenpoot daar laten rusten en meegetrommeld met het liedje op de radio.

Callie werd al die jaren nog steeds geteisterd door de blèrende stem van de telefoniste uit de kapotte keukentelefoon. Leigh werd geteisterd door Buddy's knerpende falsetstem toen hij meezong met 'Kiss on My List' van Hall & Oates.

Ze waren nog maar twee minuten onderweg toen Buddy's hand in het vage oranje licht van de radio haar kant op schoof. Hij bleef recht voor zich uit kijken, maar zijn vingers trommelden op haar knie, net als even daarvoor op de pook.

Ik vind dit een mooi liedje jij ook popje vast wel maar ik vraag me af of je ooit een jongen hebt gekust weet je hoe dat voelt?

Leigh zat als verlamd in de kuipstoel. Haar zweet versmolt haar huid met het gebarsten leer. Buddy liet zijn hand op haar knie rusten toen hij vaart minderde om zijn auto aan de kant van de weg te zetten. Ze herkende het huis van de familie Deguil. Ze had de vorige zomer een paar keer op hun dochtertje Heidi gepast. Hun verandalamp brandde.

Rustig maar meisje niet bang zijn je ouwe makker Buddy zal je nooit kwaad doen maar jezus wat heb je een zacht huidje ik kan de donshaartjes voelen je lijkt wel een baby.

Hij had nog steeds niet naar haar gekeken, maar hield zijn blik recht naar voren gericht. Zijn tong schoot tussen zijn lippen door. Zijn worstenvingers kriebelden over haar knie en sleepten haar rokje mee. Zijn hand op haar been voelde zwaar als een aambeeld.

Leigh hapte naar adem. Duizelend tolde ze het heden weer in. Haar hart ging zo tekeer in haar keel dat ze met haar hand op haar borst drukte om te voelen of het niet was losgeschoten. Haar huid was klam. Ze hoorde Buddy's laatste woorden in haar oren nagalmen toen ze uit de auto stapte...

Dit blijft tussen ons ja en hier heb je wat extra geld voor vanavond maar beloof dat je niks zegt want ik wil niet dat je mama kwaad wordt en je straft zodat ik je nooit meer zie.

Zodra Leigh binnen was geweest, had ze haar moeder verteld over Buddy's kriebelvingers op haar knie.

Jezus Harleigh je bent toch geen baby meer gewoon zijn hand wegmeppen en flikker op zeggen als hij het nog eens probeert.

Natuurlijk had Buddy het nog eens geprobeerd. Maar haar moeder had gelijk gehad. Leigh had zijn hand weggemept en flikker op geschreeuwd en daarmee was het afgelopen.

Verdomme popje oké oké oké ik snap het stelt niks voor maar ooit geeft zo'n pittig dingetje als jij een arme sloeber waar voor zijn geld.

Daarna was Leigh het incident vergeten zoals je dingen vergeet die te afschuwelijk zijn om te onthouden, zoals de leraar die het steeds over haar borsten had die zo hard groeiden of de oude vent in de supermarkt die zei dat ze 'een echte vrouw' aan het worden was. Toen Leigh drie jaar later voldoende geld had gespaard om een auto te kopen waarmee ze naar een beter baantje in het winkelcentrum kon rijden, had ze het oppasklusje naar een dankbare Callie doorgeschoven.

Het licht sprong op groen. Leighs voet ging naar het gaspedaal. Tranen stroomden over haar wangen. Ze wilde ze wegvegen, maar die klotecovid weerhield haar ervan. Ze trok een tissue uit het pakje en depte er voorzichtig mee onder haar ogen. Weer vulde ze haar longen met een hap lucht. Ze hield haar adem vast tot het pijn deed en blies toen zachtjes tussen haar tanden door uit.

Leigh had Callie nooit verteld wat er in de Corvette was gebeurd. Ze had nooit tegen haar zusje gezegd dat ze Buddy's hand moest wegmeppen. Ze had nooit tegen Buddy gezegd dat hij van Callie af moest blijven. Ze had Linda of wie dan ook niet gewaarschuwd, want ze had die vreselijke herinnering zo diep weggeduwd dat ze alleen maar kon verdrinken in haar eigen verdriet tegen de tijd dat de moord op Buddy alles weer boven bracht.

Ze opende haar mond voor een nieuwe hap lucht. Ze was weer gedesoriënteerd, keek om zich heen om te zien waar ze was. De Audi wist nog eerder waar hij naartoe moest dan Leigh zelf. Links, een paar meter doorrijden, rechtsaf naar het parkeerterrein van het winkelcentrum.

Brigadier Nick Wexlers patrouillewagen stond achteruit geparkeerd op zijn vaste lunchplek tussen een lijstenmakerij en een Joodse delicatessenwinkel. Het parkeerterrein was maar halfvol. Een in vakken verdeelde streep voerde naar de ingang van de delicatessenwinkel voor afhaalbestellingen.

Leigh stapte niet meteen uit. Ze werkte haar make-up bij. Kauwde een paar pepermuntjes weg. Ze deed haar sexy rode lippenstift op. Ze viste haar notitieboekje en een pen op uit de troep. Ze bladerde door de aantekeningen over Andrews zaak en zocht een schone pagina. Ze schreef iets op de onderkant van het papier. De valium deed zijn werk. Haar handen trilden niet meer. Ze voelde haar eigen hartslag niet meer.

Ze scheurde de onderkant van de pagina af, vouwde hem op tot een strak vierkant en stopte dat achter haar bh-bandje.

Nick had haar al in de peiling toen ze uit de Audi stapte. Leigh draaide overdreven met haar heupen. Spande bij elke stap haar kuiten. Het eindje lopen gaf haar tijd om haar verschillende persoonlijkheden door te nemen. Niet kwetsbaar zoals bij Walter. Niet kil zoals tegenover Reggie Paltz. Bij Nick Wexler was Leigh het soort vrouw dat kon flirten met een brigadier van het Atlanta Police Department terwijl die een bon wegens te hard rijden uitschreef, om hem drie uur later ten slotte helemaal plat te neuken.

Nick streek met zijn vingers langs zijn mond toen ze dichterbij kwam. Leigh glimlachte, maar haar mondhoeken krulden te ver naar boven. Dat was de valium. Die veranderde haar in een grijnzende gek. Ze voelde Nicks blik toen ze om de voorkant van zijn patrouillewagen heen liep.

De raampjes stonden open.

'Hé, advocaat,' zei Nick. 'Waar heb jij al die tijd gezeten?'

Ze gebaarde naar de puinzooi op de passagiersstoel. 'Doe die rommel eens weg.'

Nick klapte de laptop op zijn dashboard omhoog en veegde de troep met een armzwaai op de vloer. Leigh reikte naar de portierkruk, maar miste bij de eerste poging. Er trok een waas voor haar ogen. Ze knipperde het weg en trok met een glimlach naar Nick het portier open. Zijn marineblauwe politie-uniform was gekreukeld van de hitte. Al stonk hij nog zo naar zweet, Nick was ongegeneerd sexy. Blinkend witte tanden. Dik zwart haar. Donkerblauwe ogen. Pezige, sterke armen.

Leigh stapte in de politieauto. Haar hak gleed uit over zijn lunchzak. Ze had geen mondkapje opgedaan. De valium had haar losser gemaakt, maar haar beoordelingsvermogen was nog niet helemaal naar de knoppen. Hulpverleners waren in februari al voor het vaccin in aanmerking gekomen. Niemand wist of ze het virus nog bij zich konden dragen, maar Leigh bedacht dat ze van Nick Wexler eerder syfilis kon krijgen dan covid.

'Hopelijk kom je de burgemeester even de hand schudden,' zei hij.

Leigh keek door de vuile voorruit naar buiten. De rij bij de deli schoof langzaam op. Haar grijns trok haar gezichtsspieren strak. In een onbereikbaar deel van haar brein lag haar spanning te sudderen. Samen met Andrew, die zich ook in het duister had teruggetrokken.

'Hé.' Nick knipte met zijn vingers. 'Geef mij ook eens wat van dat spul.'

'Valium.'

'Dan krijg ik een tegoedbon,' zei hij. 'Ik neem genoegen met een handjob.'

'Tegoedbon,' zei ze. 'Sinds wanneer neem jij ergens genoegen mee?'

Hij grinnikte waarderend. 'Wat brengt je na al die tijd naar mijn wagen, advocaat? Voer je iets in je schild?'

Samenspanning tot moord. Onwettig verbergen van een lijk. Liegen tegen een politieagent. Het ondertekenen van een valse getuigenverklaring. Ontlopen van vervolging door naar een andere staat te vluchten.

'Ik wil je om een gunst vragen,' zei ze.

Hij trok zijn wenkbrauwen op. Ze deden niet aan gunsten. Ze waren gelegenheidsfuckbuddy's, die allebei uit hun respectievelijke baan geknikkerd zouden worden als hun stoeipartijtjes ooit aan het licht kwamen. Smerissen en advocaten gingen even goed samen als Churchill en Hitler.

'Het gaat niet over een zaak,' zei ze.

'O-ké.' Hij was duidelijk sceptisch.

'Cliënt die niet betaalt. Ik moet haar opsporen zodat ik mijn geld krijg.'

'Worden de geldzuigers ongeduldig bij Buttfuck, Cunt & Motherfucker?'

De dwaze grijns plukte aan haar mond. 'Zoiets, ja.'

Hij twijfelde nog steeds. 'Moet je tegenwoordig je eigen centen najagen?'

'Ik probeer wel iemand anders.' Leigh reikte naar het portier.

'Hé hé. Rustig aan, advocaat. Hier blijven.' Hij klonk als een smeris, maar zijn hand drukte zachtjes op haar schouder. Met zijn duim streelde hij haar nek. 'Wat is er?'

Ze schudde zijn hand af. Ze susten elkaar niet. Alleen Walter had recht op die versie van haar.

Nick deed een nieuwe poging. 'Wat is er mis?'

Ze haatte dat laat-mij-het-maar-opknappen-toontje, een van de redenen dat ze hem al een tijd niet had opgezocht. 'Zie ik eruit alsof er iets mis met me is?'

Hij lachte. 'Advocaat, negenennegentig procent van de tijd heb ik geen idee wat er zich afspeelt in dat prachthoofd van je.'

'Dat maak je dan weer goed met dat ene procentje.' De suggestieve klank in haar stem was niet haar bedoeling geweest. Of misschien ook wel. Wat ze deden, bracht een zekere mate van zelfbeschadiging met zich mee. Leigh was zich er terdege van bewust dat juist het risico haar telkens weer naar hem toe dreef.

Nick had zich nooit druk gemaakt om haar motieven. Hij liet zijn blik van haar hoofd naar haar benen gaan. Hij was het soort man dat wist hoe hij naar een vrouw moest kijken. Niet smerig, zoals Buddy een meisje van dertien had gemonsterd. Niet zoals Reggie Paltz, die haar op zijn kantoor met een terloopse, seksistische blik op neukbaarheid had gekeurd. Nick had het soort blik dat zei: ik weet precies waar en hoelang ik je moet aanraken.

Leigh beet op haar onderlip.

'Shit,' zei Nick. 'Oké, hoe heet die cliënt?'

Ze was zo wijs niet al te gretig over te komen. 'Linker-bh-bandje.'

Zijn wenkbrauw schoot weer omhoog. Hij keek even of niemand het zag. Zijn vinger gleed haar bloesje in. Haar huid was klam van de hitte. Zijn vinger bewoog over haar sleutelbeen naar haar borst. Ze voelde haar adem versnellen toen hij het papiertje vond. Langzaam trok hij het tussen twee vingers tevoorschijn.

'Het is vochtig,' zei hij.

Weer lachte ze.

'Jezus christus.' Hij duwde zijn laptop naar beneden, vouwde het papiertje open en legde het plat op zijn been. Hij moest lachen toen hij de naam las. 'Eens even zien hoe *homegirl* zich in de nesten heeft gewerkt.'

'Gaan we etnisch profileren?'

Hij keek haar schuins aan. 'Als ik me door iemand bij mijn kloten wil laten pakken zonder geneukt te worden, ga ik wel naar huis, naar moeder-de-vrouw.'

'Als ik iemand wil neuken die zich bij zijn kloten laat pakken, zou ik het thuis bij mijn man zoeken.'

Grinnikend tikte hij met één vinger op het toetsenbord.

Leigh ademde diep in en blies weer langzaam uit. Dat van Walter had ze niet moeten zeggen. Dat was de nare kant die Nick in haar naar boven bracht. Of misschien was Walter de enige man die het kleine stukje Leigh dat nog deugde naar boven kon brengen.

'O, shit.' Nick tuurde naar het scherm. 'Diefstal. Bezit van verboden middelen. Huisvredebreuk. Vandalisme. Verboden middelen. Verboden middelen. Jezus christus, waarom zit die chick niet achter de tralies?'

'Ze heeft een verdomd goeie advocaat.'

Hoofdschuddend bladerde Nick door de pagina's op het scherm. 'We werken ons uit de naad om dat soort zaken rond te krijgen, en zodra eikels als jullie zich ermee bemoeien, loopt het stuk.'

'Ja, maar je eikel krijgt wel een beurt.'

Weer schonk hij haar die blik. Ze wisten allebei waarom ze het gesprek telkens weer op seks bracht.

'Het kan me mijn baan kosten als ik dit voor je uitzoek,' zei hij.

'Ik moet de eerste smeris nog zien die ooit ergens voor is ontslagen.'

Hij grijnsde. 'Weet je hoe ellendig bureaudienst is?'

'Beter dan een kogel in je rug.' Aan zijn scherpe blik zag ze dat ze te ver was gegaan. En daarom ging ze nog iets verder. 'Vind je het niet zorgelijk dat witte mensen de politie nu ook al gaan wantrouwen?'

Zijn scherpe blik werd nog scherper. Toch zei hij: 'Wees maar blij, advocaat, dat je benen er vandaag zo lekker uitzien.'

Hij richtte zich weer op zijn computer. Zijn vinger gleed over de touchpad. 'Daar gaat-ie. Vorige adressen: Lake Point, Riverdale. Jonesboro.'

Niet de noordhoek van Iowa. Niet op een boerderij. Niet getrouwd. Niet moeder van twee kinderen.

'Onze dame heeft een voorkeur voor de chiquere etablissementen.' Nick pakte zijn pen en notitieboekje uit zijn borstzak. 'Twee weken geleden werd ze gedagvaard omdat ze door rood was gelopen. Ze gaf als adres een verlopen hotel op. Is ze prostituee?'

Leigh haalde haar schouders op.

'Met zo'n naam kom je niet echt ver.' Hij lachte. 'Calliope DeWinter.'

'Callie-ope,' verbeterde Leigh hem, want hun moeder was te dom om te weten hoe de naam werd uitgesproken. 'Roepnaam Callie.'

'Dus ze heeft in elk geval één goede keuze gemaakt.'

'Het gaat niet om goede keuzes maken. Het gaat om goede keuzes héb-ben.'

'Ja, hoor.' Nick scheurde het blaadje uit zijn notitieboekje. Hij vouwde het adres dubbel en hield het tussen twee vingers. Hij probeerde het niet onder haar bh-bandje te schuiven, want hij was politieman en dom was hij niet. 'Hoeveel verdien je eigenlijk, advocaat, tienduizend per uur?'

'Zoiets.'

'En waar betaalt een verslaafde stoephoer dat van?'

Leigh moest moeite doen om het adres niet uit zijn hand te rukken. 'Ze heeft een fonds op haar naam.'

'En dat moet ik geloven?'

Slechts één emotie was in staat door de valium heen te breken: woede. 'Jezus Nick, fuck. Is dit een verhoor of zo? Geef me de informatie nou of –'

Hij wierp het adres op haar schoot. 'M'n auto uit, advocaat. Ga je junkie maar zoeken.'

Leigh stapte niet uit. Ze vouwde het blaadje open.

ALAMEDA MOTEL 9921 STEWART AVENUE.

Toen Leigh nog pro-Deoadvocaat was, had ze veel cliënten gehad in het motel voor langdurig verblijf. Ze vroegen honderdtwintig dollar per week aan arme mensen die een veel beter onderdak zouden kunnen vinden als ze het geld voor de borgsom apart konden zetten om een woning van vierhonderdtachtig dollar per maand te huren.

'Ik moet weer aan het werk,' zei Nick. 'Praten of de auto uit, kies maar.'

Ze opende haar mond. Ze ging hem de waarheid vertellen.

Ze is mijn zus. Ik heb haar al ruim een jaar niet gezien. Ze leeft als een verslaafde hoer terwijl ik in een beveiligd appartementencomplex woon en mijn dochter naar een school stuur die achtentwintigduizend dollar per jaar kost, en dat alles omdat ik mijn zusje in de armen van een seksueel roofdier heb gedreven en me te diep schaamde om erbij te vertellen dat hij mij ook had proberen te pakken.

'Oké.' Leigh kon Nick niet de volledige waarheid vertellen, maar wel een deel. 'Ik had meteen eerlijk tegen je moeten zijn. Ze is een voormalige cliënte van me. Toen ik nog voor mezelf werkte.'

Nick verwachtte duidelijk meer.

'Op de basisschool deed ze aan turnen. Daarna deed ze mee aan cheer-leadingwedstrijden.' Leigh kneep haar ogen samen om een botte cheerleadersgrap te pareren. 'Ze was een *flyer*. Weet je wat dat is?'

Hij schudde zijn hoofd.

'Je hebt een stel jongens, soms wel vier, en dat zijn *spotters*. Ze tillen de flyer bijvoorbeeld op hun handen omhoog, terwijl zij een bepaalde houding aanneemt. Of soms gooien ze haar gewoon zo hoog mogelijk de lucht in. Dan hebben we het over een meter of vier, vijf van de grond. De flyer tolt rond, maakt een paar salto's en komt weer naar beneden. De spotters haken hun armen in elkaar om een mandje te vormen, waar ze in kan landen. Maar als ze haar niet of verkeerd opvangen, kan ze haar knie verneuken, een enkel breken of door haar rug gaan.' Leigh zweeg even om te slikken. 'Callie kwam bij een *basket toss* verkeerd terecht en brak twee nekwervels.'

'Jezus.'

'Ze was zo sterk dat haar spieren alles op z'n plaats hielden. Ze ging door met het optreden. Maar toen raakten haar benen gevoelloos. Ze werd met een noodvaart naar de spoedeisende hulp gebracht, kreeg een spinale fusie en moest een halo dragen, zodat ze haar hoofd niet kon draaien. Ze begon oxy te slikken tegen de pijn en –'

'Heroïne.' Nick deed straatwerk. Hij had het van kwaad tot erger zien gaan. 'Wat een treurig verhaal, advocaat. De rechter moet er ook in getrapt zijn want anders zat ze wel in de bak, waar ze thuishoort.'

De rechter was in een bekentenis getrapt van de onschuldige junk die Leigh had omgekocht om voor de aanklacht op te draaien.

'Spuit ze of rookt ze?' vroeg Nick.

'Ze spuit. Met tussenpozen al bijna twintig jaar.' Leighs hart ging weer tekeer. De verpletterende schuld die ze droeg voor het gekwelde leven van haar zus was door de valiumnevel heen gebroken. 'Sommige jaren zijn beter dan andere.'

'God, wat een leven.'

'Zeg dat wel.' Leigh had het zich zien ontvouwen als een horrorroman waar geen einde aan kwam. 'Ik wilde kijken hoe het met haar gaat, want ik voel me schuldig.'

Zijn wenkbrauwen schoten weer omhoog. 'Sinds wanneer voelt een strafrechtadvocaat zich schuldig?'

'Ze is vorig jaar bijna overleden.' Leigh kon hem niet meer aankijken en staarde uit het raampje. 'Ik had haar met covid besmet.'

ZOMER 1998

Het was een pikdonkere nacht. Harleighs scherpe blik registreerde elk detail dat door haar koplampen werd belicht. Huisnummers op brievenbussen. Stopborden. Achterlichten van geparkeerde auto's. Ogen van een kat die de straat over schoot.

Ik geloof dat ik Buddy vermoord heb, Harleigh.

Callies hese gefluister aan de andere kant van de lijn was nauwelijks verstaanbaar geweest. Haar stem had iets griezelig vlaks gehad. Toen ze die ochtend haar sokken voor haar cheerleaderstraining niet had kunnen vinden, had ze meer emotie getoond.

Ik geloof dat ik hem vermoord heb met een mes.

Harleigh had geen vragen gesteld of willen weten waarom. Ze had namelijk heel goed geweten waarom, want op dat moment had ze in gedachten weer in die plakkerige gele Corvette gezeten, met dat nummer op de radio en Buddy's enorme hand op haar knie.

Goed luisteren, Callie. Geen vin verroeren tot ik er ben.

Callie had geen vin verroerd. Harleigh had haar zittend op de vloer van de slaapkamer van de Waleski's aangetroffen. Ze hield de telefoon nog tegen haar oor gedrukt. De statische stem van de telefoniste kwam boven het snerpende *tu-tu-tu* uit, dat klonk als je de telefoon te lang van de haak liet.

Callies haar zat niet meer in de gebruikelijke staart, maar hing als een sluier voor haar gezicht. Haar stem was schor toen ze gelijk met het bandje de woorden uitsprak: 'Als u een nummer wilt bellen…'

'Cal!' Harleigh liet zich op haar knieën vallen. Ze probeerde de telefoon uit haar zusjes handen te wrikken, maar Callie weigerde los te laten. 'Alsjeblieft, Callie.'

Callie keek op.

Vol afschuw deinsde Harleigh terug.

Het wit in Callies ogen was zwart geworden. Haar neus was gebroken. Bloed droop uit haar mond. Om haar hals zaten vingervormige rode wurgstriemen.

Harleigh was hiervoor verantwoordelijk. Ze had zichzelf tegen Buddy beschermd, maar vervolgens had ze Callie op zijn pad gestuurd.

'Het spijt me, Cal. Het spijt me zo.'

'Wat...' Callie hoestte, en bloed sproeide tussen haar lippen door. 'Wat moeten we nou doen?'

Harleigh greep Callies handen, als om te voorkomen dat ze allebei nog dieper wegzonken. Er spookte van alles door haar hoofd. *Het komt goed. Ik los dit wel op. We slaan ons er samen doorheen.* Maar ze wist niet hoe ze het moest oplossen, zag geen uitweg uit deze hel. Ze was het huis via de keuken binnengekomen. Ze had een vluchtige blik op Buddy geworpen, schuldbewust, zoals wanneer je een zwerver zogenaamd niet zag die in de ijzige kou in een portiek lag.

Alleen... hij was geen zwerver.

Buddy Waleski had connecties. Hij had overal vrienden, tot in het politiekorps. Callie was geen verwend kind van witte ouders uit een buitenwijk, die hun leven zouden geven om haar te beschermen. Ze was schorem van de zelfkant van de stad, een tiener die al eens in een jeugdinrichting had gezeten na het stelen van een roze kattenhalsbandje uit een discountwinkel.

'Misschien...' Callies ogen vulden zich met tranen. Haar keel was zo opgezwollen dat ze amper kon praten. 'Misschien komt het goed met hem?'

Harleigh begreep het niet. 'Wat?'

'Ga jij kijken of het goed met hem is?' Callies zwarte ogen weerkaatsten het licht van de schemerlamp. Ze keek Harleigh aan, maar ze was elders, op een plek waar alles goed zou komen. 'Buddy was kwaad, maar misschien is hij niet kwaad meer als alles goed komt? We kunnen... We kunnen hulp voor hem vragen. Linda komt pas thuis om –'

'Cal...' Een snik smoorde Harleighs stem. 'Was het... Heeft Buddy iets geprobeerd? Is het eerder gebeurd of...' Ze las het vreselijke antwoord op Callies gezicht.

'Hij hield van me, Har. Hij zei dat hij altijd voor me zou zorgen.'

De pijn sloeg Harleigh letterlijk tegen de grond. Haar voorhoofd raakte het smerige tapijt. Tranen sijpelden uit haar ogen. Haar mond viel open toen een kreun zich diep uit haar binnenste losmaakte.

Dit was haar schuld. Dit alles was haar schuld.

'Rustig maar.' In een poging haar te troosten wreef Callie over Harleighs rug. 'Hij houdt van me, Harleigh. Hij vergeeft het me wel.'

Ze schudde haar hoofd. Het stugge tapijt schuurde tegen haar gezicht. Wat moest ze doen? Hoe moest ze dit oplossen? Buddy was dood. Hij was te zwaar; ze konden hem niet dragen. Hij paste niet in haar autootje. Ze konden geen gat graven dat diep genoeg was om hem in te laten wegrotten. Weggaan konden ze ook niet, want overal zaten Callies vingerafdrukken.

'Hij zorgt wel voor me, Har,' zei Callie. 'Zeg maar dat het me s-spijt.'

Dit was haar schuld. Dit alles was haar schuld.

'Alsjeblieft...' Telkens als Callie uitademde, floot haar gebroken neus mee. 'Wil je alsjeblieft kijken?'

Harleigh bleef haar hoofd schudden. Het voelde alsof er klauwen in haar ribbenkast werden geslagen die haar terugtrokken in het stinkende gat dat haar leven moest voorstellen. Over vier weken en één dag zou ze naar de universiteit vertrekken. Ze zou weggaan, maar ze kon Callie niet in de steek laten. De politie zou de wonden en blauwe plekken niet als bewijs beschouwen dat ze voor haar leven had gevochten. Ze zouden naar haar strakke kleren kijken, naar haar make-up, naar hoe ze haar haar droeg, en dan zouden ze haar voor een achterbakse, moordzuchtige lolita uitmaken.

En als zij nu eens voor haar opkwam? Als ze zei dat Buddy het ook met haar had geprobeerd, maar dat ze zo door haar eigen leven in beslag was genomen dat ze haar zusje niet had gewaarschuwd?

Het was haar schuld. Het was allemaal haar schuld.

'Ga alsjeblieft bij hem kijken,' zei Callie. 'Hij zag er zo koud uit, Harleigh. Buddy haat kou.'

Harleigh zag haar hele toekomst in het afvoerputje verdwijnen. Alle plannen die ze had gemaakt, het splinternieuwe leven in Chicago dat ze zich had voorgesteld, met haar eigen flat, haar eigen spullen, misschien een kat en een hond en een vriendje zonder strafblad – dat alles was weg. Alle extra lessen die ze had gevolgd, alle avonden dat ze had gestudeerd tussen twee, soms drie verschillende baantjes door, de handtastelijke bazen en intimiderende opmerkingen die ze voor lief had genomen, de nachten dat ze tussen twee diensten door in haar auto had geslapen, het geld dat ze voor haar moeder had verborgen... Dat alles om te eindigen waar alle armzalige, hopeloze jongeren in dit getto eindigden.

'Hij...' Callie hoestte opnieuw. 'Hij was k-kwaad omdat ik de camera had g-gevonden. Ik wist ervan, maar niet dat hij... Hij nam ons op als we... Mensen keken ernaar, Har. Ze wisten w-wat we deden.'

In gedachten herhaalde Harleigh de woorden van haar zusje. De flat in Chicago. De kat en de hond. Het vriendje. Het loste allemaal in ijle lucht op. Ze dwong zichzelf overeind. Elke vezel in haar brein riep dat ze het niet moest vragen, maar ze moest het weten. 'Wie hebben je gezien?'

'A-Allemaal.' Callies tanden klapperden. Ze was lijkbleek. Haar lippen waren blauw als gaaienveren. 'Mr Patterson. C-Coach Holt. Mr Humphrey. Mr G-Ganza. Mr Emmett.'

Harleigh drukte haar hand op haar buik. De namen waren haar zo vertrouwd geworden in de afgelopen achttien jaar. Mr Patterson, die had gezegd dat ze zich zediger moest kleden, want ze leidde de jongens af. Coach Holt, die altijd zei dat hij vlakbij woonde als ze ooit behoefte had aan een gesprek. Mr Humphrey, die haar op schoot had getrokken voor ze een proefrit mocht maken. Mr Ganza, die de vorige week nog naar haar had gefloten in de supermarkt. Mr Emmett, die altijd met zijn arm over haar borsten streek als ze in de tandartsstoel zat.

'Hebben ze aan je gezeten?' vroeg ze. 'Patterson en coach –'

'N-Nee. Buddy maakte...' Het klappertanden sneed haar woorden af. 'F-Filmpjes. Buddy maakte f-filmpjes en dan b-bekeken ze ons.'

Harleighs zicht werd weer scherp, net als tijdens de rit hiernaartoe. Alleen was deze keer alles rood. Waarnaar ze ook keek – de muren met hun slijtplekken, het klamme tapijt, de sprei vol vlekken, Callies opgezwollen, toegetakelde gezicht – alles zag rood.

Dit was haar schuld. Dit alles was haar schuld.

Voorzichtig veegde ze met haar vingers Callies tranen weg. Ze zag haar hand bewegen, maar het was alsof ze naar een vreemde hand keek. Het besef van wat deze volwassen mannen met haar zusje hadden gedaan, spleet haar in tweeën. Aan de ene kant wilde ze de pijn verbijten, zoals ze altijd deed. Aan de andere kant wilde ze hun zoveel mogelijk pijn doen.

Mr Patterson. Coach Holt. Mr Humphrey. Mr Ganza. Mr Emmett.

Ze ging ze kapotmaken. Al was het het laatste wat ze deed, ze ging een eind aan hun leven maken.

'Hoe laat komt Linda 's ochtends thuis?' vroeg ze.

'Om negen uur.'

Harleigh keek op het klokje naast het bed. Ze had nog geen dertien uur om dit op te lossen. 'Waar is de camera?' vroeg ze.

'Ik...' Callie bracht haar hand naar haar gemangelde keel alsof ze hulp nodig had om het antwoord eruit te duwen. 'De bar.'

Met gebalde vuisten liep Harleigh de gang door. Langs de logeerkamer, langs de badkamer. Langs Trevors slaapkamer.

Ze bleef staan en draaide zich om. Ze opende Trevors deur op een kiertje. Zijn nachtlampje wierp speldenpriksterretjes op het plafond. Hij lag met zijn gezicht in zijn kussen. Hij was diep in slaap. Ook zonder het te vragen wist ze dat Buddy hem zijn slaapmedicijn had laten drinken.

'Harleigh?' Callie stond in de deuropening. Ze was zo bleek dat ze net een geest leek die zich in het donker ophield. 'Ik weet niet w-wat ik moet doen.'

Harleigh trok Trevors deur achter zich dicht.

Ze liep verder door de gang, langs het aquarium, de bank, de lelijke leren fauteuils met hun armleuningen vol brandgaatjes. De camera lag op een hoop wijnkurken achter de bar. Canon Optura, het betere werk, wist Harleigh, want ze had tijdens de kerstdrukte elektronica verkocht. De kunststof behuizing was kapot, en er was een hoekje af. Ze rukte de camera los van de kabel. Met haar duimnagel trok ze het schuifje open om de minicassette te verwijderen.

Leeg.

Op zoek naar de cassette speurde Harleigh de vloer en de schappen achter de bar af.

Niets.

Ze stond op. Ze zag de bank met aan weerszijden de deprimerende zitafdrukken. De armoedige oranje gordijnen. De gigantische tv met zijn neerbungelende kabels.

Kabels die konden worden aangesloten op de camera die ze in haar handen hield.

Het apparaat had geen intern geheugen. De opnamen stonden op de minicassette, die iets groter was dan een visitekaartje. De camera kon op een tv of videospeler worden aangesloten, maar zonder cassette was er geen film.

Harleigh moest die cassette vinden om aan de politie te laten zien, zodat die... Wat eigenlijk?

Ze was nog nooit in een rechtszaal geweest, maar in de loop van haar leven had ze heel veel vrouwen door mannen in elkaar geslagen zien worden. Gestoorde wijven. Hysterische meiden. Domme dozen. Mannen hadden het voor het zeggen. Ze hadden het voor het zeggen bij de politie, in de rechtszaal, bij de reclassering, bij de sociale dienst, in jeugdinrichtingen en gevangenissen, in schoolbesturen, bij autogarages, in supermarkten en in tandartspraktijken.

Mr Patterson. Coach Holt. Mr Humphrey. Mr Ganza. Mr Emmett.

Ze kon niet bewijzen dat ze de filmpjes hadden bekeken, en tenzij Callie de hele tijd 'nee!' had geschreeuwd, zouden de agenten, de advocaten en de rechters allemaal beweren dat ze het zelf had gewild, want wat vrouwen ook werd aangedaan, mannen namen het altijd en eeuwig voor elkaar op.

'Harleigh.' Callie had haar armen om haar smalle middel geslagen. Ze trilde. Alle kleur was uit haar lippen geweken.

Het was alsof Harleigh haar kleine zusje stukje bij beetje zag verdwijnen.

Dit was haar schuld. Dit alles was haar schuld.

'Alsjeblieft,' zei Callie. 'Hij... Hij leeft misschien nog. Alsjeblieft.'

Harleigh keek naar haar zusje. Mascara liep over haar gezicht. Bloed en lippenstift waren uitgesmeerd zodat haar mond net een clownsgrijns leek. Net als Harleigh had ze zo snel mogelijk groot willen zijn. Niet om de jongens af te leiden of aandacht te trekken, maar omdat volwassenen zelf mochten beslissen.

Harleigh liet de camera met een klap op de bar neerkomen.

Eindelijk had ze een uitweg gezien.

Buddy Waleski zat op de keukenvloer, met zijn rug tegen de aanrechtkastjes. Zijn hoofd was naar voren geknakt. Zijn armen hingen langs zijn zij. Zijn benen waren gespreid. De snee zat in zijn linkerbeen. Een straaltje bloed borrelde naar buiten, als rioolwater uit een kapotte pijp.

'K-Kijk alsjeblieft.' Callie stond achter haar en staarde zonder met haar gekneusde ogen te knipperen naar Buddy. 'A-Alsjeblieft, Har. Hij k-kan niet dood zijn. Dat kan niet.'

Harleigh stapte op het lichaam af, maar niet om te helpen. Ze stak haar hand in Buddy's broekzakken op zoek naar de kleine cassette. In de linkerzak vond ze een stapel bankbiljetten, een halve rol maagtabletten en wat pluis. In de rechterzak zat de afstandsbediening van de camera. Die smeet ze zo hard tegen de vloer dat het batterijklepje openbrak. Ze voelde in de achterzakken en vond Buddy's portefeuille van gebarsten leer en een vuile zakdoek.

Geen cassette.

'Harleigh?' zei Callie.

In haar hoofd duwde Harleigh haar zus opzij. Ze moest zich concentreren op het verhaal dat ze de politie gingen vertellen.

Buddy had nog geleefd toen ze het huis van de Waleski's verlieten. De enige reden waarom Callie Harleigh had gebeld was omdat Buddy zich vreemd gedroeg. Hij had tegen Harleigh gezegd dat iemand hem wilde vermoorden. Hij had tegen haar gezegd dat ze Callie als de bliksem weg moest halen. Ze waren samen naar huis gegaan, en toen had de man die Buddy had bedreigd hem kennelijk vermoord.

Op zoek naar zwakke plekken schoot Harleigh gaten in het verhaal. Callies vingerafdrukken en DNA zaten overal, maar Callie bracht hier meer tijd door dan Buddy zelf. Trevor was diep in slaap, dus die wist niets. Buddy's bloed zat alleen rond zijn been, dus er waren geen bloederige vinger- of schoenafdrukken die naar Callie herleid konden worden. Voor alles was een verklaring. Misschien waren sommige verklaringen wat zwak, maar het verhaal was wel geloofwaardig.

'Har?' Callies armen zaten nog steeds strak om haar smalle middel. Ze wiegde van voren naar achteren.

Harleigh bekeek haar eens goed. Blauwe ogen. Striemen om haar hals. Een gebroken neus.

'Mama heeft je te pakken gehad,' zei ze.

Callie keek verward.

'Als iemand ernaar vraagt, zeg je dat je een grote mond had en dat mama je toen een pak slaag heeft gegeven. Oké?'

'Ik weet niet –'

Met opgestoken hand snoerde Harleigh haar de mond. Ze moest het allemaal doordenken, van het begin tot het eind en weer terug. Buddy kwam thuis. Hij was bang. Iemand had hem bedreigd. Hij gedroeg zich vreemd, dus Callie besloot Harleigh te bellen. Buddy liet niets los over wie hem bedreigd had, maar zei alleen dat de zussen weg moesten. Harleigh reed met Callie naar huis. Er was nog niets met Buddy aan de hand toen ze vertrokken. Callie had gigantisch op haar flikker gekregen, zoals tientallen keren daarvoor. De kinderbescherming zou er weer aan te pas komen, maar een paar maanden pleegzorg was wel iets anders dan de rest van je leven in de gevangenis.

Het kwam er bij dit verhaal op aan dat de politie de minicassette niet vond, want die verschafte Callie een motief.

'Waar zou Buddy iets kleins verstoppen, iets kleiner dan zijn hand?' vroeg Harleigh.

Callie schudde haar hoofd. Dat wist ze niet.

Harleigh keek de keuken rond, wanhopig op zoek naar de cassette. Ze trok kastjes en laden open, keek onder potten en pannen. Niets leek verplaatst, en zij kon het weten, want voor Callie haar baantje had overgenomen, had ze gedurende drie lange jaren vijf avonden per week praktisch bij de Waleski's ingewoond. Ze had op de bank haar huiswerk gemaakt, in de keuken Trevors eten gekookt, aan tafel spelletjes met hem gespeeld.

Buddy's aktetas stond op tafel.

Op slot.

Harleigh zocht in de la naar een mes. Ze ramde het onder het slot. 'Vertel wat er gebeurd is. Tot in detail. Niks weglaten,' beval ze Callie.

Weer schudde Callie haar hoofd. 'Ik... Ik weet het niet meer.'

Het slot sprong open. Heel even verstijfde Harleigh bij het zien van zoveel geld. Ze was weer snel bij zinnen. Ze nam het geld eruit, doorzocht de voering, de binnenvakken en mappen en vroeg: 'Waar begon de ruzie? Waar waren jullie in het huis?'

Geluidloos bewoog Callie haar lippen.

'Calliope.' Harleigh kromp ineen toen ze haar moeders stem uit haar eigen mond hoorde komen. 'Vertel op, godverdomme. Waar begon het?'

'We...' Callie keerde zich weer naar de woonkamer toe. 'Achter de bar.'

'Wat gebeurde er?' Harleigh hield haar harde toon aan. 'Tot in detail. Niks weglaten.'

Callies stem was zo zwak dat Harleigh haar best moest doen om alles mee te krijgen. Ze keek over de schouder van haar zus en zag alle handelingen voor zich alsof de ruzie zich hier en nu afspeelde. Callies neus die achter de bar door de punt van Buddy's elleboog werd geraakt. De doos met wijnkurken die omtuimelde. De camera die van de plank viel. Callie die gedesoriënteerd op haar rug lag. De keuken in liep. Haar hoofd onder de kraan hield. Dreigde dat ze het tegen Linda zou zeggen. De aanval. Het telefoonsnoer dat uit de muur werd gerukt. De wurggreep, het schoppen en stompen, en toen... het mes.

Harleigh keek op. Ze zag dat Callie de hoorn weer op de haak had gelegd. De lijst met noodnummers hing nog steeds naast de telefoon op de muur. De enige aanwijzing dat er iets ergs was gebeurd, was het kapotte snoer. 'Trevor heeft het snoer eruit gerukt.'

'Wat?' zei Callie.

'Zeg maar dat Trevor het telefoonsnoer eruit heeft gerukt. Als hij zegt van niet, denkt iedereen dat hij liegt om geen problemen te krijgen.'

Harleigh wachtte niet op Callies instemming. Ze pakte Buddy's tas weer in en sloeg de klep dicht. Nog één keer keek ze vluchtig de keuken rond op zoek naar een plek waar Buddy de cassette had kunnen verbergen. Ten slotte bleef haar blik rusten op zijn logge lijf. Hij hing nog steeds opzij. De snee in zijn been bleef sputteren.

Ze voelde haar eigen bloed verkillen.

Je bloedde alleen als je hart nog klopte.

'Calliope.' Harleigh slikte zo hard dat haar keel klikte. 'Ga eens bij Trevor kijken. Nu.'

Callie protesteerde niet. Ze verdween de gang in.

Harleigh knielde voor Buddy neer. Ze greep een vuist vol haar en hees zijn enorme kop omhoog. Zijn oogleden kierden open. Ze zag het wit van zijn ogen toen ze naar achteren rolden.

'Wakker worden.' Ze sloeg hem in zijn gezicht. 'Wakker worden, stomme eikel.'

Weer zag ze het wit van zijn ogen.

Ze hield zijn oogleden open met haar vingers. 'Kijk me aan, sukkel.'

Buddy's lippen weken uiteen. Ze rook zijn goedkope whisky en sigaren. De lucht was zo bekend dat ze meteen weer in zijn Corvette zat.

Doodsbang. Hulpeloos. Ze wilde weg.

Harleigh gaf hem zo'n harde klap dat het speeksel uit zijn mond vloog. 'Kijk me aan.'

Buddy's ogen rolden naar boven om zich daarna langzaam te focussen.

Ze zag iets van herkenning, de domme veronderstelling dat hij iemand aankeek die aan zijn kant stond.

Hij keek naar wat er van de telefoon was overgebleven, en toen weer naar haar. Hij vroeg haar hulp in te schakelen. Hij wist dat hij niet lang meer had.

'Waar is de cassette van de camera?' vroeg ze.

Weer keek hij naar de telefoon, toen weer naar haar.

'Als je het niet zegt, maak ik je nu af,' zei ze recht in zijn gezicht.

Buddy Waleski was niet bang. In zijn ogen was Harleigh een preuts kind, iemand die de regels volgde, het verschil wist tussen goed en fout. Met het lichte trekje van zijn linkermondhoek gaf hij aan dat hij het brave meisje met alle plezier in zijn val meesleurde, en haar kleine zusje erbij.

'Gore klootzak.' Harleigh sloeg hem nog harder dan eerst. Toen stompte ze hem. Zijn hoofd knalde tegen de kast. Ze greep zijn shirt, wierp zich naar achteren en stompte hem opnieuw.

Buddy hoorde het het eerst. Een duidelijke 'klik', uit zijn shirt. Ze zag zijn zelfverzekerde blik in twijfel overgaan. Zijn ogen schoten heen en weer om te peilen of ze het doorhad.

Verstijfd, met haar ene vuist nog steeds in de lucht, klemde ze met de andere de voorkant van zijn shirt vast. Ze liep al haar zintuigen na, dwong zichzelf terug naar dat ene moment: de kopergeur van bloed, het raspen van Buddy's zwakke adem, de bittere smaak van verloren vrijheid wrang in haar mond, zijn smerige werkshirt in haar strakke vuist.

Ze draaide de stof strakker aan, propte het dikke katoen op.

Door de 'klik' werd haar blik naar zijn borst getrokken.

Ze had alleen in zijn broekzakken gezocht. Buddy droeg een werkshirt van Dickies, met korte mouwen. De naden waren versterkt. Aan weerszijden zat een borstzak met klep. De klep op de linkerzak stond omhoog, met twee slagtandvormige slijtplekken van zijn eeuwige doosjes Black & Mild.

Alleen had hij het doosje er deze keer andersom in gestopt, met het cellofaanruitje aan de voorkant naar zijn zwoegende borstkas gekeerd.

Harley trok het lange, dunne doosje eruit. Ze stak haar vingers erin. De minicassette.

Ze hield hem voor zijn gezicht zodat hij kon zien dat zij had gewonnen. Buddy slaakte een diepe, piepende zucht. Hij leek slechts vaag teleurgesteld. Zijn leven was vervuld geweest van geweld en chaos, meestal door hemzelf veroorzaakt. Daarmee vergeleken zou zijn dood kinderspel zijn.

Harleigh keek neer op de kleine, zwarte plastic cassette met het vervaagde, witte label.

Een stukje elektriciteitstape bedekte het preventienokje zodat je telkens opnieuw kon opnemen.

Harleigh had haar zusje de afgelopen drie jaar zien veranderen, maar dat had ze toegeschreven aan hormonen of bijdehand gedrag of aan de mogelijkheid dat ze gewoon uitgroeide tot een ander iemand. Callies dikke make-up, de arrestaties wegens winkeldiefstal, de schorsingen op school, het late thuiskomen, de gefluisterde gesprekken die urenlang duurden. Harleigh had het allemaal genegeerd omdat ze het te druk had gehad met haar eigen leven. Ze had zichzelf voortgedreven, steeds harder gewerkt, steeds meer gespaard en op school haar best gedaan om maar zo snel mogelijk uit Lake Point weg te kunnen.

Nu hield ze Callies leven letterlijk in haar handen. Haar jeugd. Haar onschuld. Haar geloof dat hoe hoog ze ook door de lucht vloog, de wereld haar altijd zou opvangen.

Het was allemaal haar schuld.

Ze balde haar hand tot een vuist. De scherpe randen van de minicassette sneden in haar handpalm. De wereld werd weer rood, bloed doordrenkte alles wat ze zag. Buddy's vette gezicht. Zijn vlezige handen. Zijn kalende kop. Ze wilde hem weer stompen, hem naar de verdommenis slaan, het steakmes in zijn borst rammen, telkens en telkens weer, tot zijn botten kraakten en het leven uit zijn walgelijke lijf spoot.

In plaats daarvan opende ze de la naast het fornuis. Ze pakte de rol plasticfolie.

Buddy sperde zijn ogen open. Eindelijk weken zijn lippen uiteen, maar hij had zijn kans om iets te zeggen verspeeld.

Harleigh wikkelde het folie zes keer rond zijn hoofd voor het losscheurde van de rol.

Het plastic werd zijn open mond in gezogen. Buddy bracht zijn handen naar zijn gezicht in een poging er een gat in te klauwen zodat hij kon ademen. Harleigh greep zijn polsen. De grote, sterke man, de reus, was te zwak om haar tegen te houden. Ze keek in zijn ogen, genoot van de angst en hulpeloosheid, van de paniek toen Buddy Waleski besefte dat ze hem van een zachte dood beroofde.

Hij begon te beven. Hij stootte zijn borstkas omhoog. Schopte met zijn benen. Uit zijn keel steeg een hoog gejammer op. Harleigh klemde zijn polsen vast, drukte ze tegen het kastje. Ze zat schrijlings op hem, zoals hij op Callie had gezeten toen hij haar had willen wurgen. Ze drukte met haar volle gewicht op hem, zoals hij haar had teruggeduwd op de stoel van zijn Corvette. Ze keek naar hem zoals Mr Patterson, Coach Holt, Mr Humphrey, Mr Ganza en Mr Emmett naar haar zusje hadden gekeken.

Eindelijk deed ze met een man wat al die klootzakken hun hele leven met haar en Callie hadden gedaan.

Het was te snel voorbij.

Opeens ontspande Buddy zijn spieren. Hij had de strijd opgegeven. Zijn handen ploften op de vloer. Urine sijpelde zijn broek in. Als hij al een ziel had, zag ze in haar verbeelding hoe de duivel die bij het smerige boord van zijn shirt greep en hem meesleurde, diep, heel diep de hel in.

Harleigh wiste het zweet van haar voorhoofd. Ze had bloed aan haar handen, aan haar armen, en er zat een rode veeg richting het kruis van haar jeans omdat ze boven op hem had gezeten.

'Als u een nummer wilt bellen...'

Ze draaide zich om. Callie zat op de vloer. Ze had haar knieën opgetrokken. Ze schommelde heen en weer, bewoog haar lichaam als een sloopkogel langzaam van voren naar achteren.

'Verbreek de verbinding en probeer het opnieuw.'

VOORJAAR 2021

4

'Eens kijken wat er met Mr Pete aan de hand is.' Dokter Jerry begon de kat te onderzoeken en betastte voorzichtig een gezwollen gewricht. Op zijn vijftiende was Mr Pete in mensenjaren ruwweg even oud als dokter Jerry. 'Misschien onderliggende artritis? Arme kerel.'

Callie keek in het dossier in haar handen. 'Hij kreeg een supplement, maar daar raakte hij verstopt van.'

'O, de oude dag met al zijn onrechtvaardigheden.' Dokter Jerry haakte de stethoscoop in zijn oren, die bijna even harig waren als die van Mr Pete. 'Zou je –'

Callie boog zich voorover en blies Mr Pete in zijn gezicht om het spinnen te stoppen. De kat keek geërgerd, wat Callie hem niet kwalijk kon nemen. Zijn poot was vastgeraakt in het beddenframe toen hij naar beneden wilde springen voor zijn ontbijt. Dat kon iedereen overkomen.

'Goed zo.' Dokter Jerry streelde de nek van de kat. Tegen Callie zei hij: 'Maine Coons zijn schitterende beesten, maar ze zijn vaak de vleugelverdedigers onder de katachtigen.'

Callie bladerde door het dossier om aantekeningen te maken.

'Mr Pete is een stevig gebouwde, gecastreerde kater met een kreupele rechtervoorpoot na een val van het bed. Fysiek onderzoek wees uit dat er sprake is van een lichte zwelling, maar geen crepitus of instabiliteit van het gewricht. Bloed is normaal. Röntgenonderzoek toonde geen duidelijke breuk. Beginnen met buprenorfine en gabapentine tegen de pijn. Controle over een week.'

'Buup is 0,02 milligram per kilo om de vier uur, maar hoeveel dagen?'
'Laten we maar beginnen met zes. Geef hem er alvast eentje voor onderweg. Niemand houdt van autoritjes.'

Callie noteerde zijn aanwijzingen nauwgezet in het dossier, terwijl dokter Jerry Mr Pete terugzette in zijn mand. De covidregels waren nog steeds van kracht. Het vrouwtje van Mr Pete zat in haar auto op het parkeerterrein.

'Verder nog iets uit de medicijnkast?' vroeg hij.

Callie nam de stapel dossiers op de balie door. 'De baasjes van Aroo Feldman melden verergering van de pijn.'

'Stuur ze nog maar wat tramadol.' Hij ondertekende een nieuw recept.

'Arme beesten. Corgi's zijn zulke sukkels.'

'Oneens.' Ze pakte een nieuw dossier. 'Sploot McGhee, greyhound, geraakt door auto. Gebroken ribben.'

'O ja, die magere slungel.' Met trillende handen zette dokter Jerry zijn bril recht. Ze zag dat zijn ogen amper bewogen toen hij deed alsof hij het dossier las. 'Methadon als hij hier wordt gebracht. Als hij het ritje niet aankan, stuur dan maar een fentanylpleister.'

Ze namen de rest van de grote honden door. Deux Claude, een Pyrenese berghond met een losse knieschijf. Scout, een Duitse herder die zichzelf bijna aan een hek had gespietst. O'Barky, een Ierse wolfshond met heupdysplasie. Ronaldo, een artritische labrador, die evenveel woog als een kind van twaalf.

Tegen de tijd dat ze bij de katten was aangekomen, begon dokter Jerry te gapen. 'Doe maar zoals altijd, kind. Je kent die dieren even goed als ik, maar kijk uit met die laatste. Een lapjeskat nooit je rug toekeren.'

Ze glimlachte om zijn speelse knipoog.

'Ik zal het vrouwtje van Mr Pete nog even bellen, en dan wil ik mijn boekhouding bijwerken.' Dat ging weer met een knipoog gepaard, want ze wisten allebei dat hij een dutje ging doen. 'Bedankt, engel.'

Callie bleef glimlachen tot hij zich omdraaide. Ze sloeg haar blik neer en deed alsof ze de dossiers las. Ze wilde hem niet als een oude man door de gang zien wegschuifelen.

Dokter Jerry was een begrip in Lake Point, de enige dierenarts die voedselbonnen accepteerde in ruil voor geleverde diensten. Callies eerste echte baan was in zijn kliniek geweest. Ze was destijds zeventien. De vrouw van dokter Jerry was pas overleden. Hij had een zoon ergens in Oregon, die alleen belde op Vaderdag en met kerst. Nu had hij alleen Callie nog. Of misschien had zij alleen dokter Jerry nog. Hij was een vaderfiguur, of in elk geval het soort vaderfiguur dat ze uit verhalen kende. Hij wist dat Callie met haar demonen worstelde, maar hij strafte haar er nooit voor. Na haar eerste zware drugsveroordeling probeerde hij haar niet langer over te halen om diergeneeskunde te gaan studeren. De Drug Enforcement Administration, de drugsafdeling van het ministerie van Justitie, hanteerde de belachelijke regel dat heroïneverslaafden niet over een receptenblok mochten beschikken.

Ze wachtte tot de deur van zijn spreekkamer dichtging voor ze de gang op liep. Haar knie knakte luid wanneer ze haar been strekte. Op haar zevenendertigste was Callie er niet veel beter aan toe dan Mr Pete. Ze legde haar oor tegen de spreekkamerdeur. Dokter Jerry was in gesprek met het vrouwtje van Mr Pete. Callie wachtte nog een paar minuten, tot ze het gekraak van de oude leren bank hoorde ten teken dat hij zijn dutje ging doen.

Eindelijk kon ze uitademen. Ze pakte haar telefoon en zette de timer op een uur.

Door de jaren heen had Callie de kliniek als een soort junkievakantieoord beschouwd en zorgde ze ervoor dat ze clean genoeg was om te kunnen werken. Dokter Jerry nam haar altijd weer aan, vroeg nooit waar ze was geweest of waarom ze de vorige keer zo abrupt was vertrokken. Haar langste cleane periode lag jaren en jaren achter haar. Ze had het destijds acht maanden volgehouden voordat ze weer was teruggevallen in haar verslaving.

Deze keer zou het niet anders gaan.

Callie had al een eeuwigheid geleden de hoop opgegeven. Ze was een junkie, en ze zou altijd een junkie blijven. Niet zoals die lui van de AA, die stopten met drinken maar zichzelf wel alcoholist bleven noemen. Eerder als iemand die altijd, maar dan ook altijd naar de naald zou terugkeren. Ze wist niet meer wanneer ze dat was gaan accepteren. Was het de derde of vierde keer in de afkickkliniek geweest? Was het toen ze acht maanden clean was geweest en weer was gezwicht omdat het dinsdag was? Was het omdat de onderbrekingen beter te verdragen waren als ze wist dat ze maar tijdelijk waren?

Deze keer bleef ze alleen redelijk op het rechte pad dankzij het gevoel nuttig te zijn. Omdat dokter Jerry in het voorgaande jaar een reeks lichte beroertes had gehad, was zijn kliniek nog maar vier dagen per week open.

Op sommige dagen ging het beter dan op andere. Zijn evenwichtsorgaan was aangetast. Zijn kortetermijngeheugen was onbetrouwbaar. Hij zei vaak tegen Callie dat hij niet wist of hij zonder haar ook maar één dag zou kunnen werken, laat staan vier.

Eigenlijk hoorde ze zich schuldig te voelen omdat ze misbruik van hem maakte, maar ze was een junk. Ze voelde zich schuldig over elke seconde van haar leven.

Ze haalde de twee sleutels tevoorschijn waarmee de medicijnkast werd geopend. In theorie hoorde dokter Jerry de tweede sleutel te hebben, maar hij ging ervan uit dat ze de medicijnen op recept correct registreerde. Als ze dat niet deed en de DEA hier een inval deed, waarbij facturen werden vergeleken met doseringen en patiëntendossiers, kon dokter Jerry zijn bevoegdheid verliezen en Callie achter de tralies verdwijnen. Over het algemeen maakten verslaafden het werk van het bureau een stuk gemakkelijker omdat ze in hun wanhopige verlangen naar het volgende shot heel dom te werk gingen. Ze namen een overdosis in de wachtkamer, kregen een hartaanval op het toilet of gristen zoveel ampullen mee als ze in hun zakken kwijt konden en stormden dan de deur uit. Gelukkig had Callie met veel vallen en weinig opstaan ontdekt hoe ze een vaste voorraad onderhoudsdrugs kon stelen die moest voorkomen dat ze afkickverschijnselen kreeg.

Elke dag had ze zestig milligram methadon of zestien milligram buprenorfine nodig tegen het braken, de hoofdpijn, de slapeloosheid, de explosieve diarree en de verlammende pijn in haar botten, waarmee het afkicken van heroïne gepaard ging. De enige regel waaraan ze zich altijd had gehouden, was dat ze nooit iets pakte wat voor een dier was bestemd. Als het verlangen te hevig werd, schoof ze haar sleutels door de gleuf in de deur en kwam niet meer opdagen. Ze ging nog liever dood dan dat ze een dier zag lijden. En dat gold zelfs voor een corgi, want dokter Jerry had gelijk, dat waren soms echte sukkels.

Ze liet haar blik verlangend over de voorraden in de kast gaan voor ze ampullen en potjes pillen begon te verzamelen. Ze sloeg het medicijnlogboek open dat naast de stapel dossiers lag en klikte op haar pen.

De kliniek van dokter Jerry was kleinschalig. Sommige dierenartsen hadden apparaten om met je vingerafdruk de medicijnkast te kunnen openen. Je vingerafdruk moest overeenkomen met het dossier en het dossier met de dosering en dat alles was lastig, maar Callie had af en aan bijna twintig jaar voor dokter Jerry gewerkt. Ze was elk systeem slapend de baas.

Ze ging als volgt te werk: de baasjes van Aroo Feldman hadden niet om meer tramadol gevraagd, maar ze noteerde een dergelijk verzoek wel in het dossier. Sploot McGhee kreeg de fentanylpleister omdat gebroken ribben heel pijnlijk waren, en zelfs een verwaande greyhound verdiende rust. Ook Scout, de gestoorde Duitse herder die een eekhoorn had nagejaagd over een smeedijzeren hek, zou alle medicijnen krijgen die hij nodig had.

O'Barky, Ronaldo en Deux Claude waren denkbeeldige dieren waarvan de eigenaren geen vast adres en geen werkende telefoon hadden. Callie had urenlang aan hun achtergrondverhalen gewerkt: gebitsreiniging, medicijnen tegen hartwormen, doorgeslikte piepspeeltjes, onverklaarbaar braken, algehele malaise. Er waren meer neppatiënten: een bullmastiff, een Deense dog, een Alaska-malamute en wat bordercollies. Pijnmedicatie werd op basis van gewicht gegeven, en Callie zorgde ervoor dat ze rassen uitzocht die soms wel vijftig kilo wogen.

Absurd grote borzois waren niet de enige manier om het systeem naar haar hand te zetten. Morsen was een betrouwbare tweede optie. De inspecteurs wisten ook wel dat dieren beweeglijk waren en dat de halve injectie vaak in je gezicht werd gespoten of op de vloer belandde. Dat werd als 'gemorst' opgetekend en geen haan die ernaar kraaide. Desnoods liet Callie een flesje steriele zoutoplossing vallen waar dokter Jerry bij was, en dan liet ze hem het in het logboek wegschrijven als methadon of buprenorfine. Of soms vergat hij wat hij deed en paste ze het zelf aan.

Er waren ook eenvoudiger opties. De orthopedisch chirurg kwam om de andere dinsdag, en dan vulde Callie infuuszakken met fentanyl, een synthetisch opioïde dat zo krachtig was dat het doorgaans alleen werd voorgeschreven voor pijn bij kanker in een vergevorderd stadium, en met ketamine, een dissociatief anestheticum. Het ging erom net genoeg van elke drug af te tappen om de patiënt toch nog pijnloos de operatie te laten ondergaan. Ook was er pentobarbital, of euthasol, dat werd gebruikt om doodzieke dieren te euthanaseren. De meeste artsen gebruikten drie tot vier keer de benodigde dosis, want niemand wilde dat het middel niet werkte. Het smaakte bitter, maar sommige recreatieve gebruikers versneden het met rum en waren dan een nacht van de wereld.

Omdat er niet genoeg sint-bernardshonden en newfoundlanders in

Lake Point waren om Callies onderhoudsdoses te rechtvaardigen, verkocht of verhandelde ze zoveel mogelijk om methadon te kunnen kopen. Tijdens de pandemie was de drugsverkoop enorm gestegen. De prijs van de gemiddelde dosis was geëxplodeerd. Ze beschouwde zichzelf als de Robin Hood van drugsdealers, want het meeste geld vloeide terug naar de kliniek zodat dokter Jerry zijn deuren niet hoefde te sluiten. Hij betaalde haar elke vrijdag contant en was altijd verbaasd over het grote aantal verkreukelde dollarbiljetten in de safe.

Callie sloeg het dossier van Mr Pete open. Ze veranderde de zes in een acht en pakte de pipetjes buprenorfine voor oraal gebruik. Meestal stal ze niet van katten, want die waren betrekkelijk klein en gaven niet echt waar voor je geld, zoals een stevige rottweiler. Als je katten een beetje kende, deden ze waarschijnlijk alleen al om die reden aan de lijn.

Ze stopte de pipetjes in een plastic zak en printte het etiket. De rest van de buit ging in haar rugzak in de koffiekamer. Haar zus had lang geleden gezegd dat ze meer denkvermogen in slechte zaken stak dan ze nodig zou hebben voor goede zaken, maar haar zus kon de klere krijgen, dat was zo'n wijf dat zich vol coke snoof voor het toelatingsexamen van de rechtenfaculteit en daarna nooit meer aan coke dacht.

Callie hoefde maar een prachtig groen oxypilletje te zien om er de hele maand over te dromen. Ze veegde langs haar mond, want nu droomde ze over oxy.

Ze ging naar Mr Pete in zijn draagmand. Ze spoot een pipetje pijnstiller in zijn bek. Hij niesde twee keer en wierp haar een vuile blik toe toen ze een mondkapje opzette en een schort voordeed om hem naar de auto te brengen.

Ze liet het mondkapje op tijdens het schoonmaken van de kliniek. De vloeren waren uitgesleten van al die jaren waarin dokter Jerry op zijn Birkenstocks van de ene onderzoekskamer naar de andere en weer terug naar zijn spreekkamer was gesjokt. Het lage plafond zat vol vochtplekken. De muren waren bedekt met kromgetrokken lambrisering. Overal waren verbleekte foto's van dieren opgeplakt.

Callie ging het losse vuil met een plumeau te lijf. Op handen en knieën dweilde ze de twee onderzoekskamers. Vervolgens ging ze naar de operatiekamer en de kennel. Meestal namen ze geen dieren op, maar nu waren er een jong katje genaamd Meowma Cass, dat dokter Jerry mee naar huis wilde nemen om flesvoeding te geven, en een lapjeskat, die de vorige dag was binnengebracht met een touwtje uit zijn kont. Hoewel de eigenaren de noodoperatie niet hadden kunnen betalen, was dokter Jerry een uur bezig geweest om het touw uit de kattendarmen te verwijderen.

De wekker ging op Callies telefoon. Ze keek op haar Facebook-pagina en scrolde toen door Twitter. De meeste mensen die ze volgde, hadden iets met dieren te maken, zoals een dierentuinhouder uit Nieuw-Zeeland, die bezeten was van Tasmaanse duivels, en een palinghistoricus, die tot in detail de rampzalige poging van de Amerikaanse overheid had beschreven om in de negentiende eeuw palingen van de oostkust naar Californië over te brengen.

Het scrollen kostte haar weer een kwartier. Ze controleerde dokter Jerry's agenda. Hij had die middag nog vier patiënten. Ze liep naar de keuken om een broodje voor hem klaar te maken, met een flinke portie Animal Crackers erbij.

Callie klopte aan voor ze bij dokter Jerry naar binnen ging. Hij lag languit op de bank, met zijn mond open. Zijn bril zat scheef. Een boek lag plat op zijn borst. *The Complete Sonnets of William Shakespeare.* Een geschenk van zijn overleden vrouw.

'Dokter Jerry?' Ze kneep in zijn voet.

Zoals altijd schrok hij even en was hij wat gedesoriënteerd toen hij Callie boven zich zag. Het leek net *Groundhog Day*, met dit verschil dat het algemeen bekend was dat bosmarmotten kwaadaardige moordenaars waren.

Hij zette zijn bril recht om op zijn horloge te kijken. 'De tijd vliegt.'

'Ik heb lunch voor u gemaakt.'

'Fantastisch.' Kreunend stapte hij van de bank.

Callie hielp hem een handje toen hij terug dreigde te vallen. 'En, hoe ging de boekhouding?' vroeg ze.

'Heel goed, maar ik had een vreemde droom over zeeduivels. Heb je er ooit een ontmoet?'

'Voor zover ik weet niet.'

'Blij dat te horen. Ze leven op de donkerste, eenzaamste plekken, wat maar goed is ook, want het zijn niet de alleraantrekkelijkste schepsels.' Hij hield zijn hand voor zijn mond, alsof hij haar iets wilde toevertrouwen. 'En de dames al helemaal niet.'

Callie ging op de rand van zijn bureau zitten. 'Vertel.'

'Het mannetje is zijn hele leven bezig een vrouwtje op te snuffelen. Zoals ik al zei, is het heel donker waar ze leven, en daarom heeft Moeder Natuur hem reukcellen gegeven die zijn afgesteld op de feromonen van het vrouwtje.' Hij hief zijn hand om een pauze in te lassen. 'Heb ik al verteld dat zij een lange, verlichte draad op haar kop heeft, die als een lichtgevende vinger omhoogsteekt?'

'Nee.'

'Bioluminescentie.' Bij het uitspreken van het woord keek dokter Jerry verrukt. 'Dus zodra onze Romeo zijn Julia heeft gevonden, bijt hij zich vast vlak onder haar staart.'

Callie keek toe, terwijl hij het met zijn handen uitbeeldde en zijn vingers in zijn vuist liet happen.

'Vervolgens scheidt het mannetje enzymen af waardoor zowel zijn bek als haar huid oplost en ze in feite versmolten raken. En nu komt het wonderbaarlijke: zijn ogen en interne organen lossen eveneens op, tot hij alleen nog maar een voortplantingszakje is dat voor de rest van zijn ellendige bestaan aan haar zit vastgeklonken.'

Callie moest lachen. 'Jeetje, dokter Jerry. Dat klinkt net als mijn eerste vriendje.'

Ook hij lachte. 'Ik weet niet hoe ik erop kwam. Grappig zoals de bovenkamer werkt.'

Callie had zich de rest van haar leven het hoofd kunnen breken over de vraag of dokter Jerry de zeeduivel gebruikte als metafoor voor hoe ze hem behandelde, maar dokter Jerry deed niet aan metaforen. Hij vond het gewoon heerlijk om over vissen te praten.

Ze hielp hem in zijn doktersjas.

'Heb ik je ooit verteld over die keer dat ik bij een jonge stierhaai werd geroepen die in een aquarium van vijfenzeventig liter zwom?'

'O, nee.'

'De jongen worden trouwens pups genoemd, maar die benaming heeft niet dezelfde joie de vivre als Baby Shark. De eigenaar was tandarts, zul je altijd zien. Die arme stakker had geen idee wat hij in huis had gehaald.'

Callie volgde hem de gang door, luisterend naar zijn uitleg over de betekenis van viviparie. Ze manoeuvreerde hem de keuken in en liet hem zijn bord leegeten. Crackerkruimels verspreidden zich over de tafel, terwijl hij het zoveelste verhaal over de zoveelste vis vertelde en daarna overging op zijdeaapjes. Ze besefte al heel lang dat dokter Jerry haar eigenlijk als betaalde gezelschapsdame gebruikte. In aanmerking genomen waar andere mannen haar voor hadden betaald, was ze blij met deze verandering van omgeving.

Er stonden nog vier afspraken gepland, waardoor de rest van de dag voorbijvloog. Dokter Jerry was dol op jaarlijkse controles, want er was zelden iets ernstigs aan de hand. Callie plande vervolgafspraken en gebitsreinigingen in, en omdat dokter Jerry het onbeleefd vond om over het gewicht van een dame te beginnen, onderhield zij de eigenaars van een mollige teckel over het minderen van voer. Aan het eind van de dag wilde dokter Jerry haar betalen, maar ze herinnerde hem eraan dat ze pas aan het eind van de volgende week haar geld kreeg.

Ze had op haar telefoon naar tekenen van dementie gezocht. Als dat dokter Jerry te wachten stond, vond ze dat hij zijn werk nog goed deed. Al vergat hij wat voor dag het was, hij kon nog steeds uit het hoofd vloeistoffen berekenen met elektrolyten en toevoegingen zoals kalium en magnesium, wat niet veel mensen hem nadeden.

Scrollend door Twitter liep ze naar de bushalte. De palinghistoricus zweeg al een tijdje en de Nieuw-Zeelandse dierentuinhouder sliep tot de volgende dag, dus ze ging naar Facebook.

Medicijnbehoeftige honden waren niet haar enige creatie. Sinds 2008 hing ze rond op de pagina's van de sukkels met wie ze op school had gezeten. Als profielfoto had ze een blauwe Siamese kempvis gekozen met de naam Swim Shady.

Haar ogen werden wazig toen ze de nieuwste onzinposts las van Lake Points illustere klas uit 2002. Klachten over de sluiting van scholen, krankzinnige complottheorieën over de diepe staat, ontkenning van het virus, geloof in het virus, tirades vóór het vaccin, tirades tegen het vaccin, en het gebruikelijke racisme, seksisme en antisemitisme waaronder sociale media gebukt gingen. Callie zou nooit begrijpen waarom Bill Gates zo kortzichtig was geweest om iedereen moeiteloos toegang tot het internet te verschaffen. Het gevolg was dat deze stomkoppen op een dag al zijn snode plannen konden onthullen.

Ze stopte haar telefoon weer in haar zak en ging op de bank bij de bushalte zitten. Het smerige hokje van plexiglas was volgekalkt met graffiti. In de hoeken lag rommel. De kliniek van dokter Jerry stond in een redelijke buurt, maar dat was een subjectieve constatering. Zijn buren in het winkelcentrum waren een pornoshop die gesloten was tijdens de pandemie en een kapperszaak waarvan Callie vermoedde dat hij alleen open was gebleven omdat er een gokhal achter schuilging. Telkens als ze een verliezer met een wilde blik in zijn ogen de achterdeur uit zag strompelen, prevelde ze een dankgebedje omdat gokken niet tot haar verslavingen behoorde.

Een vuilniswagen braakte zwarte uitlaatgassen en verrotting uit toen hij langzaam langs de bushalte hotste. Een van de mannen die aan de achterkant hingen, zwaaide naar haar. Uit beleefdheid zwaaide ze terug. Toen zijn maat ook begon te zwaaien, wendde ze haar hoofd af.

Haar nek beloonde haar voor de te snelle draai door de spieren klemvast te zetten. Callie reikte naar het lange litteken dat als een rits van de onderkant van haar schedel naar beneden liep. C1 en C2 waren de nekwervels die de helft van de voorwaartse, achterwaartse en draaiende bewegingen van het hoofd voor hun rekening namen. Callie had twee titaniumstaafjes van vijf centimeter, vier schroeven en een pin, die samen een soort kooi rond het gebied vormden. Het technische woord voor de ingreep was cervicale laminectomie, maar meestal werd er van fusie gesproken, want dat was het eindresultaat: de nekwervels waren gefuseerd tot één bottenklont.

Hoewel er sinds de fusie twintig jaar waren verstreken, kon de slopende zenuwpijn heel plotseling toeslaan. Haar linkerarm en -hand konden ineens volledig gevoelloos worden. Ze was bijna de helft van de mobiliteit in haar nek kwijt. Knikken en met haar hoofd schudden gingen net, maar daar was alles mee gezegd. Als ze haar veters wilde strikken, moest ze haar voet naar haar handen brengen in plaats van omgekeerd. Sinds de operatie had ze niet meer over haar schouder kunnen kijken, een verschrikkelijk gemis, want nu kon ze nooit meer de heldin op de cover van een victoriaanse misdaadroman zijn.

Ze leunde achterover tegen het plexiglas om naar de lucht te kunnen kijken. De ondergaande zon verwarmde haar gezicht. De lucht was koel en lekker fris. Auto's reden langs. Op een naburig speelplaatsje lachten kinderen. Het gestage kloppen van haar hart pulseerde zachtjes in haar oren.

De vrouwen met wie ze op school had gezeten, reden nu hun kinderen naar voetbaltraining of pianoles. Ze hielden hun huiswerk makende zonen in de gaten, terwijl ze met ingehouden adem hun dochters cheerleadersoefeningen zagen doen in de achtertuin. Ze zaten vergaderingen voor, betaalden rekeningen, gingen naar hun werk en leidden een normaal leven, waarin ze geen drugs hoefden te stelen van een vriendelijke oude man. Ze zaten niet tot op het bot te trillen omdat hun lijf schreeuwde om een drug waarvan ze wisten dat die hen uiteindelijk zou doden. Veel van hen waren dik, dat was tenminste iets.

Callie hoorde het gesis van luchtremmen. Ze keerde haar hoofd naar de bus toe. Ditmaal deed ze het goed: ze draaide haar schouders mee met haar hoofd. Ondanks deze bijstelling schoot de pijn als een vlam door haar arm naar haar nek.

'Shit.'

Het was haar bus niet, maar ze had gekeken en nu moest ze boeten. Ze haalde haperend adem. Ze leunde tegen het plexiglas en ademde sissend uit tussen haar opeengeklemde tanden. Haar linkerarm en -hand waren nog steeds gevoelloos, maar haar nek klopte als een met pus gevulde blaas. Ze concentreerde zich op de dolken die haar spieren en zenuwen afstroopten. Pijn kon een verslaving op zich zijn. Callie leefde er al zo lang mee dat ze bij de gedachte aan haar vroegere bestaan alleen maar kleine lichtexplosies zag, sterren die nauwelijks door het donker heen drongen.

Ze wist dat er ooit een tijd was geweest dat ze alleen maar had verlangd naar de endorfinerush die ze kreeg als ze hardliep of te hard fietste of diagonaal radslagen maakte over de vloer van de gymzaal. Als cheerleader had ze door de lucht gevlogen – gezweefd – en talloze oefeningen uitgevoerd: de zijwaartse radslag, de *back tuck*, de *front flip*, de *leg kick*, de arabesk, de naald, de schorpioen, de *heel stretch* en de pijl-en-boog, en last but not least de duizelingwekkende spin bij het landen, waarbij ze volledig had moeten vertrouwen op de vier paar sterke armen die haar als in een mandje opvingen.

Tot het mis was gegaan.

Ze kreeg een brok in haar keel. Weer ging haar hand omhoog, deze keer naar een van de vier knokige bobbels die als kompasstreken haar hoofd omringden. De chirurg had pinnen in haar schedel geboord waarmee het haloframe tijdens het genezen van haar nek op zijn plek werd gehouden. Callie had zo vaak over de plek boven haar oor gewreven dat die eeltig aanvoelde.

Ze veegde tranen uit haar ooghoeken. Ze liet haar hand op haar schoot vallen. Ze masseerde haar vingers in een poging weer wat gevoel in de toppen te duwen.

Ze stond zichzelf zelden de gedachte toe aan wat ze was kwijtgeraakt.

Zoals haar moeder zei, bestond de tragedie van Callies leven eruit dat ze slim genoeg was om te weten hoe dom ze was geweest. Callie was niet de enige met een dergelijk loodzwaar besef. Ze had ervaren dat de meeste junkies evenveel verstand hadden van verslaving als een arts, als het niet meer was.

Zo wist ze bijvoorbeeld dat haar brein, net als elk brein, zogenoemde mu-opioïde receptoren bevatte. Deze receptoren zaten ook verspreid over haar ruggengraat en op andere plekken, maar het grootste deel bevond zich in haar brein. In het kort kwam het erop neer dat een mu-receptor over gevoelens van pijn en beloning ging.

De eerste zestien jaar van haar leven hadden Callies receptoren redelijk gefunctioneerd. Als ze haar rug verrekte of haar enkel verzwikte, ging er een endorfinerush door haar bloed, die zich hechtte aan de mu-receptoren, die op hun beurt de pijn verzachtten. Maar alleen tijdelijk en lang niet voldoende. Op de basisschool had ze geregeld ontstekingsremmers geslikt, zoals advil of motrin, ter vervanging van de endorfinen. Het had gewerkt. Tot het niet meer werkte.

Met dank aan Buddy had ze kennisgemaakt met alcohol, maar het probleem met alcohol was dat er zelfs in Lake Point niet veel winkels waren die tweeliterflessen tequila aan een kind verkochten, en Buddy had om voor de hand liggende redenen na haar veertiende niet meer in haar behoeften kunnen voorzien. En toen had Callie op haar zestiende haar nek gebroken en was ze, voor ze het wist, begonnen aan een levenslange liefdesaffaire met opioïden.

Een endorfinerush haalde het niet bij verdovende middelen, die ook idioot veel beter waren dan pijnstillers en drank. Het enige probleem was dat ze niet meer zo graag loslieten zodra ze zich aan de mu-receptoren hadden gehecht. Het lichaam reageerde daar vervolgens op door meer mu-receptoren aan te maken, waarop je brein bedacht hoe heerlijk het was om volle mu-receptoren te hebben en je aanspoorde ze snel bij te vullen. Of je nu tv zat te kijken, een boek las of over de zin van het leven mijmerde, je mu's stonden altijd met hun kleine mu-voetjes te trappelen in afwachting van het moment dat je ze weer voerde. Dat heette hunkeren.

Uiteindelijk voorzag je die hunkering van voeding, tenzij je de kracht van een magische fee bezat of over de zelfbeheersing van een houdini beschikte. En uiteindelijk had je steeds krachtiger verdovende middelen nodig om al die nieuwe mu's tevreden te houden, wat trouwens de weten-schap achter het begrip tolerantie was. Meer verdovende middelen. Meer mu's. Meer verdovende middelen. Enzovoort.

Het ergste was als je de mu's niet meer voedde, want ze gunden je on-geveer twaalf uur voor ze je lichaam in gijzeling namen. Hun losgeldeis werd overgebracht via de enige taal die ze kenden, namelijk ondraaglijke pijn. Dat heette onthouding, en sommige autopsiefoto's waren aangena-mere kost dan de aanblik van een junk met onthoudingsverschijnselen.

Dus Callies moeder had helemaal gelijk, want Callie wist precies wan-neer ze haar eerste stap op weg naar een leven vol dommigheid had gezet. Dat was niet toen ze met haar hoofd op de vloer van de gymzaal was ge-smakt en daarbij twee nekwervels had gebroken. Het was de eerste keer geweest dat ze geen oxyrecept meer had gehad en ze aan een *stoner* bij Engels had gevraagd of hij wist hoe ze eraan moest komen.

Een tragedie in één bedrijf.

Callies bus naderde kuchend de halte en strandde tegen de stoeprand.

Bij het opstaan kreunde ze nog harder dan dokter Jerry. Slechte knie. Slechte rug. Slechte nek. Slechte meid. De bus was halfvol. Sommige pas-sagiers droegen een mondkapje, andere vonden hun leven zo shit dat ze het de moeite niet waard achtten het onvermijdelijke uit te stellen. Callie koos een zitplaats voor in de bus, bij alle andere gammele vrouwen. Het waren schoonmaaksters en serveersters met kleinkinderen die ze moesten onderhouden, en ze schonken Callie dezelfde achterdochtige blik waar-mee ze naar een familielid keken dat iets te vaak hun chequeboek had gestolen. Om hen voor gêne te behoeden keek ze uit het raam naar de tankstations en onderdelenzaken die plaatsmaakten voor stripclubs en tentjes waar je cheques kon verzilveren.

Toen het buiten te mistroostig werd, haalde ze haar telefoon tevoor-schijn. Ze begon weer door Facebook te doomscrollen. Haar drang om op de hoogte te blijven van het leven van deze stumperds van bijna middel-bare leeftijd was van alle logica verstoken. De meesten waren in de omge-ving van Lake Point gebleven. Een paar hadden goed geboerd, maar goed voor Lake Point-begrippen, niet goed voor een normaal mens. Op school waren ze geen van allen vrienden van Callie geweest. Ze was de minst populaire cheerleader in de geschiedenis van cheerleaders geweest. Zelfs de excentriekelingen aan de freaktafel hadden haar niet in hun midden verwelkomd. Als er al mensen waren die zich haar nog herinnerden, dan was het als dat meisje dat ten overstaan van de hele school in haar broek had gescheten. Callie wist nog precies hoe het was geweest toen de gevoelloosheid zich over haar armen en benen had verspreid, hoe walgelijk het had gestonken toen haar ingewanden zich hadden geopend en ze op de harde houten vloer van de gymzaal in elkaar was gezakt.

En dat alles voor een sport die evenveel prestige had als een potje eieren rollen.

De bus trilde als een whippet toen ze haar halte naderden. Callies knie schoot op slot bij het opstaan. Pas na een klap met haar vuist kwam er weer beweging in. Terwijl ze het trapje af strompelde, dacht ze aan alle drugs in haar rugzak. Tramadol, methadon, ketamine, buprenorfine. Een halve liter tequila erbij en ze had een plekje op de eerste rang bij Kurt Cobain en Amy Winehouse, die het over die loser van een Jim Morrison hadden.

'Hé, Cal!' Crackhead Sammy zwaaide driftig naar haar vanaf zijn kapotte tuinstoel. 'Cal! Cal! Kom eens hier!'

Callie liep over een stuk braakliggend terrein naar Sammy's nestelgebied: de stoel, een lekkende tent en een verzameling karton die geen enkel doel leek te dienen. 'Wat is er?'

'Die kat van jou, hè?'

Callie knikte.

'Er was een duif en toen ging hij gewoon...' Sammy maakte een krankzinnig duikgebaar met zijn armen. 'Hij plukte die stomme vliegende rat zo uit de lucht en vrat 'm op waar ik bij zat. Gestoord, man. Hij heeft wel een halfuur op die duivenkop zitten kauwen.'

Met een trotse grijns groef Callie in haar rugzak. 'Kreeg jij ook wat?'

'Jezus, nee, hij keek me alleen maar aan. Hij keek me aan, Callie. Met zo'n blik van, van, van weet ik het. Alsof hij me iets wilde vertellen.' Sammy bulderde van het lachen. 'Ha! Zo van: nooit-crack-roken.'

'Sorry. Katten kunnen heel oordelend zijn.' Ze had het broodje gevonden dat ze als avondeten had bewaard. 'Opeten voor je vanavond gaat roken.'

'Oké, oké.' Sammy stopte het broodje onder een strook karton. 'Maar hoor eens, denk je dat hij me iets wilde vertellen?'

'Weet ik niet,' zei Callie. 'Zoals je weet, praten katten niet omdat ze bang zijn dat ze dan belasting moeten betalen.'

'Ha!' Sammy priemde met zijn vinger in haar richting. 'Boontje komt om zijn loontje! O-o-hé Cal, wacht even, oké? Volgens mij is Trap naar je op zoek, dus –'.

'Eet je broodje nou maar.' Callie liep weg, want Sammy kon de hele avond doorratelen. En dat was zonder de crack.

Ze liep de hoek om en ademde moeizaam in. Dat Trap naar haar zocht was geen goed teken. Hij was een methfreak van vijftien, die al heel jong een graad had behaald in de zakkenwasserij. Gelukkig was hij doodsbang voor zijn moeder. Zolang Wilma nog zeggenschap over hem had, werd haar gestoorde zoon kort gehouden.

Toch zwaaide Callie haar rugzak voor haar borst toen ze het motel naderde. Het wandelingetje was niet echt vervelend, want het was bekend gebied. Ze passeerde braakliggend terrein en verlaten huizen. Graffiti ontsierden een afbrokkelende bakstenen steunmuur. Het trottoir lag bezaaid met gebruikte spuiten. Gewoontegetrouw speurde ze naar nog bruikbare naalden. Ze had haar drugskit in haar rugzak: een plastic horlogedoos met Snoopy erop met daarin haar afbindriem, een kromme lepel, een lege spuit, watjes en een Zippo-aansteker.

Wat ze het fijnste vond aan spuiten was de hele vertoning eromheen. De klik van de aansteker. De azijnachtige geur als het spul kookte op de lepel. Het optrekken van de vaalbruine vloeistof in de spuit.

Callie schudde haar hoofd. Gevaarlijke gedachten.

Ze volgde het smalle pad van samengepakte aarde dat om de achtertuinen van een woonstraat heen voerde. Op slag hing er een andere energie. Hier woonden gezinnen. Ramen stonden open. Er klonk luide muziek. Vrouwen schreeuwden tegen hun mannen. Mannen schreeuwden tegen hun vrouwen. Kinderen renden rond een sputterende sproeier. Het was net als in de rijkere wijken van Atlanta, alleen lawaaiiger, benauwder en minder bleek.

Tussen de bomen door zag Callie twee patrouillewagens aan het einde van de straat. Er werden geen mensen opgepakt. Ze wachtten alleen op zonsondergang en de binnenkomende oproepen: narcan voor de ene junk, de spoedeisende hulp voor de andere, het eindeloze wachten op het busje van de patholoog, op de kinderbescherming, op reclasseringsbeambten en lui van Veteranenzaken – en dan was het nog maar maandagavond. Tijdens de pandemie hadden veel mensen hun troost bij illegale middelen gezocht. Er waren ontslagen gevallen. Eten was schaars. Kinderen hadden honger. Het aantal overdoses en zelfdodingen rees de pan uit. De politici die hun grote zorg hadden geuit over de geestelijke gezondheid tijdens de lockdowns waren verbijsterend ongenegen geweest om te investeren in hulp aan de mensen die gek dreigden te worden.

Callie keek naar een eekhoorn die om een telefoonpaal roetsjte. Ze verlegde haar route naar de achterkant van het motel. Het betonnen blok van twee verdiepingen bevond zich achter een rij schrale struiken. Ze duwde de takken opzij en stapte het gebarsten asfalt op. De afvalcontainer walmde haar tegemoet met zijn doordringende stank. Ze keek om zich heen om er zeker van te zijn dat ze niet door Trap werd beslopen.

Haar gedachten dwaalden weer af naar de dodelijke overvloed aan drugs in haar rugzak. Een ontmoeting met Kurt Cobain zou fantastisch zijn, maar haar verlangen naar zelfbeschadiging was verdwenen. Nou ja, het was in elk geval teruggebracht tot haar gebruikelijke zoektocht naar zelfbeschadiging, van het soort dat niet eindigde met een zekere dood, alleen met een mógelijke dood, en misschien werd ze dan weer tot leven gewekt, dus waarom niet een klein beetje meer, toch? De politie was er vast op tijd bij, toch?

Wat Callie die avond wilde, was heel lang onder de douche staan en dan lekker in bed gaan liggen met haar duiven snackende kat. Ze had voldoende methadon om de nacht door te komen en de volgende ochtend weer op te staan. Op weg naar het werk kon ze wat verhandelen. Dokter Jerry kreeg trouwens een hartverzakking als ze voor de middag opdook.

Met een glimlach liep Callie de hoek om, want ze had zelden een echt plan.

'Alles goed?' Trap stond tegen de muur een joint te roken en nam haar vluchtig op.

Ze hield zichzelf weer voor dat hij een tiener was met het brein van een vijfjarige en het vermogen tot geweld van een volwassen kerel.

'Er is iemand naar je op zoek.'

Callies nekharen gingen overeind staan. Ze had het grootste deel van haar volwassen leven gezorgd dat niemand ooit naar haar op zoek was. 'Wie dan?'

'Witte gast. Gave bak.' Hij haalde zijn schouders op, alsof dat voldeed als beschrijving. 'Wat zit er in die rugzak?'

'Gaat je geen fuck aan.' Callie probeerde langs hem te lopen, maar hij greep haar arm.

'Kom op,' zei Trap. 'Van mama moest ik innen.'

Callie lachte. Zijn moeder zou zijn ballen regelrecht in zijn strot schoppen als hij geld van haar achterhield. 'Dan gaan we nu Wilma opzoeken, kijken of het klopt.'

Traps blik kreeg iets schichtigs. Dat dacht Callie tenminste. Te laat kreeg ze door dat hij een teken gaf aan iemand achter haar. Omdat ze haar hoofd niet kon draaien, wilde ze zich met haar hele lichaam omkeren.

Een gespierde mannenarm werd om haar hals geslagen. De pijn sloeg meteen toe, als een bliksemschicht uit de hemel. Callies heupen staken naar voren. Ze viel achterwaarts tegen de borst van de man aan, en haar lichaam draaide als een deurscharnier.

Zijn warme adem streek langs haar oor. 'Niet bewegen.'

Ze herkende de schelle stem van Diego. Traps methmaatje. Ze rookten zoveel crystal dat hun tanden al uitvielen. Apart was ieder van hen een vervelend pestjoch. Samen vormden ze een schokkende verkrachtings- en moordzaak in de maak.

'Wat heb je daar, bitch?' Diego gaf een nog hardere ruk aan haar hals. Hij schoof zijn vrije hand onder haar rugzak en zocht haar borst. 'Zijn die tietjes voor mij, meissie?'

Alle gevoel was uit Callies linkerarm verdwenen. Het was alsof haar schedel elk moment bij zijn basis kon breken. Ze sloot haar ogen. Als ze toch doodging, dan liefst vóór haar ruggengraat doormidden brak.

'Eens kijken wat we hier hebben.' Trap was nu zo dichtbij dat ze de rotte tanden in zijn mond kon ruiken. Hij trok de rits van haar rugzak open. 'Shit, bitch, en dat hou je voor ons a–'

Ze hoorden alle drie het onmiskenbare *klik-klak* van de slede van een 9mm-pistool die naar achteren werd gehaald.

Callie kreeg haar ogen niet open. Ze kon alleen nog maar wachten op de kogel.

'En wie de fuck ben jij?' vroeg Trap.

'Ik ben de motherfucker die een gat in je kop schiet als jullie niet als de gloeiende tering oprotten, stelletje eikels.'

Callie opende haar ogen. 'Hé, Harleigh.'

5

'Jezus, Callie.'

Callie keek toe terwijl Leigh woedend de rugzak leegschudde op het bed. Spuiten, pillen, ampullen, tampons, snoepjes, pennen, een schrift, twee bibliotheekboeken over uilen, Callies drugskit. In plaats van over de drugs te beginnen liet haar zus haar blik door de armoedige motelkamer gaan alsof ze verwachtte in de geverfde betonblokken geheime opium-voorraden aan te treffen.

'Stel dat ik een smeris was geweest,' zei Leigh. 'Je weet dat je niet zoveel drugs bij je moet hebben.'

Callie leunde tegen de muur. Ze was gewend aan de vele verschillende versies van Leigh – haar zus had meer aliassen dan een kat –, maar de Leigh die een wapen op een stel verslaafde tieners zou kunnen richten had zich al drieëntwintig jaar niet laten zien.

Trap en Diego mochten de goden danken dat ze een Glock bij zich droeg in plaats van een rol plasticfolie.

'Op dealen staat levenslang,' waarschuwde Leigh.

Callie keek verlangend naar haar drugskit. 'Ik heb gehoord dat *bottoms* het makkelijker hebben in de bak.'

Leigh draaide zich met een ruk om en zette haar handen in haar zij. Ze droeg hoge hakken en een duur, bitchy damespakje, wat haar aanwezig-heid in dit verlopen motel iets komisch gaf. Al helemaal in combinatie met het geladen wapen dat uit haar tailleband stak.

'Waar is je tas?' vroeg Callie.

'Opgeborgen in de kofferbak van mijn auto.'

Callie wilde zeggen dat alleen domme rijke witte dames zoiets deden, maar haar schedel bonkte nog na van de klap waarmee Diego haar reste-rende nekwervels zowat had gebroken. 'Fijn om je te zien, Har.'

Leigh stapte op Callie af en keek in haar ogen om haar pupillen te controleren. 'Hoe stoned ben je?'

Lang niet stoned genoeg, was Callies eerste gedachte, maar ze wilde Leigh niet nu al wegjagen. De laatste keer dat ze haar zus had gezien, had ze net twee weken aan een ventilator gelegen op de intensive care van het Grady Hospital.

'Je moet clean zijn, want ik heb je nodig,' zei Leigh.

'Dan zou ik maar opschieten.'

Leigh sloeg haar armen over elkaar. Ze wilde iets zeggen, dat was duidelijk, maar het was al even duidelijk dat ze er nog niet aan toe was. 'Heb je gegeten?' vroeg ze. 'Je bent veel te mager.'

'Een vrouw kan nooit –'

'Cal.' Leighs bezorgdheid reed als een shovel door alle bullshit heen. 'Gaat het wel goed?'

'Hoe is het met je zeeduivel?' Callie genoot van de verwarring op Leighs gezicht. Het was niet zonder reden dat de excentriekelingen de minst populaire cheerleader niet aan hun freaktafel hadden willen hebben. 'Walter. Hoe is het met hem?'

'Goed.' De hardheid verdween uit Leighs blik. Ze liet haar handen langs haar zij vallen. Er waren maar drie mensen op aarde die haar ooit zonder pantser te zien kregen. Leigh begon uit zichzelf over de derde. 'Maddy woont nog steeds bij hem zodat ze naar school kan.'

Callie probeerde weer gevoel in haar arm te wrijven. 'Dat zal wel moeilijk voor je zijn.'

'Tja, iedereen heeft het tegenwoordig moeilijk.' Leigh begon de kamer op en neer te lopen, als een aapje met bekkens dat zichzelf aan het opwinden was. 'De school heeft net een mail rondgestuurd dat een of andere stomme moeder het afgelopen weekend een feestje heeft gegeven waar heel veel mensen besmet zijn geraakt. Tot nu toe zijn zes leerlingen positief getest. De hele klas heeft nu twee weken lang virtueel onderwijs.'

Callie moest lachen, maar niet om de stomme moeder. De wereld waarin Leigh leefde, leek wel Mars vergeleken met de hare.

Leigh knikte naar het raam. 'Komt die voor jou?'

Met een glimlach keek Callie naar de gespierde zwarte kat op de vensterbank. Binx rekte zich uit, terwijl hij wachtte tot hij werd binnengelaten. 'Hij heeft vandaag een duif gevangen.'

Die hele duif boeide Leigh niet, maar ze deed een poging. 'Hoe heet-ie?'

'Fucking Bitch.' Callie grijnsde om de geschrokken reactie van haar zus. 'Ik noem hem kortweg Fitch.'

'Dat is toch een meisjesnaam?'

'Hij is genderfluïde.'

Leigh perste haar lippen op elkaar. Dit was niet zomaar een sociaal bezoekje. Als Harleigh sociaal wilde doen, ging ze naar chique etentjes met andere advocaten en artsen, van die etentjes waar de Zevenslaper tussen de Hoedenmaker en de Maartse Haas zat te snurken. Ze zocht Callie alleen op als er iets ernstigs was gebeurd. Een aanhoudingsbevel. Een bezoekje aan de politiecel. Een dreigende rechtszaak. Een coviddiagnose, waarbij de enige die gemist kon worden om haar te verzorgen haar zusje was.

Callie nam in gedachten haar recente zonden door. Misschien kwam het door die stomme boete van toen ze door rood was gelopen dat ze nu in de shit zat. Of misschien was Leigh door een van haar connecties getipt dat de DEA, het bureau dat over drugs ging, onderzoek deed naar dokter Jerry. Maar het was waarschijnlijker dat een van de randdebielen aan wie ze drugs verkocht was doorgeslagen om niet in de bak te belanden.

Fucking junkies.

'Wie moet me hebben?' vroeg ze.

Leigh beschreef een rondje met haar vinger in de lucht. De muren waren dun. Iedereen kon meeluisteren.

Callie drukte Binx tegen zich aan. Ze wisten allebei dat ze op een dag zo diep in de problemen zou zitten dat zelfs haar grote zus haar niet kon helpen.

'Kom,' zei Leigh. 'We gaan.'

Ze had het niet over een blokje om. Ze bedoelde: pak je spullen, stop die kat ergens in en stap in de auto.

Callie zocht wat kleren bij elkaar, terwijl Leigh de rugzak opnieuw inpakte. Ze zou haar sprei en haar bloemetjesdeken missen, maar het was niet de eerste keer dat ze ergens weg moest. Gewoonlijk stonden er buiten dan een paar agenten met een uitzettingsbevel. Ze had ondergoed nodig, een voorraad sokken, twee schone T-shirts en jeans. Ze bezat één paar schoenen, en dat had ze aan. T-shirts kon ze bij de kringloop kopen. Dekens werden in de opvang uitgedeeld, maar daar kon ze niet terecht want je mocht geen huisdieren meenemen.

Callie haalde een kussensloop af om haar schamele voorraad in te stoppen, waarna ze Binx' eten erbij deed, plus zijn roze speelgoedmuis en een goedkope plastic Hawaïaanse bloemenslinger, die de kat met zich meesleepte wanneer hij bepaalde gevoelens had.

'Klaar?' Leigh had de rugzak al om haar schouder. Ze was advocaat en Callie hoefde haar niet te vertellen wat een wapen en een lading drugs konden betekenen, want haar zus had zich een plekje verworven in de verheven wereld waar de regels onderhandelbaar waren.

'Momentje.' Met haar voet schoof Callie Binx' reismand onder het bed vandaan. De kat verstijfde, maar verzette zich niet toen ze hem erin stopte. Dit was ook niet zijn eerste uithuiszetting. 'Klaar,' zei ze.

Leigh liet Callie voorgaan. Binx begon te blazen toen hij op de achterbank van de auto werd gezet. Callie bevestigde de veiligheidsriem om zijn mand, ging voorin zitten en deed haar eigen riem om. Ze nam haar zus aandachtig op. Leigh had altijd alles onder controle, maar zelfs het omdraaien van de contactsleutel ging gepaard met een merkwaardig nauwkeurige polsbeweging. Alles aan haar was geflipt, wat zorgwekkend was, want Leigh flipte nooit.

Drugshandel.

Junkies waren noodgedwongen parttime advocaten. In Georgia golden vaste straffen, gebaseerd op gewicht. Op achtentwintig gram of meer aan cocaïne stond tien jaar. Achtentwintig gram of meer aan opiaten: vijfentwintig jaar. Alles boven de vierhonderd gram aan methamfetamine: vijfentwintig jaar.

Callie probeerde een rekensommetje te maken en haar lijst met klanten die waarschijnlijk waren gaan praten te verdelen over het totale aantal gram dat ze de afgelopen maanden had verhandeld, maar hoe ze het ook wendde of keerde, de teller kwam steeds uit op 'verneukt'.

Leigh sloeg rechts af toen ze van het motelparkeerterrein reed. Er werd geen woord gewisseld toen ze de hoofdweg op reden. Aan het einde van de straat passeerden ze twee politieauto's. De agenten keurden de Audi amper een blik waardig. Waarschijnlijk gingen ze ervan uit dat de twee vrouwen op zoek waren naar een kind dat stoned was of dat ze in deze achterbuurt rondreden om iets voor zichzelf te scoren.

Ze zwegen nog steeds toen Leigh de buitenste ring op reed, langs Callies bushalte. De luxeauto gleed soepel over het hobbelige asfalt. Callie was gewend aan het geschok en gestuiter van het openbaar vervoer. Ze probeerde zich te herinneren wanneer ze voor het laatst in een auto had gezeten. Waarschijnlijk toen Leigh haar vanuit het ziekenhuis naar huis had gebracht. Callie zou herstellen in Leighs appartement van een triljoen dollar, maar nog voor zonsopkomst had ze alweer op straat gezeten met een naald in haar arm.

Ze masseerde haar tintelende vingers. Het gevoel keerde enigszins terug, wat mooi was, maar nu was het alsof er naalden over haar zenuwen schraapten. Ze bestudeerde het scherpe profiel van haar zus. Het was niet verkeerd om genoeg geld te hebben om mooi oud te kunnen worden. Een sportzaal in haar gebouw. Een dokter op afroep. Een pensioenfonds. Leuke vakanties. Weekendjes weg. Wat Callie betrof verdiende haar zus elke luxe die ze zich kon veroorloven. Zo'n leven was Leigh niet bepaald in de schoot geworpen. Ze had zich langs de ladder omhooggeklauwd, had harder gestudeerd, harder gewerkt, het ene offer na het andere gebracht om zichzelf en Maddy het best mogelijke bestaan te geven.

Als Callies tragiek haar zelfkennis was, was die van Leigh dat ze nooit maar dan ook nooit zou aanvaarden dat haar goede leven niet op de een of andere manier was verbonden met de onversneden ellende van dat van Callie.

'Heb je honger?' vroeg Leigh. 'Je moet eten.'

Ze laste niet eens een beleefde pauze in om Callie te laten reageren. Ze bevonden zich nu in grote-zus-kleine-zusmodus. Leigh reed het terrein van een McDonald's op. Zonder Callie iets te vragen gaf ze bij de drivethrough haar bestelling op, hoewel Callie ervan uitging dat de visburger voor Binx was bestemd. Ze wisselden geen woord toen de auto langzaam opschoof naar het loket. Leigh diepte een mondkapje op uit de ruimte tussen de twee stoelen. Geld werd verruild voor zakken eten en drankjes, waarna ze de hele zaak aan Callie doorgaf. Ze nam haar mondkapje af en reed door.

Er zat voor Callie niets anders op dan de boel te verdelen. Ze wikkelde een Big Mac in een servet en gaf hem aan haar zus. Zelf begon ze aan een dubbele cheeseburger te knabbelen. Binx moest genoegen nemen met twee patatjes. Hij zou een moord hebben gedaan voor de visburger, maar Callie wist niet of ze kattendiarree uit de contrastnaden van de chique leren autostoelen kon krijgen.

'Patat?' vroeg ze.

Leigh schudde haar hoofd. 'Eet jij maar op. Je bent veel te mager, Cal. Je zou eens een tijd van de dope af moeten blijven.'

Callie liet het feit even bezinken dat Leigh niet langer zei dat ze helemaal moest stoppen. Pas na tienduizenden dollars aan afkickklinieken te hebben verspild en ontelbare van zielenleed doortrokken gesprekken was Leigh het gaan accepteren, waardoor hun leven uiteindelijk een stuk gemakkelijker was geworden.

'Eten,' beval Leigh.

Callie keek naar de cheeseburger op haar schoot. Haar maag draaide zich om. Ze wist niet hoe ze Leigh moest uitleggen dat het niet door de dope kwam dat ze zo mager was. Na de covid was haar eetlust niet teruggekeerd. Meestal moest ze zichzelf dwingen iets te eten. Als ze dat tegen haar zus zei, zou ze haar een nog groter onterecht schuldgevoel bezorgen.

'Callie?' Leigh wierp haar een geërgerde blik toe. 'Eet je dat nog op of moet ik het door je keel duwen?'

Met moeite werkte Callie de rest van de patat naar binnen. Ze dwong zichzelf precies de helft van de cheeseburger op te eten. Ze was met de cola bezig toen de auto eindelijk tot stilstand kwam.

Ze keek om zich heen. Meteen begon haar maag naar allerlei manieren te zoeken om zich van het voedsel te ontdoen. Ze bevonden zich midden in het woongedeelte van Lake Point, de plek waar Leigh hen vroeger altijd naartoe reed als ze weer eens uit de buurt van hun moeder moesten blijven. Callie meed dit afgrijselijke oord al twintig jaar. Ze nam altijd de lange busroute naar de kliniek van dokter Jerry, alleen om de deprimerende, lompe huizen met hun smalle carports en treurige voortuintjes niet te hoeven zien.

Leigh liet de motor draaien zodat de airco aan bleef. Met haar rug tegen het portier keerde ze zich naar Callie toe. 'Trevor en Linda Waleski waren gisteravond bij mij op kantoor.'

Callie huiverde. Ze hield Leighs woorden op afstand, maar aan de horizon doemde iets vaags en duisters op, een kwade gorilla die door haar herinneringen banjerde: een gedrongen bovenlijf, handen altijd tot vuisten gebald, armen die zo gespierd waren dat ze niet vlak langs zijn zij hingen. Het toonbeeld van een keiharde klootzak. Mensen gingen een blokje om als ze hem op straat zagen.

Ga op de bank liggen, popje. Ik word zo geil van je dat ik het niet meer hou.

'Hoe is het met Linda?' vroeg Callie.

'Stinkend rijk.'

Callie keek uit het raampje. Er trok een waas voor haar ogen. Ze zag dat de gorilla zich omkeerde en haar woedend aankeek. 'Dan hadden ze Buddy's geld dus toch niet nodig.'

'Callie,' zei Leigh op dwingende toon. 'Sorry, maar je moet naar me luisteren.'

'Ik luister.'

Ook al had Leigh alle reden om haar niet te geloven, toch zei ze: 'Trevor heet tegenwoordig Andrew. Ze hebben hun achternaam in Tenant veranderd nadat Buddy... nadat hij verdween.'

Callie zag de gorilla op haar af stormen. Speeksel spatte uit zijn mond. Zijn neusvleugels waren wijd opengesperd. Met zijn dikke armen geheven en zijn tanden ontbloot dook hij op haar af. Ze rook goedkope sigaren, whisky en haar eigen seks.

'Callie.' Leigh greep haar hand en hield die zo stevig vast dat de botjes over elkaar schoven. 'Rustig maar, Callie.'

Callie sloot haar ogen. De gorilla sloop terug naar zijn plek aan de horizon. Ze smakte met haar lippen. Nog nooit had ze zo naar heroïne verlangd als op dat moment.

'Hé.' Leigh kneep nog harder in haar hand. 'Hij kan je geen kwaad doen.'

Callie knikte. Haar keel voelde rauw, en ze probeerde zich te herinneren hoeveel weken, misschien wel maanden, het had geduurd voor ze weer zonder pijn had kunnen slikken nadat Buddy haar had proberen te wurgen.

'Waardeloos stuk stront,' had haar moeder de volgende dag gezegd. 'Ik heb je niet grootgebracht om je door een stom kutkind op het schoolplein in elkaar te laten trappen.'

'Kom.' Leigh liet haar hand los. Ze reikte naar de achterbank en opende de draagmand. Ze hees Binx eruit en zette hem op Callies schoot. 'Wil je dat ik mijn mond hou?'

Callie drukte Binx tegen zich aan. Spinnend duwde hij zijn kop tegen de onderkant van haar kin. Het gewicht van het dier gaf troost. Het liefst wilde ze dat Leigh haar mond hield, maar ze wist dat de hele last op haar zus werd geschoven als ze zich voor de waarheid verschool.

'Lijkt Trevor op hem?' vroeg ze.

'Hij lijkt op Linda.' Leigh zweeg in afwachting van een nieuwe vraag. Dit was geen juridische truc die ze in de rechtszaal had geleerd. Leigh had de waarheid altijd al bij stukjes en beetjes toegediend; ze had Callie altijd heel geleidelijk van informatie voorzien om te voorkomen dat ze flipte en in een achterafsteeg een overdosis nam.

Callie drukte haar lippen op Binx' kop, zoals ze dat vroeger bij Trevor had gedaan. 'Hoe hebben ze je gevonden?'

'Weet je nog van dat krantenartikel?'

'Die pisser,' zei Callie. Ze was vreselijk trots geweest toen ze het stuk over haar grote zus had gelezen. 'Waarvoor heeft hij een advocaat nodig?'

'Omdat hij is aangeklaagd wegens verkrachting van een vrouw. Van meerdere vrouwen.'

De informatie was minder verrassend dan ze hoorde te zijn. Hoe vaak had Callie Trevor zijn grenzen niet zien verkennen, hem zien uitproberen tot hoever hij kon gaan, precies zoals zijn vader altijd had gedaan? 'Dus hij lijkt toch op Buddy.'

'Volgens mij weet hij wat we gedaan hebben, Cal.'

Het nieuws was als een hamerslag. Haar mond viel open, maar er kwamen geen woorden uit. Binx raakte geïrriteerd door het plotselinge gebrek aan aandacht. Hij sprong op het dashboard en keek naar buiten.

'Andrew weet wat we met zijn vader hebben gedaan,' zei Leigh nogmaals.

Callie voelde de koude lucht uit de ventilatieroosters haar longen binnendringen. Voor dit gesprek kon ze zich niet verschuilen. Omdat ze haar hoofd niet kon omdraaien, draaide ze haar hele lichaam, tot ze met haar rug tegen het portier leunde, net als Leigh. 'Trevor sliep. We hebben allebei gekeken.'

'Dat weet ik.'

'Hm,' zei Callie, zoals altijd als ze niet wist wat ze verder nog zeggen moest.

'Je hoeft hier niet te zijn, Cal,' zei Leigh. 'Ik kan je naar –'

'Nee.' Callie vond het vreselijk om gesust te worden, ook al wist ze dat ze het nodig had. 'Alsjeblieft, Harleigh. Vertel wat er gebeurd is. Niks weglaten. Ik moet het weten.'

Leighs aarzeling was zichtbaar. Dat ze niet met nieuwe tegenwerpingen kwam, dat ze niet zei dat Callie het maar moest vergeten, niet zei dat zij alles in orde zou maken zoals ze dat altijd deed, was beangstigend.

Ze begon bij het begin, de vorige avond rond dezelfde tijd. De bijeenkomst in de werkkamer van haar baas. De ontdekking dat Andrew en

Linda Tenant geesten uit haar verleden waren. Leigh vertelde tot in detail over Trevors vriendin, over Reggie Paltz, de privédetective die iets te dichtbij was gekomen, de leugens over Callies leven in Iowa. Ze gaf uitleg over de aanklachten tegen Andrew wegens verkrachting, over de mogelijke andere slachtoffers. Toen ze begon over de snijwond vlak boven de dijbeenslagader, voelde Callie haar lippen uiteenwijken. 'Wat zei Trevor precies?'

'Andrew,' corrigeerde Leigh haar. 'Hij heet geen Trevor meer, Callie. En het gaat niet om wat hij zei, het gaat om hoe hij het zei. Hij weet dat zijn vader vermoord is. Hij weet dat we ermee zijn weggekomen.'

'Maar...' Callie probeerde Leighs woorden te begrijpen. 'Trev... Dus Andrew gebruikt een mes bij zijn slachtoffers, net zoals ik toen ik Buddy vermoordde?'

'Je hebt hem niet vermoord.'

'Fuck, Leigh, echt wel.' Niet weer dat stomme meningsverschil. 'Jij hebt hem gedood nadat ik hem had gedood. Het is geen wedstrijd. We hebben hem allebei vermoord. We hebben hem allebei in stukken gehakt.'

Leigh zweeg weer. Ze gaf Callie ruimte, maar Callie had geen ruimte nodig.

'Harleigh,' zei ze, 'als het lijk is gevonden, is het te laat om te achterhalen hoe hij is gestorven. Zo'n beetje alles zou nu verdwenen zijn. Ze zouden alleen wat botten hebben gevonden. En niet eens allemaal. Alleen hier en daar wat stukjes.'

Leigh knikte. Daar had ze al over nagedacht.

Callie nam de overige opties door. 'We hebben naar andere camera's en cassettes gezocht – naar alles. We hebben het mes schoongemaakt en in de la gelegd. Ik heb nog een hele maand op Trevor gepast voor ze eindelijk de stad uit gingen. Ik heb dat steakmes zo vaak mogelijk gebruikt. Het kan gewoon niet gelinkt worden aan wat we gedaan hebben.'

'Ik heb geen idee hoe Andrew van dat mes weet of van die snee in Buddy's been. Ik weet alleen dat hij het weet.'

Callie dwong zichzelf in gedachten terug te keren naar die avond, hoewel ze steeds haar uiterste best had moeten doen het meeste te vergeten. Ze nam de gebeurtenissen snel door, bleef nergens hangen. Iedereen dacht dat geschiedenis een boek was met een begin, een midden en een einde. Maar zo werkte het niet. Het echte leven speelde zich uitsluitend in het midden af.

'We hebben dat huis binnenstebuiten gekeerd,' zei ze.

'Weet ik.'

'Hoe heeft-ie…' Weer nam Callie alles door, alleen nu wat langzamer. 'Je bent pas na zes dagen naar Chicago vertrokken. Hebben we erover gepraat waar hij bij was? Hebben we iets gezegd?'

Leigh schudde haar hoofd. 'Ik geloof het niet, maar…'

Ze hoefde de woorden niet uit te spreken. Ze hadden allebei in shock verkeerd. Ze waren allebei nog maar tieners geweest. Geen van beiden was een crimineel genie. Hun moeder had vermoed dat er iets ergs was gebeurd, maar ze had alleen maar gezegd: 'Betrek mij niet bij de shit waar jullie nu weer in zitten, want ik lap jullie er gelijk bij.'

'Ik weet niet wat voor fout we hebben gemaakt,' zei Leigh, 'maar we hebben duidelijk een fout gemaakt.'

Callie hoefde maar naar haar zus te kijken om te zien dat wat die fout ook was, hij boven op de berg met schuldgevoel terechtkwam die Leigh nu al meetorste. 'Wat heeft Andrew precies gezegd?'

Leigh schudde haar hoofd, maar met haar geheugen was nooit iets mis geweest. 'Hij vroeg of ik soms wist hoe je een misdaad moest plegen die iemands leven verwoestte. Hij vroeg of ik wist hoe je met keiharde moord kon wegkomen.'

Callie beet op haar onderlip.

'En toen zei hij dat het nu anders is dan toen we jong waren. Vanwege alle camera's.'

'Camera's?' herhaalde Callie. 'Had hij het specifiek over camera's?'

'Hij noemde ze wel vijf, zes keer, dat er overal camera's waren, op deurbellen, huizen, dat je verkeerscamera's had. Je kunt nergens naartoe zonder dat je opgenomen wordt.'

'We hebben Andrews kamer niet doorzocht,' zei Callie. Dat was de enige plek waar ze niet aan hadden gedacht. Buddy sprak nauwelijks tegen zijn zoon. Hij wilde niets met hem te maken hebben. 'Andrew pikte altijd dingen. Zou er nog een video zijn geweest?'

Leigh knikte. Die mogelijkheid had ze al overwogen.

Callies wangen sloegen rood uit. Andrew was tien geweest toen het gebeurde. Had hij een video gevonden? Had hij gezien hoe zijn vader haar op alle denkbare manieren had geneukt? Was hij daarom nog steeds bezeten van haar?

Verkrachtte hij daarom vrouwen?

'Als Andrew een video heeft,' zei ze, 'dan toont dat alleen aan dat zijn vader een pedo was. Hij wil vast niet dat dat bekend wordt.' Zelf wilde ze ook niet dat het bekend werd. 'Denk je dat Linda het weet?'

'Nee.' Leigh schudde haar hoofd, maar zeker weten deed ze het niet.

Callie bracht haar handen naar haar gloeiende wangen. Als Linda het wist, kon ze het verder vergeten. Ze had altijd van haar gehouden, haar bijna aanbeden omdat ze zo evenwichtig en eerlijk was. Als meisje was het nooit bij haar opgekomen dat ze overspel pleegde met Linda's man. In haar verknipte hoofd had ze hen allebei als plaatsvervangende ouders beschouwd.

'Wilde Andrew voor hij over camera's begon iets weten over die avond, of over de verdwijning van Buddy?' vroeg ze aan haar zus.

'Nee,' antwoordde Leigh. 'En zoals je al zei, zelfs als Andrew een video had, dan zou je daarop niet zien hoe Buddy stierf. Hoe weet hij van het mes? Van die wond in het been?'

Callie keek naar Binx, die zijn poot aan het likken was. Ze had geen flauw idee.

En toen opeens wel.

'Ik zocht dingen op...' vertelde ze. 'Nadat het gebeurd was, zocht ik dingen op in een van Linda's studieboeken over anatomie. Ik wilde weten hoe het werkte. Misschien heeft Andrew dat gezien.'

Leigh keek sceptisch. 'Zou kunnen,' zei ze niettemin.

Callie drukte haar vingers tegen haar ogen. Haar nek klopte van de pijn. Haar hand tintelde nog steeds. In de verte liep de gorilla rusteloos heen en weer.

'Hoe vaak heb je het opgezocht?' vroeg Leigh.

Op de achterkant van Callies oogleden werd een beeld geprojecteerd: het opengeslagen studieboek op de keukentafel van de Waleski's. De tekening van het menselijk lichaam. Ze was zo vaak met haar vinger langs de dijbeenslagader gegaan dat de rode lijn tot roze was vervaagd. Was dat Andrew opgevallen? Had hij Callies dwangmatige gedrag gezien en één en één bij elkaar opgeteld?

Of had hij misschien een verhit gesprek tussen Callie en Leigh opgevangen? Na wat ze met Buddy hadden gedaan, hadden ze voortdurend geruzied over wat ze moesten doen – over hun plan en of het werkte, welke verhalen ze aan agenten en maatschappelijk werkers hadden verteld, wat ze met het geld moesten. Misschien had Andrew zich verstopt om te luisteren en had hij aantekeningen gemaakt. Hij was altijd al een achterbaks ettertje geweest dat vanachter dingen tevoorschijn sprong om haar aan het schrikken te maken, dat haar pennen en boeken pikte, de vissen in het aquarium terroriseerde.

Elk van deze scenario's was mogelijk. En elk scenario zou dezelfde reactie aan Leigh ontlokken.

Het was haar schuld. Het was allemaal haar schuld.

'Cal?'

Ze opende haar ogen. Ze had maar één vraag. 'Waarom raakt dit je zo, Leigh? Andrew heeft geen enkel bewijs, anders zat hij al op het politiebureau.'

'Hij is een sadistische verkrachter. Hij speelt een spel.'

'En wat dan nog? Jezus, Leigh. Waar zijn je ballen gebleven?' Callie spreidde haar armen. Zo werkte het. Ze mochten niet allebei tegelijk instorten. 'Je kunt geen spelletjes spelen met iemand die geen zin heeft om mee te doen. Waarom laat je die sneue freak met je kop kloten? Hij heeft helemaal niks.'

Leigh antwoordde niet, maar ze was zichtbaar aangeslagen. Haar ogen stonden vol tranen. Ze zag grauw. Callies blik viel op een vlekje opgedroogd braaksel op de hals van haar shirt. Leigh had nooit een sterke maag gehad. Dat was het probleem als je een goed leven leidde. Dat wilde je niet kwijt.

'Hé, wat zeg je nou altijd tegen me?' vroeg Callie. 'Blijf bij je verhaal. Buddy kwam thuis. Hij was helemaal over de kook vanwege een doodsbedreiging. Hij zei niet door wie. Ik belde jou. Jij haalde me op. Hij leefde toen we weggingen. Mama sloeg me helemaal verrot. Dat is alles.'

'D-FaCS,' zei Leigh. Het was de afkorting van het Department of Family and Children's Services, waarvan de kinderbescherming een onderdeel was. 'Toen de maatschappelijk werkster naar ons huis kwam, heeft ze toen foto's gemaakt?'

'Ze heeft amper een rapport opgesteld.' Eigenlijk kon Callie het zich niet herinneren, maar ze wist hoe het systeem werkte en haar zus wist het ook. 'Gebruik je hersens eens, Harleigh. We woonden niet bepaald in Beverly Hills, 90210. Ik was gewoon de zoveelste puber die door haar dronken moeder in elkaar was getrapt.'

'Toch kan er ergens nog een rapport van die maatschappelijk werkster rondslingeren. De overheid gooit nooit iets weg.'

'Ik betwijfel of die bitch het ooit gearchiveerd heeft,' zei Callie. 'Al die maatschappelijk werkers waren doodsbang voor mama. Toen de politie me ondervroeg over de verdwijning van Buddy, zeiden ze niks over hoe ik eruitzag. Ze vroegen jou ook niks. Linda gaf me antibiotica en zette mijn neus weer recht, maar ze stelde niet één vraag. Niemand begon erover bij maatschappelijk werk. Op school hield ook iedereen zijn mond.'

'Tja, die lul van een Patterson zette zich niet bepaald voor kinderen in.'

De vernedering kwam weer opzetten, als een vloedgolf die Callie op de oever wierp. Hoeveel tijd er ook was verstreken, ze kon zich niet over het besef heen zetten dat al die mannen de dingen hadden gezien die ze met Buddy had gedaan.

'Sorry, Cal,' zei Leigh. 'Dat had ik niet moeten zeggen.'

Callie zag haar in haar tas naar een tissue zoeken. Ze herinnerde zich nog goed hoe haar grote zus ooit moordcomplotten en ingewikkelde samenzweringen had beraamd tegen de mannen die hadden toegekeken terwijl zij werd onteerd. Leigh was bereid geweest haar leven te geven voor wraak. Het enige wat haar voor de afgrond had behoed, was haar angst Maddy te zullen verliezen.

Callie zei wat ze altijd tegen haar zei: 'Het is jouw schuld niet.'

'Ik had nooit naar Chicago moeten gaan. Dan had ik –'

'Vastgezeten in Lake Point om samen met de rest van ons in de goot te belanden?' Callie wachtte haar reactie niet af, want ze wisten allebei dat Leigh in dat geval manager van een Taco Bell zou zijn geworden, Tupperware zou hebben verkocht en als bijverdienste een boekhoudkantoor zou hebben gerund. 'Als je hier was gebleven, zou je niet hebben gestudeerd. Je zou geen advocaat zijn geworden. Je zou Walter niet hebben gehad. En je zou al helemaal –'

'Maddy niet hebben gehad.' Nu kwamen de tranen. Leigh had altijd al moeiteloos kunnen huilen. 'Callie, ik ben zo –'

Callie maakte een afwerend gebaar. Ze mochten zich niet weer verliezen in een wedstrijdje het-is-allemaal-mijn-schuld/nee-het-is-jouw-schuld-niet. 'Stel dat maatschappelijk werk een rapport heeft, of dat de politie heeft genoteerd dat ik er slecht aan toe was. Wat dan? Waar zijn die papieren nu?'

Leigh perste haar lippen op elkaar. Nog zichtbaar vechtend met haar emoties zei ze: 'Die agenten zijn waarschijnlijk met pensioen of hebben promotie gemaakt. Als ze in hun incidentenrapporten geen melding hebben gemaakt van mishandeling, heeft het in hun persoonlijke aantekeningen gestaan, en die persoonlijke aantekeningen moeten dan ergens in een doos liggen, waarschijnlijk op een zolder.'

'Oké, dus ik ben Reggie, de privédetective die Andrew heeft ingehuurd,' zei Callie. 'Ik moet een mogelijke moord van drieëntwintig jaar geleden onderzoeken en wil de politierapporten inzien en alles wat maatschappelijk werk nog heeft over de meisjes die in dat huis waren. Hoe gaat het verder?'

Leigh zuchtte. Ze kon zich nog steeds niet goed concentreren. 'Wat de kinderbescherming betreft dien je een informatieverzoek in.'

Dankzij de wet openbaarheid van bestuur waren alle overheidsrapporten toegankelijk voor het publiek. 'En dan?'

'In de zaak Kenny A. v. Sonny Perdue kwam het in 2005 tot een schikking.' Nu nam Leighs juridische brein het over. 'Het is ingewikkeld, maar het komt erop neer dat Fulton en DeKalb County niet langer kinderen de dupe van het systeem mochten laten worden. Het duurde drie jaar voor er overeenstemming werd bereikt. Veel van de belastende documenten en dossiers waren heel toevallig zoekgeraakt toen het eindelijk tot een schikking kwam.'

Callie ging ervan uit dat eventuele rapporten over haar mishandeling ook waren verdwenen. 'En de politie?'

'Je dient een informatieverzoek in voor hun officiële documenten en een dagvaarding voor hun notitieboekjes,' zei Leigh. 'Zelfs als Reggie het anders heeft aangepakt en bij hen heeft aangeklopt, zullen ze bang zijn voor vervolging als ze destijds een aantekening hebben gemaakt van mishandeling maar geen maatregelen hebben genomen. Vooral als er een moordzaak speelt.'

'Dus de politie kan dan heel toevallig ook niks vinden.' Callie dacht aan de twee agenten die haar hadden ondervraagd. Het zoveelste voorbeeld van mannen die zwegen om andere mannen uit de wind te houden. 'Maar je zegt dus dat we ons over geen van beide zorgen hoeven te maken, toch?'

Leigh hield een slag om de arm. 'Misschien niet.'

'Zeg maar wat ik doen moet.'

'Niks,' zei Leigh, maar ze had altijd een plan. 'Ik haal je weg uit de staat. Je kunt misschien een tijdje naar… Weet ik het. Tennessee. Iowa. Maakt mij niet uit. Waar jij naartoe wilt.'

'Jezus, Iowa?' Callie probeerde haar wat op te vrolijken. 'Kun je niks beters voor me verzinnen dan koeien melken?'

'Je bent gek op koeien.'

Dat klopte. Koeien waren heel lief. Er was ook een Callie die maar al te graag boerin had willen zijn. Of veearts. Vuilnisvrouw. Alles behalve een stomme, stelende junk.

Leigh zuchtte diep. 'Sorry dat ik zo van slag ben. Eigenlijk is dit jouw probleem helemaal niet.'

'Rot op,' zei Callie. 'Kom op, Leigh. We zitten in hetzelfde schuitje. Je hebt ons hier eerder uit gered. Deze keer lukt het je ook.'

'Ik weet het niet. Andrew is geen kind meer. Hij is een psychopaat. Hij heeft iets waardoor hij het ene moment heel normaal lijkt, maar het volgende moment voel je je hele lijf in een soort oerstand schieten, zo van vechten of vluchten. Ik ging er helemaal van flippen. Mijn nekharen gingen overeind staan. Zodra ik hem zag, wist ik dat er iets mis was, maar ik had het pas door toen hij het me liet zien.'

Callie pakte een tissue van Leigh en snoot haar neus. Al was haar zus nog zo slim, ze had het veel te lang veel te gemakkelijk gehad. Ze dacht aan de juridische gevolgen van een eventueel onderzoek dat Andrew zou proberen te openen. Een mogelijke rechtszaak, gevonden bewijs, kruis-verhoor van getuigen, een uitspraak, de gevangenis.

Leigh was niet meer in staat om als een crimineel te denken, maar Callie kon het voor twee. Andrew was een gewelddadige verkrachter. Hij ging niet naar de politie, want het ontbrak hem aan keihard bewijs. Hij kwelde Leigh omdat hij dit probleem eigenhandig wilde oplossen.

'Ik weet dat je een worstcasescenario hebt,' zei ze tegen haar zus. Ze zag Leigh aarzelen, maar zag ook haar opluchting.

'Allereerst moet je je drugsgebruik minderen. Je hoeft niet helemaal af te kicken, maar als iemand vragen komt stellen, moet je helder genoeg zijn om de juiste antwoorden te geven.'

Callie voelde zich klemgezet, ook al deed ze al precies wat Leigh van haar vroeg. Maar het was anders als ze zelf kon kiezen. Het liefst had ze na Leighs woorden haar rugzak op de vloer leeggeschud en ter plekke haar arm afgebonden.

'Cal?' Leigh keek zo verdomd teleurgesteld. 'Het is niet voor altijd. Ik zou het niet vragen als –'

'Oké.' Callie slikte het speeksel weer in dat haar mond had gevuld. 'Voor hoelang?'

'Weet ik niet,' moest Leigh bekennen. 'Ik moet eerst weten wat Andrew gaat doen.'

Callie slikte haar panische vragen weer in. *Een paar dagen? Een week? Een maand?* Ze beet op haar lip om niet in tranen uit te barsten.

Het was alsof Leigh haar gedachten las. 'We kijken telkens maar een paar dagen vooruit. Maar als je de stad uit moet, of –'

'Ik red me wel,' zei Callie, want daar moesten ze allebei in kunnen geloven. 'Maar kom op, Harleigh, je weet al wat Andrew aan het doen is.'

Leigh schudde haar hoofd, want ze had nog geen idee.

'Hij zit dieper in de problemen dan jij.' Als Callie hier heelhuids doorheen wilde komen, dan moest ze ervoor zorgen dat Leighs reptielenbrein het overnam, dat haar vechtinstinct het won van de neiging te vluchten, want het mocht niet te lang duren. 'Hij heeft zijn advocaat ontslagen. Hij heeft jou een week voor zijn proces ingehuurd. De rest van zijn leven staat op het spel, en nu heeft hij het voortdurend over camera's en hoe je met moord kunt wegkomen. Mensen gaan pas dreigen als ze iets van je willen. Wat wil Andrew?'

Opeens ging Leigh een licht op. 'Hij wil dat ik iets illegaals voor hem doe.'

'Precies.'

'Shit.' Leigh somde een lijst op. 'Een getuige omkopen. Meineed plegen. Medeplichtig zijn aan een misdaad. Belemmering van de rechtsgang.'

Dat alles en nog veel meer had Leigh voor Callie gedaan. 'Daar draai jij je hand niet voor om.'

Leigh schudde haar hoofd. 'Bij Andrew ligt het anders. Hij wil me iets aandoen.'

'En wat dan nog?' Callie knipte met haar vingers als om haar wakker te maken. 'Waar is mijn stoere zus gebleven? Je hebt net een Glock op een stel methfreaks gericht, terwijl de politie om de hoek stond. Je lijkt wel een schoolkind van wie de knikkers zijn gepikt. Stop daar eens mee.'

Bedachtzaam knikkend begon Leigh moed te verzamelen. 'Je hebt gelijk.'

'Natuurlijk heb ik gelijk. Je hebt een mooie master in de rechten, een geweldige baan en geen strafblad, en wat heeft Andrew?' Callie wachtte Leighs antwoord niet af. 'Hij wordt ervan verdacht die vrouw te hebben verkracht. Er zijn meer vrouwen die met de vinger naar hem kunnen wijzen. Als die halvezool van een verkrachter gaat janken dat jij twintig jaar geleden zijn pappie hebt vermoord, wie denk je dat er dan geloofd wordt?'

Leigh bleef knikken, maar Callie wist wat haar zus het meest dwarszat.

Leigh had aan veel dingen een hekel, maar haar eigen kwetsbaarheid verlamde haar van angst.

'Hij heeft geen macht over je, Harleigh. Hij wist niet eens waar hij je kon vinden tot die loser van een detective jouw foto onder zijn neus schoof.'

'En jij dan?' vroeg Leigh. 'Je gebruikt mama's achternaam al jaren niet meer. Zijn er andere manieren waarop hij je kan vinden?'

In gedachten stelde Callie een lijstje op van alle afkeurenswaardige manieren om iemand te lokaliseren die niet gevonden wilde worden. Trap kon worden omgekocht, maar zoals gewoonlijk had ze onder een valse naam ingecheckt bij het motel. Swim Shady was een internetgeest. Ze had nooit belasting betaald. Ze had nooit een leaseauto, een telefoonabonnement, een rijbewijs of een ziektekostenverzekering gehad. Uiteraard had ze wel een sociaalverzekeringsnummer, maar ze had geen idee wat dat nummer was en waarschijnlijk had haar moeder dat al heel lang geleden misbruikt om geld te lenen. Haar jeugdstrafblad was verzegeld. Haar eerste arrestatie als volwassene stond op naam van Calliope DeWinter, want de agent die naar haar achternaam had gevraagd had Daphne du Maurier nooit gelezen, en Callie, die zo stoned als een aap was geweest, had dat zo hilarisch gevonden dat ze zich had ondergepist op de achterbank van zijn patrouillewagen, waarmee er een eind was gekomen aan de ondervraging. Voeg daarbij de merkwaardige uitspraak van haar voornaam en de aliassen stapelden zich op. Zelfs toen Callie op de intensive care van het Grady Hospital wegkwijnde aan covid, had de patiëntenstatus de naam Cal E.O.P. DeWinter vermeld.

'Hij kan me niet vinden,' zei ze.

Leigh knikte, zichtbaar opgelucht. 'Oké, dus hou je gedeisd. Probeer alert te blijven.'

Callie dacht aan iets wat Trap had gezegd, vlak voor hij haar had willen beroven.

Witte gast. Gave bak.

Reggie Paltz. Mercedes-Benz.

'Het is maar voor even, dat beloof ik,' zei Leigh. 'Andrews proces gaat waarschijnlijk twee of drie dagen duren. Wat hij ook van plan is, hij moet opschieten.'

Callie ademde zachtjes in, terwijl ze Leighs gezicht bestudeerde. Haar zus had niet echt stilgestaan bij de ravage die Andrew in Callies leven kon aanrichten, vooral niet omdat Leigh heel weinig van haar leven wist. Waarschijnlijk had ze haar opgespoord met behulp van een bevriende advocaat. Ze had geen idee dat dokter Jerry nog altijd werkte, laat staan dat Callie af en toe bijsprong.

Nog afgezien van het feit dat Reggie Paltz al aan het rondvragen was, had hij duidelijk zijn contacten binnen het politiekorps. Hij kon Callies naam onder hun aandacht brengen. Ze handelde al in drugs. Als de juiste agent de verkeerde vragen stelde, trapte de DEA straks dokter Jerry's voordeur in en dan mocht zij keihard afkicken in een cel in het Atlanta City Detention Center.

Callie keek naar Binx, die zich op zijn zij liet ploffen in het zonlicht dat op het dashboard viel. Ze wist niet om wie ze zich meer zorgen maakte, om dokter Jerry of om zichzelf. In het huis van bewaring kon je niet onder medische begeleiding afkicken. Je werd in je eentje in een cel opgesloten en drie dagen later liep je er op eigen kracht weer uit of werd je in een lijkzak naar buiten gereden.

'Misschien is het beter als we het voor Andrew gemakkelijker maken om me te vinden,' zei ze.

Leigh keek haar vol ongeloof aan. 'Wat is daar in godsnaam beter aan, Callie? Andrew is een sadistische verkrachter. Vandaag vroeg hij de hele tijd naar je. Zijn beste vriend zegt dat hij uiteindelijk naar jou op zoek gaat.'

Callie luisterde niet, want anders zou ze van angst weer terugkrabbelen. 'Andrew is toch op borgtocht vrij? Dus hij heeft een enkelband die afgaat als hij –'

'Weet je hoelang het duurt voor de reclassering op zo'n alarm reageert? De stad kan nauwelijks de salarissen betalen. De helft van de oudgedienden is met pensioen gegaan toen covid toesloeg en de rest moet vijftig procent meer zaken afhandelen.' Het ongeloof in Leighs ogen had plaatsgemaakt voor pure verbijstering. 'Dat betekent dat de smerissen Andrews gps-gegevens kunnen natrekken nadat hij jou heeft vermoord, enkel om erachter te komen hoe laat hij het heeft gedaan.'

Callie voelde haar mond droog worden. 'Andrew gaat vast niet zelf naar me op zoek. Hij stuurt zijn detective, toch?'

'Ik zorg dat Reggie Paltz je niks kan maken.'

'Dan zoekt hij wel een andere Reggie Paltz.' Callie moest Leighs gedraai een halt toeroepen. 'Weet je, als zijn detective me vindt, dan denkt

Andrew dat hij ons te pakken heeft, ja toch? Zo'n gast stelt me wat vragen. Ik voer hem wat wij willen dat hij weet, namelijk niks. Hij brengt verslag uit aan Andrew. En als Andrew jou ermee confronteert, weet je het al.'

'Dat is te gevaarlijk,' zei Leigh. 'In feite bied je jezelf dan als lokaas aan.'

Callie onderdrukte een huivering. Tot zover het met stukjes en beetjes voeren van de waarheid. Leigh mocht niet weten dat ze al op het randje balanceerde, want dan zou ze haar nooit in de stad laten blijven. 'Ik zorg dat ik ergens op een logische plek ben waar die detective me makkelijk kan vinden, oké? Je kunt makkelijker met iemand dealen als je weet dat hij komt.'

'Geen denken aan.' Leigh schudde haar hoofd. Ze wist wat die 'logische plek' was. 'Dat is krankzinnig. Dan heeft hij je zo te pakken. Als je de foto's zag van wat Andrew heeft gedaan met –'

'Kappen.' Callie hoefde niet te horen waartoe de zoon van Buddy Waleski in staat was. 'Ik wil dit doen. En ik ga dit doen. Ik hoef jou niet om toestemming te vragen.'

Leigh perste haar lippen weer op elkaar. 'Ik heb geld. Ik kan aan meer geld komen. Ik kan je ergens installeren waar jij maar wilt.'

Callie ging niet weg van de enige plek die ze als thuis kende, dat kon ze niet. Maar ze had nog een optie, eentje die iedereen die haar ooit had ontmoet zou begrijpen. Ze zou Binx bij dokter Jerry achterlaten, de hele afgesloten drugskast leeghalen, en nog voordat de zon onderging, zou Kurt Cobain haar een privé-uitvoering geven van 'Come As You Are'.

'Cal?' zei Leigh.

Ze ging te zeer op in de Cobain-spiraal om te kunnen antwoorden.

'Ik heb…' Leigh greep haar hand en trok haar uit haar fantasietje. 'Ik heb je nodig, Calliope. Ik kan het alleen tegen Andrew opnemen als ik weet dat het goed met je gaat.'

Callie keek naar hun verstrengelde handen. Leigh was de enige schakel die ze nog had naar alles wat op een normaal leven leek. Ze zagen elkaar alleen in uitzichtloze tijden, maar de wetenschap dat haar zus er altijd voor haar was, had haar uit ontelbare duistere, ogenschijnlijk hopeloze situaties gered.

Niemand had het ooit over de eenzaamheid van verslaving. Je was kwetsbaar als je weer een shot nodig had. Je was volslagen onbeschermd als je high was. Je werd altijd, hoe dan ook, alleen wakker. En dan de afwezigheid van anderen. Je raakte van je familie vervreemd omdat ze je niet vertrouwden. Oude vrienden lieten je vol afschuw in de steek. Nieuwe vrienden stalen je shit of waren bang dat je die van hen zou stelen. De enigen met wie je over je eenzaamheid kon praten, waren andere junkies, en al was je nog zo lief, ruimhartig of vriendelijk, door de aard van je verslaving won je volgende shot het altijd van welke vriendschap dan ook.

Voor zichzelf kon Callie niet sterk zijn, maar wel voor haar zus. 'Je weet dat ik voor mezelf kan zorgen. Geef me maar wat geld om me hierdoorheen te slaan.'

'Cal, ik –.'

'De drie P's,' zei Callie, want ze wisten allebei dat voor de enige logische plek entree moest worden betaald. 'Opschieten, voor ik niet meer durf.'

Leigh stak haar hand in haar tas en haalde er een dikke envelop uit. Ze had altijd goed met geld kunnen omgaan, had beknibbeld, gespaard, zich een slag in de rondte gewerkt en alleen in dingen geïnvesteerd die uiteindelijk meer geld genereerden. Callie schatte met haar deskundige blik dat ze naar vijfduizend dollar keek.

In plaats van alles te geven haalde Leigh er tien briefjes van twintig af. 'Zullen we hiermee beginnen?'

Callie knikte, want ze wisten allebei dat als ze alles in één keer kreeg het in haar aderen zou verdwijnen. Ze draaide zich om op haar stoel en keek weer recht vooruit. Ze glipte uit haar gymschoen, nam zestig dollar van de stapel en vroeg: 'Help je me even?'

Leigh reikte naar beneden en stopte drie briefjes van twintig in Callies schoen, waarna ze die weer aan haar voet schoof. 'Weet je het zeker?'

'Nee.' Callie wachtte met uitstappen tot Leigh Binx weer in de draagmand had gewurmd. Ze trok de rits van haar broek naar beneden en stopte de rest van het geld als een maandverband in het kruis van haar slipje. 'Ik bel je zodat je mijn nummer hebt.'

Leigh pakte de spullen uit de auto. Ze zette de mand op de grond. De bobbelige kussensloop drukte ze tegen haar borst. Schuldgevoel verduisterde haar gezicht, drong tot in haar adem door, overspoelde haar zintuigen. Dat was de reden dat ze elkaar alleen zagen wanneer het uit de hand liep. Het schuldgevoel was zo groot dat ze het geen van beiden aankonden.

'Wacht,' zei Leigh. 'Dit is een slecht idee. Ik breng je wel –'

'Harleigh.' Callie reikte naar de sloop. De spieren in haar nek schreeuwden het uit, maar ze vocht om de pijn uit haar gezicht te weren. 'Ik neem contact met je op, oké?'

'Alsjeblieft,' zei Leigh. 'Ik kan dit niet toestaan, Cal. Het is te moeilijk.'

'Iedereen heeft het moeilijk.'

Leigh vond het duidelijk vervelend om haar eigen woorden terug te horen. 'Ik meen het, Callie. Kom, dan halen we je hier weg. Geef me wat tijd om te bedenken...'

Callie hoorde haar stem wegsterven. Leigh hád al iets bedacht. Door al dat denken waren ze nu hier. Andrew liet Leigh in de waan dat hij haar verhaal over de zuivelboerderij in Iowa geloofde. Als Trap de waarheid sprak, had Andrew zijn detective er al op uitgestuurd om Callie op te sporen. Als het zover was, zou ze klaarstaan. En als Andrew Leigh ermee confronteerde, zou ze zichzelf niet verliezen in een paranoïde freakshow.

Er viel iets voor te zeggen om een psychopaat een stapje voor te zijn.

Toch begon er iets aan haar vastberadenheid te knagen. Zoals elke junk zag ze zichzelf als water dat altijd de gemakkelijkste weg naar beneden zocht. In het belang van haar zus moest ze zich tegen die neiging verzetten. Leigh was iemands moeder. Ze was iemands vrouw. Ze was iemands vriendin. Ze was alles wat Callie nooit zou zijn, want het leven was vaak wreed, maar doorgaans wel eerlijk.

'Harleigh,' zei ze. 'Laat mij dit maar doen. Alleen zo kunnen we zijn macht een beetje breken.'

Haar zus was als een open boek. Allerlei emoties gleden over Leighs gezicht terwijl ze de diverse scenario's doornam die ze waarschijnlijk ook al had doorgenomen voordat ze met een Glock in haar hand bij het motel was verschenen. Maar gelukkig nam haar reptielenbrein het ten slotte over en legde ze zich bij het onvermijdelijke neer. Ze stond met haar rug tegen de auto, haar armen gevouwen voor haar borst, en wachtte op wat er moest volgen.

Callie pakte Binx' mand op. De kat krijste ontzet. Pijn schoot door haar nek en arm, maar ze klemde haar kiezen op elkaar en liep de vertrouwde straat in. Terwijl ze steeds verder bij haar zus wegliep, was ze blij dat ze niet achterom kon kijken. Ze wist dat Leigh haar nakeek. Ze wist dat Leigh naast haar auto zou blijven staan, vervuld van schuldgevoel, verdriet en doodsangst, tot Callie aan het eind van de weg de hoek omging.

En zelfs toen duurde het nog een paar minuten voor Callie een autoportier hoorde dichtslaan en de Audi werd gestart.

'Dat was mijn grote zus,' zei ze tegen Binx, die verstijfd en kwaad in zijn krappe mand zat. 'Ze heeft een mooie auto, hè?'

Binx gniffelde. Hij hield meer van suv's.

'Ik weet dat je het fijn vindt in het motel, maar hier heb je ook heel dikke vogels.' Callie keek op naar de schaarse bomen. De meeste katten hadden tijd nodig voor ze gewend waren aan een nieuwe omgeving, maar vanwege hun vele ongeplande verhuizingen had Binx altijd snel zijn nieuwe terrein verkend en wist hij binnen de kortste keren moeiteloos de weg naar zijn nieuwe huis te vinden. Toch kon iedereen wel wat stimulans gebruiken. 'Er zijn aardeekhoorns,' verzekerde ze hem. 'En gewone eekhoorns. Ratten zo groot als konijnen. Konijnen zo groot als ratten.'

De kat reageerde niet, bang om zijn belastingstatus op het spel te zetten.

'Spechten. Duiven. Lijsters. Kardinaalvogels. Je bent gek op kardinaalvogels. Ik heb je recepten gezien.'

Muziek weergalmde in haar oren toen ze links afsloeg, dieper de wijk in. Twee mannen zaten in een carport bier te hijsen. Een open koelbox stond tussen hen in. Bij het volgende huis was een man zijn auto aan het wassen op de oprit. De muziek kwam uit zijn versterkte speakers. Zijn kinderen schopten giechelend een basketbal door de tuin.

Callie kon zich niet herinneren dat ze ooit dat soort kinderlijke vrijheid had gevoeld. Ze was dol op turnen geweest, maar zodra haar moeder had gezien dat er geld mee te verdienen viel, was iets leuks in een taak veranderd. Toen Callie uit het team was gezet, had ze het cheerleaden opgepakt. Een nieuwe kans om geld te verdienen. Daarna was Buddy in haar geïnteresseerd geraakt en was er nog meer geld geweest.

Ze had van hem gehouden.

Dat was de ware tragedie van Callies leven. Dat was de gorilla die ze niet van zich af kon schudden. De enige man van wie ze ooit echt had gehouden, was een verachtelijke pedofiel geweest.

Lang geleden, tijdens een mislukt verblijf in een afkickkliniek, had een psychiater gezegd dat het geen echte liefde was geweest. Buddy had zich als een plaatsvervangende vader opgedrongen zodat Callie haar reserves zou laten varen. Hij had haar een gevoel van veiligheid geschonken, en in ruil daarvoor had ze iets moeten doen wat ze had gehaat.

Alleen had Callie niet alles gehaat. In het begin, toen hij heel voorzichtig was geweest, had het soms ook fijn gevoeld. Wat zei dat over haar?

Wat voor etterende ziekte woekerde er in haar binnenste dat ze zoiets fijn vond?

Langzaam uitblazend sloeg ze de volgende straat in. Door het lopen raakte ze in ademnood. Ze verplaatste de mand naar haar andere hand en stopte de bobbelige kussensloop onder haar arm. Het was alsof er een gloeiend hete klodder gesmolten staal aan haar nek trok, maar ze wilde de pijn voelen.

Ze bleef staan voor een roodgeschilderd huisje van één verdieping, met een inzakkend dak. De voorkant van het huis bestond uit ongelijke houten platen. Anti-inbraaktralies gaven de openstaande deuren en ramen iets gevangenisachtigs. Een mottige bastaardhond met iets te veel Schotse-terriërbloed naar haar zin stond op wacht achter de hordeur.

Callies knie knerpte toen ze de drie wrakke treden op liep. Ze zette Binx neer op de veranda en liet de kussensloop vallen. Ze klopte een paar keer hard op de lijst van de metalen deur. De hond begon te blaffen.

'Roger!' bulderde een doorrookte stem van achter uit het huis. 'Bek houden, godverdomme!'

Callie wreef over haar armen toen ze de straat weer in keek. In de bungalow aan de overkant brandde licht, maar het buurhuis was dichtgetimmerd, en het gras in de tuin was zo hoog opgeschoten dat die net een verdroogde maisakker leek. Op het trottoir lag een hoop stront. Callie ging op haar tenen staan om beter te kunnen kijken. Het was van een mens.

Achter zich hoorde ze voetstappen. Ze dacht aan wat ze tegen Leigh had gezegd. *Ik zorg dat ik ergens op een logische plek ben.*

Als Andrew Tenant iemand op Callie af stuurde, was er één logische plek.

'Krijg nou de tering.'

Callie draaide zich weer om.

Aan de andere kant van de hordeur stond Phil. Ze was niks veranderd sinds Callie nog in luiers liep. Lang en mager als een straatkat. Met randen om haar ogen als van een geschrokken wasbeer. Scherpe punttanden als van een stekelvarken. Een neus die rood en breed was als het gat van een menstruerende baviaan. Op haar schouder rustte een honkbalknuppel. Een sigaret bungelde uit haar mond. Haar tranende ogen gingen van Callie naar de draagmand. 'Hoe heet die kat?'

'Stomme Kut,' zei Callie met een geforceerd lachje. 'Afgekort Stut.'

Phil nam haar de maat. 'Je kent de regel, slimbo. Je krijgt hier alleen onderdak tegen poen, proviand of een peesbeurt.'

De drie P's. De regel waarmee ze waren grootgebracht. Callie schopte haar gymschoen uit. De opgevouwen briefjes van twintig fladderden uitnodigend door de lucht.

De knuppel werd weer op zijn plek gezet. De hordeur ging open. Phil graaide de zestig dollar bijeen. 'Zit er nog wat in je gleuf?' vroeg ze.

'Voel maar als je zin hebt.'

Phil kneep haar ogen halfdicht tegen de kringelende rook. 'En geen lesbische ongein zolang je hier bent.'

'Nee, mam.'

Dinsdag

6

Tot Callies grote teleurstelling werd haar niet eens een kort moment van desoriëntatie gegund toen ze wakker werd in haar oude slaapkamer in het huis van haar moeder. Meteen was alles weer vertrouwd: de branderige zweem zout in de lucht, het gegorgel van aquariumfilters, het getjilp van heel veel vogels, een hond die aan de andere kant van haar afgesloten slaapkamerdeur snuffelde. Ze wist maar al te goed waar ze was en waarom ze er was.

De vraag was hoelang Andrews detective erover zou doen om daar ook achter te komen.

Te oordelen naar Leighs beschrijving van Reggie Paltz zou de man er in deze buurt al even snel uitgepikt worden als een undercoveragent. Als hij zo dom was om bij haar moeder aan te kloppen, kon hij rekenen op een kennismaking met het dikke uiteinde van Phils honkbalknuppel. Maar Callie wist bijna zeker dat het anders zou lopen. Reggie had hoogstwaarschijnlijk opdracht gekregen zichzelf onzichtbaar te maken. Andrew Tenant had Leigh rechtstreeks benaderd, maar Leigh was niet zijn voornaamste doel. Buddy's zoon bracht geen eerbetoon aan de moord op zijn vader door plasticfolie om het hoofd van zijn slachtoffers te wikkelen. Hij gebruikte een goedkoop keukenmes, hetzelfde type mes als dat waarmee Callie zijn vader dodelijk had verwond.

Wat voor spel Andrew ook speelde, Callie was hoogstwaarschijnlijk de hoofdprijs.

Knipperend keek ze naar het plafond. Vanaf haar oude poster keken de Spice Girls terug, Geri Halliwell met de plafondventilator tussen haar benen. Callie liet een paar regels van 'Wannabe' door haar hoofd spelen. Het fijne van verslaafd zijn was dat je leerde alles in hokjes te verdelen. Je had heroïne en dan had je al het andere in de wereld, dat er niet toe deed omdat het geen heroïne was.

Ze klakte met haar tong voor het geval Binx aan de andere kant van het kattenluikje wachtte tot hij binnen mocht komen. Toen het beest zich niet liet zien, hees ze zichzelf overeind. Terwijl ze haar schouders rechtte, liet ze haar voeten op de vloer zakken. Door de plotselinge verandering van houding dook haar bloeddruk omlaag. Ze was duizelig, misselijk en haar botten jeukten plotseling tot op het merg. Zittend op het bed analyseerde ze de eerste onthoudingsverschijnselen. Klam zweet. Pijnlijke darmen. Bonkend hoofd. Woeste gedachten, die aan haar schedel knaagden als een bever aan een boom.

De rugzak stond tegen de muur. Voor ze het wist, zat ze al op haar knieën op de vloer. In een oogwenk had ze de spuit uit haar dopekit gehaald, samen met de bijna volle ampul methadon. Terwijl ze haar shot prepareerde, smeekte haar hart bij elke slag: *naald-naald-naald.*

Callie deed geen moeite een ader in haar armen op te zoeken. Die waren allang niet meer bruikbaar. Ze schoof over de vloer naar de passpiegel aan de binnenkant van haar kastdeur. Met behulp van haar spiegelbeeld zocht ze haar dijbeenader op. Alles was tegenovergesteld, maar daar had ze weinig moeite mee. Ze keek naar haar spiegelbeeld, terwijl de naald in haar been gleed en ze de plunjer naar beneden duwde.

De wereld werd zachter – de lucht, het gegorgel, de harde randen van de dozen die her en der in de kamer stonden. Callie ademde langzaam uit en sloot haar ogen. Het donker aan de binnenkant van haar oogleden veranderde in een uitbundig landschap. Een bergketen begroeid met bananenpalmen en dicht woud. Aan de horizon zag ze de gorilla wachten op het breken van de methadongolf.

Dat was het probleem met een onderhoudsdosis. Callie kon alles nog zien, alles nog horen, zich nog alles herinneren. Ze schudde haar hoofd en klikte, alsof het een viewmaster was, door naar een andere herinnering.

De anatomische tekening in het studieboek van Linda Waleski. De gemeenschappelijke dijbeenader was een blauwe lijn naast de rode dijbeenslagader. Aderen brachten bloed naar het hart. Slagaderen voerden het weer weg. Daarom was Buddy niet onmiddellijk gestorven. Het mes had de ader geraakt. Als ze de slagader had opengehaald, zou Buddy dood zijn geweest lang voor Leigh hem vermoordde.

Callie schudde een nieuw beeld haar hoofd in.

Meowma Cass, de kitten die dokter Jerry 's avonds mee naar huis nam om haar met de fles te voeren. Callie had haar naar Cass Elliot genoemd, die in haar slaap aan een hartaanval was gestorven. Het tegenovergestelde van Cobain, die een geweer tegen zijn kin had gedrukt en de trekker had overgehaald. Zijn afscheidsbrief was geëindigd met een prachtig eerbetoon aan zijn dochter:

Want haar leven zal zoveel gelukkiger zijn zonder mij. IK HOU VAN JE. IK HOU VAN JE.

Callie hoorde geschraap.

Langzaam opende ze haar ogen. Binx zat buiten voor het raam, zichtbaar verontwaardigd omdat het dicht was. Callie duwde zichzelf overeind. Bij elke stap voelde ze de pijn in haar lijf. Ze krabbelde over het glas om Binx te laten weten dat ze haast maakte. Hij huppelde als een dressuurpaard langs de ijzeren veiligheidstralies, als dressuurpaarden geen moordzuchtige adrenalinejunks waren geweest. Er zat een pensluiting op het schuifraam, een lange bout die voorkwam dat het openging. Callie moest die er met haar nagels uit peuteren, en ondertussen stond Binx haar aan te kijken alsof ze debiel was.

'Vergeef me, meneer.' Callie aaide hem een paar keer over zijn zijdezachte rug. Hij wreef met zijn kop onder haar kin, want katten waren sociale, elkaar verzorgende wezens. 'Heeft de boze heks je buitengelaten?'

Binx liet niets los, maar Callie wist dat Phil hem waarschijnlijk had gevoerd, van water had voorzien en had geborsteld voor ze hem de keuze had gelaten tussen de bank, een fluffy stoel en de deur. Het magere oude kreng zou zichzelf nog voor een bus gooien om een aardeekhoorn te redden, maar haar kinderen mochten het allemaal zelf uitzoeken.

Zo oud was Phil trouwens niet. Ze was vijftien geweest toen Leigh was geboren en negentien toen Callie op het toneel was verschenen. De vriendjes en echtgenoten hadden elkaar in rap tempo afgewisseld, maar tegen haar dochters had ze gezegd dat hun vader tijdens een militaire oefening was omgekomen.

Nick Bradshaw was radio intercept officer geweest en had gevlogen met zijn beste vriend, een straaljagerpiloot van de marine, genaamd Pete Mitchell. Op een dag waren ze tijdens een oefening aan de verkeerde kant van een Russische MiG terechtgekomen. Bradshaw was omgekomen toen hun vliegtuig na het uitvallen van de motor in een tolvlucht was geraakt. Een vreselijke gedachte, maar ook dolkomisch als je wist dat Pete Mitchell als bijnaam Maverick had en Bradshaw Goose werd genoemd en dit dus in feite de eerste helft van *Top Gun* was.

Niettemin vond Callie dit een stuk beter dan de waarheid, die er waarschijnlijk op neerkwam dat Phil buiten westen was geraakt nadat ze te veel had gedronken. Zij en Leigh gingen er allebei van uit dat ze het echte verhaal nooit zouden horen. Hun moeder was een meester in list en bedrog. Phil was niet eens haar echte naam. Volgens haar geboorteakte en haar strafblad heette ze Sandra Jean Santiago, een veroordeelde crimineel die de huur inde voor huisjesmelkers rond Lake Point. Vanwege haar veroordeling mocht ze geen vuurwapen dragen, en daarom had ze altijd een honkbalknuppel bij zich, volgens haar om zichzelf te beschermen, maar in werkelijkheid om mensen onder druk te zetten. De Louisville Slugger droeg de handtekening van Phil Rizutto. Daar kwam haar bijnaam vandaan. Niemand wilde het met Phil aan de stok krijgen.

Binx schudde Callies hand van zich af voordat hij naar beneden sprong. Net toen ze het raam wilde sluiten, ving ze een lichtflits op. Even likte er een vlammetje paniek aan het methadon. Ze keek naar de overkant van de straat. De hoop stront lag nog steeds te stinken op het trottoir, maar de lichtflits was uit de richting van het dichtgetimmerde huis gekomen.

Toch?

Callie wreef in haar ogen, alsof ze handmatig de scherpte kon bijstellen. Er stonden auto's langs de kant van de weg, pick-ups en oude personenwagens waarvan de uitlaat er met een kleerhanger aan bungelde, maar ook de BMW's en Mercedessen waarin de drugsdealers reden. Misschien was het zonlicht op een spiegel of een stuk metaal gevallen. Of er lagen kapotte crackpijpjes of stukjes aluminiumfolie in de tuin. Callie tuurde naar het hoge gras om uit te vinden wat ze had gezien. Waarschijnlijk een dier. Of een cameralens.

Witte gast. Gave bak.

Binx gaf kopjes tegen haar been. Callie bracht haar hand naar haar borst. Haar hart sloeg zo hard dat ze het kon voelen. Ze bekeek elk dichtgetimmerd raam en elke deur van het huis tot haar ogen traanden. Was het methadon meer dan anders met haar aan het kloten? Was ze paranoïde?

Deed het ertoe?

Ze sloot het raam. De bout ging terug op zijn plek. Ze pakte haar jeans en schoot in haar sneakers. Ze propte haar gestolen buit in haar rugzak. Haar dopekit en het methadon verdwenen onder de matras. Ze moest vóór de lunch op Stewart Avenue zijn. Ze moest de rest van de shit zien te verkopen zodat ze niets bij zich had als ze werd aangehouden. Ze wilde zich al omdraaien, maar onwillekeurig keek ze nog één keer uit het raam.

Ze kneep haar ogen halfdicht in een poging de herinnering aan de lichtflits terug te halen. Haar verbeelding vulde de details in. Een privédetective met een lange telescooplens op zijn professionele camera. De klik van de sluiter toen hij haar betrapte tijdens een privémoment. Reggie Paltz zou de foto's ontwikkelen en ze naar Andrew brengen. Zouden die twee naar de afbeeldingen kijken zoals Buddy naar haar had gekeken? Zouden ze er op de een of andere manier misbruik van maken, er iets mee doen wat ze niet wilde weten?

Een luide klap deed haar hart naar haar keel schieten. Binx had een van de dozen omgegooid die Phil op stapels in de kamer had gezet. Kranten vielen naar buiten, tijdschriftartikelen, gestoorde troep die Phil op internet had gevonden en had uitgeprint. Haar moeder was een rabiate aanhanger van complottheorieën. En Callie wist als geen ander dat rabiës een zo goed als dodelijk virus was dat ongerustheid, verwarring, hyperactiviteit, hallucinaties, slapeloosheid, paranoia en angst voor het drinken van vloeistoffen veroorzaakte.

Met uitzondering van alcohol.

Callie liep naar de deur, die vanbinnen met een hangslot was vergrendeld. Ze viste de sleutel uit haar zak en diepte gelijk een handjevol munten op. Leighs wisselgeld van de McDonald's van de vorige avond. Callie keek naar de twee dimes en drie kwart dollars, maar haar aandacht was elders. Ze vocht tegen de neiging weer naar het raam te gaan. In plaats daarvan sloot ze haar ogen, drukte haar hoofd tegen de deur en probeerde zichzelf wijs te maken dat ze een bad trip had.

Maar de realiteit wist weer binnen te glippen.

Als Andrews privédetective haar inderdaad vanuit het dichtgetimmerde huis in de gaten hield, dan was dat toch precies wat ze wilde? Dan hoefde Reggie niet naar het motel om Trap om te kopen of Crackhead Sammy uit te horen. Dan ontdekte hij niet dat ze voor dokter Jerry werkte. Dan ging hij niet met haar klanten op Stewart Avenue praten. Hij zou zijn vrienden bij de politie niet vragen om onderzoek naar haar te doen, zodat zij ook niet zouden ontdekken wat ze in haar schild had gevoerd. Zijn zoektocht zou eindigen bij Phil op de stoep.

Callie opende haar ogen. De munten verdwenen weer in haar zak. Ze stak de sleutel in het slot en draaide het open. Binx schoot de gang op, op weg naar een dringende afspraak. Ze sloot de deur en bevestigde het hangslot aan de buitenkant. Ze klikte het dicht en trok even aan de beugel om er zeker van te zijn dat haar moeder haar kamer niet in kon.

Alsof ze weer een puber was.

Het gegorgel van zoutwateraquariumfilters werd luider naarmate ze verder de gang in liep. Leighs slaapkamer was in SeaWorld veranderd. Donkerblauwe muren. Een lichtblauw plafond. Een zitzak met Phils magere contouren stond midden in de kamer en bood een panoramisch uitzicht op doktersvissen, clownvissen, koraalduivels, juffertjes en keizersvissen, die door verborgen schatten en gezonken piratenschepen zwommen. Vanaf het plafond kringelde de geur van pot naar beneden. Phil vond het lekker om als een tong over de zitzak hangend stoned te worden in de donkere, vochtige kamer.

Callie keek of haar moeder niet in de buurt was voor ze naar binnen ging. Ze peuterde een hoekje van het blauwe folie weg dat het raam bedekte. Toen knielde ze neer om naar het dichtgetimmerde huis te kijken. Vanuit Leighs kamer had ze beter zicht, was het minder opvallend. Ze zag dat een stuk triplex was weggetrokken van een van de voorste ramen, zodat er een opening was ontstaan waar een man doorheen kon.

'Oké,' zei ze bij zichzelf. Ze kon zich niet herinneren of het stuk triplex er de vorige avond ook zo bij had gehangen. Als ze het aan Phil vroeg, ontstak die waarschijnlijk in delirische woede.

Ze haalde haar telefoon uit haar achterzak en maakte een foto van het huis. Met haar vingers zoomde ze in op het raam aan de voorkant. Het stuk triplex was versplinterd toen het naar achteren was getrokken. Het was onmogelijk te zeggen wanneer het was gebeurd, tenzij je eerst een master in forensische houtversplintering haalde.

Moest ze Leigh bellen?

Callie hoorde het gesprek al, met de misschien-geziens en had-gekunds en alle overige halfbakken theorieën die Leighs innerlijke aap nog harder met de cimbalen liet kletteren. Haar zus had die middag een afspraak met Andrew. Leighs baas zou er ook bij zijn. Ze zou op eieren moeten lopen.

Haar nu bellen om een mogelijke methadonwaan met haar te delen leek een heel slecht idee.

De telefoon verdween weer in haar zak. Ze drukte het folie weer op het raam. Daarna liep ze de woonkamer in, waar de rest van de menagerie huisde. Roger hief zijn kop van de bank en blafte. Naast hem lag een nieuwe hond, ook een terriërbastaard, die totaal niet geïnteresseerd leek toen Callie hem op zijn mottige kop klopte. Ze rook vogelpoep, al was Phil heel streng wat het schoonmaken van de drie grote kooien betrof die aan een tiental parkietjes een ereplaats in de eetkamer boden. Naar de branderige sigarettenlucht te oordelen had Phil zich in de keuken terug-getrokken. Hoe goed haar moeder ook voor haar geliefde dieren zorgde, elk schepsel in dit godvergeten huis zou uiteindelijk doodgaan aan mee-roken.

'Zeg tegen die kat van je dat hij mijn vogels met rust laat!' riep Phil vanuit de keuken. 'Hij hoeft maar naar ze te loeren en ik schop hem eruit met z'n magere reet.'

'Stomme Kut...' Callie liet de woorden een paar tellen nagalmen. '... is bang voor vogels. Die doen hém eerder iets dan omgekeerd.'

'Stomme Kut klinkt als een meisjesnaam.'

'Vertel jij het hem maar. Ik krijg geen contact met hem.' Callie plakte een glimlach op haar gezicht en liep de keuken in. 'Goeiemorgen, mam.'

Phil snoof. Ze zat aan de keukentafel met een bord eieren met spek voor zich, een sigaret in haar mond en haar blik strak op een reusach-tige iMac gericht, die de halve tafel in beslag nam. Ze zag eruit zoals ze er 's ochtends altijd uitzag. De make-up van de vorige avond was uit-gelopen op haar gezicht: haar mascara klonterde, haar eyeliner was één grote smeerboel, en haar blush en foundation zaten vol strepen van haar kussen. Het was een raadsel dat het mens geen schoolvoorbeeld van bind-vliesontsteking was.

'Je mindert zeker met de dope,' zei Phil. 'Je wordt weer dik.'

Callie ging zitten. Hoewel ze geen trek had, stak ze haar hand uit naar het bord.

Phil mepte hem weg. 'Je hebt voor onderdak betaald, niet voor eten.'

Callie haalde de munten uit haar zak en legde ze met een klap op tafel.

Phil keek er achterdochtig naar. Ze wist waar Callie haar geld bewaar-de. 'Komen die uit je poes?'

'Stop maar in je mond, dan merk je het vanzelf.'

Ze zag de klap pas komen toen Phils vuist nog maar enkele centimeters van haar hoofd was verwijderd. Ze draaide te laat weg, kreeg een optater boven haar oor en tuimelde bijna komisch traag van haar stoel. De komedie eindigde toen haar hoofd tegen de vloer sloeg. De pijn benam haar de adem. Happend naar lucht keek ze op naar Phil, die zich over haar heen boog.

'Jezus, ik raakte je amper aan.' Haar moeder schudde haar hoofd. 'Fucking junkie.'

'Gestoorde zuiplap.'

'Ik heb tenminste nog een dak boven mijn hoofd.'

Callie bond in. 'Die zit.'

Phil stapte over haar heen en liep de keuken uit.

Met een starre uilenblik staarde Callie naar het plafond. Haar oren openden zich voor de geluiden in het huis. Gegorgel, getjilp, geblaf. De deur van de badkamer werd dichtgeslagen. Phil bleef daar minstens een halfuur. Douchen, haar make-up fatsoeneren, zich mooi aankleden, waarna ze weer aan tafel ging zitten om haar complotbullshit te lezen tot de Joodse kliek iedereen onvruchtbaar had gemaakt en de wereld ophield te bestaan.

Zich van de vloer overeind hijsen kostte meer kracht dan Callie had verwacht. Haar armen trilden. De schok werkte nog door in haar lichaam. Ze moest hoesten van de laatste rookslierten die door de kamer kringelden.

Phil had haar sigaret in de eieren uitgedrukt.

Callie ging op haar moeders stoel zitten en begon met de bacon. Ondertussen klikte ze door de tabbladen op de computer. Diepe Staat. Hugo Chávez. Kindslaven. Kinderverwaarlozing. Rijke mensen die bloed van kleine kinderen dronken. Kleine kinderen die werden verkocht in ruil voor eten. Voor een vrouw wier eigen dochter door een pedofiel was gemolesteerd, had Phil zich rijkelijk laat bij de antipedofielenbrigade aangesloten.

Roger duwde met zijn snuit tegen haar blote enkel. Ze prikte wat om Phils uitgedrukte sigaret heen en gooide een paar stukjes ei op de vloer. Roger slobberde ze op. Nu sloop Nieuwe Hond de keuken binnen. Hij schonk haar het soort kieskeurige blik dat je kon verwachten van een halve terriër.

'Ons stopwoord is onomatopee,' zei ze tegen hem.

Nieuwe Hond was meer in de eieren geïnteresseerd.

Callie keek op de klok. Ze kon dit niet langer uitstellen. Ze spitste haar oren om te luisteren of Phil nog in de badkamer was. Toen ze zeker wist dat ze niet betrapt zou worden, keerde ze zich naar haar moeders computer toe, schakelde de privémodus in en typte 'Tenant Automotive'.

De zoekopdracht leverde zevenhonderdvierduizend resultaten op, wat alleen maar te verklaren was als je naar beneden scrolde en zag dat sites zoals Yelp, Car Rater, CarMax, Facebook en Better Business Bureau allemaal voor plaatsing hadden betaald.

Ze selecteerde de officiële site van Tenant Automotive Group. Achtendertig locaties. BMW, Mercedes, Range Rover, Honda, Mini. Ze deden van alles wat, maar het betrof vooral de dure modellen. Callie las de korte geschiedenis over de groei van het bedrijf: VAN EEN KLEINE FORD-GARAGE AAN PEACHTREE NAAR VESTIGINGEN IN HET HELE ZUIDOOSTEN! Er was een pentekening van een boom die de korte opvolgingslijn toonde: van Gregory senior naar Greg junior naar Linda Tenant.

De muis vond zijn weg naar Linda's naam. Callie klikte. Een gelikte foto verscheen. Linda had kortgeknipt haar met highlights. Waarschijnlijk was ze niet lang daarvoor met een dikke zak geld een chique haarsalon binnengestapt. Ze zat aan een Darth Vader-achtig bureau met achter haar een glanzende rode Ferrari. Links en rechts van haar lagen keurige stapels papier, die de indruk moesten wekken dat het deze dame menens was. Haar handen lagen ineengeslagen voor haar. Geen ring, want ze was getrouwd met het bedrijf. Haar witte Izod-polo had een opstaande kraag. Een choker van parels lag als een reeks gerbiltandjes om haar gebruinde hals. Callie stelde zich voor dat Linda in zuur gewassen jeans droeg en witte *high-tops* van Reebok, want wie wilde nu niet de Brooke Shields in zichzelf vrij spel geven als je zoveel geld had?

Het mooiste was Linda's cv, dat niet zou misstaan op een aanmeldingsformulier voor de Miss America-verkiezingen. Niets over haar leven in een arme wijk met een pedofiele verkrachter als echtgenoot. Callie glimlachte om het selectieve redactiewerk.

Linda Tenant is afgestudeerd aan het Georgia Baptist College of Nursing en bezit een bachelor verpleegkunde. Voor ze in het familiebedrijf stapte, werkte ze verscheidene jaren in het Southern Regional Medical Center. Ze doet vrijwilligerswerk voor het Amerikaanse

Rode Kruis en stelt haar medische en leidinggevende ervaring ten dienste van de adviescommissie COVID-19 van het stadsbestuur van Atlanta.

Callie keek eens goed naar de foto. Linda's gezicht was niets veranderd, op de veranderingen na waaraan elk gezicht in een periode van drieëntwintig jaar onderhevig was, wat inhield dat de belangrijke onderdelen iets naar beneden waren gezakt. De allesoverheersende emotie die Callie ervoer toen ze naar Linda keek, was liefde. Ze had deze vrouw aanbeden. Linda was aardig en zorgzaam en had er nooit een misverstand over laten bestaan dat haar zoon op de eerste plaats kwam. Voor de zoveelste keer vroeg Callie zich af hoe anders het zou zijn gelopen in haar leven als Linda Waleski haar moeder was geweest.

Onder de tafel hoorde ze Roger snuiven. Ze liet een stukje bacon op de vloer vallen. Toen nog een stukje, want ook Nieuwe Hond begon te snuiven.

Ze klikte op de site een kaart aan en navigeerde naar de Mercedes-garage in Buckhead. Vervolgens klikte ze op 'Maak kennis met ons verkoopteam!'.

Callie schoof naar achteren op haar stoel. Er waren acht foto's in twee rijen van vier, en op een na waren het allemaal mannen. Aanvankelijk las ze de namen niet. Ze bestudeerde het gezicht van iedere man, op zoek naar een gelijkenis met Linda of Buddy. Haar ogen schoten heen en weer, van de ene rij naar de andere, maar zonder succes. Uiteindelijk vond ze Andrew Tenant op de tweede foto van boven. Zijn aanmeldingsformulier voor de Miss America-verkiezingen was nog mooier dan dat van Linda.

Andrew is dol op dieren en op wandelen in de vrije natuur. In het weekend doet hij meestal vrijwilligerswerk in de dierenopvang in De-Kalb. Andrew is een verwoed lezer met een voorkeur voor de fantasyboeken van Ursula K. Le Guin en de feministische essays van Mary Wollstonecraft.

Callie was niet onder de indruk van de dikke laag bullshit. Dit was over de top, zeker voor een verkrachter.

Niets in Andrews gezicht deed haar aan Linda of Buddy denken, maar ze vond er Trevor evenmin in terug. Eigenlijk viel Andrew helemaal niet op tussen zijn brallerige collega-autoverkopers. Een krachtige kaak, keurig gekamd haar, gladgeschoren gezicht. Zijn donkerblauwe pak was het enige wat hem verried. Callie zag aan het stikwerk bij de revers dat een echt mens het had genaaid. Zijn overhemd leek al even duur: lichtblauw met een iets donkerder streepje. De stropdas maakte het geheel af en was van een levendig koningsblauw dat de kleur van zijn ogen accentueerde.

Zijn lichtblonde haar was het enige wat hij met zijn vader gemeen had. Andrew had dezelfde inhammen bij de slapen, alsof er twee halve scheppen uit zijn haarlijn waren genomen. Callie wist nog hoe Buddy zich gegeneerd had voor zijn dunner wordende haar.

Ik ben maar een ouwe vent popje ik snap niet dat je ook maar iets met me te maken wil hebben wat zie je in me kom vertel op ik wil het weten.

Veiligheid.

Buddy had haar nooit een klap gegeven aan de keukentafel. Pas aan het eind voor het eerst.

Dus.

Wel hadden ze vaak geruzied, vooral omdat Callie meer tijd met hem wilde doorbrengen. Wat idioot was, want al bijna direct vanaf het begin had ze het vreselijk gevonden om bij hem te zijn. En toch zei ze dingen als dat ze van school ging en dat hij bij Linda weg moest gaan en ze leefden nog lang en gelukkig bla-bla-bla. Buddy lachte erom, gaf haar wat geld en nam haar uiteindelijk, soms, mee naar een hotel. Naar mooie hotels in het begin, vóór alles ranzig werd. Dan bestelden ze roomservice, wat Callie het allerleukst vond. Daarna ging hij op zijn knieën zitten om haar te bevredigen, waar hij alle tijd voor nam. Buddy was zoveel groter geschapen dan Callie dat alles wat erop volgde pijn deed.

Tegen het eind wilde hij alleen nog maar alles wat erop volgde, en dan altijd op de bank.

Stop eens met huilen ik kom bijna klaar jezus christus wat voel jij lekker ik kan niet stoppen schatje alsjeblieft laat me niet stoppen.

De badkamerdeur vloog met een knal open. Phil braakte een natte haarbal van een hoest uit. Haar Doc Martens klosten door de gang. Callie sloot de pagina met Andrews bio. Toen Phil de keuken binnenkwam, zat ze weer op haar eigen stoel.

'Wat heb jij uitgevoerd?' wilde Phil weten. Ze had haar oorlogskleuren opgesmeerd en was nu een gothic versie van Mrs Danvers, tenminste als Mrs Danvers een neuspiercing en een voorkeur voor hondenhalsbanden met spikes had gehad en in plaats van Rebecca te aanbidden de boot van het verwaande kreng had laten zinken tijdens een met alcohol overgoten feestje.

'Tja, wat voeren mensen zoal uit?' antwoordde Callie.

'Jezus, wat ben je toch gestoord.'

Callie vroeg zich af of het Sid Vicious-shirt van haar moeder bedoeld was als eerbetoon aan een suïcidale heroïneverslaafde of dat ze het anarchiesymbool op de achtergrond gewoon mooi vond. 'Gaaf shirt, mam.'

Zonder op het compliment in te gaan rukte Phil de koelkast open. Ze pakte een kan met *michelada*, een afgrijselijke mix van zout, kippenbouillonpoeder, een scheutje worcestershire, een borrelglaasje limoensap, een fles Clamato en twee ijskoude flesjes Dos Equis-bier.

Callie keek toe terwijl ze het brouwsel in een thermoskan goot. 'Ga je de huur innen?'

'Een van ons zal moeten werken.' Phil nam een flinke slok rechtstreeks uit de kan. 'En jij?'

Callie had honderdveertig dollar van Leighs geld in haar rugzak. Ze kon het bewaren of er haar methadonverslaving mee voeden zodat ze dokter Jerry niet hoefde te bestelen, of ze kon het simpelweg in zijn geldkistje stoppen en hem in de waan laten dat de hele buurt deze week hartwormpillen had ingeslagen, want de andere optie – het in haar aderen spuiten – stond voorlopig op een laag pitje.

'Een beetje van dit,' zei ze tegen Phil, 'en als ik tijd over heb, een beetje van dat.'

Fronsend draaide Phil de dop op de thermoskan. 'Heb je de laatste tijd nog iets van je zus gehoord?'

'Nee.'

'Die zwemt in het geld. Maar denk je dat ik er ooit iets van zie?' Ze nam weer een hijs uit de kan voor ze hem terugzette in de koelkast. 'Hoe kom jij aan geld?'

'Volgens de politie heet het dealen.'

'Als ik je in mijn huis met die troep betrap, lap ik je er zo snel bij dat je van voren niet weet dat je van achteren leeft.'

'Weet ik.'

'Voor je eigen bestwil, sukkel. Harleigh zou je niet langer uit de nesten moeten helpen. Ze zou je voor de gevolgen van je streken moeten laten betalen.'

'Je bedoelt opdraaien,' zei Callie. 'Je draait voor de gevolgen van je eigen streken op.'

'Bekijk het.' Phil griste een zak hondenbrokken uit de voorraadkast. 'Ze heeft een dochter, weet je. Die meid is inmiddels een jaar of twintig, maar ik heb haar nog nooit gezien. En jij?'

'Ik heb gehoord dat er ziektegeld wordt uitgedeeld aan mensen die covid hebben gehad,' zei Callie. 'Misschien ga ik me daar maar eens voor opgeven.'

'Dikke bullshit.' Phil scheurde met haar tanden de zak open. 'Ik heb nog nooit iemand ontmoet die eraan dood is gegaan.'

'Ik heb nog nooit iemand ontmoet die aan longkanker dood is gegaan,' zei Callie schouderophalend. 'Misschien bestaat dat ook niet.'

'Misschien.' Mompelend schepte Phil voer in twee bakken. De honden wachtten ongedurig op hun ontbijt. De halsband van Nieuwe Hond rinkelde, terwijl hij naast Roger heen en weer drentelde. 'Verdomme, Brock, wat zei ik nou over manieren?'

Callie moest toegeven dat Brock een passende naam was voor de halve terriër. Hij leek net een bankier.

'Dat arme beest heeft last van constipatie.' Phil mengde een theelepel olijfolie door het droogvoer. 'Weet je nog hoe verstopt Harleigh vroeger vaak was? Dan moest ik met haar naar het ziekenhuis. Tweehonderd dollar om me door een of andere geniale dokter te laten vertellen dat ze een achterlijke karteldarm had.'

'Grappig, mam.' Wie zou het niet hilarisch vinden dat een meisje van acht haar karteldarm naar de knoppen hielp omdat ze doodsbang was om in haar eigen huis naar de wc te gaan? 'Vertel nog eens een verhaaltje.'

'Dan zul je het horen ook.'

Callie luisterde terwijl de naald over dezelfde oude plaat kraste.

Ik heb mijn stinkende best gedaan met jullie tweeën. Je weet niet hoe moeilijk het is als alleenstaande moeder. Maar het was niet alleen maar ellende, ondankbaar kreng dat je bent. Weet je nog van toen ik – en toen wij – en toen ik –

Zo ging het nu eenmaal met beroerde ouders. Zij herinnerden zich alleen de goede tijden en jij herinnerde je alleen de slechte.

Phil sprong over naar een nieuwe groef. Callie staarde naar de achterkant van de iMac. Eigenlijk had ze de privédetective moeten opzoeken in plaats van in het verleden te duiken, maar als ze Reggie Paltz online zag, zou hij op de een of andere manier echt zijn in haar leven, en dan zouden het dichtgetimmerde huis en de lichtflits ook echt zijn.

'Nou, zeg op!' Phil priemde met haar vinger naar het tafelblad. 'Wie nam er twee verschillende bussen om je zus uit de jeugdgevangenis op te pikken?'

'Dat was jij,' zei Callie, al was het alleen maar om Phil af te remmen. 'Hé, weet jij of er iemand in dat lege huis aan de overkant woont?'

Phil hield haar hoofd schuin. 'Heb je daar iemand binnen gezien?'

'Ik weet het niet,' zei Callie, want de beste manier om Phil razend te krijgen was door vaag te doen. 'Ik zal het me wel hebben verbeeld. Ik zag dat een stuk triplex was losgetrokken. Maar was er nou ook een lichtflits?'

'Fucking crackheads.' Phil zette de bakken met een klap op de vloer en vloog de keuken uit. Callie volgde haar naar het voorste gedeelte van het huis. Met een zwaai slingerde Phil de knuppel naast de deur op haar schouder, waarna ze de metalen hordeur opentrapte.

Vanachter het raam zag Callie haar moeder naar het dichtgetimmerde huis stormen.

'Klootzak!' brulde Phil, terwijl ze het tuinpad op stoof. 'Heb jij op mijn stoep geschoten?'

'Verdomme,' mompelde Callie toen Phil op het dunne triplex begon te beuken dat de deur afdekte. Ze hoopte maar dat niemand zo dom was om de politie te bellen.

'Kom eruit!' Nu veranderde de Louisville Slugger in een stormram. 'Smerige stoepschijter!'

Callie kromp ineen toen ze hout tegen hout hoorde kraken. Dat was het probleem als je Phil in stelling bracht. Je had de explosie niet meer in de hand.

'Eruit, godverdomme!' Weer gaf Phil een ram met de knuppel. Deze keer versplinterde het triplex. Toen ze de knuppel eruit rukte, kwam het verrotte hout mee. 'Betrapt!'

Callie wist niet precies wie of wat Phil had betrapt. De lichtflits hoefde verder niets te betekenen. Misschien had het methadon de verkeerde uit-werking gehad. Misschien had ze te veel of te weinig gespoten. Misschien moest ze Phil tegenhouden voor ze een arme zwerver te lijf ging die alleen maar onderdak zocht.

Te laat. Haar moeder verdween al in het huis.

Callie sloeg haar hand voor haar mond. Weer zag ze een flits. Deze keer was het geen licht, maar beweging. Die kwam van de zijkant van het huis. Bij een van de ramen boog het triplex omhoog, als een mond die openging. Een man werd uitgekotst in het hoge gras. Een paar tellen later krabbelde hij overeind en rende met opgetrokken schouders door de tuin. Hij klom over een hek van roestig gaas. Hij hield een professioneel uitziende camera bij de telescooplens vast, alsof hij het apparaat wurgde.

'Klootzak!' brulde Phil, die nog binnen was.

Met haar blik volgde Callie de camera tot die in een andere tuin was verdwenen. Wat zou er op de geheugenkaart staan? Hoe dicht was de man haar kamer genaderd? Had hij haar gefotografeerd terwijl ze lag te slapen? Had hij haar betrapt toen ze voor de spiegel een naald in haar been stak?

Ze sloeg haar hand om haar hals. Onder haar vingers en duim klopte het bloed door haar halsaderen. Ze voelde hoe de gorilla zijn klauwen in haar huid sloeg. De zwiep van het telefoonsnoer dat haar rug openhaalde. Zijn warme adem in haar oor. De druk van zijn vingers op haar ruggengraat. Ze sloot haar ogen, overwoog zich weer tegen de gorilla aan te laten vallen, zich over te geven aan het onvermijdelijke.

In plaats daarvan pakte ze haar rugzak en verliet haar moeders huis via de keukendeur.

7

Leigh was die nacht pas om twee uur in slaap gevallen, en om vier uur was haar wekker alweer afgegaan. Door alle valium van de vorige dag en de enorme spanning waardoor ze was ingestort en de pillen had geslikt, was ze nu suffig. Na verscheidene koppen koffie was haar stress alleen maar toegenomen zonder dat ze aan scherpte had gewonnen. Het was bijna twaalf uur, maar haar brein voelde nog steeds als een drilpudding vol hagelkorrels.

Ondanks alles had ze het toch voor elkaar gekregen een bruikbare Andrew-hypothese op te stellen.

Hij wist van Buddy's camera achter de bar omdat hij als jongetje al een nieuwsgierig zeikerdje was geweest dat stiekem in je spullen neusde. Hij wist van die dijbeenslagader omdat hij Callie de anatomische tekening in het leerboek had zien bestuderen. Evenals Leigh had haar zus obsessief-compulsieve trekjes. Ze kon zich maar al te goed voorstellen hoe Callie daar aan die keukentafel net zo lang over de ader had gestreken tot er een blaar op haar vinger was verschenen. Andrew had naast haar gezeten, want Andrew was altijd waar je hem niet hebben wilde. Hij had beide feiten in zijn zieke, verwrongen brein opgeslagen om ze jaren later op de een of andere manier met elkaar te verbinden.

Dat was de enige verklaring die ergens op sloeg. Als Andrew echt wist wat er die avond was gebeurd, zou hij ook weten dat zijn vader niet door het mes aan zijn eind was gekomen.

Maar door Leigh.

Nu ging het erom een manier te vinden om de zaak tegen Andrew Tenant te laten seponeren, terwijl Cole Bradley over haar schouder meekeek. Leigh had zich nog maar amper verdiept in de vracht documenten die bij het naderende proces hoorden. Haar bureau lag bezaaid met Andrews dossiers uit de uitpuilende dozen die Octavia Bacca per koerier had laten bezorgen. Twee junior advocaten waren een index aan het opstellen met verwijzingen in Octavia's werk naar de bergen troep die de openbare aanklager ter inzage had geleverd. Liz, Leighs assistente, had een vergaderzaaltje gevorderd en alles over de vloer verspreid, zodat ze een tijdlijn kon opstellen die overeenkwam met de opnamen die Reggie Paltz op zijn laptop aan elkaar had gebreid.

Maar er was altijd meer te doen. Al had Cole Bradley het zo geregeld dat Leigh zich uitsluitend op Andrews zaak hoefde te richten, het betekende niet dat haar agenda volkomen leeg was. Ze moest nog verzoeken om rechterlijke uitspraken indienen en ondervragingen opstellen, stukken bestuderen die ter inzage kwamen te liggen, cliënten bellen, verklaringen inplannen, Zoom-afspraken en rechtbankzittingen verplaatsen, zich in jurisprudentie verdiepen en zich ook nog zorgen maken om haar zus, die zichzelf als lokaas had opgeworpen voor een psychopaat met een uitgebreide geschiedenis aan gewelddadige aanvallen op vrouwen.

Callie had de vorige avond in één opzicht gelijk gehad: Leigh moest niet langer als een hulpeloos schepsel om zich heen maaien. Het werd tijd dat ze haar zuurverdiende recht inzette om het spel volgens de regels van de rijken te spelen. Ze was summa cum laude afgestudeerd aan Northwestern University. Ze werkte voor een gerenommeerd advocatenbureau en had het afgelopen jaar bijna tweeduizend uur gedeclareerd. Ze was getrouwd met een van de meest bewonderde mannen in zijn vakgebied. Ze had een beeldschone dochter. Haar reputatie was vlekkeloos.

Andrew Tenant werd beschuldigd van het ontvoeren, verkrachten en mishandelen van een vrouw, van het plegen van sodomie, en hij had de schijn tegen.

Wie zou er geloofd worden?

Leigh keek op de klok. Over drie uur werd ze bij Cole Bradley verwacht. Andrew zou op haar zitten te wachten. Ze zou volledig toegerust ten tonele moeten verschijnen, klaar voor ongeacht welk spel hij ging spelen.

Wrijvend over haar slapen keek ze naar de verklaring van de eerste agent die ter plekke was geweest.

Vrouwelijk slachtoffer was met handboeien aan picknicktafel geketend midden in openluchtpaviljoen in…

Leigh zag de rest van de alinea dubbel. Ze probeerde haar blik weer te focussen door naar de glazen wand te kijken die mensen van haar verheven soort scheidde van de junior advocaten. Ze had geen adembenemend uitzicht op de skyline van het centrum, maar keek uit op een grote raamloze kantoorruimte vol werkplekken, die vanboven aan gevangenistralies deden denken. Schotten van plexiglas moesten voorkomen dat de werkenden met elkaars adem in aanraking kwamen, maar toch waren mondkapjes verplicht. Eén keer per uur kwamen conciërges langs om alle oppervlakken te ontsmetten. De junioren werkten allemaal op flexplekken, wat betekende dat ze bij aankomst het eerste het beste beschikbare bureau pakten. En omdat ze junioren waren, verschenen de meesten al om zes uur 's ochtends op het werk en gingen ze door tot de plafondlampen om zeven uur 's avonds aangingen. Als ze al verbaasd waren toen ze zagen dat Leigh als eerste op kantoor was, waren ze te moe om het te laten merken.

Ze keek op haar privételefoon, ook al wist ze dat Callie geen bericht had gestuurd, want Callie stuurde pas een bericht als Leigh zo gestrest was dat haar hoofd dreigde te ontploffen.

Zoals verwacht was er geen bericht van haar zus, maar Leighs hart maakte een malle buiteling toen ze een andere melding op het scherm zag. Maddy had een filmpje gepost. Leigh zag haar dochter playbackend door Walters keuken walsen, terwijl Tim Tam, hun bruine labrador, onbewust voor achtergrondkoor speelde.

Leigh probeerde de tekst te volgen, wanhopig zoekend naar aanknopingspunten voor een reactie die geen smalende blik opleverde of – erger nog – compleet genegeerd werd. Gelukkig herkende ze Ariana Grande. Ze scrolde naar de beschrijving, maar had geen idee waar 34+35 op sloeg. Pas nadat ze het filmpje nog twee keer had bekeken, maakte haar brein een rekensommetje en besefte ze waar het nummer werkelijk over ging.

'O, god nog aan...' Ze greep haar bureautelefoon en begon Walters nummer in te toetsen, maar als ze Walter aan de lijn had, kon ze er niet omheen hem te vertellen dat ze Callie had gezien.

De telefoon viel weer op de haak. Walter wist alles over Leigh, behalve dat ene dat het allerbelangrijkste was. Ze had hem verteld dat Callie was aangerand, zonder op details in te gaan. Ze was niet van plan Walter een naam te geven die hij op internet kon opzoeken of om een losse opmerking te maken waardoor hij zich ging afvragen wat er al die jaren geleden was gebeurd. Ze hield de informatie niet achter omdat ze Walter niet vertrouwde of omdat ze bang was dat hij dan minder van haar zou houden. Ze wilde haar zachtmoedige echtgenoot, de vader van haar dierbare dochter, niet met haar schuld belasten.

Liz klopte op de glazen deur. Ze had een hardroze mondkapje op dat kleurde bij de bloemen op haar jumpsuit. Leigh deed haar eigen mondkapje voor en wenkte haar binnen.

Liz ging altijd recht op haar doel af. 'Ik heb Johnsons verklaring twee weken opgeschoven. De rechter op de zaak-Bryant wil vrijdag om zes uur jouw reactie op het verzoek om uitspraak. Ik heb Unger op de zestiende gezet; het is al bijgewerkt in je Outlook. Over drie uur word je op Bradleys kamer verwacht. Ik zal lunch voor je halen, zeg maar of je salade of een broodje wilt. Voor Bradley moet je hoge hakken aan. Die staan in de kast.'

'Broodje.' Terwijl Liz de informatie opdreunde, had Leigh alles op haar blocnote vastgelegd. 'Heb je de incidentenrapporten over Andrews enkelband gelezen?'

Liz schudde haar hoofd. 'Hoezo?'

'Er is de afgelopen twee maanden vier keer gedoe om geweest. Dat ging dan van de gps die offline was tot kortsluiting in de glasvezelkabel in de band. Telkens als het alarm ging, belde hij het reclasseringsbureau, maar je weet hoe het daar gaat. Het duurde telkens drie tot vijf uur voor een beambte erop af werd gestuurd om het systeem te resetten.'

'Was er bewijs dat ermee geknoeid was?'

'Dat staat niet in het verslag.'

'Drie tot vijf uur.' Liz leek het probleem te snappen. Aangevoerd kon worden dat Andrew de reactietijd aan het testen was. Om nog maar te zwijgen over het feit dat zijn verblijfplaats drie tot vijf uur lang blijkbaar onbekend was geweest.

'Ik zal kijken wat ik kan vinden,' zei Liz.

Leigh was nog niet klaar. 'Heb je Reggie Paltz gisteren nog gesproken?'

'Ik heb hem de encryptiesleutel gegeven zodat hij zijn dossiers kon uploaden naar onze server,' zei ze. 'Zal ik voor je inloggen op je desktop?'

'Ik red me wel, bedankt.' Leigh had waardering voor de wijze waarop ze haar aanbod had ingekleed, want ze had nog net niet 'ouwe dinosaurus' gezegd. 'Heeft Paltz nog vragen over mij gesteld?'

'Heel veel, maar vooral ter bevestiging,' zei Liz. 'Waar je gestudeerd hebt, hoelang je in de sociale advocatuur hebt gewerkt, hoelang je voor jezelf hebt gewerkt. Wanneer je hier bent begonnen. Ik heb gezegd dat hij maar op de website moest kijken als hij je cv wilde.'

Leigh had er nooit bij stilgestaan dat ze op de website van het kantoor stond. 'Wat vond je van hem?'

'Qua werk is hij behoorlijk goed,' zei Liz. 'Ik heb zijn achtergrondprofiel over Tenant gelezen. Uiterst gedegen, zo te zien geen vervelende geheimen, maar ik kan het wel laten natrekken door een van onze vaste detectives, als je wilt.'

'Ik vraag het de cliënt wel.' Leigh had er geen enkel bezwaar tegen als de aanklager haar tijdens het proces verraste met een duister detail uit Andrews verleden. 'Maar meer in het algemeen. Hoe kwam die Paltz op jou over?'

'Beetje een lul, maar ziet er niet verkeerd uit.' Liz glimlachte. 'Hij heeft ook een website.'

Weer een technologische blinde vlek bij Leigh. 'Zou jij hem op de zaak-Stoudt willen zetten? Hij heeft geen bezwaar tegen reizen, maar hou hem strak. Ik wil geen vette declaraties.'

'Daar is hij anders niet vies van, te oordelen naar de facturen die Octavia heeft opgestuurd.' Liz tikte met haar heup tegen een van de dozen. 'Ik heb deze gisteravond eens doorgenomen. Paltz gaat nog niet schijten zonder een kwart dollar te declareren voor elke keer dat hij doortrekt. Zijn tijdlijn kan zo voor een Yelp-pagina met vijfsterrenrecensies doorgaan.'

'Zeg maar dat we hem in de gaten houden.'

Liz was alweer weg tegen de tijd dat Leigh haar mondkapje afdeed en haar computer tot leven wekte. Zoals verwacht had Bradley, Canfield & Marks een oersaaie website. Met dikke rode en zwarte randen, ter ere van UGA. Times New Roman-font. De enige verfraaiing was de krullerige ampersand.

Leigh vond haar naam heel toepasselijk onder het kopje ADVOCATEN. De foto was dezelfde als die op haar bedrijfsbadge, wat ze lichtelijk gênant vond. Ze stond vermeld als 'raadsvrouw', een beleefde manier om aan te geven dat ze geen partner was maar ook geen junior advocaat.

Scrollend langs de eerste alinea las ze dat ze voor zowel staatsrechtbanken als hogere rechtbanken was verschenen en gespecialiseerd was in zaken als rijden onder invloed, diefstal, fraude, echtscheidingen waarmee hoge bedragen waren gemoeid en witteboordencriminaliteit. Er was een hyperlink naar het artikel in *Atlanta INtown*, voor het geval iemand een specialist in urinezaken zocht. De volgende alinea gaf een opsomming van haar prijzen, haar werk als pro-Deoadvocaat, diverse lezingen en artikelen die ze in het begin van haar loopbaan had geschreven, toen dat soort dingen er nog echt toe deed. Ze scrolde snel door naar de laatste regel: Mrs Collier brengt graag tijd door met haar echtgenoot en hun dochter.

Leigh tikte op de muis. Ze zou het verhaal van de privédetective het voordeel van de twijfel moeten geven. Het leek aannemelijk dat Reggie Andrew het artikel uit *INtown* had laten lezen met daarin Leighs foto, en dat Andrew haar gezicht had herkend. Ook leek het waarschijnlijk dat Andrew Reggie had opgedragen een achtergrondonderzoek naar Leigh in te stellen voor hij haar inhuurde. Dat laatste hield nog het meeste gevaar in, want Reggie kwam op haar over als het soort speurneus dat goed was in het opgraven van akelige geheimen.

Dat was de reden dat ze Reggie de staat uit ging sturen. Jasper Stoudt, de vreemdgaande echtgenoot van een van haar echtscheidingsclïenten, stond op het punt met zijn geliefde naar Montana te vertrekken voor een vistripje. Leigh stelde zich zo voor dat Reggie het te druk zou hebben met het bestellen van meervaltaco's bij de roomservice om zich zorgen te maken om Andrew Tenant.

Zelf maakte ze zich al druk genoeg om Andrew. Ze sprak zichzelf weer moed in door in gedachten Callies verhaal van de vorige avond puntsgewijs uit te werken.

- Als Andrew bewijs had voor de moord, zou hij dat aan de politie hebben laten zien.
- Als Andrew een van Buddy's video's in bezit had, zou daar alleen maar uit blijken dat zijn vader pedofiel was.
- Als Andrew een rekensommetje had gemaakt omdat Callie de hele tijd een stomme ader op een tekening van een been natrok, wat dan nog? Zelfs Nancy Drew moest met echt bewijs over de brug komen.
- Het lijk van Buddy Waleski – of stukken ervan – was nooit gevonden. Op het steakmes hadden geen bloedsporen gezeten. In het huis van de Waleski's was geen forensisch bewijs aangetroffen, en in Buddy's uitgebrande Corvette ook niet.
- Hoogstwaarschijnlijk waren er geen officiële documenten over

Callies mishandeling, en al helemaal niets wat die mishandeling met Buddy's verdwijning verbond.

– Niemand had Leigh ooit naar de tweeëntachtigduizend dollar gevraagd waarmee ze haar rechtenstudie had betaald. Vóór 9/11 werd er nooit navraag gedaan als iemand bergen geld had. En zelfs met Buddy's onrechtmatig verkregen kapitaal had ze als serveerster, barmeid, koerierster en schoonmaakster van hotelkamers moeten werken en in haar auto moeten slapen om geld uit te sparen. Pas toen Walter had ontdekt dat ze in het bibliotheekmagazijn bivakkeerde en haar een slaapplek op zijn bank had aangeboden, had ze voor het eerst het gevoel gehad een vaste plek te hebben.

Maddy. Walter. Callie.

Ze moest zich richten op wat belangrijk was. Als zij er niet waren geweest, zou Leigh allang de Glock hebben gepakt en een einde hebben gemaakt aan Andrews ellendige leven. Ondanks bewijs van het tegendeel had ze zichzelf nooit als een moordenaar beschouwd, maar tot preventieve zelfverdediging was ze heel goed in staat.

Na een kort klopje ging de deur open. Jacob Gaddy, een van de junioren, hield een broodje en een blikje gingerale op twee dossierdozen in balans. Hij zette ze op de vloer en zei: 'De drugstest was negatief, kan ik bevestigen. De lijsten liggen boven op de dozen. Bij het doorzoeken van de woning werden enkele artistieke sm-foto's van zeer hoge kwaliteit aangetroffen, die ingelijst in een gang achter in het huis hingen, maar niets in de slaapkamer.'

Leigh maakte zich niet druk om die foto's. *Vijftig tinten* had bij miljoenen huisvrouwen over de hele wereld de eerste schrik weggenomen. Ze wachtte tot Jacob haar lunch op de rand van haar bureau had gezet. Ze wist waarom hij zich als kelner had aangeboden. Bij de verdediging had ze iemand naast zich nodig, en de junioren zouden er desnoods om kooivechten.

Ze besloot hem uit zijn lijden te verlossen. 'Jij wordt mijn rechterhand. Zorg dat je de zaak door en door kent. Foutloos.'

'*Yes ma–*' Hij corrigeerde zichzelf. 'Dank je.'

Leigh zette die halve *ma'am* snel uit haar hoofd. Ze kon de bestudering van Andrews dossiers niet langer uitstellen. Ze nam een slok gingerale en at het broodje, terwijl ze door de aantekeningen bladerde die ze tot dusver had gemaakt. Bij elke zaak zocht ze naar zwakke plekken die de aanklager kon uitbuiten, maar ditmaal probeerde ze te bedenken hoe ze die zwakke plekken kon benutten om een schaduwzaak op te bouwen waardoor Andrew voor de rest van zijn leven achter de tralies verdween.

En ondertussen moest ze Callie en zichzelf buiten schot houden.

Ze had vaker tegenover deze aanklager gestaan. Dante Carmichael benaderde zijn taak met de geldingsdrang van een koploper. Hij schepte graag op over het aantal zaken dat hij had gewonnen, maar het was makkelijk snoeven over je overwinningen als je alleen zaken voor de rechter bracht waarvan je negenennegentig procent zeker wist dat je ze zou winnen. Dat was de enige reden waarom zoveel verkrachtingszaken niet werden vervolgd. Bij kwesties van 'en toen zei hij/en toen zei zij' gingen juryleden er doorgaans van uit dat een man de waarheid sprak en dat een vrouw aandacht zocht. Dantes schikkingen hadden meer weg van afpersing om zijn staat van dienst smetvrij te houden. Iedereen die bij het gerechtshof werkte had een bijnaam, en Deal-Ze-Dood Dante had hij eerlijk verdiend.

Leigh bladerde terug door de officiële correspondentie. In april van het vorige jaar, een maand na de arrestatie van Andrew, had Dante hem een ongelooflijk ruimhartige deal aangeboden. Ze was het niet graag met Reggie Paltz eens, maar haar intuïtie fluisterde haar in dat Dante Carmichael een val had gezet. Zodra Andrew schuld bekende in de zaak-Karlsen, zou hij via zijn modus operandi gekoppeld worden aan de drie andere zaken. Als Leigh voorzichtig te werk ging, als ze slim was, als ze geluk had, zou ze een alternatieve manier vinden om Andrew in die val te laten lopen.

Gewoontegetrouw pakte ze haar pen. Maar die legde ze meteen weer neer. Potentiële misdaden uitwerken op papier was nooit een goed idee. In gedachten nam ze al haar opties door in een poging verschillende manieren te bedenken waarop ze de zaak kon verknallen, terwijl ze zelf buiten schot bleef.

Andrew was niet haar enige obstakel. Cole Bradley was meer over het recht vergeten dan Leigh ooit had geleerd. Als hij dacht dat ze de zaak ging seponeren, zou ontslag nog de geringste van haar zorgen zijn. Ook de timing was een punt. Normaal had Leigh maanden, zo niet een heel jaar, om een proces voor te bereiden. En dan ging het om een eerlijke verdediging van haar cliënt. Nu had ze zes dagen om zich vertrouwd te maken met de politiefoto's, forensische rapporten, tijdlijnen, getuigen-verklaringen, incidentenrapporten van de politie, medische rapporten, de analyse van de *rapekit* en de hartverscheurende verklaring van het slacht-offer, die ook met de camera was vastgelegd.

Die opname was de reden dat Leigh zich steeds liet afleiden. Ze kon tientallen strategieën bedenken voor haar schaduwzaak tegen Andrew Tenant, maar ze kwam er niet onderuit zijn slachtoffer aan een keihard verhoor te onderwerpen. Als advocaat van de verdachte werd het niet al-leen van haar verwacht, het was verplicht. Tammy Karlsen was op zeer gewelddadige wijze aangerand en verkracht, maar de fysieke littekens zouden verbleken naast de emotionele ravage die Leigh bij haar zou aan-richten.

In Georgia, net als in de meeste andere staten, waren schriftelijke ver-klaringen niet toegestaan bij strafzaken, tenzij er verzachtende omstan-digheden waren. De eerste keer dat Leigh Tammy zou spreken was tijdens het kruisverhoor van het slachtoffer. Op dat moment vormde Tammy het topje van een zeer stabiele, door Dante Carmichael geconstrueerde pi-ramide die haar getuigenis moest schragen. De basis zou bestaan uit een substantiële cast van geloofwaardige getuigen: politieagenten, ambulan-cepersoneel, verpleegkundigen, artsen, allerlei deskundigen en de hon-denbezitter die Tammy met boeien vastgeketend aan de picknicktafel in het park had aangetroffen. Ze zouden de jury allemaal een solide reden verschaffen om elk woord te geloven dat over Tammy's lippen kwam.

Vervolgens werd Leigh geacht met een sloophamer de hele piramide aan gruzelementen te slaan.

BC&M investeerde veel geld in onderzoek naar wat het gemiddelde jury-lid bewoog. Experts werden ingehuurd en bij sommige prominente zaken werd er gebruikgemaakt van consulenten. Leigh had het resultaat van hun werk van nabij kunnen zien. Ze wist dat in verkrachtingszaken het com-mentaar van juryleden kon variëren van beledigend tot demoraliserend. Als een slachtoffer ten tijde van de aanval high of dronken was geweest, wat dacht ze dan zelf dat er kon gebeuren? Als ze in de getuigenbank kwaad of opstandig overkwam, dan stoorden ze zich aan haar houding. Als ze te veel of juist te weinig huilde, vroegen ze zich af of ze alles verzon. Als het slachtoffer te dik was, dan was ze misschien wanhopig geweest en had ze de man verleid. Als ze te mooi was, was ze misschien arrogant en had ze het er zelf naar gemaakt.

Of Tammy Karlsen een dergelijk staaltje spitsroeden lopen zou overleven, was de vraag. Alles wat Leigh over het slachtoffer wist, kwam van politiefoto's en verklaringen. Tammy was eenendertig. Ze was regiomanager van een telecombedrijf. Ze was nooit getrouwd geweest, had geen kinderen en woonde in een koopappartement in Brookhaven, een wijk die grensde aan het centrum van Buckhead.

Op 2 februari 2020 was ze op zeer gewelddadige wijze verkracht en met handboeien aan een picknicktafel geketend, in een open paviljoen in een openbaar park in Atlanta.

Leigh stond op van haar bureau. Ze sloot de jaloezieën voor de ramen en de deur en ging weer zitten. Ze sloeg een lege bladzij op in haar blocnote. Ze tikte op de opname van het officiële verhoor van Tammy Karlsen en drukte op play.

De vrouw was naakt aangetroffen, en op het filmpje droeg ze operatiekleding. Ze zat in een verhoorkamer van de politie, die duidelijk voor kinderen was bedoeld. De banken waren laag en kleurig, met zitzakken en een speeltafel vol puzzels en speelgoed. Dit moest doorgaan voor een niet-bedreigende omgeving voor een verkrachtingsslachtoffer: stop haar in een kamer voor kinderen zodat ze er voortdurend aan wordt herinnerd dat ze niet alleen verkracht is, maar ook zwanger kan zijn.

Tammy zat op een rode bank, met haar samengevouwen handen tussen haar knieën. In de aantekeningen had Leigh gelezen dat ze ten tijde van het verhoor nog steeds bloedde. In het ziekenhuis had ze maandverband gekregen, maar uiteindelijk moest er een chirurg aan te pas komen om de inwendige verwondingen van het colaflesje te hechten.

Op de film wiegde de vrouw heen en weer in een poging zichzelf te kalmeren. Aan de andere kant van de kamer stond een vrouwelijke agent, met haar rug tegen de muur. Het protocol schreef voor dat het slachtoffer niet alleen gelaten mocht worden. Dat was niet om haar een veilig gevoel te bezorgen. De agente had zelfmoordwacht.

Na een paar tellen ging de deur open en liep er een man naar binnen. Hij was groot en imponerend, had grijs haar en een keurig verzorgde baard. Een middenvijftiger, met een Glock aan een dikke leren riem, die zijn forse buik intoomde.

Zijn verschijning gaf Leigh te denken. Meestal namen vrouwen dit soort verhoren af, omdat ze als getuige empathischer overkwamen. Leigh had ooit een mannelijke rechercheur aan een kruisverhoor onderworpen die vol overtuiging had beweerd dat hij altijd wist dat een vrouw loog over een aanranding als ze hem niet in de kamer wilde hebben. Het was nooit bij hem opgekomen dat een vrouw die door een man was verkracht niet alleen wilde zijn met een andere man.

Het was de eenentwintigste eeuw. Waarom hadden ze deze beer van een rechercheur op haar afgestuurd?

Leigh zette de film op pauze. Ze klikte terug door de incidentenrapporten tot ze bij de eerste rechercheur ter plekke was aangekomen. Ze meende zich te herinneren dat het een vrouw was geweest. Ze keek op de lijst, toen in de rapporten om vast te stellen dat rechercheur Barbara Klieg de verantwoordelijke politiebeambte was geweest. Leigh nam de andere rapporten door om achter de identiteit van de man in het filmpje te komen, maar vervolgens rolde ze met haar ogen om haar eigen onnadenkendheid, want ze hoefde alleen maar op play te drukken.

'Ms Karlsen, ik ben rechercheur Sean Burke,' zei hij. 'Ik werk voor het Atlanta Police Department.'

Leigh noteerde de naam en onderstreepte die. Dat 'voor' wekte de indruk dat hij als deskundige was ingehuurd, en dus niet in dienst was. Ze moest erachter komen aan welke zaken Burke had meegewerkt, aan hoeveel succesvolle processen hij had deelgenomen, hoeveel eervolle vermeldingen of waarschuwingen zijn dossier bevatte, hoeveel schikkingen er waren getroffen, hoe hij zich gedroeg in de getuigenbank, welke zwakke punten andere advocaten naar boven hadden gehaald.

'Vindt u het goed als ik hier ga zitten?' vroeg Burke.

Tammy knikte, maar hield haar blik op de vloer gericht.

Leigh zag Burke naar een houten stoel met rechte rugleuning tegenover Tammy lopen. Hij bewoog zich niet langzaam, eerder weloverwogen. Hij zoog niet alle zuurstof uit de kamer. Na een bijna onmerkbaar knikje naar de agente die tegen de muur stond, nam hij plaats. Hij leunde achterover, zonder zoals de meeste mannen wijdbeens te gaan zitten, en sloeg zijn handen ineen op zijn schoot, een toonbeeld van een niet-intimiderende houding.

Een gigantisch punt ten nadele van Andrew. Rechercheur Burke straalde professionele competentie uit. Daarom had Barbara Klieg hem erbij geroepen. Hij wist hoe hij Tammy moest helpen met het fundament van haar verhaal. Hij wist hoe hij voor een jury moest getuigen. Leigh kon de degens met hem kruisen, maar ze kon hem niet breken.

Niet zomaar een punt in Andrews nadeel, maar mogelijk ook een nagel aan zijn doodskist.

'Ik weet dat rechercheur Klieg u er al op heeft gewezen,' zei Burke, 'maar er zijn twee camera's in deze kamer, daar en daar.'

Tammy keek niet waar hij naar wees.

'Als de groene lampjes branden, wordt er zowel beeld als geluid opgenomen,' ging hij verder, 'maar ik wil zeker weten dat u daar geen bezwaar tegen hebt. Als u het niet wilt, schakel ik ze uit. Wilt u dat ze aan blijven?'

In plaats van te antwoorden knikte Tammy.

'Verder wil ik u vragen of u ermee instemt dat we het gesprek hier voeren.' Burkes stem klonk geruststellend, bijna sussend. 'We kunnen naar een wat officiëlere ruimte gaan, zoals een verhoorkamer, of ik kan u meenemen naar mijn kamer, maar ik kan u ook thuisbrengen.'

'Nee,' zei ze, en toen zachter: 'Nee, ik wil niet naar huis.'

'Zal ik een vriend of vriendin of een familielid bellen?'

Nog voor hij was uitgepraat, schudde Tammy haar hoofd al. Niemand mocht dit weten. Haar schaamte was zo tastbaar dat Leigh haar hand op haar borst legde om haar gevoelens in toom te houden.

'Goed, dan blijven we hier, maar u mag op elk moment van mening veranderen. Zeg het maar als u wilt stoppen of weg wilt, dan geven we daar gehoor aan.' Burke had het hier duidelijk voor het zeggen, maar hij deed zijn uiterste best haar het gevoel te geven dat ze kon kiezen. 'Hoe zal ik u noemen: Tammy of Ms Karlsen?'

'Ms... Ms Karlsen.' Tammy hoestte de woorden eruit. Haar stem klonk geforceerd. Leigh zag dat de blauwe plekken rond haar hals al donkerder werden. Haar gezicht werd aan het oog onttrokken door haar haar, maar de foto's die tijdens het verkrachtingsonderzoek waren genomen, waren een toonbeeld van ontreddering.

'Ms Karlsen,' benadrukte Burke. 'Rechercheur Klieg zei dat u regiomanager bent van DataTel. Uiteraard heb ik weleens van het bedrijf gehoord, maar het is me niet helemaal duidelijk wat ze doen.'

'Systeemlogistiek en telecomengineering.' Tammy schraapte haar keel weer, maar haar stem bleef hees. 'We bieden dataondersteuning aan middelgrote en kleine bedrijven die behoefte hebben aan microsystemen, optica, fotonica en systeemcontrole. Ik sta aan het hoofd van zestien vestigingen in het zuidoosten.'

Burke knikte alsof hij het begreep, maar het doel van dat soort vragen was Tammy Karlsen eraan te herinneren dat ze een betrouwbare professional was. Hij gaf daarmee het signaal af dat hij haar verhaal geloofde.

'Dat klinkt een stuk indrukwekkender dan mijn functieomschrijving,' zei hij. 'Daar hebt u ongetwijfeld voor gestudeerd.'

'Georgia Tech,' zei ze. 'Ik heb een master in Electrical and Computer Engineering.'

Leigh slaakte een diepe zucht. Ze wist dat in een van Octavia's dozen informatie zou zitten die afkomstig was van Tammy Karlsens social media, vooral dingen die betrekking hadden op de pagina met afgestudeerden aan Georgia Tech. Tammy's studiegenoten waren op een nostalgische leeftijd, en waarschijnlijk barstte het van de berichten over wilde studiejaren. Als Tammy bekendstond als een vrouw die van drank of seks hield, kon Leigh dat tijdens het proces naar voren brengen, alsof niet iedere vrouw het recht had om van drank en seks te houden.

Hoe dan ook, Andrew had er waarschijnlijk weer een punt bij.

De film ging door. Burke praatte nog een tijdje over koetjes en kalfjes. Al sprong hij van een klif, de jury zou hem volgen. Zijn ontspannen zelfvertrouwen werkte beter dan valium. Zijn stem bleef dat sussende houden. Hij keek Tammy recht aan, ook al keek ze niet één keer naar hem op. Hij was vol aandacht en vertrouwen, en bovenal was hij begaan. Leigh had een checklist uit het politiehandboek kunnen afstrepen over de juiste manier om een slachtoffer van een seksueel misdrijf te ondervragen. Dat een politieman zich daar ook echt aan hield, was een verbluffende ontdekking.

Ten slotte kwam Burke bij de kern van de ondervraging. Hij ging verzitten en sloeg zijn benen over elkaar. 'Ms Karlsen, ik kan me in de verste verte niet voorstellen hoe moeilijk dit voor u is, maar als u denkt dat u het kunt, zou u me dan willen vertellen wat er gisteravond is gebeurd?'

Eerst zweeg ze, en Burke was ervaren genoeg om niet aan te dringen. Leigh keek naar de cijfers in de rechterbovenhoek en zag de tijd wegtikken tot Tammy na achtenveertig seconden eindelijk het woord nam.

'Ik weet niet…' Ze kuchte weer. Haar slokdarm was niet alleen rauw van de wurgpoging. Tijdens het verkrachtingsonderzoek had de verpleegkundige een lange wattenstaaf in haar keel geduwd, waar spermasporen op waren aangetroffen. 'Sorry.'

Burke leunde naar links en opende een minikoelkast, die Leigh nog niet was opgevallen. Hij haalde er een flesje water uit, draaide de dop eraf en zette het voor Tammy op tafel, waarna hij weer recht ging zitten.

Na enige aarzeling pakte ze het flesje. Leigh vertrok haar gezicht toen ze de vrouw met moeite zag slikken. Water droop uit de hoeken van haar opgezwollen mond en vormde plasjes op de kraag van haar operatiepak, dat op die plekken donkergroen kleurde.

'Er zijn hier geen regels voor, Ms Karlsen,' zei Burke. 'U begint uw verhaal op het punt dat het gemakkelijkst voelt. Of niet. U kunt op elk moment de deur uit lopen.'

Met trillende handen zette Tammy het flesje weer op tafel. Ze keek naar de deur, en Leigh vroeg zich af of ze daadwerkelijk wegging.

Maar dat deed ze niet.

Tammy nam een paar tissues uit de doos op tafel. Toen ze haar neus afveegde, kromp ze ineen van de pijn. Ze kneep de tissues samen in haar hand en begon te praten, voerde Burke langzaam mee door het begin van een doodgewone avond die in een nachtmerrie was geëindigd. Dat ze uit haar werk was gekomen. Had besloten om iets te gaan drinken. Haar auto aan de parkeerbediende had overgedragen. Dat ze alleen aan de bar had gezeten en een gin-martini had gedronken. Dat Andrew haar een drankje had aangeboden, net toen ze had willen vertrekken.

Leigh bladerde terug door haar aantekeningen. Ze noteerde de tweeën-halve gin-martini die Tammy volgens de bewakingscamera's in de Comma Chameleon had geconsumeerd.

Toen Tammy vertelde dat ze naar het dakterras waren gegaan, zat ze er een half glas naast wat haar alcoholconsumptie betrof, maar de meeste mensen konden zich niet herinneren hoeveel ze hadden gedronken. Het deed er niet toe. Leigh zou een pietluttige indruk op de jury maken als ze de vrouw erop aansprak dat ze drie in plaats van twee martini's had besteld.

Ze richtte zich weer op de film.

Tammy beschreef Andrew zoals iedereen hem zou beschrijven: wat moeilijk te doorgronden, maar aardig, professioneel, volwassen op een leeftijd waarop een groot deel van haar generatie dat nog niet was. Tammy was duidelijk uit hetzelfde hout gesneden. Ze zei tegen Burke dat ze het gevoel had gehad dat het had geklikt tussen hen. Nee, ze wist Andrews achternaam niet. Hij werkte bij een autodealer, dacht ze. Misschien was hij monteur? Hij praatte heel enthousiast over klassieke auto's.

'Ik liet hem… Ik kuste hem,' zei ze op schuldbewuste toon, alsof ze alles wat daarna was gebeurd aan zichzelf te wijten had. 'Ik flirtte met hem, en toen we bij de parkeerbedienden waren, kuste ik hem wat langer. Te lang. En toen gaf ik hem mijn visitekaartje, want… want ik wilde dat hij me belde.'

Burke liet de stilte voortduren. Hij trok duidelijk de conclusie dat Tammy met een bepaalde reden zo lang over Andrew had gepraat, maar hij was zo verstandig haar geen woorden in de mond te leggen.

Zelf keek Tammy naar haar handen. Ze had de tissues in stukjes gescheurd. Ze probeerde de troep op te ruimen door de losse snippers op tafel te verzamelen. Toen ze naar de vloer reikte, kreunde ze, waardoor Leigh weer moest denken aan de ravage die het colaflesje had aangericht.

Burke leunde naar links, nu om de prullenbak te pakken, die hij naast de tafel zette. Door zijn lengte en de krappe kamer hoefde hij daarvoor niet eens van zijn stoel op te staan.

Tammy deed haar best elk plukje verscheurd papier in de prullenbak te deponeren. Seconden verstreken. Toen minuten.

Burke wachtte geduldig. Leigh stelde zich voor dat hij haar verhaal aan het verwerken was, zijn eigen hokjes afvinkte, voor zichzelf vaststelde of hij antwoorden had gekregen. Waar was het slachtoffer voor het eerst in contact gekomen met de verdachte? Hoeveel alcohol was er geconsumeerd? Hadden ze drugs gebruikt? Was het slachtoffer in gezelschap van vrienden geweest? Waren er potentiële getuigen?

Of misschien dacht hij na over de volgende reeks vragen. Had het slachtoffer haar belager een duw, een stomp of een schop gegeven? Had ze op enig moment 'stop' of 'nee' gezegd? Hoe had haar belager zich voor, tijdens en na de aanval gedragen? Hoe hadden de seksuele handelingen elkaar opgevolgd? Was hij ruw geweest of had hij gedreigd? Had hij een wapen gehad? Was hij klaargekomen? Waar was hij op klaargekomen? Hoe vaak?

Inmiddels had Tammy de tissues opgeruimd. Ze schoof weer op de bank. Ze begon met haar hoofd te schudden, alsof ze Burkes onuitgesproken vragen had gehoord en haar reactie al klaar had. 'Ik weet niet wat er daarna gebeurde. Toen ik bij de parkeerbedienden was… Zat ik in de auto of… Ik weet het niet. Misschien kan ik me sommige dingen nog herinneren. Ik weet het niet zeker. Ik wil niet… Ik kan niet iemands… Als ik het me niet herinner… Ik moet het zeker weten, dat weet ik wel.'

Weer wachtte Burke. Leigh bewonderde zijn zelfbeheersing, die van intelligentie getuigde. Twintig jaar geleden zou een politieman in zijn positie Tammy bij haar schouders hebben gegrepen, haar heen en weer hebben geschud en haar hebben toegeschreeuwd dat ze moest praten als ze de vent die dit gedaan had wilde straffen, of verzon ze het soms allemaal omdat ze aandacht wilde?

In plaats daarvan zei Burke: 'Mijn zoon heeft in Afghanistan gevochten. Hij is twee keer uitgezonden geweest.'

Tammy blikte schuin omhoog, maar nog steeds weigerde ze hem aan te kijken.

'Toen hij thuiskwam,' zei Burke, 'was hij anders. Er was daar zoveel gebeurd dat hij er niet over kon praten. Zelf heb ik nooit in het leger gezeten, maar ik weet hoe posttraumatische stressstoornis eruitziet, omdat ik veel met vrouwen praat die een verkrachting hebben overleefd.'

Leigh zag Tammy haar kaken spannen en weer ontspannen. Zo onomwonden had ze het zelf nog niet verwoord. Opeens was ze geen regiomanager meer of afgestudeerd aan Georgia Tech. Ze was het slachtoffer van verkrachting. De rest van haar leven zou die scharlakenrode letter op haar borst branden.

'PTSS ontstaat door een traumatische gebeurtenis,' vervolgde Burke. 'Symptomen zijn nachtmerries, angsten, onbeheersbare gedachten, flitsen uit het verleden en soms geheugenverlies.'

'Bedoelt u...' Tammy's stem stokte. 'Bedoelt u dat ik het me daarom niet herinner?'

'Nee. Daarover verschaft het toxicologierapport straks meer duidelijkheid.' Nu sloeg Burke er een slag naar, maar hij riep zichzelf weer tot de orde. 'Wat ik bedoel is dat alles wat u nu ervaart – of u verdrietig, boos of in shock bent, of u op wraak uit bent of niet, of u die vent wilt straffen of hem misschien nooit meer wilt zien – allemaal heel normaal is. Goede of foute reacties zijn er niet. Wat u ook voelt, u mag het voelen.'

Die openbaring brak Tammy Karlsen op. Ze begon te snikken. Vrouwen kregen bij hun geboorte geen handboek dat hun vertelde hoe ze moesten reageren op seksueel trauma. Het was net als ongesteld worden, of een miskraam of de overgang: iets waar iedere vrouw tegen opzag, maar erover praten was om onbekende redenen taboe.

'Jezus christus,' mompelde Leigh. Deze zachtmoedige reus ging in zijn eentje de jury tegen Andrew opzetten. Na het proces moest ze hem eigenlijk een fruitmand sturen.

Ze riep zichzelf tot de orde. Dit was geen spel. Op het filmpje schokte Tammy's lichaam van het snikken. Ze greep een vuist vol tissues. Burke probeerde haar niet te troosten. Hij bleef op zijn stoel zitten. Met een vluchtige blik op de agente stelde hij vast dat zij ook op haar plaats bleef.

'Ik wil niet…' zei Tammy. 'Ik wil niet iemands leven kapotmaken.'

'Ms Karlsen, en dit zeg ik met alle respect, dat soort macht bezit u niet.'

Eindelijk keek ze naar hem op.

'Ik weet dat u eerlijk bent,' zei hij. 'Maar mijn vertrouwen en uw woorden zijn niet genoeg in een rechtszaal. Alles wat u me vertelt, moet worden onderzocht, en als uw geheugen u in de steek heeft gelaten of als u gebeurtenissen door elkaar haalt, dan komen we daar met ons onderzoek snel achter.'

Leigh leunde achterover. Alsof ze Jimmy Stewart een verhaal zag afsteken op de trap van het gerechtsgebouw.

'Oké,' zei Tammy, maar er verstreek bijna een volle minuut voor ze het woord weer nam. 'Ik was in het park. Daar werd ik wakker. Of kwam ik bij. Ik ben daar nooit eerder geweest, maar het… het was een park. En ik… ik zat met handboeien aan de tafel vast. Die oude man, die met die hond? Ik weet niet hoe hij heet. Hij belde de politie en…'

In de stilte die volgde, hoorde Leigh Tammy ademen, snel in en uit terwijl ze probeerde niet te hyperventileren.

'Ms Karlsen,' zei Burke, 'soms komen onze herinneringen in beelden tot ons. Dan flitsen ze als in een oude film over het scherm. Is er met de aanval ook maar iets, al is het een los detail, wat iets zegt over de man die u verkracht heeft?'

'Hij…' Weer stokte haar stem. Het woord 'verkracht' was door de nevel gedrongen. Ze was verkracht. Ze was het slachtoffer van een verkrachting. 'Hij had een bivakmuts op,' zei ze. 'En hij had h-handboeien. Hij boeide me.'

Leigh noteerde 'met voorbedachten rade', want de bivakmuts en handboeien waren meegenomen naar de plaats delict.

Ze staarde naar de woorden.

Het klopte wat Burke over opflitsende herinneringen had gezegd. Leigh dacht aan de vakantiefoto's in het kantoor van Reggie Paltz. Als ze

dat soort gluiperds een beetje kende, had Andrew die tripjes waarschijnlijk betaald zodat hij de agenda kon bepalen. Misschien was er ergens een
foto van hem met een bivakmuts op.

Weer een mogelijk punt tegen Andrew.

'Ik…' Tammy's keel verstrakte toen ze probeerde te slikken. 'Ik vroeg
hem te stoppen. "Stop alsjeblieft," zei ik.'

Leigh maakte weer een aantekening. Ze had menige jury zien afhaken
omdat een vrouw te bang of te overdonderd was geweest om keihard 'nee'
te zeggen.

'Ik weet niet meer of…' Tammy nam een hap lucht. 'Hij trok mijn kleren uit. Hij had lange nagels. Ze schraapten… Ik voelde ze schrapen over
mijn –'

Leigh zag Tammy naar haar rechterborst grijpen. Ze had niet op
Andrews nagels gelet. Als hij ze aan het begin van het proces nog altijd
lang had, zou ze hem zeker niet vragen ze af te knippen.

'Hij zei steeds dat…' Tammy's stem haperde weer. 'Hij zei dat hij van
me hield. Telkens weer. Dat hij van… van mijn haar hield, van mijn ogen,
en dat hij van mijn mond hield. Hij zei de hele tijd dat ik zo tenger was.
Hij zei het zo… je heupen zijn zo smal, je handen zijn zo klein, je gezicht
is volmaakt, net een barbiepop. En hij bleef maar zeggen dat hij van me
hield en…'

Burke maakte geen aanstalten de stilte te vullen, maar Leigh zag hem
zijn handen ineenslaan op zijn schoot, alsof hij zichzelf moest bedwingen
om niet naar haar te reiken en te zeggen dat alles goed zou komen.

Leigh had dezelfde neiging toen ze Tammy Karlsen heen en weer zag
wiegen, met haar haren voor haar ogen om haar gezicht te verbergen, in
een poging om uit deze wrede wereld te verdwijnen.

Callie had hetzelfde gedaan op de avond dat Buddy was gestorven.
Snikkend had ze op de vloer heen en weer gewiegd en telkens weer op
mechanische toon de woorden van de telefonist herhaald.

Als u een nummer wilt bellen…

In Leighs bureaula lag een pakje zakdoekjes. Ze nam er een uit om haar
ogen af te vegen. Er werd gezwegen terwijl Tammy Karlsen schokte van
verdriet. De vrouw weet het duidelijk aan zichzelf, vroeg zich af hoe ze
het had verknoeid, wat voor stoms ze had gezegd of gedaan waardoor ze
in die situatie verzeild was geraakt. Ze hoorde nu op haar werk te zijn. Ze
had een baan. Ze had een master. En nu had ze ook vluchtige herinnerin-

gen aan een zeer gewelddadige aanval die haar zorgvuldig uitgestippelde leven totaal had verwoest.

Leigh kende dat zelfverwijt maar al te goed, want het was haar ook bijna overkomen toen ze nog studeerde. Ze had in haar auto geslapen om geld uit te sparen, en toen ze wakker was geworden, had een onbekende boven op haar gelegen.

'Sorry,' verontschuldigde Tammy zich.

Leigh snoot haar neus. Ze ging rechterop zitten en boog zich dichter naar de monitor toe.

'Sorry,' herhaalde Tammy. Ze beefde weer. Ze voelde zich vernederd en dom en volkomen stuurloos. In de loop van twaalf uur was ze alles kwijtgeraakt, en nu had ze geen idee hoe ze het terug moest krijgen. 'Ik kan me... Ik kan me verder niets herinneren.'

Leigh verdrong haar eigen zelfverachting en zette een vinkje op haar blocnote. Tammy Karlsen had nu al vijf keer gezegd dat ze zich niets kon herinneren.

Vijf punten voor Andrew.

Ze keek weer naar het scherm. Burke zat nog steeds roerloos. Hij wachtte een paar tellen en opperde toen: 'Ik weet dat zijn gezicht bedekt was, maar als iemand een bivakmuts draagt – en verbeter me als ik het fout heb – kun je zijn ogen toch wel zien?'

Tammy knikte. 'En zijn mond.'

Burke manoeuvreerde haar voorzichtig naar de voor de hand liggende vraag: 'Hebt u iets aan hem herkend? Wat dan ook?'

Tammy slikte weer hoorbaar. 'Zijn stem.'

Burke zweeg afwachtend.

'Het was de man uit de bar. Andrew.' Ze kuchte. 'We hebben heel lang gepraat. Ik herkende zijn stem toen hij... toen hij deed wat hij deed.'

'Hebt u zijn naam genoemd?' vroeg Burke.

'Nee, ik dacht...' Ze zweeg. 'Ik wilde hem niet boos maken.'

Leigh wist uit de verslagen die ze had gelezen dat Andrew had moeten deelnemen aan een audioconfrontatie met vijf andere mannen. Hun stemmen waren opgenomen toen ze om de beurt zinnen uit de aanval hadden herhaald. Toen de rechercheur alle opnamen aan Tammy had laten horen, had ze Andrew er onmiddellijk uitgepikt.

'Wat is er opvallend aan zijn stem?' vroeg Burke.

'Die is zacht. Ik bedoel, de toon is zacht, maar het register is laag en...'

Burkes bovennatuurlijke kalmte vertoonde een barst. 'En?'

'Zijn mond.' Tammy raakte haar lippen aan. 'Die herkende ik ook. Die ging aan de zijkant wat omhoog, alsof hij... Ik weet het niet. Alsof hij een spel speelde. Alsof hij zei dat hij van me hield, maar er ondertussen van genoot dat... dat ik doodsbang was.'

Leigh kende dat zelfgenoegzame lachje. Ze kende die stem. Ze kende die angstaanjagende, emotieloze blik in Andrews kille, dode ogen.

Ze keek het filmpje helemaal uit. Er viel niets meer te noteren, op drie vinkjes na die ze toevoegde aan het toenemende aantal keren dat Tammy zei het zich niet te kunnen herinneren. Burke probeerde meer details uit haar los te krijgen. Door trauma of rohypnol was haar geheugen onbetrouwbaar geworden. Alle informatie kwam van het begin van de aanval. Ze kon zich het mes niet herinneren. Ook niet dat het in haar been werd gestoken. Of de verkrachting met het colaflesje. Evenmin wist ze wat er met haar tas, haar auto of haar kleren was gebeurd.

Leigh zette het filmpje uit toen Tammy Karlsen de kamer uit werd gevoerd en Burke de opname stilzette. Ze zocht naar een bepaalde politiefoto. Tammy's tas was aangetroffen onder de bestuurdersstoel van haar BMW. Haar kleren waren op de plaats delict gevonden. Ze lagen netjes opgevouwen in de hoek van het paviljoen.

Leigh, die zelf obsessief-compulsief was, had oog voor de zorgvuldige symmetrie van het geheel. Tammy's grijze keperrok was tot een strak vierkant opgevouwen. Het bijpassende jasje lag erbovenop. De zwartzijden blouse was in het jasje gestopt, zoals een dergelijke set in een winkel tentoon werd gesteld. Dwars op de stapel lag een zwarte string. De bijpassende bh van zwarte kant was om de bundel gehaakt, als een strik om een cadeau. Tammy's zwarte hoge hakken stonden ernaast, rechtop en evenwijdig aan het strakke vierkant.

Leigh herinnerde zich nog hoe Andrew altijd met zijn eten speelde als hij een tussendoortje kreeg. Hij stapelde zijn kaas en crackers als een Jenga-toren op en probeerde er dan een laag uit te trekken zonder dat de zaak omviel. Hetzelfde obsessieve gedrag vertoonde hij met appelschijfjes, noten en overgebleven korrels popcorn.

De telefoon op haar bureau ging. Leigh streek langs haar ogen en snoot haar neus.

'Leigh Collier.'

'Is *side dick* net zoiets als *side boob*?' vroeg Walter.

Het duurde even voor ze doorhad dat hij het over Maddy's playback-filmpje had. 'Volgens mij is het een neukmaatje met wie je vreemdgaat.'

'Aha,' zei hij. 'Juist ja.'

Ze moest het hem nageven dat hij niet 'zo moeder zo dochter' zei, want als Leigh zei dat ze eerlijk was tegenover haar man, dan was ze eerlijk over alles.

Bijna alles.

'Waarom huil je, sweetheart?' vroeg hij.

Haar tranen waren gestopt, maar ze voelde ze weer komen. 'Ik heb Callie gisteravond gezien.'

'Is het dom als ik vraag of ze in de problemen zit?'

'Niet iets wat ik niet kan handelen.' Later zou Leigh hem over de onge-registreerde Glock vertellen. Die had Walter van een van zijn brandweer-maten gekregen toen ze voor zichzelf was gaan werken. 'Ze ziet er slecht uit. Slechter dan anders.'

'Je weet dat het in periodes gaat.'

Leigh wist ook dat Callie uiteindelijk niet meer in staat zou zijn zich uit haar vrije val los te maken. Ze wist niet eens of Callie wel kon minderen. Vooral niet met Phil in de buurt. Het was niet zonder reden dat Callie haar troost bij heroïne had gezocht in plaats van bij haar moeder. En mis-schien had het ook een reden dat ze niet naar Leigh was gegaan. Toen Leigh de vorige avond in het motel de dopekit van haar zus had gezien, had ze die het liefst tegen de muur gesmeten en geschreeuwd: *Waarom hou je meer van die troep dan van mij?*

'Ze is veel te mager,' zei ze tegen Walter. 'Ik kon haar botten zien.'

'Dan geef je haar eten.'

Dat had Leigh geprobeerd. Callie had met moeite een halve cheesebur-ger naar binnen gewerkt. Ze had net zo'n gezicht getrokken als Maddy toen die voor het eerst broccoli had geproefd. 'Er was iets met haar adem-haling. Die ging heel zwaar. Ik hoorde haar piepen. Ik weet niet goed wat er aan de hand is.'

'Rookt ze?'

'Nee.' Phil had genoeg gerookt voor het hele gezin. Ze konden geen van beiden tegen de stank. Dat maakte het des te wreder dat Leigh Callie de vorige avond naar hun moeder had laten gaan. Wat had haar bezield? Als Andrew of een van zijn detectives haar niet tot een overdosis dreef, dan deed Phil het wel.

Het was haar schuld. Het was allemaal haar schuld.

'Sweetheart,' zei Walter, 'elke dag hoor je berichten over mensen met langdurige covidklachten die uiteindelijk volledig genezen zijn. Callie heeft meer levens dan een kat. Dat weet jij ook.'

Leigh dacht aan haar eigen strijd tegen het virus. Het was begonnen met een niet te stoppen hoestbui van vier uur, die zo erg was geworden dat er een adertje in haar oog was gesprongen. Het ziekenhuis had haar naar huis gestuurd met een dosis tylenol en het advies een ambulance te bellen als ze niet meer kon ademen. Walter had haar gesmeekt om voor haar te mogen zorgen, maar in plaats daarvan had ze hem Callie laten halen.

Het was haar schuld. Het was allemaal haar schuld.

'Liefje,' zei Walter, 'je zus is een ongelooflijk lief en uniek mens, maar ze heeft heel veel problemen. Sommige daarvan kun je voor haar oplossen, andere niet. Het enige wat je kunt doen, is van haar houden.'

Weer droogde Leigh haar ogen. Ze had de bliepjes gehoord aan Walters kant van de lijn. 'Probeert iemand je te bellen?'

Hij zuchtte. 'Marci. Ik bel haar later wel terug.'

Marci was Walters huidige geliefde. Helaas had hij in de vier jaar sinds ze uit elkaar waren gegaan niet smachtend op Leighs terugkomst zitten wachten.

Ze kon het niet laten. 'Binnen tien minuten hebben we online een schuldloze echtscheiding aangevraagd.'

'Sweetheart,' zei Walter, 'zolang jij mijn side boob blijft, blijf ik jouw side dick.'

Leigh kon er niet om lachen. 'Je weet dat je altijd mijn middenvoor blijft.'

'Dat lijkt me een mooie om mee af te sluiten.'

Leigh hield de telefoon nog even tegen haar oor nadat hij had opgehangen. Pas toen het zelfverwijt een dieptepunt had bereikt, legde ze de hoorn op de haak.

Er werd op de deur geklopt. Liz dook heel even naar binnen en zei: 'Je moet over vijf minuten boven zijn.'

Leigh liep naar de kast om haar hoge hakken te pakken. Voor de spiegel aan de achterkant van de deur werkte ze haar make-up bij. BC&M gaf niet alleen geld uit aan juryconsulenten voor verdachten. Het kantoor wilde ook weten wat juryleden van hun advocaten vonden. Leigh werd nog steeds achtervolgd door een zaak die ze had verloren en waarbij haar cliënt misschien voor achttien jaar in de gevangenis was verdwenen vanwege Leighs opgestoken haar, J.C. Crew-broekpak en lage schoenen, want volgens een van de ondervraagde juryleden had ze daarmee niet kunnen verhullen dat ze 'zonder meer een stuk was maar beter haar best had moeten doen om wat vrouwelijker te lijken'.

'Shit,' zei ze. Ze had lippenstift opgedaan, terwijl het mondkapje haar mond zou bedekken. Ze veegde het af met een tissue. Ze haakte haar mondkapje om haar oren, stapelde haar blocnotes op en pakte haar telefoons.

Op weg naar de liften werd ze door het geroezemoes van het flexplekkantoor als met witte ruis omhuld. Leigh keek op haar privételefoon. Nog steeds geen bericht of telefoontje van Callie. Ze probeerde niet te veel betekenis aan de stilte te hechten. Het liep tegen vier uur in de middag. Misschien sliep Callie, was ze stoned, verkocht ze drugs op Stewart Avenue of deed ze god-wist-wat met haar zeeën van tijd. Een communicatiepauze hoefde niet te betekenen dat ze in de problemen zat. Het betekende alleen dat ze Callie was.

Bij de liften drukte Leigh met haar elleboog op de knop. Nu ze haar telefoon toch in haar hand had, tikte ze snel een berichtje aan Maddy: Ik ben een toekomstige werkgever. Ik kijk op je TikTok. Wat denk ik?

Maddy schreef meteen terug: Ik ga ervan uit dat je een Broadway-regisseur bent en denkt: wauw, die vrouw weet wat ze doet!

Leigh glimlachte. De interpunctie was een kleine overwinning. Haar zestienjarige kindje noemde zichzelf een vrouw die wist wat ze deed, en dat was een triomf.

En toen loste haar glimlach op, want Maddy's TikTok-account was precies het soort bewijs dat Leigh aan een jury zou voorleggen als ze een smet wilde werpen op het karakter van haar dochter.

De liftdeuren schoven open. Er stond al iemand in de lift, een junior die ze herkende van een van de lagere flexafdelingen. Leigh ging op een van de vier hoekstickers staan die mensen eraan moesten herinneren afstand te bewaren. Een bordje boven het paneel raadde praten of hoesten af. Een tweede bordje maakte reclame voor een of andere hightech coating voor de knoppen, die geacht werd virustransmissie tegen te gaan. Leigh ging met haar rug naar de junior staan, maar hoorde hem naar adem happen toen ze op de knop voor het penthouse drukte.

De deuren gleden dicht. Leigh begon een bericht aan Maddy op te stellen, over het aannamebeleid van universiteiten, respect van je collega's en het belang van een goede reputatie. Ze probeerde net te bedenken hoe ze de schoonheid van seks erin kon verwerken zonder dat ze allebei door de grond gingen, toen haar telefoon zoemde met een nieuw bericht.

Nick Wexler, die vroeg: DTF?

Down to fuck.

Leigh zuchtte. Ze had er spijt van dat ze Nicks leven weer was binnengedrongen, maar ze wilde niet als een bitch overkomen nadat ze hem om een gunst had gevraagd.

Ze schoof het voor zich uit en schreef: Tegoedbon?

Ze werd beloond met een duimpje en een aubergine.

Leigh bedwong een nieuwe zucht. Ze keerde terug naar het bericht aan Maddy en besloot dat ze beter op een ander tijdstip op de preekstoel kon klimmen. Ze veranderde haar eerdere tekst in: Gezellig kletsen vanavond!

De junior stapte op de negende verdieping uit, maar hij kon het niet laten nog even achterom te kijken in een poging te achterhalen wie ze was en hoe ze toegang tot de verdieping van de partners had verworven. Ze wachtte tot de deuren dichtschoven en haakte toen haar mondkapje achter haar ene oor vandaan. Ze ademde diep in en gebruikte het moment om zich te herpakken.

Dit zou haar eerste treffen met Andrew zijn nadat hij zijn ware aard had onthuld. Een dubieuze cliënt was niets nieuws, maar hoe sadistisch de misdaden waarvan ze beschuldigd werden ook waren, tegen de tijd dat ze bij Leigh aanklopten, waren ze over het algemeen heel meegaand. De vernedering van hun arrestatie, de ontluisterende hechtenis, de dreigende houding van geharde criminelen en het besef dat ze weer teruggestuurd konden worden naar het huis van bewaring of de gevangenis als Leigh hen niet hielp, zorgden ervoor dat zij het doorgaans voor het zeggen had.

Dat was het waarschuwingssignaal dat Leigh de vorige ochtend had besloten te negeren. Andrew Tenant had het de hele tijd voor het zeggen gehad, en alleen achteraf besefte Leigh waardoor dat kwam. Strafrechtadvocaten zeiden altijd bij wijze van grap dat hun ergste nachtmerrie een onschuldige cliënt was. Leighs ergste nachtmerrie was een cliënt zonder angst.

De bel ging. Boven de deuren lichtten de letters PH op. Leigh deed haar mondkapje weer voor. Een keurige oudere dame in een zwart broekpak en met een rood mondkapje voor stond haar op te wachten. Het leek een scène uit *Het verhaal van de dienstmaagd*, maar dan de UGA-versie.

'Ms Collier,' sprak de dame, 'Mr Bradley wil u onder vier ogen op zijn kamer spreken.'

Er ging een schok van angst door Leigh heen. 'Is de cliënt aanwezig?'

'Mr Tenant is in de vergaderzaal, maar Mr Bradley wilde eerst u spreken.'

Leighs darmen draaiden zich in een knoop, maar er zat niets anders op dan de vrouw door de gigantische open ruimte te volgen. Ze keek naar de gesloten deur van de vergaderzaal. Allerlei gecompliceerde verwikkelingen trokken in gedachten aan haar voorbij. Andrew had haar ontslag geëist. Andrew was naar de politie gestapt. Andrew had Callie ontvoerd en gijzelde haar nu.

Het laatste scenario was zo belachelijk dat haar paranoia snel weer in zijn hol kroop. Andrew was een sadistische verkrachter, maar hij was geen kwade genius. Leigh dacht weer aan haar Andrew-hypothese. Het enige wat hij had, waren losse herinneringen uit zijn kindertijd en gegis naar de oorzaak van zijn vaders verdwijning. Het domste wat ze nu kon doen, was door haar gedrag zijn vermoedens bevestigen.

'Hier is het.' Bradleys assistente opende de deur naar een kamer.

Ondanks de terugkeer van haar gezonde verstand was Leighs mond volkomen droog tegen de tijd dat ze de kamer betrad. Er wachtten haar geen rechercheurs of agenten met handboeien. Alleen het voorspelbare rood met zwarte decor. Cole Bradley zat achter een reusachtig marmeren bureau met stapels dossiers en papieren om zich heen. Zijn lichtgrijze colbert hing aan een rek. Hij had de mouwen van zijn overhemd opgestroopt. Zijn gezicht was gladgeschoren.

'Komt Andrew er ook bij?' vroeg Leigh.

In plaats van te antwoorden wees hij naar een rode leren stoel aan de andere kant van zijn bureau. 'Neem het eens met me door.'

Leigh kon zichzelf wel slaan omdat ze iets zo overduidelijks had gemist. Bradley wilde door haar bijgepraat worden zodat hij tegenover de cliënt de indruk wekte dat hij wist waarover hij het had.

Ze ging zitten, nam haar mondkapje af, sloeg haar blocnote open en stak van wal. 'De audio-identificatie door het slachtoffer van Andrews stem tijdens haar eerste verhoor is overtuigend. Na zijn arrestatie koos ze hem uit bij de audioconfrontatie. Wat sommige dingen betreft is ze vaag, maar ze is door een forensisch rechercheur ondervraagd, die het verhaal met haar heeft doorgelopen. Hij heet Sean Burke.'

'Nooit van gehoord,' zei Bradley.

'Ik ook niet. Ik probeer zoveel mogelijk over hem aan de weet te komen, maar als getuige is hij een topper. Ik weet niet hoe Tammy Karlsen, het slachtoffer, zich zal presenteren. In de opgenomen ondervraging maakt ze een heel sympathieke indruk. Op de avond van de aanval was ze niet uitdagend gekleed. Ze had niet heel veel gedronken. Ze heeft geen strafblad. Is nooit betrapt op rijden onder invloed. Geen snelheidsboetes. Haar kredietgeschiedenis is smetteloos. Haar studieleningen zijn bijna afbetaald. Ik zal me eens in haar social media verdiepen, maar ze heeft een master in software engineering aan Georgia Tech. Waarschijnlijk heeft ze alles wat negatief is al verwijderd.'

'Tech,' zei hij. 'UGA's rivaal sinds onheuglijke tijden. Hoe sympathiek komt ze over?'

'Van wederzijdse instemming was geen sprake. Ze is verschrikkelijk toegetakeld. Tijdens de aanval zei ze heel duidelijk nee. Alleen al door de foto's kan ze op heel veel medeleven rekenen.'

Bradley knikte. 'Bewijs?'

'Een modderige schoenafdruk die overeenkomt met een Nike maat 41 die in Andrews kast is aangetroffen. Ik kan aanvoeren dat "overeenkomen met" niet hetzelfde is als "identiek aan". Er zijn verscheidene diepe bijtplekken, maar op uitstrijkjes werd geen DNA aangetroffen, en de openbare aanklager gaat er vast geen odontoloog op zetten als hij weet dat ik die hele pseudowetenschap met gemak onderuithaal.' Leigh nam even een adempauze. 'Dat colaflesje is problematischer. Andrews vingerafdruk stond op de onderkant. Zijn rechterpink. Het is een onweerlegbare, door deskundigen getoetste match, uitgevoerd door het Georgia Bureau of Investigation. Verder zitten er op de bodem van het flesje alleen nog fecessporen en het DNA van het slachtoffer. Waarschijnlijk heeft de belager handschoenen aangehad en is er een scheur bij de pink ontstaan. Of Andrew heeft die fles vóór de aanval aangeraakt. Hij is vaker in dat park geweest.'

Bradley liet dat laatste even bezinken. 'Zwakke plekken?'

'De andere kant denkt aan rohypnol, dus ik kan het op tijdelijk geheugenverlies schuiven. Karlsen had een hersenschudding, waarbij trau-matische amnesie een vaststaand gegeven is. Ik heb al twee deskundigen op stand-by die heel goed zijn met jury's.' Leigh raadpleegde haar aante-keningen. 'Wat onze kant betreft: die politiefoto's zijn weerzinwekkend. Ik kan sommige weglaten, maar zelfs de minder ernstige zien er voor Andrew niet goed uit. Ik kan de audio-identificatie van Andrews stem onderuit proberen te halen, maar zoals ik al zei, komt het beide keren heel overtuigend over. Ik heb de lijst met mogelijke getuigen van de aanklager gezien. Er is een forensisch audio-expert bij die ik zelf zou hebben inge-schakeld als zij hem niet voor m'n neus hadden weggekaapt.'

'En?'

'Over bijna al het andere is Karlsen wazig. Dat wazige kan opwegen te-gen het overtuigende, maar als het klinkt alsof ik maar half in onschuldig geloof, dan is dat ook zo.'

'Ms Collier,' zei Bradley. 'De kern graag.'

Leigh had onder de indruk moeten zijn van zijn inzicht, maar ze was woedend omdat Bradley binnen vijf minuten had gezien waar zij de hele ochtend een strategie omheen had zitten bouwen. 'Sidney Winslow is Andrews alibi voor de avond van de aanval. De jury wil haar ongetwijfeld horen.'

Bradley leunde achterover, met zijn vingertoppen tegen elkaar. 'Ms Winslow zal moeten afzien van het verschoningsrecht om te kunnen ge-tuigen, wat betekent dat Dante haar flink onder handen kan nemen. Is dat een probleem, volgens u?'

Nog even en Leigh ging tandenknarsen. Ze had Sidney willen inzetten als paard van Troje dat korte metten zou maken met Andrews leven, ter-wijl Leigh zelf buiten schot bleef. 'Dante is geen Perry Mason, maar er is maar weinig voor nodig. Of Sidney wordt kwaad en zegt iets stoms of ze probeert Andrew te helpen en zegt ook iets stoms.'

'In mijn tijd stond "iets stoms" onder ede gelijk aan meineed.'

Leigh vroeg zich af of dit bemoedigend of waarschuwend was bedoeld. Advocaten mochten geen getuigen oproepen als ze dachten dat die gin-gen liegen. Aanzetten tot meineed was een misdrijf waarop één tot tien jaar gevangenisstraf en een forse boete stond.

Bradley wachtte op haar reactie. Haar baas had een opmerking van ju-ridische aard gemaakt, die Leigh op juridische gronden weerlegde. 'Ik zal Sidney hetzelfde advies geven dat ik aan alle getuigen geef. Blijf bij de waarheid, probeer niet behulpzaam te zijn, beantwoord alleen de vragen die je gesteld worden en maak het nooit mooier dan het is.'

Bradley knikte tevreden. 'Verder nog iets wat ik moet weten?'

'Het alarm van Andrews enkelband is een aantal keren afgegaan. Telkens vals alarm, maar iemand zou kunnen beweren dat hij de reactietijden aan het testen is.'

'Dan moeten we zorgen dat niemand dat beweert,' zei Bradley, alsof Leigh er invloed op had. 'Wie staat u bij in de zaak?'

'Jacob Gaddy,' zei Leigh. 'Ik heb al een paar keer met hem samengewerkt. Hij weet veel van forensisch onderzoek. Hij is goed met getuigen.'

Bradley knikte weer, want het was algemeen gebruik om een man aan een vrouw te koppelen. 'Wie is de rechter?'

'Het was Alvarez, maar –'

'Covid.' Bradley klonk ernstig. Alvarez was van zijn generatie. 'Wanneer weet u welke rechter u krijgt?'

'Er wordt nog aan het rotatierooster gewerkt. Het is een janboel in het gerechtshof. De juryselectie is donderdag en waarschijnlijk ook vrijdag, en dan begint het proces op maandag, maar misschien wordt het ook wel opgeschoven of uitgesteld. Dat hangt af van de besmettingsgraad en of het huis van bewaring weer in lockdown gaat. Hoe dan ook, ik ben er klaar voor.'

'Is hij schuldig?'

De vraag overviel Leigh. 'Ik zie wel een weg naar onschuldig, *sir*.'

'Het is een simpel ja of nee.'

Leigh was niet van plan hem een simpel antwoord te geven. Ze was bezig een zaak te laten seponeren omdat ze daar zelf baat bij had. De grootste vergissing die criminelen konden maken, was blijk geven van overdreven zelfvertrouwen. 'Waarschijnlijk wel.'

'En de overige mogelijke zaken?'

'Er zijn overeenkomsten tussen de aanval op de drie overige slachtoffers en die op Tammy Karlsen.' Leigh wist dat ze er nu omheen draaide. Ze moest Bradley in de veronderstelling laten dat ze haar uiterste best deed Andrew onschuldig te laten verklaren. 'Als u me vraagt of hij die drie andere vrouwen heeft verkracht: waarschijnlijk. Kan Dante Carmichael het bewijzen? Zeker weet ik het niet, maar als Andrew veroordeeld wordt in de zaak-Tammy Karlsen, verandert dat "waarschijnlijk" in "zeer zeker". In dat geval gaat het er alleen nog om of hij gelijktijdig of achtereenvolgend voor de zaken berecht wordt.'

Nog steeds met zijn vingers tegen elkaar dacht Bradley weer even na. Leigh verwachtte een vraag, maar in plaats daarvan zei hij: 'In de jaren zeventig heb ik aan de zaak van de Kousenwurger gewerkt. Dat was ver voor uw geboorte. U hebt er vast nog nooit van gehoord.'

Leigh kende de zaak omdat Gary Carlton tot de beruchtste seriemoordenaars van Georgia had behoord. Hij was ter dood veroordeeld omdat hij drie oudere vrouwen had verkracht en gewurgd, maar mogelijk had hij ook talloze anderen aangevallen.

'Carlton begon niet met moorden. Daar eindigde hij wel mee, maar in een boel gevallen bracht het slachtoffer het er levend van af.' Bradley zweeg even om te zien of ze het volgde. 'Een profiler van het GBI keek naar de zaak. Dat was jaren later toen dat soort dingen in de mode raakte. Hij zei dat de meeste moordenaars een escalatiepatroon vertonen. Ze beginnen met fantaseren, en dan neemt het fantasietje het over. Gluurder verandert in verkrachter. Verkrachter wordt moordenaar.'

Leigh zei maar niet dat hij iets vertelde waar iedereen met een Netflix-abonnement achter kon komen. Ze had hetzelfde gedacht toen ze de foto's van Tammy Karlsens verkrachtingsonderzoek had gezien. Het was een beestachtige aanval geweest, en het had niet veel gescheeld of de vrouw was vermoord. Het was niet vergezocht om te stellen dat het mes ooit, misschien de volgende keer, de slagader zou openhalen, waarna het slachtoffer zou leeglopen in een plas van haar eigen bloed.

'Over die drie andere zaken,' zei ze. 'Iemand heeft heel veel moeite gedaan om ze aan Andrew te koppelen. Ik vraag me af of er achter de schermen nog meer speelt.'

'Zoals?'

'Een agent of rechercheur die aan een van de eerdere verkrachtingszaken heeft meegewerkt. Misschien wilde ze Andrew aanklagen, maar zei de officier van justitie of haar baas dat ze de zaak moest laten rusten.'

'Ze?'

'Hebt u ooit tegen een vrouw gezegd dat ze iets moest laten rusten?' Leigh zag Bradleys oren bewegen, wat bij hem voor een glimlach doorging. 'Geen baas die alle manuren zou goedkeuren die ermee gemoeid zouden zijn als die drie andere zaken erbij betrokken werden. De politie heeft momenteel nauwelijks geld voor de benzine in hun patrouillewagens.'

Bradley was een en al oor. 'Verklaar dat eens nader.'

'Op de een of andere manier, misschien door creditcardafschriften of beeldopnamen of iets waaraan we nog niet hebben gedacht, had de politie Andrew al in het vizier. Maar ze hadden niet voldoende grond voor een aanhoudingsbevel. Gezien zijn financiële middelen wisten ze dat ze maar één kans hadden om hem te verhoren.'

Bradley trok meteen de logische conclusie. 'Misschien zijn er meer aanrandingen waarvan we nog niet weten, wat betekent dat alles staat of valt met het winnen van de zaak-Karlsen.'

Leigh speelde de braniekaart helemaal uit. 'Ik hoef maar één jurylid over te halen om de zaak te breken. Dante moet er twaalf overtuigen.'

Bradley leunde nog verder achterover. Hij vouwde zijn handen achter zijn hoofd. 'Ik heb Andrews vader één keer ontmoet. Gregory senior probeerde hem af te kopen, maar uiteraard ging Waleski daar niet op in. Vreselijke man. Linda was nog haast een kind toen ze met hem trouwde. Zijn verdwijning was het beste wat haar ooit is overkomen.'

Leigh had hem kunnen vertellen dat Buddy Waleski's verdwijning voor heel veel mensen een godsgeschenk was geweest.

'Zou u Andrew laten getuigen?' vroeg hij.

'Dan kan ik beter een kogel door zijn borst jagen en de jury een uitspraak besparen.' Leigh besefte dat ze het tegen haar baas had en dat ze zichzelf van een legitiem kader moest voorzien. 'Als Andrew wil getuigen, kan ik hem niet tegenhouden, maar dan zeg ik wel dat hij in dat geval de zaak verliest.'

'Laat me eens een vraag stellen,' zei Bradley, alsof hij dat niet zojuist had gedaan. 'Vooropgesteld dat Andrew schuldig is aan die aanrandingen, hoe voelt u zich als u hem vrijpleit en hij het opnieuw doet? Of als hij de volgende keer iets nog ergers doet?'

Leigh wist welk antwoord hij verwachtte. Door dat soort antwoorden kregen mensen een hekel aan strafrechtadvocaten, tot ze er zelf een nodig hadden. 'Als Andrew vrijuit gaat, heb ik het gevoel dat Dante Carmichael zijn werk niet heeft gedaan. Het is aan de staat om schuld aan te tonen.'

'Oké.' Bradley knikte. 'Reginald Paltz. Wat vindt u van hem?'

Leigh aarzelde. Na het gesprek met Liz had ze Reggie uit haar gedachten gebannen. 'Hij is goed. Ik vind dat hij uitstekende research naar Andrew heeft verricht. Er is niets waarmee de eisende partij ons nog kan verrassen tijdens het proces. Ik zet hem op een van mijn echtscheidingszaken.'

'Wacht daar nog even mee,' beval Bradley. 'Mr Paltz heeft een exclusiviteitscontract voor de duur van het proces. Hij zit samen met Andrew in de vergaderzaal. Ik neem niet aan het gesprek deel, maar u zult merken dat hij een paar interessante dingen te melden heeft.'

8

Leigh zette zich schrap toen ze naar de vergaderzaal liep. In plaats van te anticiperen op de 'interessante dingen' die Reggie Paltz te melden had, herhaalde ze in gedachten haar Andrew-hypothese. Als jongetje had Andrew Buddy's camera achter de bar ontdekt. Na de verdwijning van zijn vader had hij Callie eindeloos de tekening van de dijbeenslagader in het leerboek zien bestuderen. Om onbekende redenen waren de twee herinneringen op zeker moment op elkaar gebotst, en nu was hij bezig zijn eigen zieke interpretatie van de moord op zijn vader te kopiëren.

Een zweetdruppel rolde over Leighs hals naar beneden. Met Andrew op nog geen zeven meter afstand leek de hypothese een stuk minder krachtig. Ze gunde hem wel heel veel eer door te denken dat hij het verband had gelegd. Er bestond niet zoiets als een misdadig meesterbrein. Leigh zag iets over het hoofd, een B die de link vormde tussen de A en de C.

Bradleys UGA-dienstmaagd kuchte even.

Leigh stond als versteend voor de dichte deur van de vergaderzaal. Ze knikte naar de vrouw en ging naar binnen.

De ruimte zag er nog hetzelfde uit, alleen waren de bloemen in de zware glazen vaas aan het verwelken. Andrew zat aan de haardkant van de vergadertafel. Een dikke gesloten dossiermap lag voor hem. Lichtblauw, niet van het soort dat op kantoor werd gebruikt. Reggie Paltz zat twee stoelen verderop. Ze herkende de situatie van hun eerdere ontmoeting. Reggie zat op zijn laptop te werken. Andrew keek fronsend op zijn telefoon. Geen van beiden droeg een mondkapje.

Toen Leigh de deur sloot, keek Andrew als eerste op. Ze zag zijn gezichtsuitdrukking van het ene op het andere moment veranderen, van geërgerd naar volslagen zielloos.

'Sorry dat ik wat later ben.' Stijfjes liep ze naar voren. Haar lichaam leek in dezelfde vecht-of-vluchtmodus te verkeren als eerder. Haar zintuigen waren aangescherpt. Haar spieren voelden gespannen. De drang om ervandoor te gaan vloeide door elke molecuul.

Om tijd te rekken zocht ze naar een pen in de beker op het dressoir, waarna ze op dezelfde plek ging zitten als twee avonden daarvoor. Ze legde haar twee telefoons plat op tafel. De enige manier om zich door het volgende uur heen te slaan, was door het zakelijk te houden. 'Wat heb je voor me, Reggie?'

Andrew gaf antwoord. 'Ik herinnerde me iets wat Tammy me aan de bar vertelde.'

Een scherpe, waarschuwende tinteling trok langs Leighs rug naar boven. 'En dat is?'

Hij liet de vraag in de lucht hangen terwijl hij aan een hoekje van de lichtblauwe dossiermap peuterde. Het *tik-tik-tik* benadrukte de stilte. Leigh schatte het dossier op ongeveer honderd bladzijden. Intuïtief wilde ze niet weten wat erin stond. Maar ze wist ook dat Andrew verwachtte dat ze ernaar zou vragen.

Ze hoorde Callies waarschuwing weer. *Je kunt geen spelletjes spelen met iemand die geen zin heeft om mee te doen.*

Leigh speelde wel degelijk mee. Met opgetrokken wenkbrauw vroeg ze: 'Wat heeft Tammy tegen je gezegd daar in de bar, Andrew?'

Weer wachtte hij een tel, toen zei hij: 'Ze is op haar zestiende verkracht en heeft abortus laten plegen.'

Leigh voelde haar neusvleugels trillen toen ze met moeite de schrik van haar gezicht weerde.

'Het gebeurde in de zomer van 2006,' vervolgde hij. 'De jongen was lid van haar debatteam. Ze waren op kamp in Hiawassee. Ze zei dat ze de baby onmogelijk kon laten komen omdat ze wist dat ze er nooit van zou houden.'

Leigh perste haar lippen op elkaar. Ze had elk frame van de film van achtennegentig minuten gezien. Op geen enkel moment had Tammy Karlsen iets anders gedaan dan luchtig babbelen en flirten.

'Je ziet de waarde van deze informatie in, neem ik aan?' Andrew keek haar strak aan. Het getik ging in hetzelfde vaste ritme door. 'Tammy Karlsen heeft al eerder een man valselijk van verkrachting beschuldigd. Ze heeft haar ongeboren kind vermoord. Denk je dat de jury ook maar een woord gelooft van wat ze zegt?'

Leigh probeerde hem aan te kijken, maar de onverhulde dreiging in zijn blik ontnam haar de moed. Het enige wat ze kon, was het spel meespelen. 'Reggie, heb je iets om dit te onderbouwen?' vroeg ze.

Het getik stopte. Andrew zweeg afwachtend.

'Ja, eh…' Reggie was de vleesgeworden leugen, en Leigh concludeerde dat hij de informatie via oneerlijke middelen had verkregen. 'Eh… Andrew vertelde me dus… dat hij zich dat herinnerde. Toen ben ik een paar van Karlsens schoolvrienden en -vriendinnen gaan opsporen. Ze bevestigden dat van de abortus. En dat ze rondbazuinde dat ze verkracht was.'

'Heb je die verhalen zwart op wit?' wilde Leigh weten. 'Zijn ze bereid te getuigen?'

Reggie schudde zijn hoofd, terwijl hij naar een punt achter haar schouder keek. 'Ze blijven liever anoniem.'

Leigh knikte, alsof ze de verklaring accepteerde. 'Dat is heel jammer.'

'Tja.' Reggie wierp een blik op Andrew. 'Maar het is wel legitiem om er Karlsen naar te vragen als ze haar getuigenis aflegt. Dan vraag je bijvoorbeeld of ze ooit abortus heeft laten plegen. Of ze ooit eerder heeft gedacht dat ze verkracht was.'

Leigh maakte korte metten met deze advocaat van de koude grond. 'Je moet een basis hebben vanwaaruit je de vragen stelt. Aangezien geen van Tammy's vrienden een eed wil afleggen, zal ik jou als getuige moeten oproepen, Reggie.'

Reggie krabde in zijn sik. Hij keek Andrew nerveus aan. 'Je kunt het ook op een andere manier aanpakken. Ik bedoel –'

'Nee, je doet het vast fantastisch,' zei Leigh. 'Loop je onderzoek eens met me door. Hoeveel vrienden van Tammy heb je gesproken? Hoe ben je ze op het spoor gekomen? Heb je met mensen van de kampleiding gesproken? Heeft Tammy een klacht ingediend bij de directie? Is er een politierapport opgesteld? Hoe heette die jongen? Hoever was ze al heen? Naar welke kliniek is ze geweest? Wie heeft haar gebracht? Weten haar ouders ervan?'

Reggie veegde met de achterkant van zijn arm over zijn voorhoofd. 'Dat is, eh… Dat zijn –'

'Wanneer je hem nodig hebt, is hij er klaar voor.' Vanaf het moment dat Leigh binnen was gekomen, had Andrew haar onafgebroken aangekeken, en ook nu verbrak hij het oogcontact niet. 'Toch, Reg?'

Het *tik-tik-tik* begon weer.

Vanaf de andere kant van de ruimte zag Leigh hoe Reggies keel zich spande. Uit zijn zwijgen maakte ze op dat zijn misdaden hem opeens dwarszaten. En 'misdaden' was hier het juiste woord. Het was privédetectives verboden met behulp van onwettige middelen informatie te verzamelen, zoals het advocaten verboden was om onwettig verkregen informatie in de rechtbank te gebruiken. Als Reggie in de getuigenbank plaatsnam, zou hij zichzelf blootstellen aan een aanklacht wegens meineed. Als Leigh hem als getuige opriep in de wetenschap dat hij ging liegen, kon zij op hetzelfde rekenen.

Andrew probeerde hen allebei te naaien waar ze bij zaten.

'Reg?' drong hij aan.

'Ja.' Weer spande Reggie zijn keel en hij slikte. 'Zeker. Op mij kun je rekenen.'

'Mooi,' zei Andrew. 'Wat is er verder nog?'

Tik-tik-tik.

'Momentje, ik moet even...' Leigh wees op haar onbeschreven blocnote. De pen klikte. Ze begon onzin op te schrijven om Andrew in de waan te laten dat ze serieus overwoog om zich te laten schorsen en achter de tralies te verdwijnen.

In elk geval snapte ze nu waarom Cole Bradley niet bij de vergadering aanwezig was. De gladde gluiperd wilde zich niet aan vervolging blootstellen, maar hij had er geen enkel probleem mee Leigh dat risico te laten lopen. Hij had haar zelfs op de proef gesteld, zojuist op zijn kamer, door te vragen of ze er moeite mee had om Sidney meineed te laten plegen in de getuigenbank. Nu moest ze haar schaduwzaak tegen Andrew uitwerken, plus de lopende zaak, plus een of andere circusact opvoeren die Cole Bradley van haar verwachtte.

'Oké.' Het kostte Leigh grote moeite om Andrew aan te kijken. 'Laten we beginnen met je verschijning voor de rechtbank. Allereerst hoe je je presenteert. Wat je aantrekt, hoe je je gedraagt. Je moet bedenken dat potentiële juryleden je tijdens *voir dire* nauwlettend observeren. Heb je vragen over de procedure?'

Het getik was weer gestopt. In Andrews houding was iets waarschuwends geslopen. 'Voir dire?' vroeg hij uiteindelijk.

Leigh viel terug in advocatenmodus en stak haar vaste verhaal af. 'Voir dire is het proces waarbij elke partij gegadigden voor de jury mag ondervragen. Doorgaans wordt een groep van vijftig willekeurige mensen geselecteerd. We worden in de gelegenheid gesteld om ieder van hen te ondervragen. Bijvoorbeeld naar vooringenomenheid, achtergrond, kwalificaties. Op die manier kunnen we achterhalen wie volgens ons geneigd is onze kant te kiezen – of juist niet.'

'Hoe komen we daarachter?' Andrew had haar ritme doorbroken. Ze wist dat hij het met opzet had gedaan. 'Stel dat ze liegen?'

'Goeie vraag.' Leigh slikte even. Zijn stem was nu anders, zachter maar nog steeds met een laag register, net zoals Tammy had beschreven. 'Alle juryleden moeten een vragenlijst invullen, die we van tevoren mogen inzien.'

'Mogen we onderzoek naar ze doen?' vroeg Andrew. 'Reggie kan –'

'Nee, daar hebben we geen tijd voor en het werkt alleen maar averechts.' Eén blik op Reggie en Leigh wist dat hij vierkant achter Andrew stond. Ze probeerde hen weg te houden van het zoveelste plan om het systeem te manipuleren. 'Wanneer toekomstige juryleden hun verklaring afleggen, staan ze onder ede. Ze moeten eerlijk zijn, en rechters geven je heel veel ruimte om naar mogelijke botsende belangen te zoeken.'

'Jullie moeten echt een juryconsulent inschakelen,' zei Reggie.

'Daar hebben we het al over gehad.' Andrew hield zijn aandacht op Leigh gericht. 'Wat voor vragen ga je stellen?'

Leighs innerlijke alarmbel ging af, maar ze noemde wat mogelijkheden. 'Eerst stelt de rechter een aantal algemene vragen, bijvoorbeeld of hij of zij of een familielid ooit het slachtoffer is geweest van een geweldsmisdrijf. Of hij of zij al of niet tot onpartijdigheid in staat is. Vervolgens gaat het over opleiding, werkervaring, clubs of organisaties waar zo iemand lid van is, tot welke kerk hij of zij behoort, of er een band bestaat tussen het jurylid en betrokkenen bij de zaak, of het jurylid bereid is expliciete details aan te horen over seksueel geweld, of het jurylid ooit zelf slachtoffer van seksueel geweld is geweest.'

'Juist ja,' zei Andrew. 'Moeten ze daar iets over zeggen? Als ze denken dat ze zelf aangerand zijn?'

Leigh schudde haar hoofd. Ze wist niet welke kant dit op ging. 'Soms.'

'En zeg je daarmee dat we dat soort mensen wel of niet in de jury willen?'

'Het…' Haar keel was weer droog. 'We mogen wraken, en –'

'De beste strategie is volgens mij om de details boven water te krijgen.

Bijvoorbeeld hoe oud zo iemand was toen het gebeurde, of het kindermisbruik was of…' Hij zweeg even. 'Sorry, maar is er verschil tussen seksuele handelingen met bijvoorbeeld een tiener en die met een volwassene?'

Leigh kreeg er geen woord uit. Ze kon alleen nog naar zijn mond kijken. Tammy Karlsen had de spottend opgetrokken mondhoek achter de bivakmuts genoemd. Nu genoot hij zichtbaar van het feit dat Leigh zich geen raad wist.

'Want het lijkt me,' ging hij verder, 'dat iemand die als tiener een bepaalde seksuele ervaring heeft gehad, niet zo snel zal denken dat een iets uit de hand gelopen seksuele ervaring op volwassen leeftijd heel erg is.'

Leigh beet op haar lip om hem niet van repliek te dienen. Helemaal niets aan dit alles was 'iets uit de hand gelopen'. Tammy was bijna aan stukken gereten. Andrew had precies geweten wat hij deed.

'Om over na te denken.' Hij haalde zijn schouders op, maar zelfs dat gebaar was strak geregisseerd. 'Jij bent de expert. De beslissing is aan jou.'

Leigh stond op. Ze liep naar het dressoir. Achter het kastdeurtje was een minikoelkast. Ze haalde er een flesje water uit. 'Dorst?' vroeg ze aan Andrew.

Voor het eerst vlamde er licht op achter zijn ogen. Zijn opwinding was bijna tastbaar, als die van een roofdier dat een prooi besloop. Hij zwolg in haar onbehagen, wentelde zich in haar angst.

Leigh keerde hem haar rug toe. Haar handen trilden zo hevig dat ze nauwelijks in staat was de dop van het flesje te draaien. Ze nam een lange teug, waarna ze weer ging zitten en zich terugtrok in de geborgenheid van haar goed ingestudeerde verhaal.

'Zoals ik dus zei, krijgen we een specifiek aantal wrakingen toebedeeld waarmee we juryleden kunnen afwijzen, sommige om een gegronde reden, andere omdat mensen ons simpelweg niet aanstaan. De aanklager krijgt hetzelfde aantal. Uiteindelijk hebben we dan twaalf juryleden en twee plaatsvervangers voor je proces.' Bij het laatste woord kwam Leigh adem tekort. Ze kuchte om haar zenuwen te verhullen. 'Sorry.'

Andrew nam haar op met een blik als een donderwolk toen ze weer een slok uit de fles nam.

'Een van onze junioren, Jacob Gaddy, zal me bijstaan tijdens de zitting. Hij gaat over het papierwerk en bepaalde procedurele details. Ik zal hem enkele getuigen laten verhoren. Tijdens het proces zit ik rechts van je en

Jacob links. Ook hij is je advocaat, dus als je vragen of opmerkingen hebt terwijl ik getuigen verhoor, kun je je tot Jacob richten.'

Andrew zweeg.

Ze ging door. 'Tijdens voir dire zullen alle potentiële juryleden je nauwlettend observeren. Op dat moment kun je de zaak al winnen of verliezen, dus je moet je zo goed mogelijk presenteren. Net kapsel, schone nagels, gladgeschoren. Zorg dat je minstens vier schone pakken klaar hebt liggen. Ik verwacht dat het proces drie dagen duurt, maar je kunt maar beter voorbereid zijn. Draag elke dag hetzelfde type mondkapje. Dat van gisteren, van het autobedrijf, is prima.'

Reggie ging verzitten.

Leigh dwong hem tot zwijgen door tegen Andrew te zeggen: 'De rechter geeft je waarschijnlijk de optie om je mondkapje af te doen zodra het proces begint. Tegen die tijd kunnen we de regels daarover nog eens doornemen. Probeer zo neutraal mogelijk te kijken. Je moet de jury laten zien dat je respect hebt voor vrouwen. Dus als ik het woord voer, moet je naar me luisteren. Je trekt mijn stoel naar achteren, draagt eventuele dozen –'

'Maakt dat geen verkeerde indruk?' Reggie koos dat moment uit om ook iets aan de verdediging bij te dragen. 'Sommige juryleden zouden kunnen denken dat Andy een toneelstukje opvoert, toch? Dus waar jij het over hebt, dat nette pak en het gladde kapsel, dat kan de jury ook tegen hem innemen.'

'Moeilijk te zeggen.' Leigh haalde haar schouders op, maar ze vroeg zich af wat Reggie bewoog. Chantage kon het niet zijn. In dat geval zou hij zijn mond wel hebben gehouden en Andrew hebben laten branden in ongeacht welk vuur Leigh voor hem aanstak. Dan moest het geld zijn. Reggie had ermee ingestemd meineed te plegen in de getuigenbank. Hij wist dat hij daarmee alles kon verliezen, van zijn vergunning tot zijn vrijheid. Op een dergelijk risico moest wel een zeer hoge prijs staan.

'Dit is jouw proces,' zei ze tegen Andrew. 'Het is aan jou. Ik kan alleen maar aanbevelingen doen.'

Reggie probeerde een nieuwe strikvraag. 'Zou jij hem laten getuigen?'

'Daar gaat hij zelf over,' antwoordde Leigh. 'Maar als je het mij vraagt: nee. Hij komt waarschijnlijk niet goed over. Vrouwen mogen hem niet.'

Reggie bulderde van het lachen. 'Die gast kan niet door een bar lopen zonder dat ieder wijf daar hem haar nummer geeft.'

Nu richtte Leigh haar volle aandacht op Reggie. 'Vrouwen in bars zijn op zoek naar een redelijk schone man met een goede baan die twee woorden achter elkaar kan zeggen zonder op zijn bek te gaan. Vrouwen in jury's hebben een andere agenda.'

Nu werd Reggie openlijk strijdlustig. 'Zoals?'

'Mededogen.'

Daar had Reggie niets op te zeggen.

Andrew evenmin.

Zijn zwijgen vrat aan haar zenuwen. Leigh keek naar hem, maar door een waas om zijn gezicht niet te hoeven zien. Hij zat naar achteren geschoven op zijn stoel, met rechte rug en zijn hand op het dossier, maar elke vezel in zijn lijf leek klaar om toe te slaan. Ze zag hoe hij zachtjes over een hoekje van de lichtblauwe map streek en de rand uit elkaar peuterde. Hij had grote handen, net als zijn vader. Het gouden horloge dat losjes om zijn pols hing, deed haar denken aan het horloge dat Buddy altijd om had gehad.

'Oké,' zei Andrew. 'Dat is voir dire. Maar nu het proces.'

Leigh maakte haar blik los van zijn hand. Met moeite herpakte ze zich. 'De aanklager begint met het vaststellen van een tijdpad. Terwijl hij zijn pleidooi voert, hou je je mond, je schudt niet met je hoofd en geeft niet via allerlei geluiden te kennen dat je het niet gelooft of van mening verschilt. Als je vragen voor mij hebt, of opmerkingen, schrijf je die op een blocnote, maar houd het beperkt.'

Andrew knikte, maar ze wist niet of ook maar iets van dit alles ertoe deed. Hij speelde met haar, peuterde aan haar randen zoals hij dat ook met de map deed. 'Hoe stelt de aanklager het tijdpad vast?'

Leigh schraapte haar keel. 'Hij neemt die avond in de bar met de jury door. Als getuigen roept hij de barkeeper en de parkeerbedienden op, en vervolgens de man met de hond die het slachtoffer in het park aantrof. Daarna is de eerste agent ter plaatse aan de beurt, dan het ambulancepersoneel, dan de verpleegkundigen en de arts die het verkrachtingsonderzoek hebben uitgevoerd, de rechercheur die –'

'En Tammy?' vroeg Andrew. 'Ik heb van Reggie begrepen dat het jouw taak is om haar te vernietigen. Ben je daar klaar voor?'

Er was iets veranderd. Leigh herkende het verontrustende gevoel van de vorige dag toen haar vluchtmodus in de hoogste versnelling was geschoten. Ze probeerde te doen alsof ze niet doorhad wat hij tussen de regels door zei. 'Ik ben klaar voor mijn taak.'

'Goed.' Andrew balde en ontspande zijn vuist. 'Allereerst laat je zien dat Tammy zich agressief naar mij opstelde in de bar. Je kunt erop wijzen dat ze op de film steeds mijn been en mijn hand aanraakt. Op zeker moment raakt ze zelfs de zijkant van mijn gezicht aan.'

Leigh zweeg, tot ze besefte dat Andrew een reactie verwachtte. Ze pakte haar pen en hield die gereed. 'Ga door.'

'Ze dronk drie glazen in twee uur. Dubbele gin-martini's. Ze raakte aangeschoten.'

Leigh knikte dat hij moest doorgaan, terwijl ze elk woord vastlegde. Ze had uren verspild met het uitwerken van een schaduwstrategie om zijn zaak onderuit te halen. Andrew was duidelijk bereid het zware werk voor haar te doen.

'Ga door,' zei ze.

'Toen we bij de parkeerbedienden stonden, greep ze mijn nek en gaf me een kus die tweeëndertig seconden duurde.' Andrew zweeg even, als om haar tijd te geven. 'En uiteraard gaf ze me haar visitekaartje, dat ik nog steeds heb. Ik heb niet om haar nummer gevraagd. Dat heeft ze me zelf gegeven.'

Weer knikte Leigh. 'Dat zal ik zeker benadrukken tijdens het kruisverhoor.'

'Mooi.' Andrews stem had nu een scherp randje. 'De jury moet ervan doordrongen zijn dat ik die avond geen gebrek had aan kansen op seks. Reggie heeft het misschien wat bot gezegd, maar hij heeft gelijk. Geen vrouw aan die bar die niet met me naar huis zou zijn gegaan.'

Leigh kon hem niet te veel ruimte laten. Reggie was geen collega van haar. Cole Bradley zou een geloofwaardig verweer van haar verwachten. 'En stel dat de aanklager zegt dat verkrachting niet over seks gaat, maar over macht?'

'Dan leg jij uit dat het me in mijn leven niet aan macht ontbreekt,' zei Andrew. 'Ik kan alles doen wat ik wil. Ik woon in een huis van drie miljoen. Ik heb de luxeauto's voor het uitkiezen. Ik heb onze familiejet tot mijn beschikking. Ik jaag niet achter vrouwen aan. Vrouwen jagen achter míj aan.'

Leigh knikte ter aanmoediging, want zijn arrogantie was haar grootste troef. Andrew had het verkeerde deel van Atlanta uitgekozen voor zijn wandaden. De jurypool zou worden betrokken uit geregistreerde kiezers uit DeKalb County, waarvan de bevolking demografisch gezien vooral uit politiek actieve mensen van kleur bestond. Die waren niet geneigd een rijke witte klootzak zoals Andrew Tenant het voordeel van de twijfel te gunnen. En Leigh was niet geneigd hen op andere gedachten te brengen.

'En verder?' vroeg ze.

Andrew kneep zijn ogen samen. Zoals bij elk roofdier stonden zijn zintuigen scherp afgesteld. 'Je bent het er vast mee eens dat het benadrukken van Tammy's onsmakelijke verleden ons beste actieplan is?'

Reggie bespaarde haar een antwoord. 'Het is een kwestie van "toen zei hij en toen zei zij", toch? De enige manier om terug te vechten is ervoor te zorgen dat de jury de pest aan haar krijgt.'

Leigh was niet van plan een afgestudeerde aan de Twitter-faculteit der Rechten openlijk tot de orde te roepen. 'Er komt iets meer nuance bij kijken.'

'Nuance?' herhaalde Reggie in een duidelijke poging zijn honorarium te rechtvaardigen. 'Wat betekent dat nou weer?'

'Een subtiel verschil of onderscheid.' Leigh temperde haar sarcasme. 'Over het algemeen betekent het dat je heel voorzichtig te werk moet gaan. Tammy maakt ongetwijfeld een buitengewoon sympathieke indruk.'

'Niet als je erbij vertelt dat ze op de middelbare school bijna het leven van een jongen heeft verwoest,' zei Reggie. 'En daarna zijn kind heeft vermoord.'

Leigh schoof de hoop stront terug op zijn schoot. 'Echt, Reggie, alles hangt af van jouw getuigenis. Dan mag er niets op je aan te merken zijn.'

Reggies mond viel open, maar Andrew legde hem met opgestoken hand het zwijgen op.

'Ik wil graag een kop koffie,' zei hij tegen zijn schoothondje. 'Zwart met suiker.'

Reggie stond op. Hij liet zijn laptop en telefoon op tafel liggen. Strak voor zich uit kijkend liep hij langs Leigh. Ze hoorde een *klik*, maar wist niet of het de deur was die dichtviel of Andrew die met zijn vinger aan een hoekje van het dossier peuterde.

Hij wist dat er iets was misgegaan, dat hij op zeker moment op de een of andere manier de controle was kwijtgeraakt.

Leighs enige gedachte was dat ze sinds hun gesprek op het parkeerterrein niet meer alleen met hem was geweest. Ze keek naar de pen die voor haar op tafel lag. Ze stelde een inventaris op van de voorwerpen in de ruimte. De trofeeën op het dressoir. De zware glazen vaas met de verlepte bloemen. De harde rand van haar telefoonhoes. Ze konden stuk voor stuk als wapen dienen.

Weer zocht ze haar toevlucht tot veilig terrein, namelijk de rechtszaak. 'We moeten het hebben over –'

Andrew sloeg met zijn vuist op het dossier.

Onwillekeurig schrok Leigh op. Intuïtief hief ze haar armen, in de volle verwachting dat Andrew zou exploderen, dat hij op haar af zou stappen om haar aan te vallen.

In plaats daarvan schoof hij met zijn gebruikelijke ijzige kalmte het dossier over de tafel.

Ze zag de blaadjes opfladderen toen de map over het gewreven hout gleed en een paar centimeter van haar blocnote tot stilstand kwam. Ze liet haar defensieve houding varen. Ze herkende het goudkleurige zegel van het Georgia Institute of Technology. Zwarte letters markeerden het dossier als afkomstig van de afdeling geestelijke gezondheidszorg voor studenten. Op de tab stond KARLSEN, TAMMY LYNNE.

Leighs innerlijke alarmbel begon zo luid te rinkelen dat ze zichzelf nauwelijks kon horen denken. De wet die garandeerde dat alle medische gegevens vertrouwelijk bleven, viel onder het ministerie van Volksgezondheid en Sociale Zaken. Schendingen werden onderzocht door het bureau voor burgerrechten, en als er criminele handelingen werden ontdekt, kwamen die bij het ministerie van Justitie terecht en werd tot vervolging overgegaan.

Een federale wet. Een federale aanklager. Een federale gevangenis.

Om tijd te rekken vroeg ze: 'Wat is dit?'

'Informatie,' was zijn antwoord. 'Ik wil dat je die rapporten van kaft tot kaft doorneemt en dat je, als de tijd rijp is, elk detail dat erin staat gebruikt om Tammy Karlsen kapot te maken in de getuigenbank.'

De alarmbel werd luider. De medische status leek een origineel document, wat betekende dat Reggie had ingebroken op een beveiligde locatie in Georgia Tech, een staatsinstituut dat dreef op federale dollars, of dat hij iemand op het kantoor had betaald om het dossier voor hem te stelen. De lijst van misdrijven achter de diefstal of ontvangst van gestolen eigendom was bijna te lang om te overzien.

En als Leigh gebruikmaakte van het gestolen goed, kon ze als medeplichtig worden aangemerkt.

Ze legde de pen langs de rand van haar blocnote. 'Dit is niet *A Few*

Good Men. Die scène met Jack Nicholson waar jij en Reggie op afkoersen, kan ervoor zorgen dat de jury zich compleet tegen me keert. Dat ze me voor een doorgedraaide heks aanzien.'

'En?'

'En,' zei Leigh. 'Je moet goed begrijpen dat ik jóú vertegenwoordig als ik in de rechtszaal ben. Wat er over mijn lippen komt, hoe ik me gedraag, de toon die ik aansla, dat alles helpt de jury zich een mening te vormen over het soort man dat jij in wezen bent.'

'Dus jij pakt Tammy aan en dan sta ik op en zeg dat je moet stoppen,' zei Andrew. 'Zo laat je niets heel van haar geloofwaardigheid en ben ik de held.'

Andrew besefte niet hoe graag Leigh dat zou willen. De rechter zou het proces waarschijnlijk nietig verklaren en Leigh liep kans van de zaak te worden getrapt.

'Is dat een goede strategie?' wilde Andrew weten.

Hij stelde haar weer op de proef. Hij kon teruggaan naar Cole Bradley en vragen of die zijn gewicht in de schaal wilde leggen, en dan zou Leigh niet alleen met een woedende psychopaat te maken hebben, maar ook op zoek moeten naar een nieuwe baan.

'Het is "een" strategie,' zei ze.

Andrew glimlachte, maar zonder enige zelfgenoegzaamheid. Hij maakte duidelijk dat hij wist wat ze van plan was, maar dat het hem niet deerde.

Haar hart sloeg over.

Waarom deerde het hem niet? Hield Andrew iets achter wat nog af-schuwelijker was dan het stelen van Tammy Karlsens intiemste therapie-gegevens? Had hij een strategie waarnaar Leigh niet kon gissen? Ze dacht weer aan de waarschuwing van Cole Bradleys Netflix-rechercheur.

Gluurder verandert in verkrachter. Verkrachter wordt moordenaar.

Andrews glimlach werd nog breder. Voor het eerst sinds ze hem had ontmoet, leek hij het echt naar zijn zin te hebben.

Leigh verbrak het oogcontact vóór haar vecht-of-vluchtmodus haar het gebouw uit dreef. Ze keek op haar blocnote en sloeg een nieuwe blad-zij op. Weer moest ze haar keel schrapen voor ze kon praten. 'We zou-den –'

Op dat moment kwam Reggie terug. Zijn voetstappen sleepten over de grond toen hij met een dampende beker koffie naar Andrew liep. Nadat hij de beker voor hem had neergezet, liet hij zich met een plof op zijn stoel zakken. 'Wat heb ik gemist?'

'Nuance.' Andrew nam een slok. Hij trok een scheef gezicht. 'Verdomd heet.'

'Het is koffie,' zei Reggie, die verstrooid op zijn telefoon keek.

'Ik kan er niet tegen als ik mijn mond brand.' Andrew keek Leigh weer aan om duidelijk te maken dat zijn woorden voor haar waren bestemd. 'En dan doe je je mondkapje voor en heb je het gevoel dat je geen adem krijgt.'

'Echt kut.' Reggie luisterde niet echt, maar Leigh des te beter.

Het was alsof ze gevangenzat in een trekstraal. Andrew deed precies wat hij de vorige dag had gedaan: hij had haar gelokt tot hij haar in het vizier had gekregen, had zachte druk op haar zwakke plekken uitgeoefend tot hij een manier had gevonden om haar te breken.

'Ik zal je vertellen hoe het voelt,' zei hij. 'Net als... Hoe heet dat spul ook alweer? Wikkelfolie? Plasticfolie?'

Abrupt stokte Leighs adem.

'Ken je dat gevoel?' vroeg Andrew. 'Alsof iemand een rol plasticfolie uit de keukenla pakt en die zes keer om je gezicht wikkelt?'

Braaksel stroomde Leighs mond in. Ze klemde haar kaken op elkaar. Ze proefde de bittere restanten van haar lunch. Voor ze het doorhad, ging haar hand al naar haar mond.

'Gast,' zei Reggie. 'Wat een bizar beeld.'

'Het is vreselijk,' zei Andrew, terwijl zijn donkere, gevoelloze ogen iets oplichtten.

Half stikkend drong Leigh het braaksel terug. Het kloppen van haar maag ging gelijk op met haar hartslag. Het was te veel. Ze kon het niet allemaal verwerken. Ze moest weg, rennen, zich verstoppen.

'Ik...' Haar stem haperde. 'Ik denk dat we genoeg hebben voor vandaag.'

'Zeker weten?' vroeg Andrew.

Daar was dat lachje weer. Die zachte, maar lage stem. Hij voedde Leighs angst zoals hij ook die van Tammy Karlsen had gevoed.

De ruimte kantelde. Leigh werd licht in haar hoofd. Ze knipperde met haar ogen. Het gevoel dat ze uit haar lichaam was getreden nam het over, zond haar ziel het firmament in, terwijl haar lichaam de simpele handelingen verrichtte waardoor ze zich uit zijn klauwen kon bevrijden. Met haar linkerhand sloot ze de blocnote, met haar rechterduim klikte ze op de pen. Toen legde ze haar twee telefoons op elkaar, draaide zich op wankele benen om en wilde vertrekken.

'Harleigh!' riep Andrew.

Met moeite keerde ze zich weer naar hem toe.

Zijn laatdunkende lach was overgegaan in een vergenoegde grijns. 'Vergeet het dossier niet.'

9

Scrollend door *National Geographic* las Callie over de manenrat, die langs de schors van de oepasboom streek om dodelijk gif op te slaan in de stekelvarkenachtige haren op zijn rug. Dokter Jerry had haar voor het beest gewaarschuwd toen ze aan het eind van de dag het geld in de lade van de kassa telden. Als hij al zag dat er meer verfrommelde twintigdollarbriefjes waren dan gewoonlijk, zweeg hij erover. Hij leek vooral bang te zijn dat Callie ooit een uitnodiging voor een etentje bij het stekelige knaagdier zou accepteren.

Met de telefoon op haar schoot keek ze uit het raam van de bus. Haar hele lijf deed pijn, zoals altijd wanneer haar brein aangaf dat de twee dagelijkse onderhoudsdoses methadon niet genoeg waren. Ze probeerde het smachten te negeren door zich op de zon te concentreren, die door de toppen van de langstrekkende bomen flitste. Er hing regen in de lucht. Binx zou willen knuffelen. Dokter Jerry had Callie overgehaald om bij wijze van bonus een briefje van twintig aan te nemen. Dat kon ze aan Phil geven als aanbetaling op de huur van de volgende week en misschien kon ze er iets te eten van kopen voor die avond, maar ze kon ook bij de volgende halte uitstappen, terugkeren naar Stewart Avenue en een hoeveelheid heroïne inslaan waar Janis Joplin nog van zou schrikken.

De bus kwam langzaam en piepend voor een stoplicht tot stilstand. Callie draaide zich om en keek door het achterraam. Toen keek ze naar de rij auto's naast de bus.

Slechts een handvol 'witte gasten', maar geen van hen reed in een 'gave bak'.

Nadat Callie die ochtend uit haar moeders huis was geglipt, had ze twee verschillende buslijnen naar de kliniek van dokter Jerry genomen. Ze was een halte eerder uitgestapt om het lange, rechte stuk naar de kliniek lopend af te leggen. Zo kon ze goed zien of ze gevolgd werd. Toch slaagde ze er niet in het gevoel van zich af te schudden dat ze zich maar hoefde om te draaien om in het starre oog van de camera te kijken die elke stap van haar vastlegde.

Ze herhaalde nog maar eens de mantra die haar de dag door had geholpen. Niemand hield haar in de gaten. Niemand had haar gefotografeerd door de vensterruiten aan de voorkant van de dierenkliniek. Ze werd bij Phils huis niet opgewacht door de man met de camera uit het dichtgetimmerde huis.

Reggie.

Callie moest Andrews privédetective eigenlijk bij zijn naam noemen, in elk geval in gedachten. Ook moest ze Leigh over hem vertellen, er misschien een grappig verhaal van maken over Phil die met haar honkbalknuppel de straat over was gestormd en hem de stuipen op het lijf had gejaagd, maar alleen al de gedachte dat ze haar zus een bericht zou sturen, waarop ze dan weer kon antwoorden, was vermoeiend.

Ook al vond Callie het nog zo fijn om Leigh weer in haar leven te hebben, de keerzijde was dat ze haar eigen ellendige bestaan dan door de ogen van haar zus zag. At Callie wel genoeg? Gebruikte ze soms te veel drugs? Waarom was ze zo mager? Waarom ademde ze zo moeizaam? Zat ze weer in de problemen? Had ze geld nodig? Was dit te veel geld? Waar had ze de hele dag uitgehangen?

Nou, nadat ik mama op mijn stalker had losgelaten, ben ik via de achtertuin naar buiten geglipt en heb de bus genomen, toen ben ik dope gaan dealen op Stewart Avenue, toen heb ik de opbrengst naar dokter Jerry gebracht, toen ben ik naar een zonnestudio gegaan om te kunnen spuiten in de beslotenheid van een kleine, raamloze ruimte in plaats van terug te keren naar de deprimerende slaapkamer uit mijn kindertijd, waar iemand met een telelens kon vastleggen dat ik weer een naald in mijn been ramde.

Callie wreef over haar bovenbeen. Een pijnlijke bobbel drukte tegen haar vingers. Ze voelde de brandende warmte van een zwellend abces in haar dijbeenader.

Theoretisch was methadon bedoeld om via het spijsverteringskanaal het lichaam weer te verlaten. De spuiten die ze in de kliniek aan de baasjes van hun patiënten meegaven hadden geen naald, want die baasjes waren niet eens in staat hun dieren op een gezond gewicht te houden, laat staan dat ze een naald in hun pluizenbol konden duwen.

Orale medicatie begon pas na enige tijd te werken; daarom duurde het even voor de gebruikelijke euforie toesloeg. Het spul in je aderen spuiten was godsgruwelijk stom. De orale suspensie bevatte glycerine, smaak- en kleurstoffen en sorbitol, die allemaal moeiteloos werden afgebroken in je maag. Als je het in je bloedbaan spoot, bestond de kans dat deeltjes rechtstreeks naar je longen en hart werden getransporteerd of dat er een blokkade ontstond op de plek van de injectie, wat het soort akelige abces tot gevolg had dat Callie voelde groeien onder haar vingertoppen.

Stomme junk.

Er zat niets anders op dan te wachten tot het groot genoeg was om het leeg te knijpen en dan wat antibiotica te stelen uit de medicijnkast. Dan kon ze gelijk nog wat methadon pikken en nog wat methadon injecteren en weer een abces krijgen dat leeggeknepen moest worden, want wat was haar leven anders dan een reeks extreem slechte keuzes?

Het probleem was dat de meeste intraveneuze drugsgebruikers niet alleen verslaafd waren aan de drug. Ze waren ook verslaafd aan het hele spuitproces. Je zou dit een naaldfixatie kunnen noemen, en Callie was zo gefixeerd op de naald dat ze zelfs nu, met haar vingers op wat hoogstwaarschijnlijk een laaiende infectie zou worden, alleen maar kon denken aan hoe heerlijk het zou zijn als de naald door het abces prikte op zijn weg naar haar dijbeenader.

Waarom dat haar weer aan Leigh deed denken was iets wat haar biografen mochten uitpluizen. Callie klemde de telefoon in haar hand nog steviger vast. Eigenlijk moest ze haar zus bellen. Eigenlijk moest ze haar laten weten dat alles oké was.

Maar was dat wel zo?

In de zonnestudio was Callie zo dom geweest om haar hele naakte zelf in de spiegel te bekijken. In de blauwe gloed van de ultraviolette lampen hadden haar ribben uitgestoken als baleinen in een korset. Ze kon het ellebooggewricht zien waarmee spaakbeen en ellepijp aan het opperarmbeen waren verbonden. Haar heupen leken op een broekhanger waar iemand haar benen aan had vastgeklikt. Er liepen rode, paarse en blauwe sporen over haar armen, buik en benen. Afgebroken naaldpunten die chirurgisch verwijderd waren. Oude abcessen. Het nieuwe dat nu in haar been begon. Littekens van eigen makelij, littekens die door anderen waren toegebracht. Een rozige bobbel in haar hals waar de artsen in het Grady een centraal veneuze katheter in haar halsader hadden ingebracht voor de medicatie tegen haar covid.

Callie ging zachtjes met haar vinger over het kleine litteken. Ze was ernstig uitgedroogd geweest toen Leigh haar naar de spoedeisende hulp had gebracht. Haar nieren en lever hadden het al bijna begeven. Na bijna twintig jaar drugsgebruik waren haar aderen naar de knoppen. Doorgaans was Callie een kei in het verdringen van de onaangename momenten in haar leven, maar ze wist nog heel goed hoe hevig ze had liggen rillen in dat ziekenhuisbed, hoe ze door de slang had geademd die door haar keel was geduwd en hoe de in een ruimtepak gestoken verpleegkundige die de lakens kwam verschonen naar adem had gehapt bij het zien van Callies gehavende lijf.

Op de covidfora stonden allerlei berichten over hoe het voelde om geïntubeerd te worden als je alleen en geïsoleerd op de IC lag, terwijl de wereld voortdenderde, blind voor je leed, dat door sommigen zelfs ontkend werd. De meeste mensen hadden het over spookbezoekjes van familieleden die al heel lang dood waren of over gekmakende nummers zoals 'Wake Me Up Before You Go-Go' die eindeloos in hun hoofd hadden gegalmd, maar voor Callie was er één moment dat haar bijna de volle twee weken had vergezeld…

Tik-tik-tik.

Trevors groezelige vingertjes die de nerveuze slijmvisjes bedreigden.

Trev, tik je nou toch op het aquarium, ook al zei ik dat het niet mocht?

Nee, hoor.

Zacht sissend gleed de bus naar een nieuwe halte. Callie zag passagiers in- en uitstappen. Ze mocht van zichzelf heel even aan de man denken die Trevor Waleski geworden was. Ze had in haar leven de nodige verkrachters gekend. Jezus, al in de brugklas was ze op een van hen verliefd geworden. Uit Leighs beschrijving maakte ze op dat Andrew niet groot en onbehouwen was, zoals zijn vader. Dat zag je ook aan zijn foto op de website. Buddy's enige kind had niets van de gluiperige, boze gorilla. Andrew deed haar eerder aan een sterrenkijker denken, een vis die zich in het zand ingroef om zijn prooi te verschalken. Zijn kwaadaardige reputatie was meer dan verdiend, zou dokter Jerry zeggen. De vis had giftige stekels om zijn prooi mee te doden. Sommige hadden ook vreemde, geëlektrificeerde oogbollen waarmee ze nietsvermoedende ongewervelden op de zeebodem een schok konden toebrengen.

Leigh was de vorige avond zonder meer geschokt geweest. Andrew had haar de stuipen op het lijf gejaagd tijdens de bijeenkomst met Reggie Paltz. Callie wist precies wat haar zus bedoelde met die kille, dode blik in zijn ogen. Toen Andrew klein was, had ze zijn ontluikende gestoordheid soms zien opflitsen, maar destijds gingen zijn vergrijpen niet verder dan snoep stelen en in haar arm knijpen als ze aan het koken was, en waren ze van heel andere aard dan het sadistisch verkrachten van een vrouw en het openhalen van haar been, zoals Callie bij Buddy had gedaan.

Ze huiverde toen de bus optrok en wegreed van de stoep. Ze verdrong haar gedachten aan Andrews huidige wandaden en concentreerde zich weer volledig op Leigh.

Het was pijnlijk om haar grote zus zo te zien stuntelen, want Callie wist dat Leigh niets zo erg vond als het gevoel de controle kwijt te zijn. Alles in het leven van haar zus paste keurig in een vakje. Maddy, Walter en Callie. Haar baan. Haar cliënten. Haar vrienden op het werk. De mannen met wie ze vreemdging. Als dingen door elkaar gingen lopen, raakte Leigh in paniek. Haar neiging om de beuk erin te gooien was op zijn sterkst wanneer ze zich kwetsbaar voelde. De enige die behalve Callie in staat was haar tot rede te brengen was Walter.

Arme Walter.

Callie hield bijna evenveel van haar zwager als haar zus zelf. Hij was veel taaier dan hij leek. Walter had een eind aan hun huwelijk gemaakt, niet Leigh. Er was een grens aan het aantal keren dat je de ander de zelf-gekozen vernieling in kon zien gaan. Daarna vertrok je. Callie ging ervan uit dat Walters jeugd met twee drankzuchtige ouders hem had geleerd dat hij soms zijn verlies moest nemen. Daardoor had hij ook veel begrip voor haar situatie. En begreep hij nog beter hoe Leigh in elkaar stak.

Callie mocht dan een naaldfixatie hebben, Leigh had een chaosfixa-tie. Haar grote zus wilde niets liever dan de gewone alledaagsheid van een leven met Walter en Maddy, maar telkens als ze in rustiger vaarwater terecht was gekomen, vond ze weer een manier om de hele zaak op te blazen.

In de loop van de jaren had Callie dat patroon zich tientallen keren zien herhalen. Het was begonnen op de basisschool toen Leigh op de no-minatie had gestaan voor een plek op een zogenoemde magneetschool voor talentvolle leerlingen, maar haar plaatsing had verknald omdat ze een meisje te grazen had genomen dat Callie had geplaagd met haar haar.

Op de middelbare school was Leigh in aanmerking gekomen voor speciale colleges op de universiteit, maar toen was ze betrapt bij het doorsnijden van de autobanden van haar vuilak van een baas en had ze twee maanden in de jeugdgevangenis gezeten. En dan was er nog die geweldsexplosie met Buddy krap een maand voor ze in Chicago werd verwacht, hoewel Callie moest toegeven dat zij het kruit had geleverd.

Waarom Leigh tot in haar volwassen leven doorging met dat patroon was Callie een raadsel. Bij vlagen was haar zus de opgewekte vrouw en moeder, dan reed ze Maddy overal naartoe, ging met Walter naar etentjes, schreef witboeken over idioot ingewikkelde zaken en gaf presentaties op juridische congressen, maar dan gebeurde er iets onbenulligs en greep ze dat aan om zichzelf weer eens de vernieling in te helpen. Ze liet Maddy altijd buiten schot, maar ze zocht wel ruzie met Walter, ging tekeer tegen een hulpmoeder, kreeg een sanctie opgelegd wegens een grote mond tegen een rechter, of deed bij gebrek aan de gebruikelijke uitlaatkleppen iets ongelooflijk stoms waarvan ze wist dat het haar weer in de ellende zou doen belanden.

Misschien was dat waarin ze als zussen nog het meest op elkaar leken: hun niet-aflatende neiging tot zelfsabotage.

De bus schuurde als een uitgeput stekelvarken langs de stoeprand. Callie duwde zich van haar zitplaats overeind. Onmiddellijk begon haar been weer te kloppen. Ze had al haar concentratie nodig om het trapje af te dalen. Naast de problemen met haar knie kon ze nu ook het beginnende abces aan haar lijst met kwalen toevoegen. Ze hees de rugzak op haar schouders, en opeens schoven haar nek en rug op naar nummer een en twee van de lijst. De pijn straalde uit naar haar arm, haar hand werd gevoelloos, en tegen de tijd dat ze in Phils straat was aangekomen, wist ze dat ze die nacht alleen met een nieuw shot methadon wat slaap zou kunnen krijgen.

Zo begon het altijd, dat trage proces waarbij ze afkickte om te kunnen functioneren en dan langzaam terugviel naar het punt waarop ze niet meer functioneerde. Junkies zochten altijd en eeuwig de oplossing voor hun problemen op de punt van een naald.

Phil zou voor Binx zorgen. Ze zou hem geen boeken voorlezen, maar hem wel borstelen, hem van alles over vogels bijbrengen en hem misschien wat belastingadviezen geven, nu ze zich verdiept had in de soevereineburgerbeweging. Callie stak haar hand in haar zak. Het felgroene brilletje dat ze in de zonnestudio had gekocht tikte tegen haar vingers. Ze had gedacht dat de kat het wel leuk zou vinden. Die wist niets over zonnebanken.

Callie veegde de tranen uit haar ogen terwijl ze de laatste paar meter naar haar moeders huis aflegde. De hoop stront aan de overkant van de straat was door een onfortuinlijke schoen uitgesmeerd. Haar blik gleed omhoog naar het dichtgetimmerde huis. Aan de voorkant was geen flikkertje licht of beweging te bekennen. Ze zag dat het stuk triplex waarlangs de man met de camera was uitgekotst zich weer had gesloten. Waar hij door de tuin was gerend, waren de bramen en het onkruid vertrapt, en daarmee vervloog Callies hoop dat het hele voorval een product was geweest van haar door methadon toegetakelde verbeelding.

Ze draaide zich om en beschreef een rondje van driehonderdzestig graden.

Geen 'witte gast'. Geen 'gave bak', tenzij je Leighs Audi meetelde die op de oprit stond af te koelen achter Phils mestkar van een Chevy-pick-up.

Dat was geen goed teken. Leigh was vast niet in paniek omdat Callie haar geen bericht had gestuurd of niet had gebeld, want haar glanzende reputatie als onbetrouwbaar contact had ze al heel lang geleden gevestigd. Haar zus raakte alleen in paniek als er iets ergs was gebeurd, en dit eerste bezoek aan haar moeders huis sinds ze naar Chicago was vertrokken, moest wel het gevolg zijn van iets buitengewoon afschuwelijks.

Callie wist dat ze naar binnen moest, maar in plaats daarvan keek ze met schuin geheven hoofd naar de zon, die zich knipogend door de bladeren van de boomtoppen bewoog. Algauw zou het gaan schemeren. Nog even en de straatlantaarns gingen aan. De temperatuur zou dalen. Uiteindelijk zou de regen gaan vallen die al een tijd in de lucht hing.

Er was ook een andere Callie, die nu weg kon lopen. Dat had ze vaker gedaan. Als Leigh er niet was geweest, had ze nu met Binx in een bus gezeten – het was een dwaze gedachte dat ze hem bij Phil kon achterlaten – en dan hadden ze zich over het rijke aanbod aan goedkope motels gebogen, gekeken welk motel verlopen genoeg was voor dealers maar niet zo verlopen dat ze bang moest zijn te worden verkracht en vermoord.

Als ze dan toch dood moest, dan maar door eigen toedoen.

Callie wist dat ze niet al te lang buiten kon blijven om allerlei fantasietjes uit te werken. Ze liep de krakende trap op naar de veranda aan de voorkant van haar moeders huis. Bij de deur werd ze begroet door Binx, die zijn plastic bloemenslinger met zich meesleepte, wat betekende dat hij bepaalde gevoelens had. Ze verlangde naar haar eigen steun en toeverlaat, maar dat kwam later. Ze knielde neer en aaide de kat een paar keer over zijn rug, waarna ze zich door een onzichtbare draad van spanning verder het huis in liet trekken.

Alles was uit zijn verband. Roger en Brock lagen waakzaam op de bank in plaats van lekker opgerold in een knoedel een hondendutje te doen. Het gegorgel van de aquaria werd gedempt door de deur, die anders zelden dicht was. Zelfs de vogels in de eetkamer hielden zich gedeisd.

Ze trof Leigh en Phil tegenover elkaar aan de keukentafel aan. Phils goth-look vertoonde tekenen van slijtage. De dikke zwarte eyeliner was inmiddels puur Marilyn Manson. Leigh had haar eigen pantser omgegord. Ze droeg nu jeans, een leren jack en bikerboots. Ze waren beiden zo gespannen als schorpioenen die hun kans afwachtten om toe te slaan.

'Wat een mooi familiemoment,' zei Callie.

Phil snoof. 'In wat voor shit ben je nou weer beland, grapjas?'

Leigh zei niets. Ze keek op naar Callie met ogen waarin pijn, spijt, angst, woede, huiver en opluchting elkaar afwisselden.

Callie keek weg. 'Ik liep na te denken over de Spice Girls. Waarom is Ginger de enige die naar een specerij is vernoemd?'

'Jezus, waar heb je het over?' vroeg Phil.

'Posh is geen specerij,' zei Callie. 'Waarom heten ze niet Saffron of Cardamom of voor mijn part Anise?'

Leigh kuchte. 'Misschien werd het dan te gepeperd.'

Ze glimlachten naar elkaar.

'Jullie kunnen allebei de klere krijgen.' Phil had wel door dat ze buitengesloten werd. Ze stond op van tafel. 'En waag het niet aan mijn eten te komen. Ik weet precies wat daarin zit.'

Leigh knikte in de richting van de achterdeur. Ze moest hier weg.

Callie had een gruwelijk zere nek omdat ze met de rugzak had lopen zeulen, maar omdat ze niet wilde dat haar moeder iets van haar jatte, nam ze hem mee toen ze Leigh naar buiten volgde.

Weer knikte haar zus, maar niet naar haar Audi op de oprit. Ze wilde een eindje lopen, net zoals ze als kinderen vaak een eindje waren gaan lopen als het veiliger was om in de buurt rond te zwerven dan bij Phil te blijven.

Zij aan zij liepen ze de straat in. Zonder te vragen nam Leigh de rugzak van Callie over. Ze hees hem om haar schouder. Haar tas lag waarschijnlijk in de afgesloten kofferbak, en Phil stond op dat moment waarschijnlijk naar de chique auto te loeren, zich afvragend of ze hem zou openbreken of hem zou strippen voor onderdelen.

Op dat moment liet Leighs auto of haar moeder of wat dan ook Callie helemaal koud. Ze keek naar de lucht. Ze liepen in westelijke richting, de zonsondergang tegemoet. De druk van de aangekondigde regen leek op te trekken. Een zweem van warmte vocht tegen de lichte temperatuurdaling. Toch rilde Callie. Ze wist niet of ze het opeens koud had door de aanhoudende gevolgen van covid, door het verdwijnen van de zon of door angst voor wat haar zus uiteindelijk ging zeggen.

Leigh wachtte tot ze hun moeders huis een heel eind achter zich hadden gelaten. In plaats van een atoombom op hun leven te laten vallen zei ze: 'Phil zei dat een gevlekte panter op het trottoir heeft gescheten om haar te waarschuwen dat er iets ergs stond te gebeuren.'

Bij wijze van test zei Callie: 'Vanochtend ging ze met haar honkbalknuppel naar de overkant en begon zomaar op het dichtgetimmerde huis in te beuken.'

'Jezus,' mompelde Leigh.

Callie wierp een zijwaartse blik op haar zus, zoekend naar een reactie waaraan ze kon zien of Phil het over de man met de camera had gehad.

'Ze heeft jou toch niet geslagen?' vroeg Leigh.

'Nee,' loog Callie. Of misschien was het geen leugen, want eigenlijk had Phil haar niet willen slaan maar was ze zelf niet snel genoeg opzij gedoken. 'Ze is tegenwoordig rustiger.'

'Mooi,' zei Leigh met een knikje, want ze geloofde maar al te graag dat het waar was.

Callie stak haar handen in haar zakken, hoewel ze vreemd genoeg het liefst Leighs hand had gepakt, net als toen ze klein waren. Ze sloot haar vingers om het brilletje. Eigenlijk moest ze Leigh over dat 'witte gast/gave kar' vertellen. Eigenlijk moest ze haar over de camera met telescooplens vertellen. Eigenlijk moest ze geen methadon meer spuiten in zonnestudio's.

Naarmate ze verder liepen, werd het frisser. Callie zag dezelfde taferelen als de vorige avond: kinderen die in tuinen speelden, mannen die bier dronken in hun carport, de zoveelste man die de zoveelste grote slee waste. Als Leigh al een mening had over wat ze om zich heen zag, dan hield ze die voor zich. Ze deed hetzelfde wat Callie had gedaan toen ze Leighs Audi op de oprit had zien staan. Ze wilde het valse gevoel dat alles normaal was zo lang mogelijk vasthouden.

Callie liet haar in de waan. De man met de camera kon wachten. Of ze stopte hem weg ergens achter in haar brein, samen met de rest van de vreselijke shitzooi die haar achtervolgde. Ze wilde genieten van deze vredige wandeling. Ze was zelden buiten nadat de schemering was gevallen. Ze voelde zich kwetsbaar in het donker. Haar onbezonnen dagen waren voorbij. Ze kon niet meer achteromkijken om te zien of de onbekende achter haar op zijn telefoon keek of op haar af kwam rennen met een pistool in zijn hand.

Ze sloeg haar armen om haar middel tegen de kou. Weer keek ze op naar de bomen. De bladeren kwamen als ronde snoepjes tevoorschijn. Het laatste zonlicht sijpelde tussen de dikke vingers van de takken door. Ze voelde haar hartslag vertragen, gelijk opgaan met de zachte klap van hun voeten tegen het afkoelende asfalt. Als ze voor de rest van haar leven in dit stille moment kon blijven, met haar grote zus aan haar zij, zou ze gelukkig zijn.

Maar zo ging het niet in het leven.

En als het wel zo ging, zouden ze het geen van beiden aankunnen.

Leigh sloeg links af, een nog treurigere straat in. Overwoekerde tuinen. Nog meer dichtgetimmerde huizen, nog meer armoe, nog meer hopeloosheid. Callie probeerde diep in te ademen. De lucht floot door haar neus, karnde toen als boter in haar longen. Na de klap van de covid hoefde ze maar een eindje te lopen om te beseffen dat ze longen in haar borstkas had en dat die longen niet meer de oude waren. Het geluid van haar zwoegende ademhaling dreigde haar terug te voeren naar die weken op de IC. De angstige blikken van de verpleegkundigen en artsen. De verre echo van Leighs stem als de telefoon tegen haar oor werd gehouden. De voortdurende, onverbiddelijke herinnering aan Trevor, die bij het aquarium stond. Buddy, die de keukendeur opengooide.

Schenk mij ook eens in, popje.

Weer nam ze een diepe teug lucht, en ditmaal hield ze haar adem even vast voor ze hem liet ontsnappen.

Pas toen drong het tot haar door waar Leigh haar mee naartoe had genomen, en opeens was alle lucht uit haar lichaam verdwenen.

Canyon Road, de straat waarin de Waleski's hadden gewoond.

'Rustig maar,' zei Leigh. 'Gewoon doorlopen.'

Callie sloeg haar armen nog stijver om haar lichaam. Leigh was bij haar, dus er kon niets gebeuren. Dit hoorde simpel te zijn. De ene voet voor de andere. Niet omkeren. Niet wegrennen. Rechts was de lage bungalow, met het dak dat na jaren van verwaarlozing aan het inzakken was. Voor zover Callie wist, was het huis niet meer bewoond geweest sinds Trevor en Linda eruit vertrokken waren. Ze had nooit een TE KOOP-bord in de voortuin gezien. Phil had nooit opdracht gekregen wanhopige huurders te vinden voor de plaats delict met drie slaapkamers. Callie vermoedde dat een van de vele huisjesmelkers het krot had verhuurd tot er alleen nog een lekkend omhulsel over was.

Naarmate ze dichterbij kwamen, voelde Callie het kippenvel over haar huid kruipen. Sinds de tijd van de Waleski's was er niet veel veranderd. Er stond nog meer onkruid in de tuin, en de mosterdkleurige verf was in de kunststof beplating gebrand. Alle ramen en deuren waren dichtgetimmerd. De onderste helft stond vol graffiti. Geen *gang tags*, maar veel schoolpleinpesterijen en slutshaming naast de normale collectie spuitende pikken.

Hoewel Leigh bleef doorlopen, zei ze: 'Kijk, het staat te koop.'

Callie draaide haar lichaam zodat ze in de tuin kon kijken. Het bord TE KOOP VAN EIGENAAR werd opgeslokt door karmozijnbes. De letters waren nog niet door graffiti overschreven.

Het was Leigh ook opgevallen. 'Dan moet het recent zijn.'

'Herken je het nummer?' vroeg Callie.

'Nee, maar ik kan de eigendomsakte wel opzoeken om te zien wie de eigenaar van het perceel is.'

'Laat mij dat doen,' bood Callie aan. 'Dan gebruik ik Phils computer.'

Na enige aarzeling zei Leigh: 'Laat ze je niet betrappen.'

Callie liep weer door. Het huis was nu buiten haar blikveld, maar ze voelde het op haar neerkijken toen ze langs de kapotte brievenbus liepen. Ze ging ervan uit dat ze met een lange boog terug zouden keren naar het huis van Phil, zodat ze vastzat in een eindeloze hellecirkel van haar verleden. Ze wreef over haar nek. Haar arm was nu tot aan de schouder gevoelloos. Haar vingertoppen voelden alsof er door duizenden manenratten in geprikt werd.

Het probleem met een cervicale fusie was dat de nek bedoeld was om te kunnen bewegen. Als een deel ervan werd vastgezet, nam het gedeelte eronder alle druk over en in de loop van de tijd sleet de tussenwervelschijf en liet het bindweefsel het afweten, waarop de niet gefuseerde wervel naar voren schoof en de aangrenzende wervel raakte, waarbij meestal een zenuw bekneld raakte, wat tot verlammende pijn leidde. Dit proces heette degeneratieve spondylolisthesis en de beste manier om het te verhelpen was door het gewricht vast te zetten. Met het verstrijken van de tijd gebeurde het opnieuw en dan werd het volgende gewricht vastgezet. En het volgende.

Callie was niet van plan nog een cervicale fusie mee te maken. Deze keer was de heroïne niet het probleem. Ze kon medisch afkicken, wat ook gebeurd was toen ze door covid op de IC was beland. Het punt was dat iedere neuroloog maar één keer naar het glazige geritsel in haar longen hoefde te luisteren om vast te stellen dat ze de narcose niet zou overleven.

'Deze kant op,' zei Leigh.

In plaats van rechts af te slaan, terug naar het huis van Phil, liep Leigh rechtdoor. Callie vroeg niets. Ze bleef gewoon naast haar zus lopen. Ze hulden zich weer in ontspannen zwijgen tot ze bij de speeltuin aankwamen. Ook hier was in de loop van de jaren niet veel veranderd. De meeste toestellen waren kapot, maar de schommels waren nog in goede staat. Leigh hees de rugzak nu op beide schouders zodat ze op een van de gebarsten leren zittingen kon plaatsnemen.

Callie liep om het schommeltoestel heen zodat ze in tegenovergestelde richting van Leigh keek. Toen ze ging zitten, trok er een pijnscheut door haar been, en ze verkrampte. Haar hand ging naar haar dijbeen. De warme gloed pulseerde nog steeds dwars door haar jeans. Ze drukte met haar knokkel op de bult tot de pijn opzwol als helium in een ballon.

Leigh zag het, maar ze vroeg niet wat er aan de hand was. Ze klemde de kettingen vast, deed twee stappen naar achteren en wierp haar voeten omhoog. Een paar tellen lang was ze verdwenen, toen zwaaide ze Callies blikveld weer in. Ze lachte niet. Haar gezicht had iets grimmigs.

Nu begon Callie ook te schommelen. Evenwicht bewaren was verbazend moeilijk als je je hoofd niet alle kanten op kon bewegen. Maar eindelijk had ze de slag te pakken. Ze trok aan de kettingen en hing achterover bij de opwaartse zwaai. Leigh zoefde langs, elke keer iets sneller. Ze zouden voor de slurven van twee dronken olifanten kunnen doorgaan, als olifanten geen notoire geheelonthouders waren.

De stilte hield aan terwijl ze heen en weer zwaaiden, niet als een stel idioten, want ze waren nu vrouwen van een zekere leeftijd, maar ze hielden een gestaag, sierlijk ritme aan dat iets van hun gespannen energie hielp verdrijven.

'Toen Maddy klein was, ging ik altijd met haar naar het park,' zei Leigh.

Callie keek door haar wimpers naar de donker wordende lucht. De zon was weggegleden. Straatlantaarns flikkerden aan.

'Als ik haar dan zag schommelen, moest ik aan vroeger denken en dat jij altijd zo hoog probeerde te gaan dat je om de stang heen vloog.' Leigh zwaaide langs, met haar benen gestrekt. 'Het is je een paar keer bijna gelukt.'

'Ik ging ook bijna plat op mijn gat.'

'Maddy is zo mooi, Cal.' Leigh zweeg even toen Callie uit het zicht verdween en pakte de draad weer op toen ze haar zag. 'Ik weet niet waar ik zoiets volmaakts aan verdiend heb, maar ik ben er elke dag dankbaar voor. Heel dankbaar.'

Callie sloot haar ogen, voelde de koude wind in haar gezicht, luisterde naar de *woesj* waarmee Leigh telkens langsvloog.

'Ze is gek op sport,' zei Leigh. 'Tennis, volleybal, voetbal, al die gewone dingen die ze op die leeftijd leuk vinden.'

Callie verwonderde zich over dat 'gewone'. De speeltuin waarin ze aan het schommelen waren, was vroeger haar enige leuke uitje geweest. Op haar tiende had ze een baantje voor na school moeten zoeken. Tegen de tijd dat ze veertien was, had ze zich eerst wanhopig zitten afvragen hoe ze Buddy in haar leven moest houden en daarna wat ze met zijn dood aan moest. Ze had er alles voor overgehad om op een veld achter een bal aan te kunnen rennen.

'Niet dat ze per se moet winnen,' zei Leigh. 'Niet zoals jij vroeger. Zij doet het gewoon voor de leuk. Die generatie… is zo ongelooflijk sportief, op het saaie af.'

Callie opende haar ogen. Ze kon dit gesprek niet langer aan. 'Eigenlijk valt er wel iets te zeggen voor Phils manier van opvoeden. We hebben geen van beiden ooit tegen ons verlies gekund.'

Leigh ging langzamer schommelen en keek Callie aan. Ze was niet van plan het onderwerp te laten vallen. 'Walter haat voetbal, maar hij is bij elke training en bij elke wedstrijd.'

Dat klonk als Walter ten voeten uit.

'Maddy heeft de pest aan wandelen,' vervolgde Leigh. 'Maar het laatste weekend van elke maand lopen ze Kennesaw Mountain op, want ze vindt het leuk om dingen met hem te doen.'

Callie leunde achterover op de leren zitting en probeerde hoger te gaan. Ze moest lachen bij het beeld van Walter met een komisch hoge, rood-bruine honkbalpet op en in een bijpassende broek, maar ze begreep dat hij niet de bergen in trok gekleed als Elmer Fudd die op *wabbits* joeg.

'Ze is een echte lezer,' zei Leigh. 'Ze doet me aan jou denken toen jij klein was. Phil werd altijd woest als je met je neus in een boek zat. Ze snapte niet wat die verhalen voor jou betekenden.'

Callie zwaaide weer langs, met haar witte gympen als witte slagtanden die in de donkere hemel beten. Ze wilde eeuwig zo in de lucht blijven hangen, zich nooit meer terug laten vallen in de werkelijkheid.

'Ze houdt van dieren. Konijnen, gerbils, katten, honden.'

Callie zwaaide terug, ging nog één keer langs Leigh voor ze haar voeten over de grond liet slepen. Langzaam kwam de schommel tot stilstand. Ze draaide de kettingen in elkaar om haar zus aan te kunnen kijken.

'Wat is er gebeurd, Leigh? Waarom ben je hier?' vroeg ze.

'Om…' Leigh moest lachen, want ze scheen te beseffen dat ze iets stoms ging zeggen, maar ze zei het toch. 'Om mijn zusje te zien.'

Callie wilde net als vroeger de kettingen steeds verder in elkaar draaien, eerst de ene kant op en dan losdraaiend de andere kant op, tot ze zo duizelig was dat ze wankelend naar de wipwap moest lopen om zich te oriënteren.

'Denk je dat zo'n ding wipwap heet omdat je omhoog wipt en naar beneden wapt?' vroeg ze.

'Cal,' zei Leigh. 'Andrew weet hoe ik Buddy heb gedood.'

Callie klemde de koude kettingen vast.

'We waren in de vergaderzaal om zijn zaak te bespreken,' vervolgde Leigh. 'Hij zei dat hij moeilijk kon ademen met een mondkapje voor. Hij zei dat het was alsof iemand zes keer plasticfolie om zijn hoofd had gewikkeld.'

Callie voelde een ijzige schok door haar lichaam trekken. 'Heb je zoveel keer –'

'Ja.'

'Maar…' Callie haalde de flintertjes herinnering weer boven die ze had overgehouden aan de avond dat Buddy was gestorven. 'Andrew sliep,

Harleigh. We zijn steeds bij hem gaan kijken. Hij was helemaal van de wereld door dat drankje.'

'Ik heb iets over het hoofd gezien,' zei Leigh, altijd bereid om de schuld op zich te nemen. 'Ik weet niet hoe hij het weet of wat hij verder nog weet, maar het geeft hem wel macht over elk aspect van mijn leven. Ik heb nu nergens meer grip op. Hij kan doen wat hij wil, me tot alles dwingen.'

Callie zag waar ze op doelde. 'Wat wil hij van je?'

Leigh sloeg haar blik neer. Callie was het gewend dat haar zus boos was of geïrriteerd, maar niet dat ze zich schaamde.

'Harleigh?'

'Tammy Karlsen, het slachtoffer. Reggie heeft haar patiëntendossier gestolen van de geestelijke gezondheidsdienst van Tech University. Ze heeft bijna twee jaar lang wekelijks therapie gehad. Er staan allerlei persoonlijke gegevens in. Dingen waarvan ze niet wil dat anderen die weten.' Leigh slaakte een diepe, gekwelde zucht. 'Andrew wil dat ik die persoonlijke informatie gebruik om haar te breken in de getuigenbank.'

Callie dacht aan haar eigen medische dossiers, die over allerlei afkickklinieken en psychiatrische instellingen verspreid waren. Was Reggie daar ook naar op zoek geweest? Ze had nooit met een woord over de moord gerept, maar in die aantekeningen stonden dingen die niemand mocht lezen.

Vooral haar zus niet.

'Hij zoekt naar een moment, net als in een film, waarop Tammy instort,' zei Leigh, 'en dan – ik weet niet – het opgeeft? Alsof hij haar weer helemaal opnieuw aangerand wil zien worden.'

Callie vroeg niet of Leigh tot zoiets in staat was. Ze zag aan de houding van haar zus dat haar advocatenbrein al een blauwdruk had uitgewerkt. 'Wat staat er in dat dossier?'

Leigh perste haar lippen op elkaar. 'Op de middelbare school is Tammy verkracht. Ze werd zwanger en liet abortus plegen. Dat heeft ze nooit aan iemand verteld, maar later raakte ze erdoor geïsoleerd. Ze raakte haar vrienden kwijt. Ze begon zichzelf te snijden. En daarna heel veel te drinken. Ook kreeg ze een eetstoornis.'

'Heeft niemand haar over heroïne verteld?'

Leigh schudde haar hoofd. Ze was niet in de stemming voor zwarte humor. 'Een docent ving bepaalde waarschuwingssignalen op. Hij stuurde Tammy naar de geestelijke gezondheidsdienst voor studenten. Ze kreeg therapie en daardoor nam haar leven een nieuwe wending. Dat kun je lezen in het dossier. Ze zat er totaal doorheen, maar langzamerhand krabbelde ze weer op. Ze nam haar leven weer in eigen hand. Ze studeerde cum laude af. Ze heeft... had een goed leven. Dat was haar eigen verdienste. Ze kroop uit het gat en kreeg het voor elkaar.'

Misschien vroeg Leigh zich af waarom haar zusje zich niet uit een vergelijkbare vrije val had kunnen bevrijden, bedacht Callie. Achter die vraag gingen te veel 'stel dats' schuil. Stel dat de kinderbescherming hen bij Phil had weggehaald. Stel dat Linda hun moeder was geweest. Stel dat Leigh had geweten dat Buddy een pedo was. Stel dat Callie haar nek niet had gebroken en niet als een stomme junk was geëindigd.

'Ik...' Leigh keek op naar de lucht. Nu huilde ze. 'Mijn cliënten zijn geen goede mensen, maar meestal mag ik ze wel. Zelfs de klootzakken. Vooral de klootzakken. Ik begrijp hoe je tot verkeerde keuzes komt. Hoe je kwaad wordt en dan verkeerde dingen doet. Vreselijke dingen.'

Callie hoefde geen toelichting bij die vreselijke dingen.

'Andrew is niet bang om veroordeeld te worden,' zei Leigh. 'Vanaf het moment dat ik hem ontmoette, is hij nog geen seconde bang geweest. Wat betekent dat hij een uitweg heeft.'

Callie wist wat de beste uitweg was voor Tammy. Die optie had ze vaak genoeg voor zichzelf overwogen.

'Het was één ding om het gevoel te hebben dat alleen ik in de problemen kon raken,' zei Leigh. 'Ik heb iets slechts op mijn geweten. Ik had naar de gevangenis gemoeten. Eerlijk is eerlijk. Maar Tammy is onschuldig.'

Callie zag haar zand opschoppen. Deze verslagen vrouw was niet de zus met wie ze was opgegroeid. Leigh liet het er nooit bij zitten. Als je haar met een mes bedreigde, stond zij met een bazooka klaar. 'En wat nu?'

'Wat er nu gaat gebeuren wordt te gevaarlijk. Je moet je spullen pakken, je kat meenemen en dan breng ik je naar een veilige plek.' Leigh ving haar blik. 'Andrew heeft mij al in zijn klauwen. Nog even en hij gaat achter jou aan.'

Dit zou een uitstekend moment zijn om Leigh over de man in het dichtgetimmerde huis te vertellen, maar haar zus had al haar concentratie nodig, mocht nu niet in een paranoïde draaikolk worden gezogen.

'Als je de hoogte van een berg wilt berekenen,' zei Callie, 'is de top vinden niet het moeilijkst, maar ontdekken waar de bodem is.'

Leigh keek haar verward aan. 'Komt dat van een gelukskoekje?'

Callie wist bijna zeker dat ze het van een palingdeskundige had gepikt. 'Wat is de bodemvraag over Andrew waarop we geen antwoord hebben?'

'O.' Leigh scheen het te begrijpen. 'Zelf zag ik het als de Andrew-hypothese, maar ik kwam er maar niet achter wat de B was die de A met de C verbindt.'

'Ik vind dat we de komende twee uur moeten besteden aan het vaststellen van de juiste terminologie.'

Leigh kreunde, maar ze had hier duidelijk behoefte aan. 'Het is een tweeledige vraag. Ten eerste: wát weet Andrew precies? En ten tweede: hóé weet hij het?'

'Dus om achter het wat en het hoe te komen, moeten we bij het begin beginnen.' Callie wreef over haar gevoelloze hand om het bloed in haar vingers te duwen. Ze had haar uiterste best gedaan om die hele moord op Buddy te vergeten, maar nu zat er niets anders op dan keihard de confrontatie aan te gaan. 'Heb ik bij Andrew gekeken na die vechtpartij met Buddy? Voor ik jou belde, bedoel ik?'

'Ja,' zei Leigh. 'Dat was het eerste wat ik je vroeg toen ik daar aankwam, want ik was bang dat er een getuige was. Je zei dat je Buddy in de keuken had achtergelaten, naar Andrews kamer was gegaan en hem op zijn hoofd had gekust, en dat je me toen had gebeld vanuit de ouderslaapkamer. Je zei dat hij totaal van de wereld was.'

In gedachten liep Callie het smerige huis van de Waleski's door. Ze zag zichzelf een kusje op Andrews hoofd drukken, controleren of hij echt sliep en vervolgens door de gang naar de ouderslaapkamer lopen en de roze prinsessentelefoon pakken die aan Linda's kant van het bed stond.

'Van de telefoon in de keuken was het snoer losgerukt,' zei ze. 'Hoe kon ik je vanuit de slaapkamer bellen?'

'Je hing de hoorn weer op. Ik zag hem op de haak van de wandtelefoon liggen toen ik daar aankwam.'

Dat klonk logisch, en Callie geloofde haar. 'Was er misschien iemand anders? Bijvoorbeeld een van de buren die iets heeft gezien?'

'Toen het gebeurde?' Leigh schudde haar hoofd. 'Dan zouden we dat al gehoord hebben. Vooral toen Linda al dat familiegeld kreeg. Dan zou ze wel benaderd zijn door iemand die de informatie wilde verkopen.'

Daar had ze een punt. Er was niemand in die hele buurt die de kans op wat extra geld aan zich voorbij zou laten gaan. 'Zijn we op enig moment allebei het huis uit geweest?'

'Pas aan het eind, toen we de vuilniszakken in mijn auto laadden,' zei Leigh. 'En daarvóór zijn we het hele gevecht van achter naar voor doorgelopen. Daar hebben we vier uur over gedaan, en we gingen minstens om de twintig minuten kijken of Andrew nog sliep.'

Callie knikte, want ze kon zich nog levendig herinneren dat zij telkens zijn kamer binnen was gegaan. Andrew sliep altijd op zijn zij, met zijn lijfje tot een balletje opgerold. Uit zijn open mond hadden klikgeluidjes geklonken.

'We zijn weer terug bij af,' zei Leigh. 'We weten nog steeds niet hoeveel Andrew weet en hoe hij het weet.'

Daar hoefde ze Callie niet aan te herinneren. 'Noem die lijst eens op die je de afgelopen twee dagen hebt gemaakt.'

'We hebben naar andere camera's gezocht. We hebben naar andere videocassettes gezocht.' Leigh telde alles op haar vingers af. 'We hebben elk boek op de planken nagekeken, hebben meubels en matrassen omgekeerd, aan potten en vazen geschud, aan potplanten. We hebben alle keukenkastjes leeggehaald. We hebben de roosters van de ventilatoren geschroefd. Je hebt zelfs je hand in het aquarium gestoken.'

Leighs vingers waren op.

'Zou Andrew hebben gedaan alsof hij sliep?' vroeg Callie zich af. 'Hij had me op de gang bij zijn deur kunnen horen. De planken kraakten.'

'Hij was tien,' zei Leigh. 'Kinderen van die leeftijd zijn zo argeloos als de pest.'

'Wij waren ook kinderen.'

Leigh schudde haar hoofd al. 'Bedenk eens hoe ingewikkeld het zou zijn om het achter te houden. Andrew zou moeten doen alsof hij de moord op zijn vader niet had gezien. Dat had hij ook moeten volhouden toen Linda de volgende ochtend thuiskwam uit haar werk. Hij had moeten liegen tegen de politie. En tegen iedereen die hem vroeg naar de laatste keer dat hij zijn vader had gezien. Hij had het tegenover jou geheim moeten houden, die hele maand dat jij nog op hem paste. En dat geheim had hij al die jaren moeten bewaren.'

'Hij is een psychopaat.'

'Zeker, maar toen was hij nog klein,' zei Leigh. 'Zelfs bij een slimme tienjarige is het cognitief gezien nog een warboel. Ze proberen zich als volwassenen te gedragen, maar ze maken nog steeds kinderfouten. Ze zijn de hele tijd spullen kwijt – jassen, schoenen, boeken. Ze kunnen zichzelf nauwelijks wassen. Ze vertellen je domme leugens waar je dwars doorheen kijkt. Onmogelijk dat zelfs een tienjarige psychopaat tot zo'n mate van bedrog in staat is.'

Als er iemand was die wist hoe slecht Andrew op zijn tiende kon liegen, was het Callie op haar veertiende. 'En Andrews vriendin?'

'Sidney Winslow,' zei Leigh. 'Gisteren bij Reggie op kantoor stak ik tegenover Andrew mijn verhaaltje af over de uitzonderingen op het verschoningsrecht. Hij keek alsof hij in zijn broek ging schijten. Hij liet Sidney op de parkeerplaats wachten. Die werd me toch hysterisch. Hij weet dat hij haar niet kan vertrouwen.'

'Wat betekent dat hij waarschijnlijk niets over de echte dood van zijn vader met haar heeft gedeeld,' zei Callie. 'Denk je dat we hem via haar kunnen pakken?'

'Ze is in elk geval een zwakke schakel,' zei Leigh. 'Als je ervan uitgaat dat Andrew van plan was me te naaien tijdens die eerste afspraak met Reggie Paltz, was Sidney de reden dat hij daarvan afzag.'

'Wat weet je over haar?'

'Geen moer,' zei Leigh. 'Ik stuitte op een kredietonderzoek dat Reggie afgelopen herfst in opdracht van de vorige advocaat heeft uitgevoerd. Geen uitstaande schulden. Niets verdachts of belastends, maar het rapport is erg oppervlakkig. Normaal als ik veel over een getuige wil weten, draag ik een detective op om vragen te stellen en zo iemand te volgen, alle social media te checken, te kijken waar ze werkt, maar mijn baas benoemde Reggie tot exclusieve onderzoeker in deze zaak. Als ik iemand anders inhuur, ziet Andrew, Linda of mijn baas dat op mijn declaraties en dan willen ze uitleg.'

'Kun je niet iemand uit eigen zak betalen?'

'Dan moet ik mijn creditcard of lopende rekening gebruiken, en die laten beide een spoor achter. En alle detectives die ik ken werken al voor het kantoor, dus dan raakt het vrijwel onmiddellijk bekend. Vervolgens zou ik moeten uitleggen waarom ik het privé deed in plaats van via het kantoor, en zo komt Andrew er uiteindelijk achter.' Leigh liep al vooruit op het alternatief. 'Voor iets dergelijks kun je Phils computer niet gebruiken. Het is iets anders dan een akte opzoeken.'

'De camera's in de bibliotheek in het centrum zijn al een jaar stuk. Ik gebruik wel een openbare computer.' Callie haalde haar schouders op. 'Dan ga ik daar toch lekker met de andere junks in de airconditioning zitten.'

Leigh kuchte. Dat Callie zichzelf een junk noemde vond ze bijna even erg als het feit dat ze inderdaad een junk was. 'Kijk even of die camera's nog steeds stuk zijn. Ik wil niet dat je risico loopt.'

Callie zag Leigh haar tranen afvegen.

'We hebben nog steeds de B niet gevonden,' zei Leigh.

'Je bedoelt de bodem.' Haar zus rolde met haar ogen. Callie herhaalde de twee vragen. 'Wat weet Andrew? Hoe weet hij het?'

'En wat gaat hij met de informatie doen?' voegde Leigh eraan toe. 'Hij stopt niet bij Tammy. Dat staat vast. Hij is net een haai die blijft rondcirkelen.'

'Je geeft hem te veel macht,' zei Callie. 'Je zegt altijd dat niemand een crimineel meesterbrein is. Mensen hebben geluk. Ze worden niet op heterdaad betrapt. Ze scheppen niet op over wat ze gedaan hebben. Het is echt niet zo dat Andrew een geheim leger aan drones in de lucht had toen hij tien was. Het is duidelijk dat hij –'

Leigh stond op. Ze opende haar mond en klapte hem weer dicht. Ze keek de straat in. Toen keerde ze zich naar Callie toe. 'Kom.'

Callie vroeg niet waarnaartoe. Ze zag aan het gezicht van haar zus dat die iets bedacht had. Er zat niets anders op dan Leigh te volgen toen ze het park uit liep.

Haar longen waren niet op het straffe tempo ingesteld. Callie was buiten adem tegen de tijd dat ze bij de straat waren aangekomen die met een bocht terugvoerde naar het huis van Phil. Maar Leigh sloeg niet links af. Ze liep rechtdoor, waardoor ze het mosterdkleurige huis van de Waleski's weer zouden passeren. Het was een omweg van hooguit drie minuten. Dat wist Callie omdat ze beide routes talloze keren had gelopen. Vroeger waren er geen straatlantaarns geweest, alleen de donkere stilte en het besef dat ze wat er was gebeurd van zich af moest spoelen voor ze bij haar moeder thuis in bed kon kruipen.

'Doorlopen,' zei Leigh.

Callie had moeite Leighs vastberaden pas bij te houden. Haar hart begon tegen haar ribben te bonken. In haar verbeelding was het alsof twee stukken vuursteen tegen elkaar werden geslagen tot er een vonk ontstond en haar hart in brand vloog, want ze liepen niet lángs het huis van de Waleski's. Leigh sloeg links af, de oprit in.

Callie volgde haar tot haar voeten weigerden nog een stap te zetten. Ze stond aan de rand van de vervaagde olievlek, waar Buddy altijd zijn verroeste gele Corvette had geparkeerd.

'Calliope.' Leigh had zich omgedraaid, haar handen in haar zij, nu al geïrriteerd. 'We gaan dit doen, dus niet zeuren en bij mij in de buurt blijven.'

Ze sloeg dezelfde bazige toon aan als tijdens de nacht toen ze Buddy Waleski in stukken hadden gehakt.

Haal zijn gereedschapskist uit de auto. Ga naar de schuur en zoek het kapmes. Neem de jerrycan benzine mee. Waar is het bleekmiddel? Hoeveel schoonmaakdoekjes kunnen we gebruiken zonder dat Linda doorheeft dat ze weg zijn?

Leigh draaide zich om en verdween in het zwarte gat van de carport.

Callie volgde aarzelend, knipperend met haar ogen om ze aan het donker te laten wennen. Ze zag schaduwen, het silhouet van haar zus, die bij de deur naar de keuken stond.

Leigh reikte naar boven en wrikte met blote handen het stuk triplex weg dat voor de opening was gespijkerd. Het hout was zo oud dat het versplinterde. Leigh stopte niet. Ze greep de scherpe rand en trok tot ze voldoende ruimte had om de deurknop te kunnen pakken.

De keukendeur ging met een zwaai open.

Callie verwachtte de vertrouwde vochtige, muffe geur, maar alles was doordrongen van de stank van meth.

'Christus.' Leigh bedekte haar neus tegen de ammoniaklucht. 'Er komen vast katten binnen.'

Callie corrigeerde haar niet. Ze sloeg haar armen om haar middel. Ergens in haar hoofd wist ze waarom Leigh hiernaartoe wilde, maar ze stelde zich voor dat die ontdekking tot een driehoek werd opgevouwen en daarna tot een vlieger en dat hij uiteindelijk veranderde in een zwaan van origami, die naar de ontoegankelijke stromingen gleed die diep in haar geheugen waren verborgen.

'Kom.' Leigh stapte over de triplex hindernis en toen stond ze voor het eerst in drieëntwintig jaar in de keuken van de Waleski's.

Als het haar al iets deed, zweeg ze erover. Ze stak haar hand naar Callie uit en wachtte.

Callie nam hem niet aan. Haar knieën dreigden het te begeven. Tranen stroomden uit haar ogen. Ze kon niets zien in de donkere ruimte, maar ze hoorde wel de luide knal waarmee Buddy de keukendeur opende. Het gerasp van een vochtige hoest. De klap van zijn tas op het keukenblad. De dreun waarmee een stoel onder de tafel werd geschopt. Het getinkel van koekkruimels die uit zijn mond vielen, want overal waar Buddy ging was *lawaai, lawaai, lawaai.*

Weer knipperde Callie met haar ogen. Leigh knipte met haar vingers vlak voor haar gezicht.

'Cal,' zei ze. 'Destijds was je een hele maand samen met Andrew in dit huis maar deed je alsof er niets was gebeurd. Dat hou je nu ook wel tien minuten vol.'

Callie had alleen kunnen doen alsof omdat ze drank uit de flessen achter de bar had getapt.

'Calliope, laat je ballen zien,' zei Leigh.

Haar stem klonk hard, maar Callie hoorde dat ze het bijna niet meer trok. Het huis greep Leigh aan. Dit was de eerste keer dat haar zus terugkeerde naar de plek van hun misdrijf. Ze commandeerde Callie niet, maar smeekte haar om haar alsjeblieft, in jezusnaam, te helpen zich hierdoorheen te slaan.

Zo werkte het. Ze mochten niet allebei tegelijk instorten.

Callie greep Leighs hand. Ze tilde haar been op, en zodra ze over het versplinterde triplex heen was, trok Leigh haar met een harde ruk naar binnen. Ze strompelde tegen haar zus aan. Ze voelde haar nek kraken. Ze proefde bloed omdat ze op haar tong had gebeten.

'Gaat het?' vroeg Leigh.

'Ja,' antwoordde Callie, want alle pijn die ze nu had, kon later door de naald verdreven worden. 'Zeg maar wat ik doen moet.'

Leigh haalde twee telefoons tevoorschijn, uit elke achterzak één. Ze schakelde de zaklampfuncties in. De lichtbundels streken over het vermoeide linoleum. Vier diepe moeten gaven aan waar de poten van de keukentafel van de Waleski's hadden gestaan. Callie staarde ernaar tot ze haar gezicht tegen de tafel voelde drukken terwijl Buddy achter haar stond.

Pop stop eens met dat gewurm je moet stoppen zodat ik –

'Cal!' Leigh stak haar een van de telefoons toe.

Ze nam het toestel aan en scheen ermee door de keuken. Geen tafel en stoelen, geen blender en broodrooster. De kastdeurtjes hingen open. Onder het aanrecht misten leidingen. De contactdozen waren van de muur gerukt toen iemand de elektrische draden had gestolen vanwege het koper.

Leigh wees met haar lamp naar het popcornplafond. Callie herkende sommige oude vochtvlekken, maar de groeven waar de kabels uit de gipsplaat waren gerukt waren nieuw. Het licht danste langs de bovenkant van de kasten. Langs de rand van de ruimte liep een kroonlijst. De roosters van de airconditioning waren verwijderd. De gaten waren zwarte, lege monden, die opflitsten toen het licht op de metalen leiding achter in hun keel viel.

Callie voelde de origamizwaan haar kop optillen. De puntige snavel ging open alsof ze een geheim wilde vertellen, maar even snel als het dier was verschenen, boog ze haar kop weer naar beneden en verdween in de put van Callies onaangeroerde herinneringen.

'Laten we hier eens kijken.' Leigh liep de keuken uit en de woonkamer in.

Langzaam volgde Callie de voetstappen van haar zus, tot ze midden in de kamer bleef staan. Geen uitgewoonde oranje bank, geen leren fauteuils met brandgaten op de armleuningen, geen reuze-tv die het hoogste punt van een driehoek vormde en waarvan de kabels als kronkelende slangen naar beneden hingen.

De bar verrees nog steeds dreigend in de hoek.

Het mozaïek was eraf gestoten en de vloer lag bezaaid met stukjes aardewerk. De spiegels van rookglas lagen aan scherven. Callie hoorde zware voetstappen achter zich. Ze zag Buddy door de kamer stampen, opscheppen over het geld voor een nieuwe klus, koekkruimels van zijn shirt slaan.

Schenk mij ook eens in, popje.

Ze knipperde met haar ogen en het beeld ging over in kapotte crackpijpjes, stukjes verbrand zilverpapier, gebruikte spuiten, en vier matrassen vol vlekken die op een hoogpolig tapijt lagen dat zo oud was dat het knerpte onder haar schoenen. Bij het besef dat ze in een drugshol waren voelde Callie alle poriën in haar huid samentrekken in het wanhopige verlangen naar een naald om de origamizwaan te kunnen verdrinken in golven helderwitte heroïne.

'Callie!' riep Leigh. 'Help eens.'

Met tegenzin verliet Callie het heiligdom. Leigh stond aan het eind van de gang. De badkamerdeur was verdwenen. Callie zag dat de wastafel kapot was, dat er nog meer leidingen waren gestolen. Leigh had haar lamp op het plafond gericht.

Callie hoorde de vloerplanken kraken toen ze langs Andrews kamer liep. Ze kon niet omhoogkijken. 'Wat is er?'

'Het paneel naar de vliering,' zei Leigh. 'Dat is me nooit opgevallen. We hebben er nooit naar gezocht.'

Callie deed een stap naar achteren en hield haar hoofd schuin om naar het kleinste dienbladplafond ter wereld te kunnen kijken. Het paneel was nog geen zestig vierkante centimeter. Omdat al haar kennis over zolders van horrorfilms en *Jane Eyre* afkomstig was, vroeg ze: 'Hoort er geen trap te zijn?'

'Nee, gek. Geef me een zetje zodat ik naar boven kan.'

Zonder zich te bedenken kwam Callie in actie; ze hurkte neer en sloeg haar vingers ineen.

Leigh zette haar voet in het mandje. De zool van haar laars schuurde over Callies handpalmen. Leigh bracht haar hand naar de schouder van haar zus om haar gewicht te testen.

Vuur laaide door Callies nek en schouders. Ze klemde haar kiezen op elkaar. Nog voor Leigh haar volle gewicht op haar handen had overgebracht, begon ze al te beven.

'Je kunt me niet optillen, hè?' vroeg Leigh.

'Jawel.'

'Nee, dat kun je niet.' Leigh zette haar voet weer op de vloer. 'Ik weet dat je geen gevoel in je arm hebt, want je wrijft er de hele tijd overheen. Je kunt je hoofd amper draaien. Help eens die matrassen hiernaartoe te slepen. Dan maken we een stapel en –'

'En krijgen we hepatitis?' maakte Callie haar zin af. 'Die matrassen niet aanraken, Leigh. Ze zitten vol geil en –'

'Maar wat moet ik anders?'

Callie wist wat haar te doen stond. 'Ik ga naar boven.'

'Ik laat je niet –'

'Til me nou maar op, oké?'

Leigh aarzelde veel te kort naar Callies zin. Ze was vergeten hoe genadeloos de oude Leigh kon zijn. Haar zus boog door haar knieën en bood haar handen als opstapje. Dit was de Leigh die haar zinnen ergens op had gezet. Zelfs haar schuldgevoel kon haar er niet van weerhouden de zoveelste vreselijke fout te begaan.

En Callie wist intuïtief dat wat ze op de vliering zou aantreffen een vreselijke fout zou zijn.

Ze knielde neer om de telefoon plat op de vloer te leggen. De lichtstraal was een vlek op het plafond. Ze verdrong de gedachte aan het aantal keren dat ze haar voet op de handen van een vijftienjarige jongen had gezet om zich als een danseresje op een muziekdoosje in de lucht te laten tillen. Het vertrouwen dat ervoor nodig was om de manoeuvre uit te voeren was deels training en deels waanzin.

Ook was het twintig jaar geleden. Nu kon Callie alleen haar voet optillen als ze zich tegen de muur in evenwicht hield en Leighs schouder vastgreep. Het tillen ging niet bepaald elegant. Callie schopte haar vrije been opzij en zette haar sneaker schrap tegen de muur om niet voorover te tuimelen. Nu leek ze net een vlieg die vastzat in een web.

Ze kreeg haar hoofd niet ver genoeg naar achteren om te zien wat zich recht boven haar bevond. Met haar handen boven haar hoofd tastte ze tot ze het paneel had gevonden. Ze drukte met haar handpalmen tegen het midden, maar het stomme ding was dichtgeschilderd of anders zo oud dat het met de lijst was versmolten. Ze beukte zo hard met haar vuist tegen het hout dat het doorgalmde in elke millimeter van haar ruggengraat. Ze kneep haar ogen dicht tegen de scherpe pijnscheuten van weigerende zenuwen en bonkte net zo lang op het hout tot het in het midden begon te breken.

Vuil, roet en brokken isolatiemateriaal regenden neer op haar gezicht. Met haar vingers wreef ze het gruis uit haar ogen en neus. De lichtstraal van de telefoon had zich als een paraplu op de vliering geopend.

Leigh tilde haar iets hoger. Callie zag dat het paneel niet dichtgeschilderd was. Spijkers staken omhoog. Ze glansden in het licht van de zaklamp. 'Deze lijken nieuw,' zei ze tegen haar zus.

'Kom naar beneden,' gebood Leigh. Ze was niet eens buiten adem, zo weinig inspanning kostte het haar om Callies volle gewicht te dragen. 'Ik hijs mezelf wel omhoog en –'

Callie stapte op haar schouder. Als een meerkat stak ze haar hoofd in het vlieringgat. Er hing een ranzige lucht, maar niet van meth. Eekhoorns of ratten of allebei hadden nesten gemaakt in de krappe ruimte. Ze kon niet zien of er nog beesten zaten.

Wel zag ze dat het dak zo laag was dat ze niet rechtop kon staan. Ze schatte dat er een kleine meter ruimte was tussen de spanten die het dak droegen en de dwarsbalken waaraan het plafond was vastgespijkerd. Tegen de zijkanten van het huis was de ruimte tussen de vloer en het dak nog geen dertig centimeter.

'Op de balken blijven,' zei Leigh. 'Anders val je door het plafond.'

Alsof Callie *The Money Pit* met Tom Hanks niet tientallen keren had gezien.

Ze duwde het kapotte paneel naar achteren, waardoor de spijkers plat kwamen te liggen. Hoewel Leigh haar van beneden hielp, trilden Callies armen toen ze zich hoog genoeg ophees om haar middel te kunnen buigen. Ze slaagde erin de rest van haar lichaam op de vliering te wurmen door als een rups op haar buik vooruit te schuiven, terwijl Leigh met haar handen schuifbewegingen langs haar benen maakte.

'Goed vasthouden,' zei ze, alsof Callie een keuze had.

Een lichtflits drong tot de vliering door. En nog een. En nog een. Zo te horen was Leigh aan het springen in een poging een blik op de vliering te werpen of om een stroboscoopeffect aan de spook-op-zoldersfeer toe te voegen.

'Wat ben je aan het doen?' vroeg Callie.

'Je hebt de telefoon op de vloer laten liggen,' zei Leigh. 'Ik probeer te zien waar ik hem naartoe moet gooien.'

Weer zat er voor Callie niets anders op dan liggend op haar buik af te wachten. Ze had geluk, want er lag iets onder haar heupen dat van de ene balk naar de andere liep. Kunststof, naar de buigzaamheid te oordelen. Het voelde ruw tegen haar blote buik, want ze had haar Care Bears-shirt aan een spijker opengehaald. Weer een outfit naar de kloten.

'Komt-ie,' zei Leigh. Na wat luid gebonk wierp ze de telefoon in Callies richting. 'Kun je erbij?'

Callie tastte blindelings achter zich. Het was een goede worp geweest. 'Hebbes,' zei ze.

'Kun je iets zien?'

'Nog niet.' Licht was niet de oplossing voor het probleem. Callie kon onmogelijk vanuit die positie naar voren kijken. Haar neus raakte bijna de bovenkant van de gipsplaat waaruit het plafond bestond. Isolatiemateriaal werd haar longen in gezogen. Ze moest eerst de telefoon in haar achterzak schuiven voor ze kon testen of ze zich op handen en knieën overeind kon hijsen. Rechterhand en -knie op de ene balk. Linkerhand en -knie op de andere. Onder haar wachtte het plafond tot ze erdoorheen zou vallen en er weer een nekwervel aan gruzelementen zou gaan.

Dat laatste gebeurde niet, maar haar spieren schreeuwden het uit nu ze schrijlings boven de ongeveer veertig centimeter brede kloof tussen de balken hing. Ooit had ze over de evenwichtsbalk gehuppeld, zich om de brug met ongelijke leggers geslingerd en salto's gemaakt over de vloer van de gymzaal. Er was geen spier in haar lijf die zich dat nog kon herinneren. Ze walgde van haar eeuwige breekbaarheid.

'Cal?' riep Leigh naar boven. Haar bezorgdheid trilde door in haar stem. 'Gaat het wel?'

'Ja.' Callie strekte haar rechterhand, sleepte haar linkerknie mee en deed toen hetzelfde met haar rechterkant, uitproberend of ze over de balken naar voren kon schuiven. 'Ik zie nog niks,' zei ze. 'Ik ga wat rondsnuffelen.'

Leigh reageerde niet. Waarschijnlijk hield ze haar adem in. Zo niet, dan was ze aan het ijsberen of aan het bedenken hoe ze alle schuld op kon zuigen die twintig jaar lang in dit huis opgesloten was geweest.

Callie scheen zichzelf bij met de telefoon. Wat ze zag, deed haar even aarzelen. 'Iemand is hier pas nog geweest. De isolatie is weggetrokken.'

Dat wist Leigh al. Daarom had ze op de vliering willen klimmen. Ze moesten de bodemvragen beantwoorden, want dat was de terminologie die je moest gebruiken in plaats van dat je het had over zoiets stoms als zoeken naar de B die de A met de C verbond.

Wat wist Andrew? Hoe wist hij het?

In plaats van zich met bodems bezig te houden zag Callie in gedachten de origamizwaan, die sierlijk tegen de stroom in zwom die hem naar beneden wilde trekken. Ze had haar leven met opzet zo ingericht dat ze het zich kon permitteren nooit vooruit te denken. Nu ging ze tegen die levenslange training in en kroop op handen en knieën naar voren over het pad van isolatiemateriaal, dat als de Rode Zee uiteen was geweken. Op de zeebodem lag een dunne grijze kabel. Ratten hadden hem aan stukken geknaagd, want dat deed je nou eenmaal als rat. De tanden van zo'n beest groeiden steeds door en werden geslepen aan draden, zoals een baby dat deed met een fopspeen, met dit verschil dat je door een babybeet niet het hantavirus kon oplopen.

'Cal?' riep Leigh.

'Alles oké,' loog ze. 'Niet steeds vragen.'

Ze pauzeerde even, probeerde haar brein tot rust te brengen, op adem te komen en haar gedachten te richten op de taak die voor haar lag. Niet dat het lukte, maar ze begon weer te kruipen en schoof voorzichtig naar voren over een van de dikke balken. De ruwe spanten schaafden over haar rug toen het schuine dak de ruimte steeds krapper maakte. Ze wist dat ze nu boven de keuken moest zijn. De spieren in haar lijf wisten het ook. Ze probeerde haar hand op te tillen, maar die weigerde zich van de balk los te maken. Ze probeerde haar been te bewegen. Zelfde probleem.

Zweet droop van haar neus en spatte op de bovenkant van de gipsplaat. Geleidelijk aan werd ze bevangen door de warmte op de vliering, die langzaam haar vingers om haar keel schroefde. Een nieuwe zweetdruppel voegde zich bij het plasje. Ze sloot haar ogen. Ze stelde zich de keuken onder zich voor. Brandende lampen. Stromende kraan. Stoelen onder de tafel geschoven. Buddy's tas op het keukenblad. Zijn lichaam op de vloer.

Callie voelde een stoot hete adem in haar nek.

De gorilla stond achter haar. Hij greep haar schouders. Ademde in haar oor. Zijn mond kwam steeds dichterbij. Ze rook de goedkope whisky en sigaren.

Stil nou, popje, ik kan niet stoppen sorry schatje sorry sorry laat je maar gaan kom op gewoon doorademen.

Ze opende haar ogen. Nam een hap warme lucht. Haar armen beefden zo hevig dat ze bang was dat ze haar niet veel langer konden dragen. Ze liet zich op haar zij rollen, met haar lichaam op één lijn met de smalle balk, als een kat die balanceerde op de rugleuning van een bank. Ze keek naar de onderkant van het dak. Spijkers staken door het hout waar de shingles waren vastgetimmerd. Boven haar hoofd verspreidden vochtvlekken zich als donkere gedachtebubbels.

De prachtige origamizwaan was verdwenen, verslonden door de boosaardige gorilla, maar Callie kon de waarheid niet langer onderdrukken.

Ze richtte het licht niet recht naar voren, maar naar opzij. Ze duwde zich op haar elleboog overeind en dwong zichzelf langs de balk te kijken, achterom naar het paneel. Een kunststof snijplank overspande twee balken. Callie bracht haar hand naar haar buik. Ze voelde nog waar het gegroefde materiaal over haar huid had geschraapt toen ze de vliering op was geklommen.

Ze dacht weer aan de grote snijplank uit de keuken van Linda Waleski. De ene dag had hij nog op het werkblad gelegen, maar de volgende dag was hij verdwenen. Callie was ervan uitgegaan dat Linda had besloten hem weg te gooien in plaats van schoon te maken.

Maar nu begreep ze dat Buddy de plank had gestolen voor zijn vlieringproject.

Callie volgde met de lichtbundel de door ratten aangeknaagde kabel, die terugliep naar de plank. Zonder verdere informatie wist ze dat er een camcorder op het kunststof had gestaan. Ze wist dat de grijze kabel met drie RCA-stekkers uit een van de contactbussen aan de voorkant van het apparaat had gehangen. Rood voor het rechteraudiokanaal. Wit voor het linkerkanaal. Geel voor video. De kabel liep in één lange, in stukken gebeten lijn naar Callie terug en boog toen naar links.

Ze volgde de kabel, schoof op haar ellebogen vooruit tot haar lichaam dwars over de balken lag in plaats van in het verlengde ervan. Er was steeds minder plek. Met het licht van de zaklamp bekeek ze de bovenkant van de gipsplaat. Omdat er niet genoeg ruimte was, zag ze alleen de weerspiegeling van het glanzende bruine papier.

Ze stopte de telefoon in haar zak, waarop de vliering in duisternis werd gehuld.

Desondanks sloot Callie haar ogen. Ze streek met haar vingers over het gladde oppervlak. Vrijwel onmiddellijk stuitte ze op een ondiepe inkeping. In de loop van de tijd had iets een afdruk achtergelaten in de zachte gipspulp. Het had een diameter van zo'n vijf centimeter, even groot als de lensring van een camera. Het soort camera waarop het uiteinde van een aangevreten kabel kon worden aangesloten die terugvoerde naar de ontbrekende videorecorder.

Beneden hoorde ze beweging. Leigh was in de keuken. Callie luisterde naar de voetstappen van haar zus, die over het gruis op de vloer knerpten. Leigh was nu op de plek waar de tafel en stoelen hadden gestaan. Een paar stappen naar voren en ze stond bij het aanrecht. Een paar stappen naar achteren en ze stond bij de muur waar de keukentelefoon had gehangen.

'Callie?' Leigh richtte haar telefoon naar boven. Een lichtstraal viel door het gat in het plafond. 'Wat heb je gevonden?'

Callie reageerde niet.

Wat ze had gevonden, was het antwoord op hun twee bodemvragen.

Andrew wist alles omdat hij alles had gezien.

Woensdag

10

Leigh keek op de klok. Het was acht uur 's ochtends en de wegen raakten al aardig verstopt met spitsverkeer. Ze zat weer achter het stuur van haar Audi, maar voor het eerst in dagen had ze niet meer het gevoel dat ze aan het verdrinken was op het droge. Haar opluchting stond haaks op wat Callie de vorige avond op de vliering van de Waleski's had ontdekt, maar Andrew had al duidelijk gemaakt dat hij tot in detail op de hoogte was van de moord op zijn vader. Wat Leigh niet had geweten, wat haar tot de rand van waanzin had gedreven, was hóé hij het wist. Nu ze het 'hoe' te pakken had, was Andrew een deel van zijn macht over haar kwijt.

Dat uitgerekend Callie haar dat pressiemiddel had verschaft, maakte het alleen maar mooier. Toen haar zus had opgemerkt dat Andrew geen 'geheim leger aan drones in de lucht' had, was er een knop in Leighs hoofd omgegaan. Op haar achttiende was ze hopeloos onbekend geweest met de grondbeginselen van huizenbouw. Je had muren, vloeren en plafonds en op de een of andere manier kwam er water uit de kraan en ging er elektriciteit naar de lampen. Ze had nog niet in een kruipruimte op zoek hoeven gaan naar de hoofdwaterkraan omdat haar man uitgerekend dat weekend bij zijn moeder op bezoek was. Ze had nog nooit kerstcadeaus op zolder verstopt, buiten het zicht van een zeer nieuwsgierig, slim klein meisje.

Vanaf het moment dat Andrew weer in haar leven was opgedoken, had Leigh die vreselijke nacht van de aanval telkens opnieuw aan zich voorbij laten trekken in de hoop te ontdekken wat ze over het hoofd hadden gezien. Tot dat moment op de schommels was het nooit bij haar opgekomen dat ze overal hadden gekeken, behalve boven.

Daarmee kwam er een eind aan de verrassingen. Toen ze op de middelbare school zat, had Leigh elke kerst op de audiovisuele afdeling van een grote elektronicazaak gewerkt. Ze hadden commissieloon gekregen, dus Leigh had een strak shirtje aangetrokken en haar haar opgeföhnd om de onfortuinlijke mannen te lokken die op het laatste moment binnen waren gekomen op zoek naar iets duurs voor hun vrouw waar ze vooral zelf wat aan hadden. Ze had tientallen Canon Optura-camcorders verkocht. Ook opbergdozen, statieven, kabels, extra batterijen en videobanden, want de minicassettes hadden maar een speelduur van zo'n negentig minuten, dus je moest de inhoud wissen of een kopie maken.

Callie had verscheidene foto's genomen van Buddy's vlieringinstallatie, maar nog voor haar zus naar beneden was geklommen, had Leigh al precies geweten hoe het er daar uitzag. De RCA-kabel was aan de ene kant aangesloten op de camera en aan de andere kant op de videorecorder. Je drukte op een knop van de camera, dan drukte je op 'record' op de videorecorder en alles werd vastgelegd. Wel hadden Callies foto's bij Leigh een herinnering van lang geleden boven gebracht, namelijk dat ze de afstandsbediening in Buddy's broekzak had gevonden. Ze had hem zo hard over de vloer gekeild dat de batterijhouder was opengebarsten.

Buddy had niet de hele dag met de afstandsbediening in zijn zak rondgelopen. Die had hij daar met opzet in gestopt, net zoals hij de minicassette van de barcamera met opzet in het doosje Black & Mild had verstopt. Dat hij nog voor de ruzie met Callie losbarstte op 'record' had gedrukt voor de geheime camera boven de keukentafel, werd in de wereld van het recht 'met voorbedachten rade' genoemd. De enige reden waarom Buddy Waleski de camera had ingeschakeld, was dat hij had geweten dat hij Callie pijn ging doen toen hij haar naar de keuken was gevolgd.

En zijn zoon had het nu allemaal op de band staan.

In gedachten nam Leigh alle dingen door die Andrew Tenant níét met de opname had gedaan. Hij was er niet mee naar de politie gegaan. Hij had hem niet aan Cole Bradley laten zien. Hij had haar niet met het bewijs geconfronteerd. Hij had het tegen niemand gezegd die er ook maar iets mee kon doen.

Wel had hij met die informatie Leigh tot iets willen dwingen wat ze niet wilde doen. Ze had het patiëntendossier van Tammy Karlsen van de tafel in de vergaderzaal gepakt. Ze had de therapieaantekeningen gelezen. Ze had, in elk geval in haar hoofd, een manier bedacht om Tammy met die gegevens op haar knieën te dwingen.

Voorlopig was haar enige misdaad dat ze gestolen goed in ontvangst had genomen. Als verzachtende omstandigheid kon worden aangevoerd dat ze Andrews advocaat was en hem niet had geadviseerd het document te stelen, dat ze er zelf niets crimineels mee had gedaan. En trouwens, hoe wist ze dat het gestolen was? Iedereen met een printer kon een dossiermap een officieel tintje geven. Iedereen met een hoop vrije tijd kon de ruwweg honderdachtendertig dubbelgedrukte pagina's produceren met samenvattingen van ruim zestig therapiesessies.

Toen ze voor een stoplicht moest wachten, wierp ze een blik op haar tas. De map stak er aan de bovenkant uit. De aantekeningen vertoonden een patroon, bijna als in een roman. Tammy's verpletterende pijn aan het begin van de sessies, hoe ze zich geleidelijk had opengesteld toen ze de gruwel en schaamte had opgebiecht van wat er op school met haar was gebeurd. Hoe ze met vallen en opstaan haar drankgebruik, zelfbeschadiging en boulimie onder controle had gekregen. De mislukte pogingen zich ermee te verzoenen. Het geleidelijke besef dat ze haar verleden niet kon veranderen, maar wel kon proberen haar toekomst vorm te geven.

Wat vooral uit het dossier bleek, was dat Tammy Karlsen intelligent was, inzicht toonde, dat ze grappig en gedreven was – maar het enige wat Leigh dacht toen ze het document tot op de laatste pagina doorlas, was: waarom kon mijn zus dit niet?

Met haar verstand kon Leigh de wetenschap achter verslaving wel begrijpen. Ze wist ook dat twee derde van de oxygebruikers stomme jongeren waren die met drugs experimenteerden in plaats van patiënten met veel pijn die eraan verslaafd waren geraakt. Maar zelfs binnen de groep van pijnpatiënten raakte minder dan tien procent verslaafd. Ruwweg vier tot zes procent ging over op heroïne. Ruim zestig procent ontgroeide de verslaving of maakte een zogenoemd natuurlijk herstel door, waarbij ze van hun verslaving af wilden en een manier vonden om af te kicken, een derde zonder behandeling. Wat behandeling betrof, bleek uit de statistieken dat opname in een afkickkliniek vaak op een mislukking uitliep, en Nar-Anon zat er vaker naast dan niet. Methadon en suboxone als onderhoudsmedicatie waren het best bestudeerd, maar artsen die een door medicatie ondersteunde behandeling voorschreven, waren aan zoveel regels gebonden dat ze in hun eerste jaar hooguit honderd patiënten konden behandelen en daarna hooguit tweehonderdvijfenzeventig.

Ondertussen stierven er dagelijks ongeveer honderddertig Amerikanen aan een overdosis.

Callie was beter van de feiten op de hoogte dan wie ook, maar het had haar niet kunnen overhalen ermee te stoppen. Tenminste niet gedurende een langere periode. De afgelopen twintig jaar had ze een eigen fantasiewereld gecreëerd, waarin alles wat onaangenaam of verontrustend was werd uitgewist door opiaten of halsstarrige ontkenning. Alsof haar emotionele ontwikkeling was gestopt op het moment dat ze haar eerste oxycontinpil slikte. Ze had zich omringd met dieren, die haar geen pijn zouden doen, met boeken die zich in het verleden afspeelden, zodat ze wist dat alles goed kwam, en met mensen die haar nooit echt zouden leren kennen. Callie deed niet aan Netflix & chill. Ze had geen digitale voetafdruk achtergelaten. Ze had zich met opzet buiten de moderne wereld geplaatst. Walter had ooit gezegd dat als je alleen verwijzingen naar de popcultuur van vóór 2003 snapte, je ook Callie zou snappen.

Volgens Leighs gps moest ze bij het volgende stoplicht linksaf. Ze zwenkte de baan voor afslaand verkeer op, met een zwaaitje over haar schouder naar de automobilist die wilde voordringen. Hij stak zijn middelvinger op en begon te schreeuwen, maar ze negeerde hem.

Tikkend op het stuur wachtte ze tot het licht op groen sprong. Na de vorige avond kon ze alleen maar met heel haar hart hopen dat haar zus niet met een naald in haar arm ergens dood lag. Callie was kapot geweest toen ze zich uit de vliering had laten zakken. Haar tanden hadden geklapperd. Ze had aan één stuk door over haar armen gewreven. Toen ze eindelijk bij Phils huis waren aangekomen, had ze zo'n haast gehad om naar binnen te gaan dat ze Leigh zonder protest haar telefoonnummer had gegeven.

Leigh had niet gebeld om te vragen hoe het ging. Ze had geen bericht gestuurd. Niet weten was bijna erger dan weten. Sinds Callies eerste overdosis had ze voortdurend geworsteld met steeds hetzelfde duistere voorgevoel: dat midden in de nacht de telefoon ging, dat er hard op de deur werd geklopt en dat een politieagent met zijn pet in zijn hand zei dat ze naar het mortuarium moest om het lichaam van haar zusje te identificeren.

Het was haar schuld. Het was allemaal haar schuld.

Leigh werd uit haar neerwaartse spiraal gehaald toen haar privételefoon ging. Terwijl ze links afsloeg, drukte ze de knop op het stuur in.

'Mam!' klonk het gejaagd.

Leighs hart maakte dat grappige sprongetje. Toen sloeg de paniek toe, want Maddy belde nooit, tenzij er iets mis was. 'Alles goed met papa?'

'Ja,' zei Maddy geïrriteerd omdat Leigh daar het eerst aan had gedacht. 'Waarom vraag je dat eigenlijk?'

Leigh parkeerde de auto aan de kant van de straat. Ze wist dat een verklaring Maddy alleen maar een podium zou verschaffen om de martelaar uit te hangen, dus ze wachtte tot haar dochter naar het volgende onderwerp was gefladderd.

'Mam,' zei Maddy. 'Necia Adams organiseert dit weekend iets bij haar thuis, en er komen maar vijf mensen, en we doen alles buiten zodat het echt veilig is en –'

'Wat zei papa toen je het vroeg?'

Maddy aarzelde. Die was duidelijk niet voor advocaat in de wieg gelegd.

'Zei papa dat je het mij moest vragen?' raadde Leigh. 'Ik zal het er vanavond met hem over hebben.'

'Alleen…' Weer aarzelde Maddy. 'Keely's moeder is ervandoor.'

Leigh fronste haar wenkbrauwen. Ze had Ruby, Keely's moeder, dat weekend nog gezien. 'Ervandoor?'

'Ja, dat probeer ik je te vertellen.' Maddy dacht blijkbaar dat Leigh het al hoorde te weten, maar gelukkig vulde ze de open plekken zelf in. 'Midden in de nacht kreeg Ms Heyer zeg maar schreeuwende ruzie met Mr Heyer, maar Keely negeerde het want, duh. Maar toen Keely vanochtend beneden kwam voor het ontbijt, zei haar vader: "Je moeder heeft wat tijd voor zichzelf nodig, maar ze belt je later wel, en we houden heel veel van je." En toen zei hij dat hij de hele dag moest zoomen, en nu is Keely overstuur want… logisch… dus we vonden dat we dit weekend iets samen moesten doen om haar te steunen.'

Leigh voelde een valse grijns opkomen. Ze dacht weer aan Ruby's bitcherige schimpscheut tijdens de opvoering van *The Music Man*. Het mens zou al snel beseffen wat 'een school in het centrum' inhield als zij haar deel van Keely's particuliereschoolgeld moest betalen.

Maar dat alles kon ze niet tegen haar dochter zeggen. 'Sorry, schat. Soms lopen dingen gewoon niet.'

Maddy zweeg. Ze was gewend geraakt aan de vreemde regeling tussen Leigh en Walter, want ze hadden het enige gedaan wat ouders in vreemde tijden kunnen doen, namelijk alles zo normaal mogelijk houden. Tenminste, Leigh hoopte dat ze eraan gewend was geraakt.

'Mam, je snapt het niet. We wilden Keely wat opvrolijken, want het is bullshit wat Ms Heyer doet.' Maddy klonk op haar schelst wanneer ze tegen onrecht vocht. 'Ze heeft Keely niet eens gebeld of zo, alleen maar een berichtje gestuurd zo van *doei-wel-je-huiswerk-maken-TTYL*, en nou is Keely helemaal overstuur. Ze doet niets anders dan huilen.'

Leigh schudde haar hoofd, want zoiets deed je je kind niet aan. Toen vroeg ze zich af of Maddy haar iets probeerde te vertellen. 'Schat, ik weet zeker dat Ms Heyer Keely heel snel belt. Papa en ik zijn al uit elkaar, maar je bent nog lang niet van ons beiden af.'

'Nee, dat is me inmiddels overduidelijk.' Nu klonk Maddy net als Callie en de tranen sprongen Leigh in de ogen. 'Mam, ik moet hangen. Mijn zoom begint zo. Beloof je dat je met papa over het feestje praat?'

'Ik probeer hem te pakken te krijgen voor ik je vanavond bel.' Leigh hield wijselijk haar mond over het feit dat het steungroepje opeens in een feestje was veranderd. 'Ik hou –'

Maddy hing op.

Zonder haar eyeliner te verpesten streek Leigh met haar vingers langs de onderkant van haar ogen. De afstand tussen haar dochter en haarzelf deed nog steeds fysiek pijn. Ze kon zich niet voorstellen dat haar moeder ooit zo'n diep verlangen had gevoeld. Er waren spinnen die beter voor hun kroost zorgden. Als Maddy ooit tegen Leigh had gezegd dat een volwassen man zijn hand op haar been had gelegd, zou ze haar dochter niet hebben geadviseerd om de volgende keer zijn hand weg te meppen. Ze zou een geweer hebben gepakt en het hoofd van die vent aan bloederige brokken hebben geschoten.

De gps knipperde. Leigh zoomde uit op het scherm. Ze zag het terrein van de Capital City Country Club, eigendom van een van de oudste privésociëteiten in het zuiden. De buurt verzoop in het geld. Hiphopsterren en basketballers woonden naast ouderwetse stellen, iets wat Leigh pas wist toen Maddy haar een paar jaar geleden had overgehaald het huis van Justin Bieber op te zoeken, die destijds in de wijk woonde.

Ze zette de routeplanner uit en reed de weg weer op. De villa's die aan haar oog voorbijtrokken waren adembenemend, niet zozeer om hun schoonheid als wel om hun arrogantie. Zelf zou ze nooit in een huis kunnen wonen waarin het meer dan een halve minuut duurde voor ze bij haar kind was.

Met aan haar rechterkant het golfterrein volgde ze de slingerende East Brookhaven Drive. Ze wist dat de straat aan de andere kant van het golf-terrein in West Brookhaven overging. Lopend had ze via de greens kun-nen gaan, om het meer heen en dan langs de tennisbanen en het clubhuis, waarna ze nog maar een paar straten verwijderd zou zijn van het Little Nancy Creek Park.

Andrews villa van ruim drie miljoen dollar bevond zich aan Mabry Road. De eigendomsakte stond op naam van de Tenant Family Trust, de-zelfde die het krot aan Canyon Road bezat waarin de Waleski's hadden gewoond. Leigh had niet willen wachten tot Callie er eindelijk toe kwam de informatie op te zoeken en dan ook nog door te sturen. Voor ze die ochtend haar appartement had verlaten, had ze zelf een zoekopdracht in-gevoerd. Als die een spoor achterliet dat later opdook, kon ze altijd zeggen dat ze zich een beeld had willen vormen van Andrews vastgoedportefeuil-le voor het geval die ter sprake kwam tijdens het proces. Niemand kon haar verwijten dat ze haar werk te grondig aanpakte.

Leigh minderde vaart om de nummers te kunnen lezen op de brieven-bussen, die bijna even statig waren als de huizen zelf. Die van Andrew was een combinatie van witgeverfde baksteen, staal en ceder. Het nummer was met neon verlicht, want uiteraard gaf je hier meer aan een brievenbus uit dan wat de meeste mensen voor een huis konden missen. Leigh reed haar Audi door het open hek. De oprit slingerde om het huis heen naar de achterkant, maar ze parkeerde de auto voor het huis. Andrew moest haar kunnen zien.

Zoals te verwachten viel was het huis een ultramodern bouwwerk van glas en staal, dat zo voor de moordvilla in een Zweedse thriller had kun-nen doorgaan. Bij het uitstappen maakte Leigh met haar hak een zwarte veeg op de smetteloos witte oprit. Ze gaf een nadrukkelijke draai aan elke stap, in de hoop dat Andrew met een tandenborstel naar buiten kwam zodra ze wegreed.

Vierkante struiken moesten voor hovenierskunst doorgaan. Witte, grafsteenachtige marmeren platen voerden naar de voordeur, met toefjes slangenbaard tussen de kieren. Het groen was te fel tegen al dat blinkende wit. Als Leigh een mogelijkheid had gezien om de jury hier te brengen, zoals bij O.J. Simpson, zou ze die kans hebben gegrepen.

Ze beklom de drie lage treden naar de glazen voordeur. Ze kon recht door het huis heen naar de achterkant kijken. Witte muren. Glimmende betonnen vloer. Roestvrijstalen keuken. Zwembad. Cabana. Buitenkeuken.

Hoewel er een bel was, sloeg Leigh met haar vlakke hand tegen het glas. Ze draaide zich om en keek weer naar de straat. In de hoek van het overstek was een camera gemonteerd. Leigh herinnerde zich van het huiszoekingsbevel dat de politie gemachtigd was geweest om opnamen van bewakingsapparaten mee te nemen. Heel toevallig was Andrews systeem de hele week buiten werking geweest.

Ze hoorde het vage geklak van zware hakken over de gladde betonnen vloer.

Ze draaide zich weer om. Nu kreeg ze Sidney Winslow in beeld, die als een volleerde Elle Macpherson naar de voordeur schreed. De goth-look was die dag wat afgezwakt. Sidney was licht, bijna natuurlijk opgemaakt. Ze droeg een strakke grijze rok onder een marineblauwe blouse. Haar schoenen hadden dezelfde kleur als de blouse. Zonder al dat leer en die dwarse houding was ze een aantrekkelijke jonge vrouw.

De deur werd geopend. Leigh voelde hoe de kilte van de airconditioning zich mengde met de warmte van de ochtend.

'Andrew is zich nog aan het aankleden,' zei Sidney. 'Is er iets?'

'Nee hoor, ik moet alleen een paar dingen met hem doornemen. Mag ik binnenkomen?' Nog voor ze haar vraag had afgemaakt, stond ze al binnen. 'Wauw, wat gigantisch allemaal.'

'Niet normaal, hè?' Sidney sloot de deur.

Leigh zorgde dat ze al halverwege de gang was tegen de tijd dat ze de grendel hoorde klikken. Er was niets zo verontrustend als iemand die je privéruimte binnen banjerde.

Maar dit was niet Sidneys privéruimte. Nog niet. Volgens Reggies vluchtige achtergrondonderzoek had Sidney een flat in Druid Hills en deed ze een PhD aan Emory University. Dat ze psychiatrie studeerde, was iets waar Leigh zich later, op een vrij moment, vrolijk over zou maken.

Ze liep de gang door, die ruim zes meter lang was. Aan de muren hing voorspelbare kunst: foto's van halfnaakte vrouwen, een schilderij van een kunstenaar uit Atlanta die bekend was geworden met zijn geaderde, bezwete paarden voor vrijgezellenflats. De eetkamer was steriel wit. De studeerkamer, de salon, de woonkamer, ze waren allemaal zo verblindend eenkleurig dat het was alsof je binnenkeek bij een gesloten inrichting uit de jaren dertig.

Toen ze bij het achterste gedeelte van het huis waren aangekomen, begonnen Leighs ogen te branden van een plotselinge kleurexplosie. Een aquarium besloeg een volledige wand. Grote tropische vissen zwommen achter een dikke glasplaat, die van de vloer tot aan het plafond reikte. Ertegenover stond een witleren bank, als een soort uitkijkpost voor de show. In Leighs hoofd flitste de herinnering op aan Callie die haar hand in de veertigliterbak had gestoken die ze in de woonkamer van de Waleski's had geïnstalleerd. Callies vingers hadden vol vastgekoekt bloed gezeten. Ze had eerst haar handen bij het aanrecht willen wassen om te voorkomen dat de vissen ziek werden.

'Cool, hè?' Met een knik in de richting van het aquarium tikte Sidney een bericht in op haar telefoon. 'Dat is van dezelfde vent die iets heeft gedaan voor het Atlanta Aquarium. Andrew weet er alles van. Hij is een echte vissengek. Ik heb hem net geappt dat je hier bent.'

Leigh draaide zich om. Ze besefte dat dit de eerste keer was dat ze een gesprek onder vier ogen met de verloofde van Andrew had. Tenzij ze de keer meetelde dat Sidney haar vanaf de overkant van het parkeerterrein voor bitch had uitgemaakt.

'Hoor eens,' zei Sidney, alsof ze Leighs gedachten had gelezen. 'Sorry van laatst. Dit is allemaal zo schokkend. Andy is soms zo'n verloren jongetje. Ik wil hem altijd beschermen.'

Leigh knikte. 'Snap ik.'

'Ik heb het gevoel dat…' Machteloos hief ze haar handen. 'Wat is dit allemaal voor bullshit? Waarom heeft de politie het op hem voorzien? Omdat hij geld heeft of in mooie auto's rijdt? Of is het een soort wraakoefening omdat Linda in die covidtaskforce heeft gezeten?'

Leigh bleef zich erover verbazen dat rijke witte mensen ervan uitgingen dat het systeem altijd werkte, tot ze merkten dat ze er zelf in verstrikt zaten. Dan moest het wel een of andere verrotte samenzwering zijn. 'Ik had een cliënt die werd gearresteerd omdat hij een grasmaaier had gestolen,' zei ze. 'Hij is in de cel aan covid gestorven omdat hij de vijfhonderd dollar borg niet kon betalen.'

'Was hij schuldig?'

Leigh pikte een hopeloos geval er feilloos uit. 'Ik doe mijn uiterste best om Andrew te helpen.'

'Jezus, dat mag ik hopen. Hij betaalt je genoeg.' Voor Leigh een antwoord kon formuleren, was Sidney alweer in haar telefoon verdiept.

Nu Leigh aan haar lot werd overgelaten, maakte ze van de gelegenheid gebruik om naar de glaswand aan de achterkant van het huis te lopen. Dezelfde vierkante struiken omzoomden het grafsteenpad naar het zwembad. Ook het terras was van wit marmer. Al het buitenmeubilair was wit. Vier ligstoelen. Vier stoelen rond een glazen tafel. Het zag er bepaald niet uitnodigend uit. Of zelfs maar gebruikt. Ook het gras leek onecht. De enige variatie in kleur kwam van de stalen-cederhouten schutting die het perceel in de verte begrensde.

Als ze gevoel voor poëzie had, zou ze nu een gedicht hebben bedacht over het huis als ijskoude belichaming van Andrews ziel.

'Harleigh.'

Langzaam draaide Leigh zich om. Andrew had haar weer beslopen, maar deze keer was ze niet geschrokken. Ze schonk hem een koele, keurende blik. In tegenstelling tot het huis was hij geheel in het zwart, van zijn T-shirt tot zijn trainingsbroek en de bijpassende slippers aan zijn voeten.

'We moeten praten,' zei ze.

'Sid?' Hij verhief zijn stem, die tegen de harde oppervlakken echode. 'Sid, waar ben je?'

Andrew liep de gang in, op zoek naar zijn verloofde. Leigh zag dat zijn haar aan de achterkant nog nat was. Waarschijnlijk kwam hij net onder de douche vandaan.

'Die is vast de taart gaan halen voor de bruiloft,' zei Andrew. 'We hebben voor vanavond een kleine ceremonie gepland. Alleen mijn moeder en een paar mannen van het autobedrijf. Of heb je zin om ook te komen?'

Leigh zweeg, benieuwd of ze hem een onbehaaglijk gevoel kon bezorgen.

Zijn onverstoorbare blik veranderde niet. Wel vroeg hij uiteindelijk: 'Vertel je me nog wat je hier komt doen?'

Leigh schudde haar hoofd. Ze was al door een camera gesignaleerd. Ze liet zich niet door een tweede betrappen. 'Buiten.'

Andrew trok zijn wenkbrauwen op, maar ze zag dat hij van de intrige genoot. Hij deed de deur van het slot. De hele ramenreeks vouwde terug. 'Na jou.'

Voorzichtig stapte ze over de drempel. Het marmer was gestructureerd, niettemin misten haar hoge hakken grip. Ze glipte eruit en liet ze bij de deur staan. Zonder iets te zeggen liep ze naar het zwembad. Ze bleef niet aan de rand van het terras staan, maar daalde het trapje af naar de rand van het overloopzwembad. Het kunstgras voelde stug onder haar blote voeten en was nog nat van de ochtenddauw. Achter zich hoorde ze Andrews zwaardere voetstappen over de grond stampen. Ze vroeg zich af of Tammy Karlsen dat geluid had gehoord toen hij haar was gevolgd het park in. Of was ze toen al geboeid geweest? Had ze een prop in haar mond gehad zodat ze niet kon schreeuwen? Was ze te gedrogeerd geweest om te weten dat ze moest schreeuwen?

Alleen Andrew wist daarop het antwoord.

De achtertuin had ongeveer de afmetingen van een half footballveld. Leigh bleef in het midden staan, precies tussen het zwembad en de schutting aan de achterkant. De zon brandde al. Het gras werd warm onder haar voeten. 'Steek je handen eens omhoog,' zei ze tegen Andrew.

Hij glimlachte, maar deed wat hem was opgedragen.

Leigh klopte op zijn zakken, net zoals ze in de keuken op Buddy's zakken had geklopt. Ze vond een tube lippenbalsem, maar geen portefeuille, sleutels of telefoon.

'Ik was me net aan het aankleden voor mijn werk,' legde Andrew uit.

'Heb je geen week vrij genomen om je op je proces voor te bereiden?'

'Daar heb ik mijn advocaat voor.' Zijn lachje was verontrustend, even nep als het gras onder hun voeten. 'Heb je Tammy's medische dossier gelezen?'

Leigh wist waar hij op doelde. 'Ze heeft een verleden vol alcoholmisbruik. Die avond dat ze met jou was, heeft ze tweeënhalf glas martini gedronken.'

'Ja. En ze zei dat ze al eens verkracht was.' Zijn stem klonk nu vertrouwelijk. 'Vergeet dat niet. Ik ga ervan uit dat een jury van mijn soortgenoten haar abortus ook niet door de vingers ziet.'

'Grappig dat je denkt dat je jury uit je soortgenoten zal bestaan.' Leigh gunde hem geen tijd om te reageren. 'Hoe oud was je toen ik voor het eerst op je paste?'

'Ik…' De vraag had hem duidelijk overvallen. Hij lachte om zijn ongemak te verhullen. 'Zes? Zeven? Dat weet jij beter dan ik.'

'Jij was vijf, en ik was dertien,' zei Leigh. 'Dat weet ik nog omdat ik net uit de jeugdgevangenis kwam. Weet je waarom ik daar toen zat?'

Andrew keek naar zijn huis. Hij scheen te beseffen dat Leigh de toon had gezet voor dit gesprek en dat hij haar blindelings was gevolgd. 'Vertel.'

'Een meisje plaagde Callie met haar kapsel, hoewel "kapsel" wel een heel mooi woord was voor wat Phil in een dronken bui met Callies haar had gedaan. Ze had het bijna helemaal afgeknipt. Dus ik zocht ergens een glasscherf en ben het meisje in de pauze gevolgd. Ik heb haar op de grond geduwd en haar haar afgesneden tot haar hoofdhuid begon te bloeden.'

Hij keek haar gefascineerd aan. 'En?'

'Dat heb ik met een onbekende gedaan die me kwaad had gemaakt. Wat denk je dat ik met jou ga doen?'

Andrew zweeg even en moest toen lachen. 'Je gaat helemaal niks met me doen, Harleigh. Je denkt dat je hier wat te zeggen hebt, maar vergeet het maar.'

'Buddy liet je een camera op de vliering installeren.'

Nu keek hij verbaasd.

'Hij had met geen mogelijkheid zijn vette pens in die krappe ruimte kunnen wurmen,' zei ze. 'Daarom moest jij het voor hem doen.'

Andrew zweeg, maar Leigh zag dat ze hem eindelijk te pakken had.

Ze wist van geen wijken. 'Linda zette het huis in mei 2019 te koop bij Re/Max, een maand voordat jij in de CinéBistro je eerste verkrachtings-slachtoffer vond.'

Zijn kaak trilde toen hij zijn kiezen op elkaar klemde.

'Ik vermoed dat je toen weer dacht aan de camera die je voor Buddy op de vliering had geïnstalleerd.' Leigh trok een schouder op. 'Je wilde die vader-zoonband nog eens ervaren. En nu ben je een verkrachter, net als hij.'

Andrew ontspande zijn kaak. Weer keek hij naar het huis. Toen hij zich naar Leigh toe keerde, was de duisternis terug in zijn blik. 'Jij en ik weten dat Callie maar al te goed besefte wat ze deed.'

'Callie was twaalf toen het begon,' zei Leigh. 'Buddy was bijna vijftig. Ze had geen idee wat –'

'Ze vond het heerlijk,' zei Andrew. 'Heeft ze je dat ook verteld, Harleigh? Ze vond het heerlijk wat mijn pa met haar deed. En ik kan het weten, want elke avond lag ik in mijn bed naar haar te luisteren als ze kreunend zijn naam uitsprak.'

Leigh hield haar gevoelens nauwelijks in bedwang. Vrijwel moeiteloos bracht haar geheugen Callies hese gefluister weer naar boven toen ze Leigh smeekte om bij Buddy te gaan kijken, om te zien hoe het met hem ging, toen ze zei dat Buddy niet boos zou zijn als ze hulp voor hem haalden.

Hij houdt van me, Harleigh. Hij vergeeft het me wel.

'Dat van die vliering klopt,' zei Andrew. 'Een paar weken voor jij hem vermoordde, stuurde mijn vader me naar boven.'

Het klamme zweet brak Leigh uit. Daarom had ze hem hiernaartoe gelokt, weg van camera's en recorders en nieuwsgierige ogen. Ze had er genoeg van om het onderwerp heen te draaien, om een show op te voeren ten behoeve van die onnozele Reggie. 'Zei hij ook waarom?'

'Er waren in de buurt wat inbraken geweest.' Andrew lachte kort, alsof hij zijn kinderlijke onschuld betreurde. 'Mijn vader zei dat het voor de veiligheid was, voor als iemand wilde inbreken. Ik was zo dom hem te geloven.'

'Erg slim ben je nooit geweest,' zei Leigh.

Hij knipperde met zijn ogen, en even zag ze in een flits het kwetsbare jongetje dat altijd huilde als hij dacht dat ze kwaad op hem was. Toen knipperde hij weer met zijn ogen en was het beeld verdwenen.

'Wat weet Sidney?' vroeg ze.

'Ze weet dat ik van haar hou,' zei Andrew schouderophalend, alsof hij de leugen toegaf. 'Voor zover ik van iemand kan houden.'

'En Reggie?'

'Reggie is even loyaal als mijn zakken diep zijn.'

Leigh zette zich schrap toen Andrew bewoog, maar hij knielde alleen maar om een veeg in het kunstgras glad te strijken.

Hij keek naar haar op. 'Callie hield van hem, Harleigh. Heeft ze je dat niet verteld? Ze was verliefd op hem. Hij was verliefd op haar. Ze hadden samen gelukkig kunnen worden. Maar dat nam jij van hen af.'

Leigh kon de bullshit niet meer aanhoren. 'Wat wil je, Andrew?'

Langzaam kwam hij overeind. Hij streek een onzichtbare kreukel in zijn broek glad. 'Ik wil normaal zijn. Ik wil verliefd worden, trouwen, kinderen krijgen, het soort leven leiden dat ik gehad zou hebben als jij mijn vader niet van me had afgenomen.'

Ze lachte om het bizarre fantasietje. 'Buddy kon het niet uitstaan –'

'Lach me niet uit.' Weer was zijn uitdrukking veranderd, maar deze keer deed hij niets om de dreigende uitstraling te verhullen. 'Weet je wat er gebeurt met vrouwen die me uitlachen?'

Bij zijn toon kneep Leighs keel dicht. Ze keek achterom, naar het huis. Ze keek over de schutting. Ze had gedacht dat de afzondering waarin ze dit gesprek hielden haar zou beschermen, maar nu zag ze in dat ze hem ook een kans had geboden.

'Ik weet wat je van plan bent, Harleigh.' Op de een of andere manier was hij dichterbij gekomen. Zijn adem rook naar pepermunt. 'Je denkt dat je met je juridische gemanipuleer de schijn gaat wekken dat je me verdedigt, maar ondertussen doe je je uiterste best om ervoor te zorgen dat ik de bak in ga.'

Leigh keek naar hem op. Te laat zag ze haar vergissing in. Ze verstijfde onder zijn blik. Ze had nog nooit zoiets boosaardigs gezien. Weer dreigde haar ziel uit haar lichaam te treden. Zoals elk roofdier maakte Andrew gebruik van haar zwakte. Leigh was machteloos toen hij zijn hand naar haar borst bracht en die plat op haar hart legde. Ze voelde het kloppen tegen zijn handpalm, als een rubberen bal die eindeloos stuiterde tegen een keihard oppervlak.

'Ik zal je vertellen wat ik wil, Harleigh.' Hij glimlachte toen haar lippen begonnen te trillen. 'Ik wil dat je doodsbang bent dat ik op een dag, op een willekeurig moment, die video naar de politie stuur en dat dan alles wat je hebt – je perfecte nepleventje als een mammie met ouderraadvergaderingen, schooltoneel en die stomme man van je – in rook opgaat, net zoals mijn leven in rook opging toen je mijn vader vermoordde.'

Leigh deinsde achteruit. Het voelde alsof hij zijn handen om haar keel had geslagen. Zweet droop langs haar gezicht. Ze klemde haar kiezen op elkaar om het klapperen van haar tanden tegen te gaan.

Andrew bestudeerde haar alsof hij naar een voorstelling keek. Zijn hand bleef in de lucht hangen, maar ze voelde hem nog steeds tegen haar hart drukken. Terwijl ze ernaar keek, bracht hij hem naar zijn gezicht. Hij sloot zijn ogen en ademde in, alsof hij haar geur kon ruiken.

'Vanuit de gevangenis kun je geen video versturen,' zei ze.

'En jij was toch zo slim, Harleigh?' Hij had zijn ogen weer geopend. Zijn hand verdween in zijn zak. 'Weet je niet dat ik een plan achter de hand heb?'

Zo dom was ze nu ook weer niet. Ze wilde hem horen toegeven dat hij een uitweg had. 'Waarom heb je het mes bewaard?'

'Dat heb je aan Callie te danken. Ze kon er niet van scheiden, nam het overal in huis met zich mee, had het zelfs bij zich als we tekenfilmpjes

zaten te kijken. Of ze zat urenlang aan de keukentafel die stomme ana-
tomietekening te bestuderen.' Andrew schudde zijn hoofd. 'Arme, lieve
Callie. Zij is altijd de kwetsbaarste geweest, hè? Het schuldgevoel over wat
jij haar had laten doen was te groot, dat kon ze niet aan.'

Leigh slikte moeizaam. Het liefst had ze de naam van haar zusje uit zijn
walgelijke mond gesneden.

'Ik heb het mes gehouden als een soort aandenken aan haar.' Zijn
mondhoek ging weer omhoog. Daar was die grijns weer. 'Toen ik zag hoe
ze dat mes bij mijn vader gebruikte, klopte het eindelijk.'

Leigh moest zichzelf weer in de hand zien te krijgen, maar wat nog
belangrijker was: ze moest hem wegleiden van Callie. 'Andrew,' zei ze, 'is
het ooit bij je opgekomen wat die video werkelijk laat zien?'

Hij trok zijn wenkbrauwen op. 'Vertel.'

'Laten we het eens doornemen, oké?' Ze wachtte tot hij knikte. 'Jij laat
de video aan de politie zien. De politie arresteert me. Er wordt een proces-verbaal opgemaakt en zo. Dat weet je allemaal nog van toen je zelf
werd gearresteerd, toch?'

Hij knikte, zichtbaar verward.

'Vervolgens verzoek ik om een gesprek met de openbare aanklager. De
openbare aanklager en ik gaan die video samen bekijken, zodat ik kan
uitleggen dat jouw vaders dijbeen op precies dezelfde manier is geraakt
als de dijbenen van de vrouwen die jij hebt verkracht.'

Nu was het Andrews beurt om geschrokken te kijken. Daar had hij niet
bij stilgestaan.

'Zoiets heet een "modus operandi", Andrew, en daarmee verdwijn je
voor de rest van je leven in de gevangenis.' Fijntjes voegde ze eraan toe:
'Wederzijds verzekerde vernietiging.'

Het duurde even voor hij zich herpakt had. Hij nam er alle tijd voor,
schudde theatraal met zijn hoofd en siste zelfs tussen zijn tanden door.
'Dom wijf, denk je echt dat dat de enige video is die ik kan laten zien?'

Er trok een siddering over haar huid. Zijn toon leek zo op die van zijn
vader dat ze weer terug was in de gele Corvette, met samengeknepen benen, bonkend hart en een maag die zich binnenstebuiten keerde.

'Ik heb uren aan beeldmateriaal van je arme, breekbare zusje, dat geneukt wordt in alle openingen die ze heeft.'

Elk woord was als een stomp in Leighs gezicht.

'Die vond ik in mijn videoverzameling toen ik ging studeren. In een nostalgische bui wilde ik Disney-filmpjes kijken, maar toen ontdekte ik dat mijn vader die banden had weggegooid en vervangen door zijn eigen verzameling.'

Leighs ogen vulden zich met tranen. Ze hadden zijn kamer nooit doorzocht. Waarom hadden ze zijn kamer niet doorzocht?

'Urenlang de beste porno die ik ooit heb gezien.' Andrew keek naar haar gezicht, zwolg in haar pijn alsof het een drug was. 'Is Callie nog steeds zo klein geschapen, net als toen, Harleigh? Is ze nog altijd zo'n schatje met haar smalle middeltje, haar grote ogen en haar piepkleine poesje?'

Leigh drukte haar kin op haar borst, want ze gunde hem haar leed niet.

'Zodra er iets met me gebeurt, zal iedere man, iedere vrouw en elk kind met toegang tot het internet kunnen zien hoe je zusje aan stukken wordt gereten.'

Leigh kneep haar ogen dicht om haar tranen te bedwingen. Door uitgerekend dat scenario werd Callie geteisterd. Ze kon niet over straat zonder bang te zijn dat iemand haar herkende van Buddy's filmpjes. Mr Patterson. Coach Holt. Mr Humphrey. Mr Ganza. Mr Emmett. Hun ontering had haar bijna evenzeer verwond als Buddy's smerige praktijken. Als Andrew ontelbare andere walgelijke mannen naar die rotzooi liet kijken, zou Callie in zoveel stukken uiteenvallen dat zelfs de grootst mogelijke hoeveelheid heroïne niet genoeg zou zijn om haar weer in elkaar te zetten.

Met haar vuist veegde ze langs haar ogen. Weer stelde ze dezelfde stomme vraag. 'Wat wil je, Andrew?'

'Wederzijds verzekerde vernietiging werkt alleen zolang niemand zenuwachtig wordt,' zei hij. 'Jij overtuigt de jury dat ik onschuldig ben. Je laat niets van Tammy Karlsen heel in de getuigenbank. Daarna zien we wel wat je nog meer voor me kunt doen.'

Leigh keek op. 'Hoelang, Andrew? Hoelang gaat dat duren?'

'Op die vraag weet je het antwoord, Harleigh.' Voorzichtig veegde Andrew haar tranen af. 'Zolang als ik wil.'

11

'Mrs Takahashi?'

Callie draaide haar benen naar de zijkant van de stoel zodat ze de bibliothecaresse kon aankijken. Op het mondkapje van de vrouw stond LEES MEER BOEKEN! In haar hand had ze een exemplaar van *Compendium van Noord-Amerikaanse slakken en hun leefgebieden.* 'Deze heb ik in de inleverbus gevonden.'

'Geweldig, dank u!' Callie nam de dikke paperback in ontvangst. *'Arigato.'*

De bibliothecaresse trok zich met een buiginkje terug of anders deed ze een zachtmoedige brontosaurus na, maar beide gebaren konden als culturele toe-eigening worden uitgelegd.

Callie draaide zich weer om. Ze legde het boek naast het toetsenbord. Ze was vermoedelijk de enige junk die ooit identiteitsdiefstal had gepleegd voor een bibliotheekpasje. Himari Takahashi was een oorlogsbruid geweest. Ze was de Stille Oceaan overgestoken om met haar geliefde, een drieste soldaat, te trouwen. Ze hadden allebei van lezen en lange wandelingen gehouden. Hij was eerder gestorven dan zij, maar ze had haar dagen gesleten met tuinieren en door dingen te ondernemen met haar kleinkinderen.

Dat was in elk geval het verhaal dat Callie zichzelf had verteld. In werkelijkheid had ze Mrs Takahashi nooit gesproken. De eerste en tevens laatste keer dat ze elkaar hadden ontmoet, was toen Mrs Takahashi in een zwarte lijkzak werd geritst. In januari, toen covid dagelijks de levens van bijna vierduizend mensen wegvaagde, had Callie voor contant geld een baantje aangenomen bij een van de lokale verzorgingshuisketens. Samen met andere burgers van het soort dat wanhopig genoeg was om de eigen gezondheid op het spel te zetten, had ze coronapositieve lijken in de koelwagens geladen die door de Nationale Garde waren geleverd.

Iemand in de computerzaal hoestte, waarop iedereen in elkaar kromp, om zich daarna met een ruk om te draaien en beschuldigende blikken in het rond te werpen, alsof ze de schuldige op de brandstapel wilden gooien.

Callie voelde of haar mondkapje nog goed zat. Junkies belandden altijd aan het verkeerde eind van de wijzende vinger. Met haar linkerhand pakte ze de muis. Voor de verandering had ze sinds de vorige avond geen gevoel meer in haar rechterhand. Haar hele lijf deed pijn van de lange kruiptocht over de vliering. Ze was walgelijk zwak. Het meest inspannende wat ze de afgelopen maanden had gedaan, was een potje armworstelen om Animal Crackers met dokter Jerry. Meestal eindigde zo'n wedstrijd in gelijkspel. Ze wilden geen van beiden dat de ander verloor.

Ze trok het toetsenbord naar zich toe. Ze klikte de zoekbalk aan zonder iets te typen. Haar blik schoot over het scherm. Volgens de belastinginspecteur van Fulton County was het huis aan Canyon Road nog steeds in het bezit van de Tenants.

Eigenlijk moest ze dat tegen Leigh zeggen. Eigenlijk moest ze haar de informatie mailen. Eigenlijk moest ze haar bellen.

Ze tikte op de muis en keek om zich heen. In de hoek was een camera, waarvan het zwarte oog zwijgend toekeek. Wat beveiliging betrof was het systeem in DeKalb County beter op orde dan dat in Atlanta. Callie had Leigh beloofd dat ze naar de bibliotheek in het centrum zou gaan, maar Leigh had Callie drieëntwintig jaar geleden beloofd dat ze nooit meer aan Buddy Waleski zouden hoeven denken.

Ze opende Facebook en voerde 'Sidney Winslow Atlanta' in.

Er dook maar één pagina op, wat verbazingwekkend was, want tegenwoordig leken alle meisjesnamen een variant van elkaar. Heel anders dan toen Callie jong was en ze geplaagd werd omdat ze niet eens haar eigen naam goed kon uitspreken.

Sidneys achtergrondfoto was een afbeelding van wat vroeger Grady High School heette. Het recentste bericht was uit 2012, een foto van acht tienermeiden, op elkaar gepakt tijdens een concert in de Georgia Dome. Te oordelen naar hun zedige kleren en de vele kruisen op de achtergrond ging Callie ervan uit dat Passion 2012 niet meer Sidney Winslows soort scene was.

Zoals Facebook ook vast niet meer niet meer haar scene was. Andrews verloofde viel niet onder de Facebook-doelgroep, want een twintiger wilde niet geconfronteerd worden met een gênante foto die haar ouders ergens in de jaren nul hadden gepost.

Callie ging naar TikTok en daar was het meteen raak. Haar wenkbrauwen schoten omhoog toen ze het aantal filmpjes zag. Dus zo was het om tegenwoordig jong te zijn. Sidneys socialmedia-aanwezigheid was praktisch een parttimebaan. Haar profielfoto was een close-up van een gepiercete lip met een dikke laag paarse lippenstift, een duidelijk teken dat het religieuze vuur allang was gedoofd.

Er stonden duizenden filmpjes op, maar Callie kon ze niet bekijken, want zonder koptelefoon mocht je in de bibliotheek geen geluid afspelen. Uit de beschrijvingen onder de stilstaande beelden maakte ze op dat Sidney Winslow een vijfentwintigjarige studente was die aan Emory University een ongelooflijk nuttige doctorstitel in de psychiatrie hoopte te behalen.

'Tja,' zei Callie, die eindelijk begreep waarom Leighs stem droop van walging telkens als ze Sidney Winslows naam uitsprak.

Als Sidney op de campus was of poëtisch werd achter het stuur van haar auto, had ze haar haar opgestoken, was ze keurig opgemaakt en droeg ze een kleurige pet op haar hoofd of een zwierige sjaal om haar hals. Het nachtleven vroeg om een totaal andere look. Dan veranderde ze min of meer in een gemoderniseerde versie van Phils geriatrische goth. Haar strakke rokjes en leren broeken werden geaccentueerd door een indrukwekkend aantal piercings. Dikke lagen make-up. Pruillippen. Het boord van haar shirt laag genoeg om anderen een verleidelijke blik op haar borsten te gunnen.

Callie moest toegeven dat ze fantastische borsten had.

Maar tegelijkertijd vroeg ze zich af waarom Andrew Tenant geen deel uitmaakte van Sidneys goed gedocumenteerde leven. Ze scrolde door de filmfoto's zonder in de verste verte een verwijzing naar Andrew tegen te komen, wat vreemd was aangezien ze op het punt stonden te trouwen. Ze keek wie Sidneys volgers waren en stuitte op allerlei meiden die klonen van haar konden zijn en een handjevol jonge mannen die zich bij voorkeur met ontbloot bovenlijf lieten fotograferen. En gelijk hadden ze, want ze zagen er verdomd goed uit zonder shirt.

Ze klikte om te kijken wie Sidney volgde. Dua Lipa, Janelle Monáe, Halsey, Bruno Mars, talloze #bromoseksuelen, maar geen Andrew.

Callie ging naar Instagram, en pas toen ze kramp in haar vinger had gekregen van het klikken, vond ze een foto van hen samen. Van twee jaar geleden. Bij een tuinbarbecue. Sidney keek stralend in de camera. Andrew stond er wat onwillig bij, met zijn hoofd gebogen en zijn lippen in een dunne witte streep, zo van ik-doe-dit-voor-jou-maar-schiet-op. Als je een verkrachter en moordenaar was, dacht Callie onwillekeurig, probeerde je social media te mijden.

Dan had hij het verkeerde meisje uitgekozen. Er waren duizenden posts, verspreid over de verschillende platforms, bijna altijd vergezeld van een goed gevuld glas alcohol. Wijn op feestjes. Bier aan bars. Martini's op een terras. Mojito's aan het strand. Slanke blikjes Rock and Rye in een auto. Callie schudde haar hoofd, want het leven van de jonge vrouw was een catastrofe. En Callie kon het weten, want haar eigen leven was een catastrofe waar ook nog eens een atoombom overheen was gegaan.

Sidneys Twitter-account toonde de gevolgen van #YOLO. Een maand geleden was het feestvarken geverbaliseerd wegens rijden onder invloed. Sidney had het hele proces vastgelegd, kernachtige gedachten over het rechtssysteem rondgetweet, de geestdodende zinloosheid beschreven van de verplichte cursus over alcohol in het verkeer aan het instituut aan Cheshire Bridge Road, haar door de rechtbank opgelegde presentielijst gefotografeerd waarmee ze moest bewijzen dat ze het verplichte aantal AA-bijeenkomsten had bijgewoond.

Callie tuurde naar de lijst, die ze kende van haar eigen martelgang door het rechtssysteem. Sidney had de voorgeschreven dertig bijeenkomsten in dertig dagen moeten volgen en daarna twee per week. Callie herkende de kerk waarin de vroegeochtendbijeenkomsten werden gehouden. De koffie was er heerlijk, maar in de baptistenkerk aan de overkant waren de koekjes lekkerder.

Ze keek op de klok.

14.38 uur.

Ze logde uit. Ze zocht naar haar rugzak, maar herinnerde zich toen weer dat ze die in haar afgesloten kamer had achtergelaten, samen met haar geheime voorraad. Ze had de rest van haar spullen in de zakken van het gele satijnen jasje gepropt dat ze in haar kast had gevonden. Het boord was gerafeld, maar op de achterkant zat een aftrekplaat van een schitterende regenboog.

Het was het eerste kledingstuk dat ze ooit voor zichzelf had gekocht van Buddy's geld.

Ze haalde het *Compendium van Noord-Amerikaanse slakken en hun leefgebieden* door het automatische uitchecksysteem. De paperback paste net in de zak van het jasje, waarbij de randen niet onplezierig tegen haar ribben drukten. Kreunend liep ze naar de uitgang. Ze kreeg haar rug niet meer recht. Ze schuifelde als een oude vrouw, hoewel ze zonder meer aannam dat Himari Takahashi zelfs op haar zesentachtigste nog een uitstekende houding had gehad.

De zon was verblindend toen Callie de deur openduwde. Ze diepte het groene zonnebankbrilletje uit haar zak op. Zodra ze het opzette, werd het licht meteen een stuk minder fel. Terwijl ze naar de bushalte sjokte, voelde ze de hitte op haar rug en nek branden. Uiteindelijk lukte het haar rechtop te gaan lopen. De wervels klikten als klapperende kiezen. De gevoelloosheid in haar vingers trok door haar arm naar boven.

Bij de bushalte zat al iemand op het bankje te wachten. Dakloos, binnensmonds mompelend, getallen aftellend op zijn vingers. Aan zijn voeten stonden twee propvolle papieren zakken. Ze waren gevuld met kleren. Ze herkende de gespannen blik in zijn ogen, het voortdurende gekrab over zijn armen.

Hij wierp een blik op haar en keek toen nog eens goed. 'Gave zonnebril.'

Callie nam het ding af en gaf het aan hem.

Hij griste het weg als een gerbil die iets lekkers kreeg.

Haar ogen begonnen weer te tranen, en even had ze spijt toen de man het brilletje opzette, want het was echt een heel gaaf ding. Evengoed viste ze Leighs laatste briefje van twintig uit haar achterzak en gaf het ook aan de man. Nu had ze nog maar vijftien dollar over, aangezien ze de vorige dag honderdvijf dollar had uitgegeven aan een zonnebankpakket. Achteraf gezien was die impulsaankoop een slecht idee geweest, maar zo ging het nu eenmaal met een junkiebudget. Waarom zou je het geld vandaag niet uitgeven als je niet wist of je morgen een gratis concert van Kurt Cobain zou krijgen?

'Door dat vaccin heb ik nou microchips in mijn kop,' zei de man.

'Ik ben bang dat mijn kat voor een motor aan het sparen is,' vertrouwde Callie hem toe.

Vervolgens zaten ze tien minuten aangenaam zwijgend te wachten, tot de bus als een mollige miereneter voor de stoeprand neerplofte.

Callie klom naar binnen en ging voorin zitten. Ze moest er over twee haltes alweer uit, en ze deed het ook uit consideratie voor de chauffeur, zodat hij haar kon zien, want toen ze instapte, had hij haar een wantrouwende blik toegeworpen, alsof hij bang was gedonder met haar te krijgen.

Ze hield haar handen aan de stang om te laten zien dat ze niets idioots in de zin had. Ook al was het behoorlijk idioot om midden in een pandemie een stang vast te klemmen.

Afwezig keek ze door de voorruit, terwijl de airco het zweet op haar huid afkoelde. Ze bracht haar vingers naar haar gezicht. Ze was vergeten dat ze een mondkapje droeg. Met een snelle blik om zich heen constateerde ze dat de andere passagiers hun gezicht in uiteenlopende mate hadden bedekt: tot onder hun neus naar beneden getrokken, hangend om hun kin, en één man had er zijn ogen mee bedekt.

Ze trok haar mondkapje tot boven haar wenkbrauwen. Ze knipperde tegen het gefilterde licht. Haar wimpers streken langs de stof. Ze onderdrukte de neiging om te giechelen. Dat ze zich high voelde, lag niet aan de onderhoudsdosis van die ochtend. Voor ze naar de bibliotheek was gegaan, had ze de spuit er weer in gezet. Vervolgens had ze tijdens de lange busrit naar Gwinnett een oxy geslikt. In haar achterzak zat nog meer oxy. Uiteindelijk zou ze die ook slikken, waarna ze nog meer methadon zou spuiten om uiteindelijk weer bij de heroïne te eindigen.

Zo ging het altijd. Callie was oké tot ze niet langer oké was.

Ze trok het mondkapje weer over haar neus en mond. Toen de bus al ronkend haar halte naderde, stond ze op. Haar knie begon op te spelen zodra ze het trapje af daalde. Op het trottoir paste ze haar ademhaling aan haar passen aan. Ze liet haar knie drie keer knakken voor ze inademde, en tijdens de volgende drie knakken liet ze de lucht langzaam tussen haar tanden door sissen.

Rechts van haar was een gigantisch openluchtstadion, omringd door gaashekwerk. Callie streek met haar vingers langs de metalen ruiten tot ze op een hoge paal stuitten. Ze bevond zich in een grote, open betonnen ruimte bij de ingang naar een voetbalstadion. Aan de buitenkant was een bord met daarop een bij, die de volgende tekst zoemde: BEE HAPPY – BEE SAFE – BEE WELL – WE ARE ALL IN THIS TOGETHER.

Callie betwijfelde of dat ook echt zo was. Toen ze een tiener was, had ze dergelijke stadions bezocht wanneer haar cheerleadingteam het opnam tegen teams van particuliere scholen. De meiden van Lake Point waren gespierde kanjers met een stevig middel en opgepompte armen en dijen. Vergeleken met hen waren de meiden van Hollis Academy bleke sprinkhanen en wandelende takken geweest.

Toen ze het stadion in liep, passeerde Callie de gesloten kiosk. Dertig meter verderop hield een bewaker in een golfkarretje haar nauwlettend in de gaten. Ze had geen zin in problemen en dook de eerste de beste tunnel in. Met haar rug tegen de muur wachtte ze in de koele schaduw op het gesnor van de accu dat de komst van de ingehuurde politieman aankondigde die haar van het terrein kwam verwijderen.

Het gesnor bleef uit, maar algauw werd haar brein overspoeld door paranoia. Had de beveiliger een telefoontje gepleegd? Stond er in het stadion iemand op haar te wachten? Was iemand haar vanaf de bushalte gevolgd? Was iemand haar vanaf thuis gevolgd?

In de bibliotheek had Callie de website van Reginald Paltz and Partners bestudeerd. Reggie was op en top de gluiperige, verlopen corpsbal die Leigh had beschreven, maar ze kon niet met zekerheid zeggen of hij ook de man met camera was geweest die door het dichtgetimmerde huis was uitgebraakt. Evenmin kon ze zeggen of alle gezichten die ze de hele tijd bestudeerde, alle mensen in de auto's op straat of in de bibliotheek, niet met hem onder één hoedje speelden.

Ze drukte haar hand tegen haar borst, alsof ze de angst weg kon kneden. Haar hart tikte tegen haar ribben, als de tong van een hongerige hagedis. De afgelopen twee dagen had ze geen glimp of spoor van een stalker opgevangen, maar waar ze ook ging, ze kon het gevoel niet van zich afzetten dat ze geobserveerd werd. Ook nu, op deze klamme, donkere plek, was het alsof een lens elke beweging die ze maakte vastlegde.

Je moet niet over die camera lopen tetteren, popje. Dan ga ik misschien de bak in.

Ze maakte zich los van de muur. Halverwege de tunnel hoorde ze geschreeuw en geapplaudisseer vanaf de tribune. Weer werd Callie verblind toen ze de zon in liep. Met haar handen boven haar ogen doorzocht ze het publiek. Ouders hadden zich in groepjes over de rijen verdeeld, als karige klapvakken voor de meiden op het veld. Ze draaide zich weer om en keek naar het team, dat oefeningen afwerkte. De middelbare scholieren leken net gazelles. Alleen droegen die laatste geen voetbaltenuetjes en sprongen niet als idioten op en neer wanneer ze zich bedreigd voelden.

Weer een draai, en nu keek ze naar de tribune. Callie pikte Walter er moeiteloos uit. Hij was een van de twee vaders die bij de training waren, hoewel ze uit betrouwbare bron had vernomen dat Walter eigenlijk helemaal niet van voetbal hield.

Hij herkende Callie ook meteen toen ze de tribunetrap op zwoegde. Zijn blik was ondoorgrondelijk, maar ze kon wel raden wat hij dacht. Dat liet hij echter niet merken toen ze langs zijn rij liep. Callie begreep dat de school zeer strenge regels hanteerde: geen gedans, geen gezang, geen geschreeuw, geen lol. Op drie stoelen afstand van Walter ging ze zitten.

'Welkom, maatje,' zei hij.

Callie trok haar mondkapje af om op adem te kunnen komen. 'Fijn je te zien, Walter.'

Hij keek nog steeds gereserveerd, wat zijn goed recht was. Op de laatste keer dat ze zich samen in één ruimte hadden bevonden keek ze niet echt met een gevoel van trots terug. Dat was bij Leighs appartement geweest, in de kleine dienstruimte waar ook de stortkoker zich bevond. Tien dagen lang was Walter twee keer per dag langsgekomen om heroïne tussen Callies tenen te spuiten, want ze had alleen voor Leigh kunnen zorgen als ze genoeg dope kreeg om niet ziek te worden.

Haar zwager was taaier dan hij leek.

'Leuk jasje,' zei Walter.

'Dat is nog van school.' Callie draaide zich om op haar stoel zodat hij de regenboog aan de achterkant kon zien. 'Niet te geloven dat het nog steeds past.'

'Mooi,' zei hij, hoewel ze zag dat hij zijn hoofd bij andere zaken had. 'Je zus schijnt nogal veel te huilen de laatste tijd.'

'Ze is altijd al een grote huilbaby geweest,' zei Callie, hoewel mensen Leighs tranen vaak niet goed begrepen. Ze huilde wanneer ze bang of gekwetst was, maar ook als ze een glasscherf pakte en daarmee plukken haar uit je schedel sneed.

'Ze denkt dat Maddy haar niet meer nodig heeft,' zei Walter.

'Is dat zo?'

'Jij bent ook ooit zestien geweest. Had jij je moeder niet nodig?'

Callie dacht even na. Op haar zestiende had ze alles nodig gehad.

'Ik maak me zorgen om mijn vrouw,' zei Walter, op een toon die aangaf dat hij heel lang had gewacht voor hij deze gedachte met iemand anders deelde. 'Ik wil haar helpen, maar ik weet dat ze het me niet zal vragen.'

Callie voelde de druk van zijn bekentenis. Mannen deelden zelden hun gevoelens, en als ze het deden, stond vertwijfeling niet op het lijstje met aanvaardbare onderwerpen.

Ze probeerde hem op te vrolijken. 'Maak je niet druk, Walter. Harleighs nederige verzorgster is weer in functie.'

'Nee, Callie. Daar vergis je je in.' Walter keerde zich naar haar toe en ze begreep dat hij had geleden onder wat nu ging volgen. 'Toen Leigh ziek werd, hadden we al een zorgplan. Mijn moeder zou voor Maddy komen zorgen. Leigh zou in quarantaine gaan in de grote slaapkamer. Ik zou eten bij haar deur neerzetten en de ambulance bellen als het nodig was. Na één nacht stortte ze al in en riep dat ze haar zusje wilde. Dus ging ik haar zusje zoeken.'

Dat verhaal was nieuw voor Callie, maar ze wist dat Walter niet over zoiets belangrijks zou liegen. Hij had alles voor Leigh over. Zelfs heroïne scoren voor haar junkiezusje.

'Heb je niet genoeg AA-bijeenkomsten bijgewoond om te weten dat je iemand niet kunt redden als diegene niet gered wil worden?' vroeg ze.

'Ik wil haar niet redden. Ik wil van haar houden.' Hij keerde zich weer om, naar de meisjes op het veld. 'Bovendien kan Leigh zichzelf heel goed redden.'

Callie vroeg zich af of dit punt de moeite van een discussie waard was. Ze bestudeerde Walters profiel terwijl hij naar zijn geweldige dochter keek, die achter een bal aan sprintte. Zij wilde hem ook iets belangrijks vertellen. Bijvoorbeeld dat Leigh van hem hield. Dat ze alleen zo verknipt was omdat Callie haar verschrikkelijke dingen had laten doen. Dat ze zichzelf verweet ergens niet te hebben geweten dat Buddy Waleski een slechte man was. Dat ze huilde omdat ze doodsbang was dat Andrew Tenant hen allebei terug zou voeren naar de donkere plek waar zijn vader hen gebracht had.

Moest ze Walter de waarheid vertellen? Moest ze de deuren naar Leighs kooi opengooien? De ramp die haar zus van haar leven had gemaakt, had iets onvermijdelijks. Het was alsof Leigh in plaats van naar Chicago te vertrekken drieëntwintig jaar in stilstand had doorgebracht en was ontwaakt in het soort leven waarin Phil haar had grootgebracht: een gebroken gezin, een gebroken huwelijk, een gebroken hart.

Het enige wat haar zus op dat moment nog overeind hield, was Maddy.

Callie wendde zich van Walter af. Ze stond zichzelf toe even te genieten van de tieners op het veld. Ze waren zo wendbaar, zo rap. Hun armen en benen bewogen zo gecoördineerd als ze tegen de bal trapten. Hun halzen waren lang en sierlijk als van origamizwanen die nooit in de buurt van een moerassige draaikolk of een steile waterval waren geweest.

'Zie jij die prachtmeid van ons?' vroeg Walter.

Callie had de dochter van Leigh en Walter al gespot toen ze het stadion binnenliep. Maddy Collier was een van de kleinste meisjes, maar ze was ook het snelst. Haar paardenstaart kreeg amper tijd haar schouders te raken toen ze langs de verdedigende middenvelder rende. Ze hoorde bij de aanvallers, wat Callie alleen wist omdat ze in de bibliotheek voetbalposities had opgezocht.

Dat was nadat ze het voetbaltrainingsschema had gegoogeld van het meisjesteam van Hollis Academy. Om daarachter te komen had ze niet de speurzin van een Scooby Doo nodig gehad. Het schoolwapen stond op de achterkant van Leighs telefoon. De school was opgericht in 1964, zo rond de tijd dat witte ouders in het zuiden spontaan besloten om hun kinderen op particuliere scholen in te schrijven.

'Shit,' mompelde Walter.

Maddy had de middenvelder per ongeluk laten struikelen. De bal rolde weg, maar in plaats van erachteraan te hollen, bleef Maddy staan om het andere meisje overeind te helpen. Leigh had gelijk. Phil zou hen allebei bont en blauw hebben geslagen als ze zoiets sportiefs hadden gedaan. Als je niet de allerbeste bent, hoef je niet thuis te komen.

Walter kuchte, net als Leigh wanneer ze iets moeilijks wilde zeggen. 'De training is bijna voorbij. Ik zou je heel graag aan haar willen voorstellen.'

Callie perste haar lippen samen, net als Leigh wanneer ze nerveus was. *'Hello, I must be going.'*

'Phil Collins,' zei Walter. 'Een klassieker.'

De drummer/superster had het zinnetje van Groucho Marx gepikt, maar Callie had gewichtiger zaken aan haar hoofd. 'Als je tegen Leigh zegt dat je me gesproken hebt, mag je niet zeggen dat ik high was.'

Er verscheen een ongemakkelijke trek om Walters mond. 'Als ze ernaar vraagt, moet ik haar de waarheid vertellen.'

Hij was veel te goed voor hun familie. 'Petje af voor je eerlijkheid.'

Callie stond op. Haar knieën waren beverig. Het methadon was nog niet uitgewerkt. Of de langzaam oplossende coating van de oxy deed zijn werk. Dat was de beloning voor geleidelijk afbouwen. Hoe langzamer je weer ging gebruiken, hoe langer de euforie aanhield.

Tot die aanhoudende euforie niet meer voldoende was.

'Adios, maat,' zei Callie met een kort saluut.

Haar knie begaf het toen ze zich wilde omdraaien. Walter schoot toe, maar Callie hield hem met een handgebaar tegen. Ze wilde niet dat Maddy haar vader op de tribune met een waardeloze junk zag worstelen.

Ze zocht haar weg langs de rij, maar de trap werd bijna haar ondergang. Er was geen leuning waaraan ze zich kon vasthouden. Voorzichtig daalde ze af, stapje voor stapje. Met haar handen diep in haar jaszakken liep ze langs het veld. Door de slakkenpaperback was er nauwelijks ruimte voor haar vuist. De zon was zo fel dat haar ogen nat waren van de tranen. Ze had een loopneus. Ze had dat brilletje niet weg moeten geven. Op haar lidmaatschapskaart van de zonnestudio had ze nog negen sessies over. Negen dollar negenennegentig voor een nieuw brilletje was veel geld als je maar vijftien dollar bezat.

Met de achterkant van haar mouw veegde ze langs haar neus. Dat stomme zonlicht. Zelfs in de schaduw van de tunnel bleven haar ogen tranen. De vlammen sloegen van haar gezicht. Ze hoopte vurig dat ze de beveiliger op zijn golfkarretje niet tegenkwam. In gedachten zag ze de hele tijd het medelijden in Walters ogen toen hij haar had nagekeken. Haar haar zat in een knoedel in haar nek, want ze had haar armen die ochtend niet ver genoeg kunnen optillen om het te kammen. Toen ze haar tanden had willen poetsen, had ze niet eens in de tube tandpasta kunnen knijpen. Haar jasje zat onder de vlekken en kreukels. Ze droeg de kleren waarin ze had geslapen. Het abces op haar been klopte, want omdat ze nu eenmaal een sneu wijf was, bleef ze gif in haar aderen spuiten.

'Hallo, Callie.'

Zonder te waarschuwen blies de gorilla zijn smerige, hete adem in haar nek.

Met een ruk draaide Callie zich om, in de verwachting witte hoektanden te zien opflitsen voor hij haar naar de keel vloog.

Er was alleen maar een man. Groot, slank en met rossig blond haar. Hij had zijn handen in de zakken van zijn marineblauwe broek geschoven. De mouwen van zijn blauwe overhemd waren tot net onder de ellebogen opgerold. Boven zijn linkerinstapper bolde een enkelband op. Om zijn linkerpols droeg hij een megagroot gouden horloge.

Buddy's horloge.

Voor ze zijn armen hadden afgehakt, had Callie het horloge losgeklikt en op de bar gelegd. Ze had Trevor iets willen nalaten als herinnering aan zijn vader.

En nu zag ze dat hij hem inderdaad niet was vergeten.

'Hé, Callie.' Andrew had een zachte stem, maar de lage toon was bekend en voerde Callie terug naar haar eerste ontmoeting met Buddy. 'Sorry dat het zo lang heeft geduurd.'

Zand vulde haar longen. Hij deed zo normaal, alsof dit niets voorstelde, maar het voelde alsof haar huid van haar botten werd gestroopt.

'Je ziet er zo…' Hij grinnikte. 'Tja, je ziet er niet zo goed uit, maar ik ben blij dat ik je gevonden heb.'

Ze keek achterom naar het stadion, toen naar de uitgang. Ze waren helemaal alleen. Ze kon geen kant op.

'Je bent nog steeds zo…' Zijn blik schoot over haar lichaam alsof hij naar het juiste woord zocht. 'Zo tenger.'

Je bent zo fucking tenger maar ik ben er bijna probeer te ontspannen gewoon ontspannen oké.

'Calli-o-pé.' Andrew zong haar naam alsof het een liedje was. 'Je bent van ver gekomen om een stel meiden te zien voetballen.'

Callie moest haar mond openen om te kunnen ademen. Haar hart sloeg over. Was hij hier voor Walter? Voor Maddy? Hoe had hij de school ontdekt? Volgde hij haar? Was haar in de bus iets ontgaan?

'Zijn ze echt zo goed?' vroeg Andrew.

Ze keek naar zijn handen, die diep in zijn zakken staken. De haartjes op zijn armen waren iets donkerder dan het haar op zijn hoofd. Net als bij Buddy.

Andrew strekte zijn hals om op het veld te kunnen kijken. 'Wie is van Harleigh?'

Callie hoorde het schaarse publiek juichen op de tribune. Ze klapten. Riepen. Floten. Toen stierf het gejuich weg en hoorde ze alleen nog maar wat zich bij hen in de tunnel bevond: de gorilla.

'Callie.' Andrew deed een stap naar voren, nog dichterbij zonder haar in te sluiten. 'Nu moet je heel goed naar me luisteren. Kun je dat?'

Haar mond stond nog steeds open. Ze voelde hoe de lucht naar binnen werd gezogen en haar keel verdroogde.

'Je hield van mijn vader,' zei Andrew. 'Dat heb ik je zo vaak tegen hem horen zeggen.'

Callies voeten weigerden dienst. Hij was voor háár gekomen. Daarom stond hij zo dichtbij. Daarom leek hij zo kalm, zo beheerst. Blindelings reikte ze achter zich. Ze hoorde de gorilla dichterbij komen, tot zijn adem in haar oor drong, haar hals verwarmde, haar mond binnenkringelde.

'Hoe voelde het toen je hem in stukken hakte?' vroeg Andrew. 'Op dat filmpje kon ik je gezicht niet zien. Je keek niet één keer op. Je deed alleen wat Harleigh je opdroeg.'

Het was bijna een opluchting toen de gorilla zijn hand om haar hals sloeg, met zijn arm haar middel omvatte. Ze zat klem, gevangen, zoals hij haar altijd wilde hebben.

'Je hoeft haar niet de baas over je te laten spelen,' zei Andrew. 'Ik kan je helpen van haar los te komen.'

De gorilla duwde tegen haar rug, trok zijn vingers langs haar ruggengraat naar boven. Ze hoorde hem grommen. Ze voelde zijn opwinding. Hij was zo groot. Zo overweldigend.

'Je hoeft alleen maar te zeggen dat je weg wilt.' Andrew kwam weer een stap dichterbij. 'Zeg het maar, dan breng ik je ergens naartoe. Waar je maar wilt.'

Andrews pepermuntadem mengde zich met de stank van Buddy's goedkope whisky, sigaren, zweet, geil en bloed... zoveel bloed.

'Walter David Collier,' zei Andrew. 'Eenenveertig, jurist bij de bond voor brandweerlieden in Atlanta.'

Callies hart schudde in haar borst. Hij dreigde Walter iets aan te doen. Ze moest hem waarschuwen. Klauwend probeerde ze zich uit de greep van de gorilla te bevrijden.

'Madeline Félicette Collier,' vervolgde Andrew. 'Zestien.'

Pijn groef zich in haar arm. Geen tintelende gevoelloosheid of ontregelde zenuwen, maar de foltering van huid die werd opengescheurd.

'Maddy is een beeldschoon meisje, Callie.' Andrews glimlach trok aan zijn mondhoeken. 'Wat een tenger dingetje.'

Callie keek naar haar arm. Tot haar ontzetting zag ze bloed uit vier diepe wonden druipen. Ze keek naar haar andere hand. Haar bloed en huidschilfers waren onder haar vingernagels gedrongen.

'Grappig, Callie, dat Harleighs dochter zoveel op je lijkt.' Andrew knipoogde. 'Ook al zo'n popje.'

Callie huiverde, maar niet omdat Andrew net als zijn vader klonk. De gorilla was in haar lichaam gestapt, had zich met haar botten versmolten. Zijn sterke benen waren haar sterke benen. Zijn vuisten waren haar vuisten. Zijn mond was haar mond.

Ze vloog Andrew aan, met maaiende vuisten en ontblote tanden.

'Jezus!' riep hij uit. Hij hief zijn armen in een poging haar af te weren. 'Gestoorde fucking –'

Callie verloor zich in blinde razernij. Er kwam geen geluid uit haar mond, geen lucht uit haar longen, want met al haar energie wilde ze hem doden. Ze ging met haar vuisten op hem los, krabde hem, probeerde zijn oren af te scheuren, zijn ogen uit te steken. Haar tanden beten diep in het vlees van zijn hals. Ze wierp haar hoofd naar achteren en probeerde zijn halsslagader eruit te rukken, maar haar nek bleef steken op de starre spil boven aan haar ruggengraat.

En toen werd ze de lucht in getild.

'Stop!' beval de beveiliger, die zijn armen stevig om haar middel had geslagen. 'Stop eens, verdomme!'

Om zich heen schoppend probeerde Callie los te breken. Andrew lag op de grond. Zijn oor bloedde. Een lap vel hing van zijn kaak. Rode striemen omringden de beet in zijn hals. Ze ging hem vermoorden. Ze móést hem vermoorden.

'Stoppen, zei ik!' De beveiliger smeet Callie met haar gezicht naar voren op de grond. Hij ramde zijn knie in haar rug. Haar neus sloeg tegen het beton. Ze kreeg geen lucht, maar was nog steeds tot het uiterste gespannen, klaar om weer toe te slaan, zelfs toen ze de klik van handboeien hoorde.

'Nee, agent. Laat maar.' Andrew klonk hees en nog buiten adem. 'Verwijdert u haar maar van het terrein, dat is genoeg.'

'Smerige lul,' fluisterde Callie. 'Vuile verkrachter.'

'Meen je dat, man?' De beveiliger bleef met zijn knie tegen haar rug drukken. 'Moet je d'r armen zien. Die bitch is een spuitjunk. Je moet de politie bellen, haar laten testen.'

'Nee.' Andrew stond op. Vanuit haar ooghoek zag Callie het rode lampje van zijn enkelband opflitsen. 'Dit is niet zo best voor de naam van de school, toch?' zei hij. 'En ook niet voor jou, want jij hebt haar doorgelaten.'

Dat leek de man tot nadenken te stemmen. 'Weet je het zeker?' vroeg hij niettemin.

'Ja.' Andrew knielde neer zodat hij Callie kon aankijken. 'Zij wil ook niet dat je de politie belt. Toch, *miss*?'

Callie was nog steeds tot het uiterste gespannen, maar haar gezonde verstand begon terug te keren. Ze was in het stadion van Maddy's school. Walter zat op de tribune. Maddy was op het veld. Andrew en zij konden zich geen van beiden een bezoekje van de politie veroorloven.

'Help haar maar overeind.' Andrew stond op. 'Die gaat echt niet meer moeilijk doen.'

'Je bent gek, man.' Toch haalde de beveiliger voorzichtig wat druk van Callies rug. Ze voelde alle strijdlust uit zich wegvloeien en pijn binnenstromen. Haar benen werkten niet mee. De beveiliger moest haar optillen en weer overeind zetten.

Andrew stond vlakbij, alsof hij haar uitdaagde hem weer aan te vallen.

Callie veegde het bloed van haar neus. Ze proefde het ook in haar mond. Andrews bloed. Ze wilde er niet gewoon iets meer van. Ze wilde alles. 'Je bent nog niet van me af.'

'Agent, wilt u haar op de bus zetten?' Andrew stak de man zijn hand toe en reikte hem een aantal opgevouwen briefjes van twintig aan. 'Zo'n mens wil je niet in de buurt van kinderen hebben.'

ZOMER 2005

Chicago

Leigh boende zo hard op de lasagneschaal dat er zweetdruppels in het afwaswater belandden. Stomme noorderlingen. Ze konden niet eens met airconditioning overweg.

'Laat mij dat maar doen,' zei Walter.

'Ik red me wel.' Het liefst had ze met de pan zijn hersens ingeslagen, maar ze matigde haar toon. Hij bedoelde het lief. Hij had zelfs zijn moeder gebeld om haar lasagnerecept te vragen. En toen had hij de schaal zo lang in de oven laten staan dat Leigh nu het vel van haar vingers schrobde om de verbrande saus van de antiaanbakbodem te verwijderen.

'Je weet dat die schaal maar vijf dollar heeft gekost,' zei hij.

Ze schudde haar hoofd. 'Als je een briefje van vijf op de grond ziet, laat je dat dan liggen?'

'Afhankelijk van hoe smerig het is.' Hij stond nu achter haar, met zijn armen om haar middel.

Leigh leunde tegen hem aan. Hij kuste haar hals, en ze vroeg zich af hoe ze in godsnaam in zo'n stom wijf was veranderd dat op hol sloeg wanneer een man haar aanraakte.

'Kom.' Walter greep onder haar armen door naar het sponsje en de schaal. Ze keek toe terwijl hij bijna een volle minuut onhandig stond te boenen voor hij de zinloosheid ervan inzag.

Leigh gaf zich nog steeds niet gewonnen. 'Ik zal hem nog iets langer laten weken.'

'Wat zullen we in de tussentijd doen?' Walters tanden hapten naar haar oor.

Huiverend kroop Leigh nog dichter tegen hem aan. Toen maakte ze zich los, want hij mocht niet merken hoe wanhopig graag ze bij hem wilde zijn. 'Moet je geen paper schrijven over organisatiegedrag?'

Walter kreunde. Met zijn armen slap langs zijn zij liep hij naar de koelkast en pakte een blikje gingerale. 'Wat heb je nou aan een MBA? Bij de vakbonden hier staan er wel tien te dringen om een plek. Tegen de tijd dat ze bij mij zijn aangekomen, krijg ik allang een oudedagsvoorziening.'

Leigh wist welke wending het gesprek ging nemen, maar ze probeerde hem een andere kant op te sturen. 'Je vindt de sociale advocatuur toch zo mooi?'

'Ik vind het ook mooi om mijn deel van de huur te kunnen betalen.' Drinkend uit het blikje liep hij de woonkamer weer in. Hij plofte neer op de bank en staarde naar zijn laptop. 'Ik heb zesentwintig pagina's jargon dat ik zelf niet eens snap. In de echte wereld heeft dit geen enkel praktisch nut.'

'Zolang je je master maar op je cv kunt zetten.'

'Dat kan toch niet het enige zijn wat ertoe doet?' Hij leunde met zijn hoofd achterover en keek naar haar terwijl ze haar handen afdroogde aan een theedoek. 'Ik wil me nuttig voelen.'

'Voor mij ben je heel nuttig.' Leigh haalde haar schouders op, want het had geen zin er nog langer omheen te draaien. 'Dan gaan we toch verhuizen, Walter. Alleen niet naar Atlanta.'

'Die baan bij de brandweer is –'

'In Atlanta.' De enige plek waarvan ze hem had bezworen er nooit naar terug te zullen keren.

'Perfect,' zei hij. 'Dat is het woord dat ik zocht: perfect. In Georgia hoef je geen lid van een vakbond te zijn. Niemand laat daar het kleinzoontje van de oom van z'n neef voordringen. Die baan in Atlanta is perfect.'

Leigh ging naast hem zitten. Om te voorkomen dat ze met haar handen ging wringen, sloeg ze ze ineen. 'Ik heb je beloofd dat ik je overal zal volgen.'

'Behalve daarnaartoe.' Walter sloeg de rest van zijn gingerale achterover. Hij zette het blikje op de salontafel, waar het een kring op zou achterlaten. Hij trok aan haar arm. 'Moet je huilen?'

'Nee,' zei ze, hoewel haar ogen vol tranen stonden. 'Ik denk aan de lasagneschaal.'

'Kom eens hier.' Weer gaf hij een rukje aan haar arm. 'Kom eens bij me op schoot zitten.'

'Sweetheart,' zei ze. 'Zie ik eruit als het soort vrouw dat bij een man op schoot kruipt?'

Hij lachte. 'Heerlijk zoals vrouwen uit het zuiden "sweetheart" zeggen in plaats van "sukkel", zoals een vrouw uit het noorden zou doen.'

Leigh rolde met haar ogen.

'Sweetheart.' Hij pakte haar hand. 'Je kunt niet een hele stad uit je leven bannen uit angst je zus tegen het lijf te lopen.'

Leigh keek neer op hun handen. Nog nooit in haar leven had ze iemand zo stevig vast willen houden. Ze vertrouwde hem. Nooit eerder had ze zo'n veilig gevoel bij iemand gehad.

'We hebben vijftienduizend dollar aan haar vergooid, Walter. Vijftienduizend dollar aan cash en een negatief saldo op onze creditcard, en ze heeft het één dag volgehouden.'

'Het was geen weggegooid geld,' zei hij, wat grootmoedig was gezien het feit dat vijfduizend dollar uit zijn zak was gekomen. 'Meestal is de eerste keer in de afkickkliniek een mislukking. Net als de tweede of de derde keer.'

'Ik...' Het kostte haar moeite haar gevoelens te verwoorden. 'Ik snap niet waarom ze er niet mee kan stoppen. Wat vindt ze zo mooi aan dat leven?'

'Ze vindt het niet mooi,' zei Walter. 'Niemand vindt het mooi.'

'Maar toch geeft het haar iets.'

'Ze is verslaafd,' zei Walter. 'Zodra ze wakker wordt, moet ze een shot. Wanneer dat is uitgewerkt, moet ze hosselen voor de volgende en de volgende en de volgende, want anders wordt ze ziek. Al haar vrienden – haar hele omgeving zit in die wereld gevangen – moeten voortdurend hosselen om niet ziek te worden. Haar verslaving zit niet alleen in haar hoofd. Die is ook fysiek. Waarom zou iemand zichzelf zoiets aandoen als het niet hoeft?'

Dat was een vraag die Leigh nooit zou kunnen beantwoorden. 'Tijdens mijn studie vond ik coke wel lekker, maar ik zou er nooit mijn leven voor vergooien.'

'Je hebt echt geboft dat je kon kiezen,' zei Walter. 'De demonen van sommige mensen zijn zo groot, dat ze die niet kunnen overwinnen.'

Leigh perste haar lippen samen. Ze had Walter verteld dat haar zus was aangerand, maar daar had ze het bij gelaten.

'Je kunt Callie niet sturen,' zei hij. 'Het enige wat je kunt sturen, is hoe je op haar reageert. Kon je daar maar vrede mee hebben.'

Ze wist dat hij nu aan zijn vader dacht. 'Het is gemakkelijker om vrede te hebben met de doden.'

Hij glimlachte spijtig. 'Neem maar van mij aan, schat, dat het veel makkelijker is om vrede te hebben met de levenden.'

'Sorry.' Leigh streelde de zijkant van zijn gezicht. Ze zag de dunne gouden ring aan haar vinger en raakte meteen van haar stuk. Ze waren al een maand verloofd en ze was nog steeds niet aan de ring gewend.

Hij kuste haar hand. 'Ik ga die shitpaper maar eens afmaken.'

'Ik moet nog wat jurisprudentie doornemen.'

Na een zoen trokken ze zich ieder terug naar een eigen hoek van de bank. Dat vond ze nog het mooiste aan hun gezamenlijke leven, dat ze samen in stilte konden werken, van elkaar gescheiden door één bankkussen. Walter zat over zijn laptop op de salontafel gebogen. Leigh omringde zichzelf met kussens, maar ze strekte haar been over een van de kussens uit om met haar voet tegen zijn bovenbeen te drukken. Walter wreef afwezig over haar kuit, terwijl hij zijn nutteloze paper las.

Haar verloofde.

Haar toekomstige echtgenoot.

Ze hadden het nog niet over kinderen gehad. Ze ging ervan uit dat Walter het niet had aangekaart omdat kinderen een uitgemaakte zaak waren. Hij was vast niet bang de verslavingen door te geven die zijn kant van de familie bijna vernietigd hadden. Voor mannen was het gemakkelijker. Niemand verweet het een vader als een kind op straat belandde.

Meteen was Leigh weer kwaad op zichzelf omdat ze zo kil was. Walter zou een fantastische vader zijn. Hij had geen rolmodel nodig. Hij zou zich door zijn eigen goede karakter laten leiden. Leigh had meer reden zich zorgen te maken om de geesteszieke van haar moeder. Vroeger, toen ze klein was, heette het manisch depressief. Nu werd het een bipolaire stoornis genoemd, wat er niets aan had veranderd, want de enige hulp die Phil ooit zou krijgen, kwam uit een kan michelada.

'Fu-fu-fu...' mompelde Walter, die met zijn vingers op het toetsenbord naar een woord zocht. Hij knikte in zichzelf en begon weer te typen.

'Maak je wel een back-up?' vroeg ze.

'Tuurlijk. En ook van alle data die ik heb verzameld.' Hij stopte de USB-stick in de laptop. Het lampje flikkerde terwijl de bestanden werden opgeslagen. 'Ik ben een man, schat. Ik weet alles van computers.'

'Ik ben zeer onder de indruk.' Ze gaf hem een duwtje met haar voet. Hij boog zich naar haar toe en kuste haar knie, waarna hij zich weer op zijn paper richtte.

Leigh wist dat ze ook aan het werk moest, maar ze mocht van zichzelf even van zijn knappe kop genieten. Zijn gezicht was krachtig, zonder hard te zijn. Hij kon met zijn handen werken, maar hij wist ook hoe hij zijn hersens moest gebruiken, zodat hij iemand anders kon betalen om klussen op te knappen.

Walter was beslist geen softie, ook al was hij opgevoed door een moeder die hem aanbad. Zelfs wanneer ze te diep in het glas had gekeken, was Celia Collier een plezierig soort dronkenlap geweest, gul met spontane omhelzingen en zoenen. Het eten stond altijd klokslag zes uur op tafel. In zijn rugzak zaten altijd tussendoortjes voor op school. Hij had nooit vuil ondergoed hoeven dragen of bij vreemden om geld moeten bedelen voor eten. Hij had zich 's avonds nooit onder zijn bed hoeven verstoppen uit angst dat zijn moeder hem in een dronken bui bont en blauw zou slaan.

Er was zoveel wat Leigh geweldig vond aan Walter Collier. Hij was aardig. Hij was briljant. Hij was heel zorgzaam. Maar ze hield vooral van hem omdat hij zo intens gewoon was.

'Sweetheart,' zei hij. 'We zouden toch werken?'

Leigh glimlachte. 'Zo spreek je het niet uit, sweetheart.'

Grinnikend typte Walter door.

Leigh sloeg haar boek open. Ze had tegen Walter gezegd dat ze zich de herziene richtlijnen voor de *Americans with Disabilities Act* eigen moest maken, met het oog op huurders met een beperking, maar stiekem zocht ze naar de grenzen van het verschoningsrecht. Zodra Walter en zij waren teruggekeerd van hun huwelijksreis, ging ze hem alles vertellen over Buddy Waleski.

Misschien.

Ze liet haar hoofd op de rugleuning van de bank rusten en staarde naar het plafond. Er was maar weinig wat Walter niet wist over haar leven. Ze had hem verteld dat ze twee keer in de jeugdgevangenis had gezeten en ook waarom ze daar was beland. Ze had de vreselijke nacht beschreven die ze in de politiecel had doorgebracht nadat ze de banden van haar vuilak van een baas had doorgesneden. Ze had hem zelfs verteld over de eerste keer dat ze had beseft dat ze terug kon vechten als ze door haar moeder werd aangevallen.

Telkens als Leigh haar hart luchtte, telkens als Walter zonder een spier te vertrekken de bijzonderheden aanhoorde, moest ze de neiging onderdrukken om hem de rest niet ook te vertellen.

Maar de rest was te veel. De rest was zo'n zware last dat haar zus zich liever volspoot met gif dan met de herinneringen te moeten leven. Walter had nooit een druppel alcohol gedronken, maar wat zou er gebeuren als hij hoorde waartoe zijn vrouw in staat was? Dat hij over Leighs vroegere, gewelddadige verleden hoorde was tot daaraan toe, maar Buddy Waleski was nog geen zeven jaar eerder in zijn eigen keuken aan stukken gehakt.

Ze probeerde in gedachten dat gesprek door te nemen. Als ze Walter één ding vertelde, moest ze hem alles vertellen. Dan moest ze bij het begin beginnen, toen Buddy zijn vette vingers op haar knie had gelegd. Hoe kon iemand, ook al was hij zo begripvol als Walter, geloven dat Leigh de herinnering aan die avond had verdrongen? En hoe kon hij haar vergeven als ze zichzelf nooit maar dan ook nooit kon vergeven?

Met de rug van haar hand droogde Leigh haar tranen. Was het ondanks het verschoningsrecht wel eerlijk om de enige man van wie ze ooit zou houden deelgenoot van haar misdaden te maken? Zou Walter anders naar haar kijken? Zou hij niet meer van haar houden? Zou hij concluderen dat Leigh nooit de moeder van zijn kind kon worden?

Bij die laatste gedachte gingen de sluizen open. Ze stond snel op om een tissue te pakken zodat hij niet zag hoe kapot ze was.

'Schat?' vroeg Walter.

Ze schudde haar hoofd, hem in de veronderstelling latend dat ze overstuur was vanwege Callie. Ze was niet bang dat Walter haar bij de politie zou aangeven. Ze wist dat hij dat nooit zou doen. Ze was bang dat de jurist in hem het verschil zou zien tussen zelfverdediging en moord in koelen bloede.

Leigh was zich maar al te bewust geweest van de last van haar zonden toen ze Atlanta in haar achteruitkijkspiegel had zien verdwijnen. De wet wrong zich in bochten over de vraag wanneer er opzet in het spel was. Wat een beklaagde had gedacht bij het plegen van een misdaad kon van doorslaggevend belang zijn bij alles tussen fraude en doodslag.

Ze wist heel goed wat ze had gedacht toen ze het plasticfolie zes keer om het hoofd van Buddy Waleski had gewikkeld. *Je gaat dood door mijn toedoen en ik zal er met alle plezier naar kijken.*

'Sweetheart?' vroeg Walter.

Ze glimlachte. 'Dat gaat vast snel vervelen.'

'Denk je?'

Leigh liep weer naar de bank. Tegen beter weten in ging ze op zijn schoot zitten. Walter sloeg zijn armen om haar heen. Ze legde haar hoofd op zijn borst en maakte zichzelf wijs dat ze niet elke seconde koesterde die hij haar in zijn armen hield.

'Weet je wel hoeveel ik van je hou?' vroeg hij.

'Nee.'

'Ik hou zoveel van je dat ik het niet meer over mijn droombaan in Atlanta zal hebben.'

Ze had zich opgelucht moeten voelen, maar ze voelde zich schuldig. Walters hele leven was op zijn kop gezet toen zijn vader was gestorven. Omdat de vakbond zijn moeder had gered, wilde hij iets terugdoen door voor andere werknemers te vechten van wie het leven tot chaos was vervallen.

Leigh had zich aangetrokken gevoeld tot Walters behoefte om anderen te helpen. Ze had er zoveel bewondering voor gehad dat ze tegen beter weten in met hem had afgesproken. Binnen een week sliep ze niet meer op zijn bank, maar lekker tegen hem aan in zijn bed. Ze waren afgestudeerd, waren aan het werk gegaan, hadden zich verloofd, en nu stonden ze op het punt aan hun nieuwe leven te beginnen, ware het niet dat Leigh Walter tegenhield.

'Hé,' zei hij. 'Dat was sexy bedoeld, dat offer dat ik voor je heb gebracht.'

Ze streek zijn krullen naar achteren. 'Weet je –'

Walter kuste haar tranen weg.

'Voor jou zou ik een moord plegen,' zei Leigh, die maar al te goed wist wat dat inhield. 'Je bent mijn alles.'

'Maar je zou niet echt –'

'Nee.' Ze nam zijn gezicht in haar handen. 'Ik heb alles voor je over, Walter. Ik meen het. Als jij naar Atlanta wilt, vind ik wel een manier om in Atlanta te kunnen wonen.'

'Eigenlijk heb ik er al helemaal geen zin meer in.' Hij lachte. 'Het kan vies warm worden in Atlanta.'

'Je kunt niet –'

'Wat dacht je van Californië?' vroeg hij. 'Of Oregon? Ik heb gehoord dat Portland te gek is.'

Ze snoerde hem de mond met een kus. Zijn lippen voelden zo heerlijk. Ze had nooit eerder een man ontmoet die zoveel tijd besteedde aan de volmaakte kus. Haar handen gleden naar beneden, knoopten zijn overhemd los. Zijn huid was bezweet. Ze proefde zout op zijn borst.

Op dat moment begon een of andere gestoorde gek met zijn vuist op de deur te beuken.

Geschrokken legde Leigh haar hand op haar hart. 'Hoe laat is het?'

'Nog maar halfnegen, oma.' Walter schoof onder haar vandaan. Terwijl hij naar de deur liep, knoopte hij zijn shirt dicht. Leigh zag hem zijn oog tegen het kijkgaatje drukken. Toen keek hij haar even over zijn schouder aan.

'Wie is dat?'

Met een zwaai trok Walter de deur open.

Callie stond in de gang. Zoals gewoonlijk was ze gekleed in pastelkleurige, met stripfiguurtjes versierde aanbiedingen van het kinderrek bij Goodwill, want zelfs de kleinste volwassen maten pasten haar niet. Ondanks de hitte droeg ze een T-shirt met lange mouwen en een opdruk van *Piglet's Big Movie*. Haar wijde jeans had een scheur bij beide knieën. Onder haar arm klemde ze een volgepropt kussensloop. Ze hing wat opzij om de kartonnen kattenmand recht te houden die ze bij de handvatten vastklemde.

Leigh hoorde een miauwend geluid uit de luchtgaatjes aan de zijkant komen.

'Goedenavond, vrienden,' zei Callie.

'Da's lang geleden,' zei Walter, zonder ook maar te laten doorschemeren dat hij zich nog heel goed herinnerde hoe hij Callie de laatste keer dat hij haar had gezien over zijn schouder de afkickkliniek had binnengedragen, waarbij ze de rug van zijn shirt had ondergekotst.

'Callie.' Leigh stond op van de bank. Ze was verbijsterd, want Callie verliet nooit de vijftien vierkante kilometer rond Phils huis. 'Wat doe jij in Chicago?'

'Iedereen heeft soms behoefte aan vakantie.' Heen en weer zwalkend liep Callie met de zware mand naar binnen. Voorzichtig zette ze hem op de vloer naast de bank. Ze liet haar kussensloop ernaast vallen. Toen keek ze om zich heen. 'Mooi huisje.'

Leigh had nog steeds geen antwoord. 'Hoe ben je achter mijn adres gekomen?'

'Bij Phil lag een kerstkaart voor mij.'

Leigh vloekte binnensmonds. Walter had die kaart gestuurd. Daarvoor moest hij haar adresboek hebben doorzocht. 'Woon je nu bij Phil?'

'Wat is het leven anders, Harleigh, dan een reeks retorische vragen?'

'Callie,' zei Leigh. 'Zeg eens waarom je hier bent.'

'Ik wou eens zien wat er zo geweldig is aan de Windy City. Ik moet zeggen, de bushaltes zijn niet om over naar huis te schrijven. Overal junks.'

'Callie, alsjeblieft…'

'Ik ben clean,' zei Callie.

Leigh was sprakeloos. Ze had er zo naar verlangd die woorden uit haar zus' mond te horen. Ze keek eens goed naar Callies gezicht. Ze had volle wangen. Ze was altijd tenger geweest, maar Leigh kon de botten onder haar huid niet meer zien. Ze zag er zowaar gezond uit.

'Al bijna acht maanden,' zei Callie. 'Wat vind je daarvan?'

Onwillekeurig voelde Leigh een sprankje hoop. 'Hoelang gaat dat duren?'

'Daarvoor moet je bij de geschiedenis te rade gaan,' zei Callie, het vooruitzicht op teleurstelling de rug toekerend. Ze liep de kleine flat rond als een olifant in een porseleinkast. 'Gave plek. Hoeveel huur betalen jullie? Een miljoen per maand, wedden? Is het een miljoen?'

'Ongeveer de helft,' antwoordde Walter.

'Verdomme, Walter. Wat een koopje.' Ze boog zich over de kattenmand. 'Hoor je dat, poesje? Deze jongen kan nog eens een deal sluiten.'

Walter ving Leighs blik. Hij glimlachte, want hij wist niet dat er aan Callies grapjes altijd een prijskaartje hing.

'Dat ziet er ingewikkeld uit.' Nu boog Callie zich als een pikkende vogel over de laptop. 'Waar ben je mee bezig, Walter? De fundamentele beschikking van bla-de-bla-de-bla. Dat klinkt wel heel wijsneuzerig.'

'Het is mijn eindpaper,' zei Walter. 'De helft van mijn beoordeling.'

'Wat een druk.' Callie kwam weer overeind. 'Het bewijst alleen dat je niet om woorden verlegen zit.'

Weer lachte hij. 'Helemaal waar.'

'Cal–' begon Leigh.

'Walter, één ding: wat vind ik dit geweldig.' Nu stond ze voor de boekenkast, die Walter van betonblokken en houten planken had gemaakt. 'Heel mannelijk, maar het gaat goed samen met de algehele stijl van de kamer.'

Walter keek naar Leigh en trok zijn wenkbrauwen op, alsof Callie niet wist dat Leigh de boekenkast vreselijk vond.

'Kijk nou, wat een prachtig prulletje.' Callie schudde aan de sneeuwbol die ze bij een tentje langs de weg hadden gekocht toen ze naar Petoskey waren gereden. Ze kon haar hoofd niet buigen, ze hield het ding voor haar ogen om de wirwar binnenin te bekijken. 'Is dat echte sneeuw, Walter?'

'Ik denk het wel,' zei hij glimlachend.

'Goddomme, jongens, ik snap niks van dat chique wereldje van jullie. Straks ga je me nog vertellen dat jullie alle bederfelijke waar in een gekoelde kist bewaren.'

Leigh keek toe, terwijl haar zus door de kamer banjerde en boeken en souvenirs oppakte die Walter en zij hadden verzameld tijdens de schaarse vakanties die ze zich konden veroorloven, want vijftienduizend dollar was erg veel geld om aan iemand uit te geven die welgeteld één dag in de afkickkliniek zou blijven.

'Hallo?' riep Callie in de opening van een lege bloemenvaas.

Leigh klemde haar kaken op elkaar. Ook al vond ze het nog zo slecht van zichzelf, ze had het gevoel dat het perfecte plekje dat ze tot nu toe met Walter had gedeeld, werd verpest door haar akelige junkiezusje.

De verspilde vijftienduizend dollar was niet het enige geld dat Callie in rook had laten opgaan. De afgelopen zes jaar was Leigh een keer of vijf naar Atlanta gevlogen om haar zus te helpen. Ze had motelkamers gehuurd waarin Callie kon afkicken. Ze was zelfs boven op haar gaan zitten om te voorkomen dat ze de deur uit rende. Ze had haar met een noodvaart naar de spoedeisende hulp gebracht toen een naald in haar arm was afgebroken en de infectie haar bijna fataal was geworden. Ontelbare doktersafspraken. Een mogelijke HIV-besmetting. Hepatitis C. Geestdodende bergen papierwerk om borgtocht aan te vragen, de rekening voor de gevangeniswinkel aan te vullen, telefoonkaarten te activeren. En dan het wachten – het voortdurende wachten – op een klop op de deur, een agent met zijn pet in zijn handen, een rit naar het mortuarium, de aanblik van het bleke, geknakte lichaam van haar zusje op een snijtafel omdat ze meer van heroïne hield dan van zichzelf.

'Duuuuus.' Callie rekte het woord uit. 'Dit komt vast als een schok voor jullie tweeën, maar ik heb momenteel geen vaste plek, en –'

'Momenteel?' Leigh ontplofte. 'Godsamme, Callie. De laatste keer dat ik je heb gezien, moest ik borg voor je betalen omdat je een auto total loss had gereden. Ben je niet op een zitting verschenen? Ben je wel naar de behandeling van je zaak geweest? Misschien staat er een aanhoudingsbevel voor je uit –'

'Hola, zus,' zei Callie. 'Laten we nou niet doordraaien.'

Leigh kon haar wel slaan. 'Zo praat je tegen Phil, niet tegen mij.'

Callie hief haar handen, deed een stap terug en toen nog een.

Leigh sloeg haar armen over elkaar om te voorkomen dat ze haar zus wurgde. 'Hoelang ben je al in Chicago?'

'Ik ben hier eerweek gekomen,' zei Callie. 'Of was het overgisteren?'

'Callie.'

'Walter.' Callie keerde zich van Leigh af. 'Ik hoop dat je het niet brutaal van me vindt, maar je lijkt me een uitstekende kostwinner.'

Walters wenkbrauwen schoten omhoog. In werkelijkheid verdiende Leigh meer dan hij.

'Je hebt mijn zus een geweldig huis geschonken. En ik zie aan die ring aan haar vinger dat je ook van plan bent een deugdzame vrouw van haar te maken. Of zo deugdzaam mogelijk. Hoe dan ook, wat ik nog wou zeggen: ik ben heel blij voor jullie allebei, en gefeliciteerd.'

'Callie.' Als Leigh een dollar kreeg voor elke keer dat ze de afgelopen tien minuten de naam van haar zus had genoemd, zou ze de kosten van de afkickkliniek er weer bijna uit hebben. 'We moeten praten.'

Callie draaide zich weer om haar as. 'Waar wil je het over hebben?'

'Jezus christus,' zei Leigh. 'Stop eens met struisvogel spelen en trek je kop uit je kont.'

Callie hapte naar adem. 'Wou je me met zo'n moorddinosaurus vergelijken?'

Walter lachte.

'Wálter.' Leigh wist dat ze bitchy klonk. 'Niet om haar lachen. Het is niet grappig.'

'Het is niet grappig, Walter.' Callie draaide zich weer naar Walter toe.

Leigh kon nog steeds niet goed tegen de robotachtige bewegingen. Als ze aan haar zus dacht, zag ze de atlete voor zich, niet het meisje van wie de nek was gebroken en weer aan elkaar was gefuseerd. En zeker niet de junk die tegenover de man stond met wie zij wanhopig graag een nieuw, saai, normaal leven wilde beginnen.

'Kom op,' zei Walter met een glimlach. 'Een beetje grappig is het wel.'

'Het is smaadlaster, Walter, en als juridische goochemerd zou je dat moeten herkennen.' Met haar handen in haar zij begon Callie aan een maffe imitatie van dokter Jerry. 'Zonder enige aanleiding kan een struisvogel met zijn poot een leeuw doden. Alleen is de leeuw ook een beruchte moordenaar. Ik weet niet meer wat ik wou zeggen, maar er is maar een van ons die het moet begrijpen.'

Leigh sloeg haar handen voor haar gezicht. 'Ik ben clean,' had Callie gezegd. Niet dat ze op dat moment clean was, want ze was duidelijk zo stoned als een kanarie. Leigh trok het niet nog eens. Het was de hoop die haar opbrak. Ze had te veel nachten strategieën liggen uitwerken, plannen bedacht, een pad uitgestippeld dat haar zusje uit een angstaanjagende, dodelijke spiraal moest redden.

En keer op keer sprong Callie er weer in.

Ze zei: 'Ik kan niet –'

'Wacht even,' zei Walter. 'Callie, vind je het goed als Leigh en ik even onder vier ogen met elkaar praten?'

Callie maakte een theatraal armgebaar. 'Doe of je thuis bent.'

Voor Leigh zat er niets anders op dan naar de slaapkamer te sjokken. Ze sloeg haar armen om haar middel, terwijl Walter zachtjes de deur dichtdeed.

'Ik trek dit niet nog eens,' zei ze. 'Ze is knetterhigh.'

'Die landt wel weer,' zei Walter. 'Het gaat maar om een paar nachten.'

'Nee.' Ze schudde haar hoofd. Callie was er amper een kwartier, maar Leigh was nu al uitgeput. 'Het gaat niet om een paar nachten, Walter, maar om mijn leven. Je hebt geen idee hoe hard ik mijn best heb gedaan om hieraan te ontsnappen. De offers die ik heb gebracht. De vreselijke dingen die ik –'

'Leigh,' zei hij, op zo'n redelijke toon dat ze het liefst de kamer uit was gestormd. 'Ze is je zus.'

'Je snapt het niet.'

'Mijn vader –'

'Dat weet ik,' zei ze, maar ze had het niet over Callies verslaving. Ze had het over het schuldgevoel, over het verdriet, over het *Hoe oud ben je popje vast niet ouder dan dertien maar verdomd je lijkt wel een volwassen vrouw.*

Leigh had Callie in Buddy Waleski's klauwen geduwd. Leigh had hem vermoord. Leigh had Callie gedwongen zo hard te liegen dat ze alleen nog verlichting vond in een drug die uiteindelijk haar dood zou worden.

'Schat?' zei Walter. 'Wat is er?'

Ze schudde haar hoofd, walgde van de tranen in haar ogen. Ze was zo ontgoocheld, zo ziek van de hoop dat op een dag, als bij toverslag, het schuldgevoel zou verdwijnen. Het enige wat ze wilde, was de eerste achttien jaar van haar leven achter zich laten en in de jaren die volgden haar wereld rondom Walter opbouwen.

Hij wreef over haar armen. 'Ik breng haar wel naar een motel.'

'Dat wordt dan feest,' zei Leigh. 'Ze nodigt de halve buurt uit en –'

'Ik kan haar geld geven.'

'Dan neemt ze een overdosis,' zei Leigh. 'Wedden dat ze op dit moment het geld uit mijn tas steelt? God, Walter, ik kan dit niet meer. Mijn hart is gebroken. Ik weet niet hoe vaak ik nog –'

Hij sloeg zijn armen stevig om haar heen. Uiteindelijk barstte ze in snikken uit, want hij zou het nooit begrijpen. Zijn vader was een dronkaard geweest, maar Walter had hem nooit een fles in zijn hand geduwd. Het schuldgevoel dat hij met zich meedroeg, was dat van een kind. In allerlei opzichten droeg Leigh elke dag van haar leven het schuldgevoel van twee beschadigde, gebroken kinderen met zich mee in haar hart.

Ze zou nooit moeder kunnen worden. Ze zou nooit Walters baby in haar armen kunnen houden en erop kunnen vertrouwen dat ze hun kind niet zo zwaar zou beschadigen als zij haar zusje had beschadigd.

'Liefje,' zei Walter. 'Wat wil je?'

'Ik wil –'

Zeggen dat ze weg moet gaan. Zeggen dat ze mijn nummer moet wissen. Zeggen dat ik haar nooit meer wil zien. Zeggen dat ik niet zonder haar kan. Zeggen dat Buddy het ook bij mij geprobeerd heeft. Zeggen dat het mijn schuld is, omdat ik haar niet beschermd heb. Zeggen dat ik haar heel erg stevig wil vasthouden tot ze begrijpt dat ik pas genezen ben als zij genezen is.

De woorden kwamen zo gemakkelijk als Leigh wist dat ze voor eeuwig in haar hoofd zouden blijven.

'Ik moet me niet aan die kat gaan hechten,' zei ze.

Hij keek haar verbaasd aan.

'Callie heeft echt een neus voor het uitkiezen van katten. Straks zorgt ze ervoor dat ik ervan ga houden en dan laat ze het beest hier achter en mag ik er de volgende twintig jaar voor zorgen.' Walter had het volste recht haar aan te kijken alsof ze gek was geworden. 'Dan kunnen we nooit meer op vakantie omdat ik het hart niet heb om dat dier achter te laten.'

'Oké,' zei Walter. 'Ik wist niet dat het zo ernstig was.'

Leigh lachte, want wat moest ze anders? 'We geven haar een week, oké?'

'Callie, bedoel je.' Walter stak haar zijn hand toe. 'Eén week.'

'Het spijt me,' zei ze.

'Sweetheart, ik wist wat ik me op de hals haalde toen ik zei dat je op mijn bank mocht slapen.'

Leigh glimlachte, want eindelijk sprak hij 'sweetheart' goed uit. 'Eigenlijk moeten we haar niet alleen laten. Dat van mijn geld was geen grapje.'

Walter opende de deur. Voor Leigh de woonkamer weer binnenging, kuste ze hem op zijn mond.

Wat ze aantrof, had haar niet moeten verbazen, maar toch ging er een schok door haar heen.

Callie was verdwenen.

Leighs blik stuiterde de kamer rond, net als die van Callie eerder had gedaan. Haar tas stond open, en haar portefeuille was leeg. De sneeuwbol was weg. De bloemenvaas was weg. Walters laptop was weg.

'Godsklere!' Walter trok zijn voet met een zwaai naar achteren om tegen de salontafel te schoppen, maar hield zich op het laatste moment in. Hij balde zijn vuisten. 'Jezus, fuck –'

Leigh zag zijn lege portefeuille op de tafel naast de deur liggen.

Dit was haar schuld. Dit alles was haar schuld.

'Shit.' Walter was ergens op gaan staan. Hij reikte ernaar en hield toen de USB-stick omhoog, want uiteraard had Callie de kopie van zijn paper voor hem achtergelaten toen ze zijn laptop stal.

Leigh perste haar lippen op elkaar. 'Het spijt me, Walter.'

'Wat is –'

'Je mag mijn –'

'Nee, dat geluid. Wat is dat?'

Leigh luisterde in de stilte die volgde. Toen hoorde ze het ook. Callie had de kussensloop meegenomen, maar ze had de kat achtergelaten. Het arme ding zat te miauwen in de doos.

'Verdomme,' zei Leigh, want dat ze de kat had achtergelaten, was bijna even erg als dat ze er met hun geld vandoor was. 'Handel jij dat maar af. Ik wil dat beest niet zien.'

'Meen je dat nou?'

Leigh schudde haar hoofd. Hij zou nooit begrijpen hoe vreselijk ze het vond dat hun moeder haar eeuwige dierenliefde aan haar dochters had doorgegeven. 'Als ik hem zie, wil ik hem houden.'

'Oké, als dat het ergste is.' Walter liep naar de draagmand. Hij pakte de brief die Callie opgevouwen in de klep van de handvatten had gestopt. Leigh herkende het krullerige handschrift van haar zus, met dat hartje op de i.

Voor Harleigh & Walter omdat ik van jullie hou.

De volgende keer dat ze samen in één ruimte waren, sloeg Leigh haar zus morsdood.

Walter vouwde het briefje open en las: 'Voor jullie, dit prachtige –'

De kat miauwde weer, en Leigh voelde haar hart overslaan. Walter deed er veel te lang over. Ze knielde voor de draagmand neer en stelde in gedachten alvast een lijst op. Kattenbak, schepje, kittenvoer, een speeltje, maar niet met kattenkruid, want kittens reageerden niet op kattenkruid.

'Sweetheart.' Walter pakte haar bij haar schouder en kneep er even in.

Haar zus inwendig vervloekend opende Leigh de handvatten van de mand. Ze trok het dekentje opzij. Langzaam bracht ze haar handen naar haar mond. Ze keek in de twee mooiste bruine ogen die ze ooit had gezien.

'Madeline,' zei Walter. 'Van Callie moeten we haar Maddy noemen.'

Leigh reikte in de mand. Ze voelde hoe de warmte van het wonderbaarlijke schepseltje zich langs haar armen naar boven verspreidde, tot recht in haar gebroken hart.

Callie had hun haar kind gegeven.

VOORJAAR 2021

12

Met een glimlach luisterde Leigh naar Maddy's verslag van de gebruikelijke pubermeidenbesognes op school. Andrew deed er niet toe. Callie deed er niet toe. Haar eigen juridische loopbaan, de filmpjes, het plan B, haar vrijheid, haar leven – niets van dat alles deed ertoe.

Ze wilde alleen nog hier in het donker naar de heerlijke stem van haar dochter luisteren.

Het zat haar alleen dwars dat ze dit gesprek via de telefoon voerden. Naar roddel luisterde je terwijl je aan het koken was en je dochter met haar telefoon speelde of, als het iets ernstigs betrof, met het hoofd van je dochter op je borst, terwijl je haar haar naar achteren streek.

'Dus, mam, ik zei van dat kunnen we niet doen, want het is niet eerlijk. Snap je?'

'Tuurlijk,' vond Leigh.

'Maar toen werd ze razend en liep weg,' zei Maddy. 'Dus een uur later keek ik op mijn telefoon en toen had ze een filmpje geretweet van een hond die achter een tennisbal aan rende, dus ik wou aardig doen en zei iets over de hond, dat het een spaniël was en dat spaniëls superlief en aanhankelijk zijn, maar toen schreef ze met dikke hoofdletters terug: DAT IS DUIDELIJK EEN TERRIËR EN JE HEBT HELEMAAL GEEN VERSTAND VAN HONDEN DUS BEK HOUDEN.'

'Wat belachelijk,' zei Leigh. 'Terriërs en spaniëls lijken helemaal niet op elkaar.'

'Totaal niet!' Nu stortte Maddy zich op de rest van het verhaal, dat ingewikkelder was dan een hoorzitting in een maffiazaak.

Wat zou Callie van dit gesprek hebben genoten. Ze zou het hebben opgezogen.

Leigh liet haar hoofd tegen het autoraampje rusten. In de beslotenheid van haar Audi liet ze haar tranen de vrije loop. Als een stalker had ze de auto in de buurt van Walters huis geparkeerd. Ze had het licht in de slaapkamer van haar dochter willen zien branden. Misschien dat ze haar schaduw zou opvangen als ze heen en weer liep. Walter zou haar met alle genoegen een plek op de veranda hebben gegund, maar ze kon hem nog niet onder ogen komen. Ze was op de automatische piloot naar zijn wijk gereden, met heel haar lijf verlangend naar de nabijheid van haar gezin.

De aanblik van Celia Colliers camper op de oprit was een domper geweest. Het geelbruine monster deed denken aan het methlab uit *Breaking Bad*. Leigh had terloops aan Maddy de informatie ontlokt dat Walters moeder in een opwelling had besloten langs te komen, maar Celia deed nooit iets in een opwelling. Leigh wist dat ze al twee doses van het vaccin had gehad. Het akelige gevoel bekroop haar dat Maddy's oma was gekomen om voor haar te zorgen, terwijl Walter een weekend met Marci op stap was.

'Luister je wel, mam?'

'Natuurlijk luister ik. En wat zei ze toen?'

Ondanks de schelle toon van haar dochter voelde Leigh haar bloeddruk dalen. Vaag drong het getjirp van krekels door de autoraampjes. De maan was een schijfje laag aan de hemel. In gedachten keerde ze terug naar die eerste nacht met haar dochter. Walter had kussens rond het bed gelegd. Ze hadden zich als een beschermend hart om Maddy heen gevlijd, zo verliefd op haar dat woorden tekortschoten. Walter had gehuild. Leigh had gehuild. Haar lijstje met kattenbakkorrels en kittenvoer was veranderd in eentje met luiers, flesvoeding en rompertjes, aangevuld met Walters plannen om de baan in Atlanta onmiddellijk aan te nemen.

De papieren die Callie onder in de kattenmand had achtergelaten, maakten het hun onmogelijk om in Chicago te blijven. Zoals met alles in Callies leven had ze meer denkvermogen aan foute dingen besteed dan ze aan goede kwijt zou zijn geweest.

Zonder iemand op de hoogte te stellen was ze acht maanden voor Maddy's geboorte naar Chicago verhuisd. Tijdens haar zwangerschap had ze Leighs naam gebruikt in de vrouwenkliniek aan South Side. Op Maddy's geboorteakte stond Walter als vader aangegeven. Al haar prenatale bezoekjes aan de kliniek, het bloeddrukonderzoek, haar verblijf in het ziekenhuis en gezondheidschecks waren betaald door het Moms & Babies-programma van het ministerie van Gezins- en Gezondheidszorg in Illinois.

Leigh en Walter konden kiezen: naar Atlanta verhuizen met alle medische documenten en doen alsof Maddy hun baby was, of de waarheid vertellen, maar dan ging Callie de gevangenis in wegens oplichting van de zorgverzekering.

Vooropgesteld dat het verhaal geloofd werd. De kans was niet denkbeeldig dat de overheid Walter en Leigh van medeplichtigheid zou hebben beschuldigd. In dat geval was Maddy misschien in de pleegzorg beland, een risico dat ze geen van beiden wilden nemen.

Neem alsjeblieft dit mooie meisje als geschenk van me aan, had Callie geschreven. *Ik weet dat wat er ook gebeurt, jullie er allebei voor zullen zorgen dat ze altijd gelukkig en veilig is. Het enige wat ik vraag, is dat ze Maddy wordt genoemd.* ps: *Félicette was de eerste kattenastronaute. Zoek maar op.*

Toen ze eenmaal veilig in Atlanta zaten, de angst was afgenomen en ze zeker wisten dat Callie niet weer hun leven zou binnenvallen om Maddy van hen af te pakken, hadden ze haar zus willen laten kennismaken met hun dochter. Callie had altijd beleefd geweigerd. Ze had haar nooit geclaimd. Ze had nooit, op geen enkele wijze, laten blijken dat Leigh niet Maddy's moeder was, of Walter niet haar vader. Zoals alles in Callies leven was het bestaan van het kind een vaag verhaal van lang geleden geworden, dat ze maar liever vergat.

Wat Maddy betrof, die wist dat Leigh een zus had, en ze wist ook dat die zus leed aan de ziekte die verslaving heette, maar ze hadden haar de waarheid nog niet verteld. Eerst hadden ze gewacht tot de fraude verjaard was, toen was Maddy te jong geweest om het te kunnen begrijpen, toen had ze het een tijdje moeilijk gehad op school, en toen was het al erg genoeg om als twaalfjarige de breuk tussen je ouders mee te maken zonder dat je vader en moeder je bij zich riepen om uit te leggen dat je hun biologische kind niet was.

Onwillekeurig dacht Leigh terug aan Andrews woorden toen ze die ochtend in zijn achtertuin hadden gestaan. Hij had gezegd dat Callie het heerlijk had gevonden wat Buddy met haar had gedaan, dat ze kreunend zijn naam had uitgesproken.

Niets van dat alles deed ertoe. Misschien had Callie het fijn gevonden om aangeraakt te worden, want aanraken voelde nu eenmaal lekker, maar kinderen waren niet in staat om volwassen keuzes te maken. Romantische liefde ging hun begrip te boven. Ze misten de rijpheid om te kunnen begrijpen hoe hun lichaam op seksueel contact reageerde. Ze waren fysiek en emotioneel nog niet klaar voor seks.

Op haar achttiende had Leigh dat nog niet goed begrepen, maar als moeder begreep ze het maar al te goed. Toen Maddy twaalf was, had Leigh vanaf de eerste rang de magie mogen aanschouwen van het leven van twaalfjarige meisjes. Ze wist hoe lief ze waren, hoe ze hunkerden naar aandacht. Ze wist dat je zo'n meisje kon overhalen samen al radslagend de oprit op en neer te gaan. Het ene moment zag je haar stikken van het lachen en het volgende moment in onverklaarbare tranen uitbarsten. Je kon tegen haar zeggen dat je de enige was die ze kon vertrouwen, dat niemand zo van haar zou houden als jij, dat ze bijzonder was, dat ze wat er gebeurde strikt geheim moest houden, want niemand anders zou het begrijpen.

Het was geen toeval dat Leigh haar huwelijk op de klippen had laten lopen toen Maddy twaalf was geworden. Callie was twaalf geweest toen ze voor het eerst bij de Waleski's had opgepast.

Weten hoe buitengewoon kwetsbaar haar zusje was geweest, weten waarvan Buddy Waleski haar had beroofd, was een gezwel dat Leigh bijna het leven had gekost. Er waren dagen geweest dat ze amper naar haar dochter had kunnen kijken zonder naar de badkamer te rennen om daar in te storten. Leigh had zichzelf zo vervlochten met Maddy dat ze onbereikbaar was geworden voor Walter. Hij had haar grillige gedrag voor lief genomen tot ze de enige manier had ontdekt om hem af te stoten. Niet door vreemd te gaan. Leigh had hem nooit bedrogen. In allerlei opzichten was wat zij had gedaan veel erger. Als Maddy in bed lag, ging ze drinken. Ze had gedacht dat ze ermee wegkwam, tot ze op een ochtend op de vloer van de badkamer wakker was geworden, nog steeds dronken. Walter had op de rand van het bad gezeten. Hij had zijn handen in wanhoop geheven en gezegd dat hij er klaar mee was.

'Wat moest ik dan?' vroeg Maddy. 'Ik bedoel, echt, mam. Zeg jij het maar.'

Leigh had geen idee, maar ze had eerder met dat bijltje gehakt. 'Wat jij hebt gedaan, was volgens mij precies goed, schat. Ze bindt wel weer in of anders niet.'

'Zal wel.' Maddy klonk niet overtuigd, maar ze liet het alweer achter zich. 'Heb jij het al met papa over het feestje van dit weekend gehad?'

Leigh had voor de laffe weg gekozen en Walter een bericht gestuurd. 'Je mag niet blijven slapen, en je moet beloven dat iedereen de hele tijd een mondkapje draagt.'

'Beloofd,' zei Maddy, maar tenzij Leigh door de ramen van het souterrain wilde gluren, was het onmogelijk na te gaan of ze zich aan die belofte hield. 'Keely zei dat ze eindelijk heeft gebeld.'

Op het gebied van namen maakte Leighs dochter er een soort *Waar is Wally?* van, maar gewoonlijk plaatste ze voldoende aanwijzingen. 'Ms Heyer?'

'Ja, ze zei zoiets als dat Keely het op een dag wel zou begrijpen maar ze had iemand ontmoet en ze houdt nog steeds van haar vader want hij blijft altijd haar vader maar ze moest verder met haar leven.'

Hoofdschuddend probeerde Leigh er betekenis aan te onttrekken. 'Ms Heyer heeft iemand anders? Bedriegt ze Mr Heyer?'

'Ja, mam, dat zei ik toch.' Maddy trok zich weer terug in haar comfortzone, ergernis. 'En ze blijft maar hartjes en zo sturen en zeg nou zelf, waarom belt ze niet nog eens om te praten over wat er gaat gebeuren en hoe dit verder moet in plaats van alleen maar te appen?'

Om Maddy tegemoet te komen zei Leigh: 'Soms is appen makkelijker, weet je.'

'Ja, oké, ik moet ophangen. Liefs.'

Abrupt beëindigde Maddy het gesprek. Leigh nam aan dat zich een interessanter persoon had aangediend. Toch keek ze nog een tijdje naar de telefoon, tot het scherm zwart werd. Ergens wilde ze het liefst in een of andere berichtenstroom van moeders duiken, over Ruby Heyer die zich lekker liet gaan, maar daarom was ze niet om acht uur 's avonds deze buitenwijk in gereden. Ze was hier gekomen voor Walter en om haar leven op te blazen.

Het was duidelijk dat Andrew Tammy Karlsen hooguit als nevenschade beschouwde in zijn oorlog van wederzijds verzekerde vernietiging. In werkelijkheid ging het hem erom Leigh in angst te laten leven. Om haar ervan te doordringen dat haar 'perfecte neplevente als een mammie met ouderraadvergaderingen, schooltoneel en een stomme man' zomaar kon verdwijnen, net zoals Andrews leven in rook was opgegaan toen ze zijn vader had vermoord.

Ze kon Andrews macht alleen wegnemen als ze zijn controle over haar leven wegnam.

Voor Leigh van gedachten kon veranderen, stuurde ze Walter een bericht: Ben je druk?

Hij antwoordde meteen: Love Machine.

Leigh keek naar Celia's camper. Ze waren het ding de Love Machine gaan noemen nadat Walter zijn moeder per ongeluk had betrapt met de beheerder van het camperpark op Hilton Head.

De voordeur van Walters huis ging open. Hij zwaaide naar Leigh, terwijl hij naar de Love Machine liep. Ze keek om zich heen in het doodlopende straatje. Het had haar niet hoeven verbazen dat een van de buren haar aanwezigheid had verraden. Rond Walters huis woonden zes brandweerlieden. Hij had ieder van hen bij verschillende gelegenheden bijgestaan, onderhandeld over pensioenregelingen, doktersrekeningen, en in één geval had hij gezorgd dat iemand naar een afkickkliniek werd gestuurd in plaats van naar de gevangenis. Voor hen was Walter een soort broer.

Leigh liet haar telefoon op de stoel liggen en stapte uit. Walter klapte net de tafel op toen ze de Love Machine binnenging. Celia had niet veel geld uitgegeven aan de inrichting, maar alles zag er netjes en functioneel uit. Een lange bank diende als divan tussen twee ruimtes. Het keukentje, een kast en een badkamer vormden een gangetje naar de slaapkamer achterin. Walter had de striplampen langs de strook tapijt aangedaan. De zachte gloed accentueerde de scherpe hoek van zijn kaak. Ze zag een lichte baard doorschemeren. Sinds het begin van de pandemie schoor hij zich om de dag. Leigh had pas beseft hoe mooi ze de stoppelbaard vond tijdens die paar korte maanden van de eerste lockdown, toen ze weer in zijn bed was beland.

'Shit.' Ze bracht haar hand naar haar blote gezicht. 'Ik ben mijn mondkapje vergeten.'

'Geeft niet.' Walter deed een stap terug om wat afstand te scheppen. 'Callie dook vandaag op bij Maddy's voetbaltraining.'

Leigh onderging de gebruikelijke mix van emoties: schuldgevoel omdat ze sinds de vorige avond nog niet met haar zus had gebeld om te vragen hoe het ging, en hoop omdat Callie enige belangstelling had getoond voor haar gezin.

'Ze ziet er niet slecht uit.' Hij leunde tegen de scheidingswand. 'Wel is ze te mager, maar ze moest lachen en maakte grapjes. Onze ouwe Callie. Het leek wel of ze een iets donkerdere tint had. Ik zweer het.'

'Heeft ze…'

'Nee, ik heb het aangeboden, maar ze wilde Maddy niet ontmoeten. En ja, ze was stoned, maar niet zo erg dat ze omviel of een rel schopte.'

Leigh knikte, want dat was niet het ergste nieuws. 'Hoe is het met Marci?'

'Die gaat trouwen,' zei Walter. 'Ze is weer bij haar oude vriend.'

Voor het eerst in dagen had Leigh het gevoel dat het aambeeld ietsje van haar borst werd getild. 'Toen ik de camper zag, dacht ik –'

'Ik ga hier tien dagen in quarantaine. Ik heb mama gevraagd een oogje op Maddy te komen houden.'

Het gewicht werd weer neergelaten. 'Ben je in contact geweest met iemand die corona had?'

'Nee, ik wilde je er morgen over bellen, maar toen was je opeens hier en…' Hij schudde zijn hoofd, alsof de details er niet toe deden. 'Ik wilde dit weer kunnen doen.'

Zonder waarschuwing overbrugde hij de afstand tussen hen en nam Leigh in zijn armen.

Ze verzette zich niet. Ze liet haar lichaam versmelten met het zijne. Aan haar mond ontsnapte een snik. Ze wilde zo wanhopig graag bij hem blijven, doen alsof alles in orde was, maar het enige wat ze kon, was dit moment in haar geheugen prenten om er de rest van haar leven aan terug te denken. Waarom klampte ze zich altijd aan de slechte dingen vast en liet ze de goede dingen aan zich ontglippen?

'Sweetheart.' Walter tilde haar gezicht op zodat ze hem moest aankijken. 'Zeg eens wat er is.'

Leigh bracht haar vingers naar zijn mond. Ze voelde tot in haar ziel dat ze op het punt stond blijvende schade aan te richten aan wat er nog restte van hun huwelijk. Ze zou seks met hem kunnen hebben. Ze zou in zijn armen in slaap kunnen vallen. Maar dan zou ze hem de volgende dag of de dag erna nog steeds de waarheid moeten vertellen, en het verraad zou er veel dieper in slaan.

'Ik moet…' Haar stem stokte. Ze ademde diep in. Ze trok Walter mee naar de bank en ging naast hem zitten. 'Ik moet je iets vertellen.'

'Dat klinkt ernstig,' zei hij, zonder enige ernst in zijn stem. 'Wat is er?'

Ze keek naar hun verstrengelde vingers. Hun trouwringen hadden krassen, maar ze hadden ze geen van beiden ooit afgedaan.

Leigh kon dit niet langer voor zich uit schuiven. Met moeite maakte ze zich van hem los. 'Ik moet je iets vertellen, iets wat buiten de grenzen van ons huwelijk valt.'

Hij lachte. 'Oké.'

'Ik bedoel dat het niet bij ons echtelijk zwijgrecht hoort. Dit is iets tussen jou en mij.'

Eindelijk werd hij zich bewust van haar toon. 'Wat is er aan de hand?'

Leigh kon niet meer zo dicht bij hem zitten. Ze schoof over de bank tot ze met haar rug tegen de wand zat. Ze dacht aan al die keren dat ze hem met haar voet over het kussen had aangeraakt omdat ze op de een of andere manier met hem verbonden wilde zijn. Wat ze nu ging zeggen, zou die band onherroepelijk kunnen verbreken.

Het kon niet meer uitgesteld worden. Ze begon bij het begin. 'Weet je nog dat ik je vertelde dat ik op mijn elfde op kinderen uit de buurt ging passen?'

Walter schudde zijn hoofd, niet omdat hij het zich niet herinnerde, maar omdat hij het krankzinnig vond om kinderen aan de zorg van een elfjarige toe te vertrouwen. 'Ja,' zei hij. 'Natuurlijk weet ik dat nog.'

Leigh vocht tegen haar tranen. Als ze nu instortte, bleef er niets van haar over wanneer ze hem alles vertelde. Weer ademde ze diep in voor ze verderging. 'Toen ik dertien was, kreeg ik een vast oppasbaantje bij een jongen van vijf van wie de moeder voor verpleegkundige studeerde, dus ik was elke doordeweekse dag na school bij hen thuis, tot middernacht.' Ze sprak te snel. Haar woorden dreigden over elkaar heen te buitelen. Ze dwong zichzelf langzamer te gaan praten. 'De moeder heette Linda Waleski. Ze had ook een man. Hij heette, eh… zijn echte naam weet ik niet eens. Hij werd door iedereen Buddy genoemd.'

Walter legde zijn arm op de rugleuning van de bank. Hij was een en al oor.

'Die eerste avond bracht Buddy me met de auto naar huis en…' Leigh zweeg weer. Ze had dit nog nooit hardop uitgesproken. 'Hij parkeerde de auto aan de kant van de weg, duwde mijn benen uit elkaar en stak zijn vinger in me.'

Op Walters gezicht zag ze woede om voorrang strijden met verdriet.

'Hij bevredigde zichzelf. En toen bracht hij me thuis. En hij gaf me een smak geld.'

Leigh voelde de vlammen van haar wangen slaan. Het geld maakte het nog erger, alsof ze betaald was voor een dienst. Ze keek over Walters schouder. Haar ogen trokken een waas voor de fonkelende lampen langs de oprit van de buren.

'Ik zei tegen Phil dat hij alleen maar zijn hand op mijn knie had gelegd. De rest vertelde ik niet. Dat ik bloedde toen ik naar de wc ging. Dat het dagenlang prikte als ik moest plassen, omdat hij me met zijn nagel had opengehaald.'

Door de herinnering voelde ze het weer branden tussen haar benen. Ze zweeg even om te slikken.

'Phil lachte er alleen maar om. Ze zei dat ik zijn hand weg moest meppen als hij het nog eens probeerde. Dus dat deed ik. Ik mepte zijn hand weg en daarna probeerde hij het nooit meer.'

Walter ademde langzaam en regelmatig, maar vanuit haar ooghoek zag ze hem zijn vuist ballen.

'Ik vergat het.' Ze schudde haar hoofd, want ze wist waarom ze het was vergeten, maar ze wist niet hoe ze de reden aan Walter moest uitleggen. 'Ik... Ik vergat het, want ik had dat baantje nodig, en ik wist dat als ik er een toestand van maakte, als ik er iets over zei, dat niemand me dan meer zou aannemen. Of dat me verweten zou worden dat ik iets verkeerds had gedaan of... Ik weet het niet. Ik wist alleen dat ik beter mijn mond kon houden. Dat ze me toch niet zouden geloven. Of als ze me geloofden, dat het dan niks zou uitmaken.'

Ze keek naar haar man. Hij had haar niet één keer onderbroken in zijn wanhopige poging het te begrijpen.

'Ik weet dat het idioot klinkt om iets dergelijks te vergeten. Maar als je een meisje bent, en vooral als je je al vroeg begint te ontwikkelen, met borsten en heupen en zo, en met al die hormonen waarmee je je geen raad weet, dan krijg je de hele tijd van volwassen mannen onbehoorlijke dingen te horen, Walter. De hele tijd.'

Hij knikte, maar nog steeds was zijn vuist gebald.

'Ze fluiten naar je of ze raken je borsten aan of strijken met hun pik langs je rug en doen dan alsof het per ongeluk ging. Of ze zeggen dat je zo sexy bent. Of dat je volwassen bent voor je leeftijd. En het is ranzig omdat ze zo oud zijn. En je voelt je walgelijk. En als je er iets van zegt, lachen ze je uit of zeggen ze dat je veel te opgefokt bent of een kreng of dat je niet tegen een grapje kunt.' Leigh moest zichzelf weer afremmen. 'De enige manier om je erdoorheen te slaan, de enige manier om weer te kunnen ademen, is door het ergens op te bergen zodat het er niet toe doet.'

'Maar het doet er wel toe.' Walter was hees van verdriet. Hij dacht aan hun prachtige dochter. 'Natuurlijk doet het ertoe.'

Leigh keek naar de tranen die over zijn gezicht stroomden, beseffend dat wat ze hierna ging zeggen hem volledig tegen haar zou doen keren. 'Op mijn zestiende had ik genoeg geld gespaard om een auto te kunnen kopen. Ik stopte met oppassen. En ik gaf het baantje bij de Waleski's door aan Callie.'

Walter had geen tijd om zijn schrik te verbergen.

'Buddy verkrachtte haar tweeënhalf jaar lang. Hij had overal in huis camera's verstopt om zichzelf daarbij te filmen. Die filmpjes liet hij aan zijn vrienden zien. Ze hadden van die weekendfeestjes. Dan dronken ze bier en keken hoe Buddy mijn zusje verkrachtte.' Leigh staarde naar haar handen. Ze draaide haar trouwring rond haar vinger. 'Ik wist het destijds niet, maar op een avond belde Callie me vanuit het huis van de Waleski's. Ze zei dat ze ruzie had gehad met Buddy. Ze had een van zijn camera's gevonden. Hij was bang dat ze het tegen Linda zou zeggen en dat hij dan gearresteerd zou worden. Dus vloog hij haar aan. Hij sloeg haar. Het scheelde niet veel of hij had haar gewurgd. Maar op de een of andere manier lukte het haar een keukenmes te pakken om zichzelf te verdedigen. Ze zei tegen me dat ze hem had vermoord.'

Walter zweeg, maar Leigh kon zich niet langer voor hem verbergen. Ze keek hem recht in zijn ogen.

'Buddy leefde nog toen ik daar aankwam. Callie had zijn dijbeenader geraakt met dat mes. Hij had niet lang meer, maar we hadden nog een ambulance kunnen bellen. Hij had misschien gered kunnen worden. Maar ik probeerde hem niet eens te redden. Callie vertelde me wat hij met haar had gedaan. Toen herinnerde ik me weer wat er in de auto was gebeurd. Alsof er een schakelaar werd omgedraaid. Het ene moment herinnerde ik me niets. Het volgende moment wist ik alles weer.' Leigh probeerde te ademen, maar haar longen werkten tegen. 'En ik wist dat het mijn schuld was. Ik had mijn eigen zusje aan een pedofiel uitgeleverd. Alles wat er met haar was gebeurd, alles wat me daar had gebracht, was mijn schuld. Ik stuurde Callie naar de andere kamer. Toen pakte ik een rol plasticfolie uit de keukenla. Dat wikkelde ik rond Buddy's hoofd, en zo liet ik hem stikken.'

Ze zag Walters mond openvallen, maar hij zei niets.

'Ik heb hem vermoord,' zei ze, alsof dat niet duidelijk genoeg was. 'En toen dwong ik Callie me te helpen zijn lijk in stukken te hakken. Daarvoor gebruikten we een kapmes uit de schuur. We begroeven de stukken in de fundering voor een winkelcentrum in een zijstraat van Stewart Avenue. De volgende dag werd het beton gegoten. Na afloop maakten we alles schoon. Tegen Buddy's vrouw en zoontje zeiden we dat hij ervandoor was gegaan. En ik pikte zo'n zesentachtigduizend dollar van hem. Zo heb ik mijn studie betaald.'

Walters lippen bewogen, maar hij zei nog steeds niets.

'Het spijt me,' zei ze, want haar bekentenis was nog niet volledig. Nu ze hem uiteindelijk de waarheid vertelde, moest ze hem de héle waarheid vertellen. 'Callie heeft –'

Walter stak zijn hand op, want hij had even tijd nodig. Hij stond op en liep naar de achterkant van de camper. Hij draaide zich weer om. Zijn ene hand lag op het aanrechtblad. Met de andere zocht hij steun bij de wand. Sprakeloos schudde hij zijn hoofd. Het was zijn blik die haar verpletterde. Hij keek naar een vreemde.

Ze dwong zichzelf door te gaan. 'Callie heeft geen idee dat Buddy het eerst met mij heeft geprobeerd,' zei ze. 'Ik had het lef niet om het tegen haar te zeggen. En nu ik toch bezig ben, zeg ik er meteen bij dat ik er geen spijt van heb dat ik hem gedood heb. Ze was een kind, en hij nam alles van haar af, maar het was mijn schuld. Het was allemaal mijn schuld.'

Walter begon zijn hoofd te schudden, alsof hij wanhopig graag wilde dat ze haar woorden terugnam.

'Walter, je moet begrijpen dat ik echt meen wat ik zonet zei. Het enige waarvan ik spijt heb, is dat ik Callie niet gewaarschuwd heb. Buddy had zijn dood verdiend. Eigenlijk had hij het ook verdiend om langer te lijden dan de twee minuten die hij erover deed om te stikken.'

Walter wendde zijn hoofd af en veegde met zijn mouw over zijn mond.

'Ik draag die schuld elke seconde van elke dag met me mee, elke keer dat ik inadem, in elke molecuul van mijn lijf,' zei Leigh. 'Telkens als Callie weer een overdosis heeft genomen, bij elk bezoek aan de spoedeisende hulp, telkens als ik niet weet of ze nog leeft of dood is, in de problemen zit of in de gevangenis, denk ik maar één ding: waarom heb ik die klootzak niet nog meer laten lijden?'

Walter klemde het aanrechtblad vast. Hij ademde hortend. Hij keek alsof hij de kastjes uit elkaar wilde trekken, het plafond naar beneden wilde rukken.

'Sorry,' zei ze. 'Ik had het je eerder moeten vertellen. Ik hield mezelf voor dat ik je er niet mee wilde belasten of dat ik je niet van streek wilde maken, maar in werkelijkheid schaamde ik me te diep. Wat ik Callie heb aangedaan, is onvergeeflijk.'

Hij weigerde haar aan te kijken. Zijn hoofd hing naar beneden. Zijn schouders schokten. Ze verwachtte dat hij zou gaan schreeuwen, tegen haar tekeer zou gaan, maar hij huilde alleen maar.

'Het spijt me,' fluisterde ze. Haar hart brak bij het horen van zijn verdriet. Als ze hem heel even in haar armen had kunnen houden, als ze had geweten hoe ze zijn pijn kon verlichten, zou ze het gedaan hebben. 'Ik weet dat je me nu haat. Het spijt me zo.'

'Leigh.' Hij keek naar haar op, terwijl de tranen uit zijn ogen stroomden. 'Besef je niet dat je zelf ook een kind was?'

Leigh keek hem vol ongeloof aan. Hij walgde niet van haar, was niet kwaad. Hij was verbaasd.

'Je was nog maar dertien,' zei Walter. 'Hij randde je aan, maar niemand die iets deed. Je zei dat je Callie had moeten beschermen. Wie beschermde jou?'

'Ik had moeten –'

'Je was een kind!' Hij sloeg zo hard met zijn vuist op het blad dat de glazen in het kastje trilden. 'Waarom zie je dat niet, Leigh? Je was een kind. Je had helemaal nooit in die positie mogen belanden. Je had je geen zorgen hoeven maken over geld of baantjes. Je had thuis in bed moeten liggen en moeten bedenken op welke jongen op school je nu weer verliefd was.'

'Maar…' Hij begreep het niet. Hij dacht aan Maddy en haar vriendinnen. Maar Lake Point was een ander verhaal. Daar werd iedereen sneller volwassen. 'Ik heb hem gedood, Walter. Dat is moord. Dat weet jij ook.'

'Je was maar twee jaar ouder dan Maddy nu is! Die vent had je aangerand. Je had net ontdekt dat je zusje –'

'Stop,' zei ze, want het had geen zin om het langer over de feiten te hebben. 'Ik vertel je dit om een bepaalde reden.'

'Moet er een reden zijn?' Hij kwam niet los van zijn verbolgenheid. 'Jezus christus, Leigh. Hoe heb je zo lang met dat schuldgevoel kunnen leven? Je was zelf ook slachtoffer.'

'Ik was godverdomme geen slachtoffer!'

Leigh had zo hard geschreeuwd dat ze bang was dat Maddy het in huis had kunnen horen. Ze stond op. Ze liep naar het raampje in de deur en keek naar Maddy's slaapkamer. Het lampje naast het bed brandde nog. In gedachten zag ze haar dierbare meisje lekker weggedoken met haar neus in een boek, net als Callie vroeger toen ze jong was.

'Schat,' zei Walter. 'Kijk me eens aan. Alsjeblieft.'

Ze draaide zich weer om, met haar armen om haar middel. Ze kon niet tegen de zachte klank van zijn stem. Ze verdiende zijn moeiteloze vergeving niet. Callie was haar verantwoordelijkheid. Dat zou hij nooit begrijpen. 'Die cliënt, die verkrachter met wie ik zondagavond een gesprek had. Andrew Tenant. Dat is de jongen op wie ik paste. De zoon van Buddy en Linda.'

Weer was Walter sprakeloos.

'Andrew heeft alle video's van zijn vader. Hij heeft de moordtape in 2019 gevonden, maar hij heeft die verkrachtingsvideo's al sinds zijn studietijd in bezit.' Leigh weigerde stil te staan bij wat Andrew had gezegd over het bekijken van die video's. 'Er waren minstens twee camera's die alles vastlegden. Er zijn uren aan beeldmateriaal van Buddy die Callie verkracht. Alles wat er op de avond van de moord is gebeurd, is ook opgenomen. Callie die ruzie kreeg met Buddy en zijn been openhaalde met het mes, en daarna ik die binnenkwam en hem vermoordde.'

Walter zweeg, met een grimmige trek om zijn mond.

'De vrouw die door Andrew is verkracht, alle andere vrouwen die door hem zijn verkracht, hij heeft bij iedereen het been opengesneden, hier.' Ze legde haar hand op haar eigen bovenbeen. 'De dijbeenader. Precies waar Callie Buddy raakte.'

Walter wachtte op de rest.

'Andrew heeft die vrouwen niet gewoon verkracht. Hij drogeerde ze. Hij ontvoerde ze. Hij martelde ze. Hij reet ze uiteen, precies zoals zijn vader Callie uiteen had gereten.' Leigh scherpte het nog iets aan. 'Hij is psychotisch. Hij stopt niet.'

'Wacht…' Walter had dezelfde vraag als Leigh. 'Wat wil hij?'

'Hij wil me laten lijden,' zei Leigh. 'Hij chanteert me. Morgen begint voir dire. Andrew zei dat ik niets van het slachtoffer in de getuigenbank heel mag laten. Hij heeft haar medische dossiers gestolen. Ik heb de informatie waarmee ik het kan doen. En daarna moet ik weer iets anders voor hem doen. En daarna nog iets. Ik kan hem niet tegenhouden.'

'Wacht.' Walters medeleven was zo langzamerhand op. 'Je zei net dat die vent een gewelddadige psychopaat is. Je moet –'

'Wat?' vroeg ze. 'Het proces laten seponeren? Hij zei dat hij een plan B heeft – een back-up naar de cloud, of misschien bewaart hij de video's in een bankkluis, of weet ik het. Hij zei dat als hem iets overkomt, hij alle video's openbaar maakt.'

'En wat dan nog?' zei Walter. 'Laat hij ze maar openbaar maken.'

Nu was het Leighs beurt om verbaasd te zijn. 'Ik heb je verteld wat er op die video's staat. Dan ga ik de bak in. Dan is Callies leven voorbij.'

'Callies leven?' herhaalde Walter. 'Je maakt je godbetert druk om Callies leven?'

'Ik kan niet –'

'Leigh!' Weer sloeg hij met zijn vuist. 'Onze tienerdochter ligt op zes meter afstand in ons huis te slapen. Die man is een gewelddadige verkrachter. Is het nooit bij je opgekomen dat hij Maddy iets zou kunnen aandoen?'

Nu was Leigh sprakeloos, want Maddy had hier niets mee te maken.

'Geef antwoord!'

'Nee.' Ze begon haar hoofd te schudden, want dat zou nooit gebeuren. Dit was iets tussen haar, Andrew en Callie. 'Hij zou nooit –'

'Hij zou onze dochter van zestien nooit verkrachten?'

Leigh voelde haar lippen bewegen, maar ze kreeg er geen woord uit.

'Godverdomme!' riep hij. 'Jij en je fucking vakjes!'

Hij viel terug op een oude kwestie, terwijl dit iets heel anders was. 'Walter, ik heb nooit –'

'Wat? Is het nooit bij je opgekomen dat de gewelddadige, sadistische verkrachter die jouw vrijheid bedreigt zich weleens in je privéleven zal kunnen wurmen? Waarom niet? Omdat... Omdat je dat niet zou toestaan? Omdat je zo verdomd goed bent in alles van elkaar gescheiden houden?' Walter sloeg het kastdeurtje uit zijn scharnieren. 'Jezus nog aan toe! Krijg je tegenwoordig opvoedtips van Phil?'

De wond was diep en dodelijk. 'Ik heb niet –'

'Nagedacht?' wilde hij weten. 'Na wat er met Callie is gebeurd, nadat je opzettelijk en moedwillig een man hebt vermoord, kwam het niet in die verknipte, domme kop van je op dat het misschien een slecht idee is om weer een tienermeisje aan een vuile verkrachter bloot te stellen?'

Alle lucht verliet haar lichaam.

Ze voelde haar voeten wegzweven van de vloer. Haar handen fladderden door de lucht, alsof haar bloed was vervangen door helium. Ze herkende het gevoel van de voorgaande dagen, die lichtheid wanneer haar ziel niet kon bevatten wat er gebeurde en de gevolgen aan haar lichaam overliet. Opeens besefte ze dat het voor het eerst was gebeurd toen ze in Buddy's gele Corvette had gezeten. Aan de andere kant van het raampje was het huis van de familie Deguil geweest. Hall & Oates hadden zachtjes op de radio geklonken. Leigh had tegen het dak gezweefd. En hoewel ze haar ogen had gesloten, had ze toch Buddy's monsterlijke hand gezien die haar benen uiteen had gewrongen.

Jezus wat een zacht huidje ik voel de donshaartjes je bent bijna een baby.

Nu zag Leigh haar eigen hand naar de kleine, zilverkleurige deurknop reiken. Het volgende moment daalde ze het metalen trapje af. Toen liep ze over de oprit. Toen stapte ze in haar auto. Toen sloeg de motor grommend aan, schakelde ze en reed ze met een draai aan het stuur de verlaten straat op, weg van haar man en kind, alleen in het donker.

Donderdag

13

Alsof de dag nog maar net was begonnen, zo voelde het toen Callie uit de bus stapte bij Jesus Junction, een kruispunt van drie wegen in Buckhead, waar drie verschillende kerken om klandizie vochten. De katholieke kathedraal was het indrukwekkendst, maar Callie had een zwak voor de toren van de baptisten, die eruitzag als iets uit de *Andy Griffith Show*. Alleen stikte het in Mayberry niet van de ultraconservatieven, die dachten dat alle andere mensen naar de hel gingen. Ze hadden ook lekkerdere koekjes, maar ze moest toegeven dat de episcopalen wisten hoe ze koffie moesten zetten.

De Cathedral of Saint Phillip stond boven op een heuvel die Callie vóór covid moeiteloos had kunnen beklimmen. Nu volgde ze het trottoir naar de zijkant, want daar was een minder steile helling naar de plek waar de bijeenkomst werd gehouden. Toch viel het haar zwaar met het mondkapje voor. Ze liet het aan één oor bungelen terwijl ze naar de oprit liep.

Het parkeerterrein stond vol BMW's en Mercedessen. Rokers in zakelijk tenue hadden zich al verzameld bij de dichte deur. De vrouwen waren in de meerderheid, wat niet ongebruikelijk was, wist Callie. De meeste arrestaties wegens rijden onder invloed betrof mannen, maar vrouwen moesten van de rechter vaker dan mannen naar AA-bijeenkomsten, vooral in Buckhead, waar dure advocaten zoals Leigh de laatstgenoemden hielpen hun verantwoordelijkheid te ontduiken.

Op zo'n zeven meter van de ingang voelde Callie blikken op zich gericht, maar niet achterdochtig, zoals meestal als mensen naar junkies keken. Waarschijnlijk omdat ze niet als een junk gekleed was. Verdwenen waren de met stripfiguurtjes versierde pastelkleuren die ze normaal uit het kinderrek bij Goodwill opscharrelde. Een duik in haar slaapkamerkast had een zwarte spandex top met lange mouwen en ronde hals opgeleverd, plus strakke jeans waarin ze zich net een soepele panter had gevoeld toen ze hem voor Binx showde. Ze had het geheel afgemaakt met een paar versleten Doc Martens, dat ze onder Phils bed had gevonden. En met het risico bindvliesontsteking op te lopen had ze ten slotte haar moeders make-up gepakt en bij een tienjarige op YouTube afgekeken hoe je smokey eyes creëerde.

Tijdens dat spelletje Pygmalion ging het Callie er alleen om voor een niet-junk te kunnen doorgaan, maar nu ze in de openbare ruimte was, voelde ze zich opvallend vrouwelijk. Mannen keurden haar. Vrouwen hadden hun oordeel klaar. Blikken bleven aan haar heupen, borsten en gezicht plakken. Op straat was haar lage gewicht een teken dat er iets mis was. In dit gezelschap was haar magere gestalte een pluspunt, iets om te waarderen of te begeren.

Ze was blij dat ze haar mondkapje omhoog kon trekken. Een man in een zwart pak hield met een knikje de deur voor haar open. Callie moest een huivering onderdrukken bij al die aandacht. Ze had zich met haar kleren toegang tot de normale maatschappij willen verschaffen, zonder te beseffen hoe die maatschappij eruitzag.

Achter haar viel de deur dicht. Callie leunde tegen de muur. Ze trok haar mondkapje naar beneden. Verderop in de gang hoorde ze het geroezemoes, gesnotter en gegiechel van een lawaaiige peutergroep die zich gereedmaakte voor de dag. Callie bleef even staan om zich te herpakken. Toen trok ze haar mondkapje weer voor. Ze verwijderde zich van de peuters, tot ze op een reusachtig spandoek stuitte met de tekst GOD IS VRIENDSCHAP.

Callie betwijfelde of God het soort vriendschap zou kunnen waarderen dat zij die ochtend in gedachten had. Ze liep onder het spandoek door naar de vergaderruimtes, waarbij ze foto's passeerde van eerwaarden, hoogwaardigen en hoogwaardige excellenties van jaren her. Een papier aan de muur wees naar een open deur.

8.30 UUR AA-BIJEENKOMST.

Callie was dol op AA-bijeenkomsten, want dat waren de enige gelegenheden waarbij ze haar prestatiedrang de vrije teugel kon geven.

Kon een oom niet van je afblijven? *Bel maar als je hem vermoordt.*

Groepsverkrachting door de vrienden van je broer? *Heb je ze allemaal aan stukken gehakt?*

Onbedwingbaar rillen door delirium tremens? *Kom maar terug als je een halve liter bloed uit je gat schijt.*

Callie liep het zaaltje in. De opstelling was dezelfde als bij alle andere AA-bijeenkomsten die op dat moment in alle uithoeken van de wereld plaatsvonden. Klapstoelen in een wijde kring, met grote pandemische ruimtes ertussenin. Op een tafel het sereniteitsgebed in een fotolijst, naast folders met titels als *Hoe het werkt!, De beloftes* en *De twaalf tradities*. Er stonden wel tien mensen in de rij voor de koffieketel. Callie ging achter een man staan in een zwart zakenpak met een groen medisch mondkapje voor, die keek alsof hij liever out of the box aan het brainstormen was, een speld in zijn visiebord stak of waar dan ook was behalve hier.

'O,' zei hij. Hij deed een stap terug om Callie voor te laten gaan. Ze nam aan dat beleefde heren zoiets nou eenmaal deden voor dames die er niet als heroïnejunks uitzagen.

'Hoeft niet, dank u.' Callie had opeens grote belangstelling voor een poster van Jezus met een verloren schaap in zijn armen.

Hoewel het koel was in het souterrain, droop het zweet nog steeds langs haar hals. Het treffen met Zakenpak was al even ontredderend geweest als de blikken op het parkeerterrein. Vanwege haar tengere bouw en haar voorkeur voor Care Bears-shirts en regenboogjasjes werd ze vaak voor een tiener aangezien, zelden voor de vrouw van zevenendertig die ze in feite – vermoedde ze – was. Na een snelle blik om zich heen concludeerde ze dat ze niet paranoïde was. Nieuwsgierige ogen keken terug. Misschien kwam het doordat ze nieuw was, maar ze was vaker nieuw geweest in deze zelfde kerk en toen waren mensen teruggedeinsd, alsof ze opeens op hen af zou kunnen stormen om geld te vragen. Toen had ze er als een junkie uitgezien. Misschien dat ze haar nu wel geld zouden geven.

De koffierij schoof op. Callie zocht in haar tas naar de pillenpotjes die ze in het zijvak had gestopt, een beulsvoorraadje dat ze had geruild voor een flesje ketamine. Zo onopvallend mogelijk haalde ze er twee tabletten xanax uit, waarna ze zich omdraaide om haar vingers onder haar mondkapje te schuiven.

In plaats van de pillen door te slikken, liet ze ze onder haar tong liggen. Op die manier drong de medicatie sneller haar systeem binnen. Terwijl haar mond zich vulde met speeksel, dwong ze zichzelf samen met de xanax weg te smelten.

Dit was in het kort haar nieuwe identiteit. Ze was in Atlanta voor een sollicitatiegesprek. Ze logeerde in het St. Regis. Ze was al elf jaar nuchter. Nu ze op een spannend punt in haar leven was beland, had ze behoefte aan de steun van lotgenoten.

'Fuck,' mompelde iemand.

Callie hoorde de stem van de vrouw, maar ze draaide zich niet om. Boven de koffietafel hing een spiegel. Zonder moeite pikte ze Sidney Winslow eruit, die op een van de klapstoelen zat die in een kring waren opgesteld. De jonge vrouw boog zich fronsend over haar telefoon. Licht opgemaakt. Haar dat net haar schouders raakte. Callie herkende Sidneys wat ingetogener dagtenue: een zwarte kokerrok en een witte blouse met kapmouwtjes. De meeste vrouwen zouden er in een dergelijke uitrusting hebben uitgezien als de gastvrouw in een steakhouse van de midden-categorie, maar Sidney maakte er iets elegants van. Zelfs toen ze met een tweede 'fuck' opstond van haar stoel.

Geen man die haar niet nakeek toen ze door het zaaltje liep. Sidney leek totaal geen moeite te hebben met al die gretige blikken. Ze had de pose van een danseres, haar houding beheerst, elke beweging vloeiend en op de een of andere manier seksueel geladen.

Zakenman gaf zachtjes blijk van zijn waardering. Toen hij zich door Callie betrapt wist, trok hij zijn wenkbrauwen op boven zijn mondkap-je, alsof hij 'neem het me eens kwalijk' wilde zeggen. Callie trok op haar beurt haar wenkbrauwen op, zo van 'natuurlijk niet', want als de groep het over één ding eens leek te zijn, naast het feit dat alcohol heerlijk was, dan was het dat Sidney Winslow adembenemend mooi was.

Jammer dat ze bij een smerige verkrachter hoorde die had gedreigd Maddy's kalme, volmaakte leventje te verstoren, want Callie ging haar zo totaal kapotmaken dat er voor Andrew alleen nog wat rafelige restjes overbleven van de vrouw die Sidney Winslow ooit was geweest.

'Ik kan niet…' Sidneys hese stem drong vanuit de gang tot hen door.

Callie deed een stapje terug om te kijken. Sidney leunde tegen de muur, met haar telefoon tegen haar oor. Ze had ongetwijfeld ruzie met Andrew. Callie had de rechtbankrol voor die ochtend bestudeerd. De juryselectie voor Andrews zaak begon over twee uur. Callie hoopte dat hij er nog ge-butst en gekneusd uitzag van hun handgemeen de vorige middag in de stadiontunnel. Ze wilde dat ieder jurylid ervan doordrongen was dat het niet helemaal pluis was met de verdachte.

In elk geval mocht Leigh haar wel bedanken omdat ze haar wat werk uit handen had genomen.

En verder kon Leigh de klere krijgen omdat ze haar op Buddy's zolder had laten klimmen.

Zakenpak was eindelijk bij de koffieketel aangekomen. Toen hij klaar was, schonk Callie zichzelf twee bekers in, want ze wist dat het een lange zit ging worden. Er waren geen koekjes. Ze vermoedde dat dat vanwege de pandemie was, maar in aanmerking genomen wat de meeste mensen hier voor drank overhadden, was het risico gering dat een koekje hun fataal zou worden.

Wie zou het zeggen? Statistisch gezien zou vijfennegentig procent binnen een jaar het programma weer verlaten.

Callie zag dat Sidney haar tas onder haar stoel had laten staan. Eerst koos ze een stoel tegenover haar, toen eentje achter haar, zodat ze haar prooi gemakkelijker in de gaten kon houden. Ze zette haar tas op de vloer, naast haar tweede beker koffie, sloeg haar benen over elkaar en keek naar haar kuit, die nog steeds mooi gevormd was in strakke jeans. Haar blik ging omhoog. De nagel van haar rechterwijsvinger was tot op het leven gescheurd bij haar poging Andrews gezicht eraf te klauwen. Ze had overwogen er een pleister op te plakken, maar ze wilde zichtbaar herinnerd worden aan haar minachting voor Andrew Tenant. Ze hoefde alleen maar te denken aan hoe Maddy's naam over de lippen van die gestoorde klootzak was gekomen om bijna uit elkaar te spatten van woede.

Zeventien jaar geleden, toen Callie had ontdekt dat ze zwanger was, had ze geweten dat ze kon kiezen, zoals ze ook had geweten dat heroïne altijd zou winnen. Ze had al een afspraak met de kliniek gemaakt. Ze had de busroute in kaart gebracht en voor haar herstel een kamer gehuurd in een van de mooiere motels in het zuiden van de stad.

Toen had ze een kerstkaart uit Chicago ontvangen.

Het was duidelijk dat Walter Leighs handtekening had nagemaakt, maar wat Callie opmerkelijk had gevonden, was dat hij zoveel om zijn vriendin gaf dat hij een volledige breuk met haar kleine zusje probeerde te voorkomen.

En tegen die tijd was Walter maar al te bekend met Leighs verslaafde lastpak van een zusje. Callie had afkickpogingen gedaan waarbij Walter haar had gedwongen Gatorade te drinken, die ze eerst over zijn schoot en toen over zijn rug had uitgekotst, en ze wist bijna zeker dat ze hem op zeker moment ook een dreun in zijn gezicht had verkocht.

Het telkens terugkerende besef dat dwars door haar ellende heen was gebroken, was dat haar zus deze goede, vriendelijke man verdiende en dat deze goede, vriendelijke man Leigh uiteindelijk ten huwelijk zou vragen.

Callie twijfelde er niet aan of Leigh zou ja zeggen. Ze was redeloos en tot over haar oren verliefd op Walter. Haar handen fladderden altijd als vlinders om hem heen omdat ze hem voortdurend wilde aanraken. Ze wierp haar hoofd in haar nek wanneer ze te hard om zijn grapjes lachte en haar stem kreeg iets zangerigs als ze zijn naam uitsprak. Zo had Callie haar zus nog nooit meegemaakt, maar Leigh kennende wist ze precies hoe het zou eindigen. Walter zou een gezin willen. En terecht, want ook toen al had Callie geweten dat hij een fantastische vader zou zijn. En ze had geweten dat Leigh een al even fantastische moeder zou zijn, want het was niet Phil die hen had opgevoed.

Maar Callie wist ook dat Leigh zichzelf een dergelijk geluk nooit zou gunnen. Ook zonder de lange voorgeschiedenis van zelfondermijning zou haar zus zichzelf niet voldoende vertrouwen om een kind op de wereld te zetten. Zowel het zwanger worden als het zwanger blijven zou met heel veel angst en beven gepaard zijn gegaan. Leigh zou hebben gepiekerd over Phils geestesziekte. Ze zou bang zijn geweest dat erfelijke factoren een rol speelden bij Callies verslavingen. Ze zou er niet op hebben vertrouwd dat ze dingen voor een kind zou doen die nooit voor haarzelf waren gedaan. Ze zou zo lang over alle 'stel-dats' hebben gepraat dat Walter uiteindelijk doof zou zijn geworden of iemand zou hebben gezocht die hem wel het gezin wilde schenken dat hij verdiende.

Daarom had Callie acht martelende maanden lang alles op alles gezet om clean te blijven. Daarom was ze naar een godsgruwelijke stad verhuisd waar het of te koud of te warm en te lawaaiig en te vies was. Daarom had ze in een opvanghuis gewoond en zich door artsen laten betasten en bepotelen.

Callie had zoveel dingen verkloot in Leighs leven, ze had haar zelfs tot moord aangezet. Het minste – het allerminste – wat ze kon doen, was naar Chicago verhuizen en een baby voor haar dragen.

'Nog één minuut.' Een oudere vrouw in een roze trainingspak vroeg klappend in haar handen om aandacht. Ze gedroeg zich als een drilmeester, hoewel niemand bij de AA geacht werd zich als een drilmeester te gedragen. Trainingspak wierp een blik op de gang. 'Nog één minuut,' herhaalde ze op wat zachtere toon tegen Sidney.

Callie drukte met haar duim op haar gescheurde nagel. De pijn herinnerde haar aan de reden waarom ze hier was. Ze keek naar de gemaskerde onbekenden in de kring om haar heen. Iemand hoestte. Iemand anders schraapte zijn keel. Trainingspak wilde de deur dichtdoen. Op de gang zette Sidney grote ogen op. Ze fluisterde iets in de telefoon en schoot op het laatste moment naar binnen.

'Goedemorgen.' Trainingspak raffelde de inleiding af en zei toen: 'Voor degenen die het op prijs stellen, beginnen we met het sereniteitsgebed.'

Callie zat met haar lichaam naar Trainingspak toe gekeerd, maar ondertussen hield ze Sidney in de gaten, die zich op haar stoel installeerde. De jonge vrouw was nog steeds geagiteerd na het telefoontje. Ze keek nog één keer op haar mobiel voor ze die in haar tas schoof. Ze sloeg haar benen over elkaar. Ze streek haar haar naar achteren. Ze kruiste haar armen. Weer streek ze haar haar naar achteren. Met elke gehaaste beweging gaf ze aan hoe kwaad ze was en dat ze het liefst de gang weer op was gestormd om het gesprek af te maken, maar als een rechter je dertig bijeenkomsten in dertig dagen oplegde en de fascist in trainingspak die je presentielijst moest aftekenen niet geneigd was tot vergevensgezindheid, bleef je het volle uur.

Trainingspak opende de zitting en het gesprek kon beginnen. De mannen deden de aftrap, want mannen gingen er altijd van uit dat anderen geïnteresseerd waren in wat zij te zeggen hadden. Callie luisterde met een half oor naar zakendiners die verkeerd waren afgelopen, gênante bekeuringen wegens rijden onder invloed, botsingen met boze bazen. De AA-bijeenkomst in Westside was veel leuker. Barkeepers en strippers maakten zich niet druk om hun bazen. Callie had nog nooit een verhaal gehoord dat kon tippen aan dat van een jonge nicht die wakker was geworden in zijn eigen kots en de troep toen had opgegeten vanwege het alcoholgehalte.

Toen er een stilte viel, stak ze haar hand op. 'Ik ben Maxine en ik ben alcoholiste.'

'Hoi, Maxine,' zei de groep.

'Ik word trouwens Max genoemd,' zei ze.

Er werd wat gegrinnikt. 'Hoi, Max,' klonk het toen.

Callie haalde even adem voor ze begon. 'Ik ben elf jaar nuchter geweest. En toen werd ik twaalf.'

Nog meer gegrinnik, maar het enige wat telde, was de zachte, hese lach van Sidney Winslow.

'Ik ben acht jaar lang danseres van beroep geweest,' ging Callie van start. Ze had urenlang op het verhaal geoefend dat ze op de bijeenkomst ging vertellen. Ze was niet bang geweest een digitaal spoor achter te laten. Ze had haar telefoon gebruikt om via Sidneys social media te achterhalen welke punten ze vooral moest benadrukken. In de brugklas was ze met ballet begonnen. Ze was opgegroeid in een zeer godsdienstig gezin. Na de middelbare school was ze in opstand gekomen. Ze was vervreemd van haar familie. Ze was al haar vrienden kwijtgeraakt. Op de universiteit had ze nieuwe vrienden gemaakt. Ze had aan atletiek gedaan. Aan yoga. Hield van Pinkberry. Van de Beyhive.

'Een beroepsdanser heeft een uiterste houdbaarheidsdatum, en toen mijn tijd op was, raakte ik in de put. Niemand begreep mijn verlies. Ik ging niet meer naar de kerk. Verloor het contact met mijn familie en vrienden. Ik vond troost op de bodem van een fles.' Treurig schudde Callie haar hoofd. 'En toen ontmoette ik Phillip. Hij was rijk en knap en wilde voor me zorgen. En in alle eerlijkheid had ik er genoeg van alleen te zijn. Nu mocht iemand anders een keer de sterkere zijn.'

Als Sidney een beagle was geweest, zou ze haar flaporen hebben gespitst van verbazing over de overeenkomsten tussen het leven van Max en dat van haar.

'We hebben samen drie heerlijke jaren gehad. We hebben gereisd, de wereld gezien, in toprestaurants gegeten, we spraken over kunst, politiek en de wereld.' Nu kwam de uitsmijter. 'Maar toen ik op een dag de garage in reed, lag Phillip voorover op de vloer.'

Sidney greep naar haar hart.

'Ik rende naar hem toe, maar hij was al koud. Hij was al uren dood.'

Sidney begon met haar hoofd te schudden.

'Volgens de politie was het een overdosis. Ik wist dat hij wat spierontspanners voor zijn rug was gaan slikken, maar ik had nooit…' Langzaam keek Callie het zaaltje rond om de spanning op te voeren. 'Oxycontin.'

Er werd druk geknikt. Iedereen kende de verhalen.

'Klote-oxy,' mompelde Sydney.

'Het verlies was een ontwijding van de liefde die we deelden.' Callie liet haar schouders hangen onder het gewicht van haar denkbeeldige verdriet. 'Ik weet nog dat ik bij de notaris zat en dat hij me over al het geld en bezit vertelde, en dat het niets betekende. Vorig jaar heb ik trouwens in een artikel over Purdue Pharmaceuticals gelezen dat ze een schikking hadden getroffen. Ze zouden veertienduizend achthonderdtien dollar betalen voor elke overdosis die aan oxycontin kon worden toegeschreven.'

Ze hoorde het verwachte gekwaak van verontwaardiging.

'Zoveel was Phillips leven dus waard.' Callie veegde een traan weg. 'Veertienduizend achthonderdtien dollar.'

De zaal zweeg, in afwachting van de rest. Van Callie mochten ze het verder zelf invullen. Het waren alcoholisten. Ze wisten hoe het afliep.

Zonder naar Sidney te kijken, wist ze dat die zich had laten meeslepen. Ze had Callie de hele tijd aangekeken. Pas toen Trainingspak hun voorging in de mantra 'blijf terugkomen, het werkt als jij eraan werkt', lukte het haar om haar aandacht te verleggen. Met gefronste wenkbrauwen en haar telefoon in haar hand liep ze naar de deur.

Callies hart sloeg over, want ze was er dom genoeg van uitgegaan dat Sidney zou blijven voor de afterparty. Ze griste haar tas mee en volgde haar naar buiten. Gelukkig ging Sidney naar links in plaats van naar rechts, waar de uitgang was. Vervolgens sloeg ze rechts af, naar het damestoilet. Ze hield de telefoon tegen haar oor. Haar stem was een grommerig gemompel. Het romantische drama werd vervolgd.

Terwijl Callie achter Sidney aan liep, kwamen haar uit de zondagsschoollokalen vleugjes oudedamesparfum tegemoet. Ze zou bijna naar haar eerste coviddagen verlangen, toen ze niets kon ruiken of proeven. Ze draaide zich om en keek achter zich. De anderen liepen allemaal naar het parkeerterrein en gingen waarschijnlijk aan het werk. Zelf ging ze rechtsaf en duwde de deur open.

Een lang blad met drie wastafels. Eén reuzespiegel. Drie toiletten, waarvan er maar één bezet was.

'Omdat ik dat zei, sukkel,' fluisterde Sidney vanuit het achterste toilet. 'Denk je dat ik ook maar iets geef om die fucking moeder van je?'

Voorzichtig deed Callie de deur dicht.

'Mooi. Je zegt het maar.' Sidney kreunde geërgerd. Er volgden nog wat 'fucks', en omdat ze nu toch op een toilet zat, besloot ze ook maar te gaan pissen.

Callie draaide de kraan open om haar aanwezigheid kenbaar te maken.

Ze stak haar handen onder de koude straal. Het openliggende vlees onder haar gescheurde nagel begon te prikken. Ze drukte tegen de zijkant tot er een straaltje bloed uit kwam. Haar mond vulde zich weer met speeksel. Ze hoorde Andrews stem – net die van Buddy – door de donkere stadiontunnel galmen.

Madeline Félicette Collier, zestien jaar.

Het toilet werd doorgetrokken. Sidney kwam naar buiten. Ze had geen mondkapje voor. In het echt was ze nog aantrekkelijker dan online. 'Sorry,' zei ze. 'Stomme vriend. Echtgenoot. Wat dan ook. Hij is gistermiddag overvallen. Dan hebben we het dus over krap twee uur voor we gingen trouwen. Maar hij weigert de politie te bellen of mij te vertellen wat er is gebeurd.'

Callie knikte, blij dat Andrew een goede leugen had verzonnen.

'Ik weet niet waar hij mee zit.' Sidney draaide aan de kraan. 'Wat een eikel.'

'Liefde is wreed,' zei Callie. 'Dat heb ik tenminste op het gezicht van mijn laatste vriendin gekerfd.'

Bulderend van het lachen sloeg Sidney haar hand voor haar mond. Blijkbaar besefte ze toen pas dat haar gezicht onbedekt was. 'Fuck, sorry, ik zal mijn mondkapje opzetten.'

'Hoeft niet.' Callie nam haar eigen mondkapje af. 'Ik heb toch al de pest aan die stomme dingen.'

'Absoluut.' Sidney drukte op de hendel van de zeepautomaat. 'Ik kijk zo uit naar het einde van deze bijeenkomsten. Wat hebben ze voor zin?'

'Ik voel me altijd beter als ik hoor dat anderen er erger aan toe zijn dan ik.' Callie nam zelf ook wat zeep. Ze draaide de kraan naar warm. 'Weet jij hier in de buurt een goeie ontbijttent? Ik logeer in het St. Regis en heb het helemaal gehad met die roomservicemaaltijden.'

'O ja, je komt uit Chicago.' Sidney draaide haar kraan dicht en schudde het water van haar handen. 'Dus je bent danseres geweest?'

'Heel lang geleden.' Callie trok een papieren handdoek uit de automaat. 'Ik hou het nog wel bij, maar ik mis de optredens.'

'Dat geloof ik graag,' zei Sidney. 'Ik heb op de middelbare school veel gedanst. Ik vond het heerlijk, echt te gek, zo van dit-wil-ik-de-rest-van-mijn-leven-doen.'

'Je hebt het nog steeds in je,' zei Callie. 'Het viel me op toen je dat zaaltje door liep. Die houding raak je nooit kwijt.'

Sidney glom van trots.

Callie deed alsof ze in haar tas naar iets zocht. 'Waarom ben je gestopt?'

'Ik was niet goed genoeg.'

Met een sceptisch opgetrokken wenkbrauw keek Callie haar aan. 'Echt, er waren heel veel meiden die niet goed genoeg waren maar toch het podium wisten te bereiken.'

Sidney haalde haar schouders op, maar ze keek heel blij. 'Ik ben nu te oud.'

'Het liefst zou ik zeggen dat je nooit te oud bent, maar we weten allebei dat dat onzin is.' Callie hield haar hand in haar tas, alsof ze wachtte tot Sidney opstapte. 'Hé, leuk je ontmoet te hebben. Ik hoop dat het goed komt met je man.'

De teleurstelling droop van Sidneys gezicht. En toen deed ze precies wat Callie wilde. Ze richtte haar blik op haar tas. 'Heb je drugs?'

Bingo.

Callie trok een gespeeld spijtig gezicht en pakte een van de medicijn-potjes. Pepmiddelen waren doorgaans het laatste waaraan ze behoefte had, maar ze was ervan uitgegaan dat een vrouw van Sidneys generatie helemaal voor de adderall ging.

'Study Buddies.' Sidney glimlachte toen ze het etiket las. 'Zullen we delen? Ik heb me toch een kater.'

'Met alle plezier.' Callie schudde vier perzikkleurige pillen op het was-tafelblad. Met de rand van het potje begon ze ze te verpulveren.

'Shit,' zei Sidney. 'Ik heb sinds school niet meer gesnoven.'

Callie trok een bezorgd gezicht. 'O, schat, als het te veel is –'

'Fuck, waarom niet?' Sidney haalde een twintigdollarbiljet tevoorschijn en trok het glad over de rand van het blad. Ze keek Callie grijnzend aan. 'Ik kan het nog.'

Callie liep naar de deur. Haar hand ging naar het slot. Uit haar ge-scheurde nagel liep bloed. Ze klikte het slot dicht, zodat haar eigen bloe-derige vingerafdruk op het metaal kwam te zitten. Toen liep ze terug naar het blad en ging verder met het verpulveren van de pillen tot een fijn, perzikkleurig poeder.

Adderall was er in twee uitvoeringen: IR, die onmiddellijk vrijkwam en XR, die geleidelijk vrijkwam. De XR zat in capsules met kleine micro-korreltjes, waar een *time-release*-laagje omheen zat. Net als bij oxy kon dat laagje weggeplet worden, maar dat was heel moeilijk. De XR brandde bovendien je neus kapot en gaf je in feite dezelfde kick als de IR, die goedkoper was, en Callie was altijd in voor een koopje.

Waar het bij snuiven om ging, was dat het poeder de hele dosis rechtstreeks je systeem in jaste. De amfetamine/dextroamfetaminecocktail kwam via de neus in de bloedbaan, waarna het feestje werd voortgezet in de hersens. De maag of de lever kreeg geen kans de euforie wat te temperen. De kick kon heel intens zijn, maar ook overweldigend. Het brein kon op hol slaan, waardoor je bloeddruk zo omhoogknalde dat het in sommige gevallen tot een beroerte of zelfs een psychose kon leiden.

Het zou voor Andrew heel moeilijk worden om een zestienjarig meisje te stalken terwijl zijn beeldschone jonge vrouw vastgebonden op een ziekenhuisbrancard lag.

Vaardig hakte Callie met de rand van het dekseltje vier dikke lijnen. Ze keek toe hoe Sidney zich vooroverboog. Misschien had de vrouw sinds de middelbare school niet meer gesnoven, maar een show weggeven kon ze als de beste. Ze kruiste haar benen bij de enkels. Ze duwde haar volmaakt strakke kont naar achteren. Het uiteinde van het opgerolde briefje van twintig verdween in haar neus. Ze wachtte tot Callie haar aankeek in de spiegel, knipoogde en snoof een lijntje op.

'F-F-Fuck!' stamelde ze, wat een beetje overdreven was. Het begon na ongeveer tien minuten pas echt te werken. 'Halleluja, jezus!'

Callie vermoedde dat het religieuze vuur nog een overblijfsel was uit haar zondagsschooltijd.

'Lekker?' vroeg ze.

'Fuck, ja man. Hier. Jouw beurt.' Sidney bood haar het biljet aan.

Callie pakte het niet. Ze bracht haar hand naar Sidneys gezicht en veegde met haar duim een fijn laagje stof rond haar neusgat weg. En toen liet ze de duim naar beneden glijden, naar haar volmaakte rozenknopjesmond. Sidney hoefde niet aangemoedigd te worden. Haar lippen weken uiteen. Haar tong schoot naar buiten. Langzaam likte ze de zijkant van Callies duim.

Glimlachend liet Callie haar hand zakken. Ze trok het opgerolde briefje tussen Sidneys vingers vandaan. Ze boog zich voorover. Vanuit haar ooghoek zag ze Sidney op haar tenen op en neer springen en als een bokser met haar handen schudden. Callie hield haar linkerhand tegen haar gezicht en deed alsof ze haar neusgat dichtdrukte. Ze stopte het briefje in haar mond, blokkeerde haar keel met haar tong en zoog een lijntje op.

Ze hoestte. Een klein beetje poeder was haar keel in gekriebeld, maar het meeste had zich aan de onderkant van haar tong gehecht. Weer hoestte ze, en nu spuwde ze de papperige prop uit in haar vuist.

'Yes!' Sidney pakte het briefje terug en dook voorover voor nog meer.

Toen was Callie weer aan de beurt. Ze voerde dezelfde pantomime op: hand tegen het gezicht, zuigen, ophoesten. Deze keer glipte er meer poeder langs haar tong, maar dat was de prijs die je betaalde als je zaken deed.

'Sushi!' Sidney knipperde veel te snel met haar ogen. 'Sushi-sushi-sushi. We gaan samen lunchen, oké? Of is het te vroeg voor lunch?'

Callie keek met een overdreven gebaar op haar horloge. Dat had ze achter in een van Phils laatjes gevonden. De batterij was leeg, maar het moest een uur of tien zijn. 'Zullen we anders brunchen?'

'Mimosa's!' riep Sidney. 'Ik weet wel een plek. Ik trakteer. En ik rij wel. Is dat goed? Ik ben hard aan een drankje toe, oké?'

'Klinkt fantastisch,' zei Callie. 'Ik moet even naar het toilet, dan zie ik je buiten.'

'Ja! Goed. Ik ben buiten. In mijn auto. Oké? Afgesproken.' Sidneys handen gleden om het slot tot ze er uiteindelijk in slaagde het open te maken. Haar zachte, hese lach stierf weg toen de deur achter haar dichtviel.

Callie draaide de kraan open. Ze schraapte de witte pap van haar hand. Met een vochtige papieren handdoek veegde ze de rest van de adderall van het blad. Ondertussen inventariseerde ze in gedachten de overige medicijnpotjes in haar tas.

Haar blik bleef op haar spiegelbeeld rusten. Ze keek naar zichzelf, wilde zich schuldig voelen over wat ze ging doen. Maar het gevoel bleef uit. Wat ze zag was de mooie dochter van Leigh en Walter die over het veld rende, zich niet bewust van het monster dat zich in de tunnel verschool.

Andrew zou ervoor moeten boeten dat hij Maddy had bedreigd. Hij zou ervoor moeten betalen met Sidneys leven.

14

Leigh stond in de rij voor de beveiliging bij het gerechtsgebouw van DeKalb County, een witmarmeren, mausoleumachtig gebouw, met een grijnzende hoofdingang van donkere baksteen. Verbleekte stickers op de grond gaven de juiste sta-afstand aan. Bordjes wezen erop dat mondkapjes verplicht waren. Op de deuren hingen grote posters waarop bezoek de toegang werd ontzegd op grond van de in de hele staat geldende noodverordening van de opperrechter van het Hooggerechtshof in Georgia.

Het gerechtsgebouw was pas kort weer in bedrijf. Tijdens de pandemie waren Leighs rechtszaken allemaal via Zoom afgehandeld, maar dankzij het vaccineren van medewerkers had de overheid het gebouw weer voor het houden van rechtszaken kunnen openen. Voor de juryleden, advocaten en verdachten was het een ander verhaal; die speelden nog steeds Russische roulette met corona.

Met haar voet schoof Leigh de doos naar de volgende sticker. Ze knikte naar een van de agenten, die naar buiten kwam om de rij te controleren en afdwalers te waarschuwen. Het Hooggerechtshof had tien divisies. Op twee na waren alle rechters gekleurde vrouwen. Van de twee uitzonderingen was de een openbare aanklager geweest en die stond erom bekend buitengewoon eerlijk te zijn. De ander was een man genaamd Richard Turner, een trotse alumnus van de ouwe-jongens-krentenbroodschool van het recht, met de reputatie veel milder te zijn voor verdachten die op hem leken.

In een leven waarin het hem steeds voor de wind was gegaan, had Andrew rechter Turner getroffen voor zijn proces.

Leigh weigerde dit als goed nieuws te accepteren. Ze had zich erbij neergelegd Andrew naar beste vermogen te zullen verdedigen, ook al moest ze daarvoor met elke morele en juridische code breken. De video's mochten niet naar buiten komen. Callies breekbare leven mocht niet vernietigd worden. Ze weigerde aan de gevolgen voor Maddy te denken, aan de ruzie met Walter van de vorige avond of aan de diepe, dodelijke wond die hij haar ziel had toegebracht.

Krijg je tegenwoordig opvoedtips van Phil?

Terwijl de rij naar voren kroop, schoof ze de dossierdoos naar de volgende sticker. Ze keek naar haar handen. Het trillen was gestopt. Haar maag was weer rustig. Ze had geen tranen in haar ogen.

Walters eeuwige klacht was dat Leigh haar persoonlijkheid aanpaste aan degene die ze tegenover zich had. Ze plaatste alles in aparte vakjes, die nooit in elkaar mochten overlopen. Hij beschouwde het als een zwakte, maar zelf zag ze het als een overlevingsstrategie. De enige manier om zich door de volgende paar dagen heen te slaan was haar emoties volledig af te schermen.

De verandering was de vorige avond begonnen. Leigh had in de keuken een volle fles wodka door de afvoer gegoten. Vervolgens had ze de rest van haar valium door het toilet gespoeld en zich op Andrews zaak voorbereid. Ze had uitspraakverzoeken nog eens doorgelezen, het verhoor van Tammy Karlsen opnieuw bekeken, was nog dieper in haar therapieverslagen gedoken en had een werkbare strategie uitgewerkt waarmee ze de zaak kon winnen, want als ze die niet won, trad Andrews plan B in werking en dan zou het allemaal voor niets zijn geweest.

Tegen de tijd dat de zon opkwam, was het zweverige gevoel volledig opgelost. Walters woede, zijn razernij en de diepe, dodelijke wond die haar was toegebracht hadden haar op de een of andere manier tot koud, keihard staal gesmeed.

Ze pakte de doos op en liep naar binnen. Voor de iPad-standaard bleef ze staan om haar temperatuur te laten meten. Het vakje werd groen, dus ze mocht doorlopen. Bij de controlepost haalde ze haar telefoons en laptop uit haar tas en legde die in bakken. De doos zette ze erachter op de band. Ze liep door de metaaldetector. Aan de andere kant stond een gigantische fles ontsmettende handgel. Ze pompte een kwak op haar hand, maar had er onmiddellijk weer spijt van. Een van de plaatselijke distilleerderijen sloeg zich door de pandemie heen door de vaten te gebruiken voor de productie van desinfectiemiddelen. Dankzij het residu aan witte rum stonk het hele gerechtshof naar Panama City Beach tijdens de voorjaarsvakantie.

'Ma'am,' hoorde ze iemand zeggen. 'U bent de klos.'

Een agent had haar bakken van de band getrokken. Boven op alle ellende van die dag werd ze er dus ook nog eens uitgepikt voor een willekeurige screening. In elk geval kende ze de man. De broer van Maurice Grayson zat bij de brandweer en had een hechte band met Walter.

Moeiteloos stapte ze in de rol van Walters vrouw. Met een glimlach vanachter haar mondkapje zei ze: 'Dat is regelrecht etnisch profileren.'

Lachend pakte Maurice haar tas uit. 'Eerder seksuele intimidatie, ma'am. U ziet er cool uit vandaag.'

Ze nam het compliment in ontvangst, want ze had die ochtend aan alles extra aandacht besteed. Een lichtblauwe knoopjesblouse, een donkergrijze rok en blazer, een dunne halsketting van wit goud, het haar los om de schouders, zwarte, acht centimeter hoge hakken – precies zoals ze zich volgens de adviseurs moest kleden voor de jury.

Maurice rommelde door de inhoud van haar doorzichtige make-uptasje en negeerde de tampons. 'Zeg maar tegen uw man dat zijn Flex nergens naar lijkt.'

Leigh vermoedde dat het iets met Fantasy Football te maken had. En ze vermoedde ook dat dat hele spel Walter niet meer boeide, terwijl het tot de vorige avond elke vrije minuut van zijn tijd had opgeslokt. 'Ik zal het doorgeven.'

Toen ze van Maurice uiteindelijk mocht doorlopen, griste ze haar spullen van de band. Ondanks haar mondkapje week de glimlach niet van haar gezicht terwijl ze de hal in liep. Ze ging op de advocatenmodus over, knikte naar collega's en beet haar tong af bij het zien van de idioten die hun mondkapje tot onder hun neus hadden laten glijden, want echte mannen kregen alleen covid via hun mond.

Omdat ze geen zin had om op de lift te wachten, droeg ze de doos twee trappen op. Bij de deur bleef ze even staan om zichzelf weer tot staal te smeden. Toen Maurice Walters naam had genoemd, had ze aan Maddy moeten denken, en de gedachte aan Maddy dreigde een reusachtig, gapend gat in haar hart te slaan.

Die ochtend had Leigh haar dochter een berichtje gestuurd, zoals altijd een vrolijk 'fijne dag' en de mededeling dat ze de hele dag in het gerechtsgebouw zou zijn. Zich van niets bewust had Maddy een duimpje en een hartje teruggestuurd. Uiteindelijk zou Leigh met haar dochter moeten praten, maar ze was bang dat ze bij het horen van haar stem zou instorten. Wat haar al even laf maakte als Ruby Heyer.

Ze hoorde stemmen naderen op de trap. Met haar heup duwde ze de deur open. Vanaf het andere eind van de gang zwaaide Jacob Gaddy naar haar. De junior was erin geslaagd een van de zelden beschikbare ontvangstkamers voor advocaten te bemachtigen.

'Goed werk, die kamer.' Leigh reikte hem de doos aan. 'Deze moeten maandag gecatalogiseerd en gebruiksklaar zijn.'

'Begrepen,' zei Jacob. 'De cliënt is er nog niet, maar Dante Carmichael was naar je op zoek.'

'Zei hij wat hij wilde?'

'Tja...' Jacob haalde zijn schouders op, alsof het voor zichzelf sprak. 'Deal-Ze-Dood Dante, toch?'

'Laat hij mij maar zoeken.' Leigh liep de lege kamer in. Vier stoelen, een tafel, geen ramen, flikkerende plafondlampen. 'Waar is –'

'Liz?' vroeg Jacob. 'Die is beneden. Ze probeert de vragenlijsten voor de jury te bemachtigen.'

'Ik wil niet gestoord worden wanneer ik met de cliënt overleg.' Leighs privételefoon ging over. Ze stak haar hand in haar tas.

'Ik zal naar Andrew uitkijken,' zei Jacob.

Leigh reageerde niet, want hij had de deur al dichtgedaan. Ze trok haar mondkapje af en keek op haar telefoon. Haar maag dreigde zich om te draaien, maar ze dwong het orgaan tot kalmte. Nadat de telefoon vier keer was overgegaan, nam ze op. 'Wat is er, Walter? Ik moet zo naar de rechtszaal.'

Hij zweeg even, waarschijnlijk omdat hij Leigh de kille bitch nog nooit had ontmoet. 'Wat ga je doen?'

Ze koos voor vaagheid. 'Ik ga proberen een jury te selecteren die mijn cliënt niet schuldig verklaart.'

'En dan?'

'Dan kijk ik wat hij verder nog van me wil.'

Weer aarzelde hij. 'Dus dat is je plan: je door hem laten commanderen?'

Ze zou hebben gelachen als ze niet bang was geweest dat de ene emotie alle andere zou ontketenen. 'Wat moet ik anders, Walter? Ik zei toch dat hij een plan B heeft? Als jij een briljant alternatief hebt, zeg dan maar wat ik moet doen.'

Er kwam geen reactie. Ze hoorde alleen zijn adem door de telefoon. Ze zag hem weer in de camper de vorige avond, de plotselinge woede, de diepe, dodelijke wond. Leigh sloot haar ogen, probeerde haar bonkende hart tot rust te brengen. In haar verbeelding zag ze zichzelf in haar eentje in een houten bootje staan en wegglijden van de oever, vanwaar Walter en Maddy haar uitzwaaiden, terwijl zij naar een kolkende waterval dreef.

Zo zou haar leven dus moeten eindigen. Het was nooit de bedoeling geweest dat Leigh naar Chicago vertrok, dat ze Walter ontmoette of Maddy als geschenk aanvaardde. Ze had in Lake Point moeten blijven, zich samen met de rest in de goot moeten laten trappen.

'Morgenavond om zes uur verwacht ik je hier,' zei Walter. 'Dan gaan we met Maddy praten en zeggen we dat ze een reisje gaat maken met mijn moeder. Ze kan onderweg virtueel haar lessen volgen. Ik wil haar niet hier hebben zolang die vent ergens rondloopt. Ik kan niet... Ik wil niet dat haar iets ergs overkomt.'

Leigh had hem één keer eerder die toon horen aanslaan, vier jaar daarvoor. Ze had op de badkamervloer gelegen, nog dronken van haar zuippartij van de vorige avond. Hij had haar laten weten dat hij haar een maand gaf om nuchter te worden, anders zou hij Maddy bij haar weghalen. Het enige verschil tussen dat ultimatum en het huidige was dat het eerste uit liefde was geboren. Deze keer kwam het uit haat voort.

'Goed.' Ze haalde diep adem voor ze de drie zinnen uitsprak die ze die ochtend in de auto had gerepeteerd. 'Ik heb de papierwinkel vanochtend in een bestand opgeslagen. Ik zal je de link sturen. Je moet jouw gedeelte digitaal ondertekenen. Het duurt eenendertig dagen voordat het verwerkt is, maar dan zijn we gescheiden.'

Weer aarzelde hij, maar veel te kort. 'Hoe zit het met de voogdij?'

Leigh voelde haar vastberadenheid afbrokkelen. Als ze met hem over Maddy ging praten, zou ze weer op de vloer eindigen. 'Stel het je eens voor, Walter. Het wordt een vechtscheiding. We gaan naar een mediator of je brengt me voor de rechter. Ik probeer een omgangsregeling te krijgen, en wat doe jij dan? Dien je een verzoek om uitspraak in, waarin je stelt dat ik een gevaar voor mijn kind ben?'

Hij zei niets, wat een soort bevestiging was.

'Ik heb opzettelijk en moedwillig een man vermoord,' zei ze, om hem aan zijn woorden van de vorige avond te herinneren. 'Je wilt niet dat ik opnieuw een tienermeisje aan een vuile verkrachter blootstel.'

Als hij daarop al een antwoord had, hoorde Leigh dat niet. Ze beëindigde het gesprek. Ze legde de telefoon met de voorkant naar beneden op tafel. Het wapen van de Hollis Academy blonk op de achterkant. Ze trok met haar vinger langs de contouren. Haar blik bleef rusten op haar kale vinger. Haar trouwring lag in het zeepbakje op haar aanrecht. Ze had hem niet meer afgedaan sinds ze uit Chicago waren vertrokken.

Neem alsjeblieft dit mooie meisje als geschenk van me aan. Ik weet dat wat er ook gebeurt, jullie er allebei voor zullen zorgen dat ze altijd gelukkig en veilig is.

Met de rug van haar hand wreef ze de tranen uit haar ogen. Hoe moest ze aan haar zus uitleggen dat ze alles had verknald? Er waren ruim vierentwintig uur verstreken sinds ze Callie had teruggebracht naar Phil. Ze hadden geen woord meer gewisseld nadat ze het huis van de Waleski's hadden verlaten. Callie had over haar hele lichaam gebeefd. Haar tanden hadden geklapperd, net als op de avond dat Buddy was gestorven.

Leigh was vergeten hoe het was om naast haar zus over straat te lopen. Het was moeilijk te beschrijven hoe het voelde om niet langer een solitaire volwassene te zijn, slechts verantwoordelijk voor het functioneren van haar eigen lichaam. Haar zorg om Callie – de angst om haar veiligheid, om haar emotionele welzijn, om haar fysieke gezondheid, om de kans dat ze over haar eigen voeten struikelde en iets brak – deed haar denken aan hoe het had gevoeld toen Maddy klein was geweest.

De verantwoordelijkheid voor haar kind had haar onbeschrijflijke vreugde geschonken. Wat Callie betrof voelde Leigh een eindeloze last.

'Leigh?' Liz had nog niet aangeklopt of ze was al binnen. Aan de blik in haar ogen zag Leigh dat er iets mis was. Ze hoefde niet om uitleg te vragen.

Andrew Tenant stond achter Liz. Zijn mondkapje bungelde aan één oor. Een felle, diepe snee liep over zijn kaak. Witte hechtstrips hielden een gescheurd stuk van zijn oorlel op zijn plek. Op zijn hals zat iets wat op een enorme zuigplek leek. Toen hij dichterbij kwam, zag Leigh tandafdrukken.

Haar onmiddellijke reactie was geen bezorgdheid of woede. Het was een korte, geschokte lach.

Andrew klemde zijn kaken op elkaar. Hij wilde de deur dichtdoen, maar dat deed Liz al bij het weggaan.

Hij wachtte tot ze alleen waren voordat hij zijn mondkapje afnam. Hij trok een stoel naar achteren en ging zitten. 'Wat heb ik gezegd over uitgelachen worden?' vroeg hij.

Ze wachtte op die diepgewortelde angst waarmee haar lichaam telkens op zijn aanwezigheid reageerde. Maar ze kreeg geen kippenvel. Haar nek- haren gingen niet overeind staan. Haar vecht-of-vluchtmodus was op de een of andere manier buiten werking gesteld. Als dat het resultaat was van Walters dodelijke wond, dan des te beter.

'Wat is er met je gebeurd?' vroeg ze.

Zijn blik schoot over haar gezicht, alsof ze een boek was dat hij kon lezen. Hij leunde achterover. Hij liet zijn hand op het tafelblad rusten. 'Nadat je gisterochtend bij me thuis was geweest, ging ik hardlopen. Li- chaamsbeweging is toegestaan tijdens mijn proeftijd. Ik werd overvallen. Ik probeerde terug te vechten. Zonder succes, zoals je ziet. Ze hebben mijn portemonnee gepikt.'

Leigh zei maar niet dat hij al gedoucht had toen ze bij zijn huis was aangekomen. 'Neem je je portemonnee altijd mee tijdens het hardlopen?'

Nu legde hij zijn hand plat op tafel. Hoewel het zonder geluid ging, werd ze wel weer aan de kracht van zijn lichaam herinnerd. Onder in haar rug kwam haar vecht-of-vluchtmodus langzaam tot leven.

'Is er verder nog iets wat ik moet weten?' vroeg ze.

'Hoe is het met Callie?'

'Prima. Ik heb haar vanochtend nog gesproken.'

'Oké.' Er was iets intiems in zijn stem geslopen. Er was iets veranderd.

Leigh deed geen poging te begrijpen hoe ze een deel van haar macht had prijsgegeven. Ze voelde het in haar lijf, die bekende, intense reactie die aangaf dat er een verschuiving had plaatsgevonden. 'Is er verder nog iets?'

Met elk van zijn vingers tikte hij één keer op de tafel. 'Ik moet je ook nog vertellen dat het alarm van mijn enkelband gistermiddag om 15.12 uur is afgegaan. Ik heb meteen mijn reclasseringsbeambte gebeld. Ze kwam ruim drie uur later om hem te resetten. Ze verstoorde de cocktailparty voorafgaand aan mijn huwelijksplechtigheid.'

De ring aan zijn vinger was Leigh nog niet opgevallen, maar ze zag hem naar háár ringloze vinger kijken. Ze sloeg haar armen over elkaar en zei: 'Je beseft wel wat voor indruk dat maakt, hè? Je verschijnt op de juryselectie voor je verkrachtingsproces met het soort afweerwonden dat een man krijgt als een vrouw zich tegen hem verzet. Daarbovenop is er dan nog het gedocumenteerde feit dat je enkelband vier uur lang uitge- schakeld was.'

'Is dat erg?'

Leigh dacht aan hun gesprek van de vorige ochtend. Dit alles was onderdeel van zijn plan. Bij elke stap maakte hij het haar moeilijker. 'Andrew, er zijn nog vier andere gedocumenteerde gelegenheden waarbij het alarm van je enkelband is afgegaan. Telkens duurde het drie tot vier uur voor de reclassering reageerde. Is het ooit bij je opgekomen dat de aanklager straks beweert dat je het systeem aan het testen was om te zien hoelang het duurt voor er iemand komt?'

'Dat is me nogal een beschuldiging,' zei Andrew. 'Het is maar goed dat mijn advocaat er alle belang bij heeft om voor mijn onschuld te pleiten.'

'Er is een groot verschil tussen onschuldig en niet schuldig.'

Een lachje speelde om zijn mond. 'Nuance?'

Leigh voelde een tinteling van angst langs haar rug naar boven trekken. Hij was er moeiteloos in geslaagd zijn overwicht weer te laten gelden. Hij wist niet dat ze de waarheid aan Walter had opgebiecht, maar Walter was nooit echt een wapen in Andrews arsenaal geweest. Hij had genoeg aan de video's. In een opwelling of door zijn plan b kon hij het leven van Leigh en Callie vernietigen.

Ze maakte haar tas open om haar make-up te pakken. 'Kom eens hier.'

Andrew bleef zitten. Hij wilde haar ervan doordringen wie het hier voor het zeggen had.

Leigh ritste haar tasje open. Ze legde primer, concealer, foundation en poeder klaar. De klootzak had weer eens geluk gehad. Alle schade zat aan de linkerkant van zijn gezicht. De jury zat straks rechts van hem.

'Wil je wel of niet?' vroeg ze.

Hij stond op, maar nam er alle tijd voor, ten teken dat híj hier nog steeds de baas was.

Leigh voelde de paniek weer opborrelen toen hij voor haar plaatsnam. Hij beschikte over het griezelige vermogen zijn boosaardigheid naar believen aan en uit te kunnen zetten. Nu ze zo dicht bij hem was, draaide haar maag zich van weerzin om. Haar handen trilden weer.

Andrew glimlachte, want dit was wat hij wilde.

Leigh kneep primer op de rug van haar hand. Ze pakte een sponsje uit haar tas. Andrew boog zich dichter naar haar toe. Hij rook naar een penetrante eau de cologne en dezelfde pepermunt waar zijn adem de vorige dag naar had geroken. Met onhandige vingers drukte ze het sponsje tegen de bijtafdrukken op zijn hals. Rondom de tanden zaten felblauwe plekken, maar die werden in de loop van het weekend waarschijnlijk zwart, precies op tijd voor het proces.

'Maandagochtend zou ik hier maar een professional voor inhuren,' zei Leigh.

Andrew kromp ineen toen ze bij de jaap op zijn kaak was aangekomen. De huid was ontstoken en rood. Verse bloeddruppeltjes drongen in de spons. Leigh ging niet zachtzinnig te werk. Ze deed een lading concealer op een borsteltje en drukte de haren diep in de wond.

Hij liet de lucht sissend tussen zijn tanden door ontsnappen, maar dook niet weg. 'Vind je het lekker om me pijn te doen, Harleigh?'

Ze raakte hem iets voorzichtiger aan, want tot haar afschuw was het antwoord op zijn vraag ja. 'Draai je hoofd eens om.'

Hij hield zijn blik op haar gericht toen hij zijn kin naar rechts bewoog. 'Heb je dit geleerd toen je klein was?'

Leigh pakte een grotere borstel voor de foundation. Haar huid was donkerder dan de zijne. Ze zou meer poeder moeten gebruiken.

'Ik weet nog dat Callie en jij vaak blauwe ogen en kapotte lippen hadden.' Weer siste Andrew zachtjes toen ze met haar nagel een straaltje bloed van zijn kin krabde. '"Die arme meiden en hun gestoorde moeder," zei mijn moeder dan. "Ik weet niet wat ik ermee moet."'

Leighs mond deed pijn, zo hard klemde ze haar kiezen op elkaar. Ze wilde hier snel klaar mee zijn. Ze pakte de poeder en een nieuw borsteltje. Ze bracht een laagje op zijn wond aan en veegde het met haar vingers uit langs de randen.

'Had ze de politie maar gebeld of de kinderbescherming,' zei Andrew. 'Bedenk eens hoeveel levens ze had kunnen redden.'

'Jacob is mijn secondant,' zei Leigh, want alleen door over het werk te praten voorkwam ze dat ze ging schreeuwen. 'Hij is mijn junior advocaat. Laatst bij Bradley heb ik zijn naam nog genoemd. Jacob gaat over de procedurele kant, maar ik laat hem ook een aantal potentiële juryleden ondervragen als blijkt dat ze beter op een man reageren. En geen geintjes met hem uithalen. Hij is jong, maar niet dom. Als hij iets in de gaten krijgt –'

'Harleigh.' Andrew sprak haar naam in één lange, zachte zucht uit. 'Weet je dat je echt heel mooi bent?'

Zijn hand raakte haar been.

Leigh deinsde terug. Haar stoel schraapte over de vloer. Voor ze goed en wel doorhad wat er was gebeurd, was ze al overeind gesprongen en stond ze met haar rug tegen de muur.

'Har-leigh.' Andrew stond op van de tafel. De brede grijns was terug, het teken dat hij volop van dit moment genoot. Zijn voeten schuifelden over de vloer. 'Wat heb je voor parfum op? Die is lekker.'

Leigh begon te beven.

Hij boog zich dichter naar haar toe, snoof haar lucht op. Ze voelde haar haren langs zijn gezicht strijken. Zijn warme adem drong in haar oor. Ze kon geen kant op. Haar schouderbladen boorden zich in de muur. Ze had alleen het make-upborsteltje, dat ze nog steeds vastklemde.

Andrew keek in haar ogen, nam haar aandachtig op. Zijn tong schoot tussen zijn lippen door. Ze voelde de druk van zijn knie tegen haar samengeperste benen.

Rustig maar meisje niet bang zijn voor je ouwe makker Buddy.

Aan de andere kant van de deur klonk bulderend gelach. Het geluid weergalmde door de gang. Het kostte haar moeite zichzelf ervan te overtuigen dat ze niet vastzat in de gele Corvette. Ze bevond zich in een ontvangstkamer in het Hooggerechtshof van DeKalb County. Haar medewerker was buiten op de gang. Haar assistente was vlakbij. Er waren beveiligers. Aanklagers. Collega's. Rechercheurs. Agenten. Maatschappelijk werkers.

Deze keer zouden ze haar geloven.

'Weet Linda dat je een verkrachter bent, net als je vader?' vroeg ze.

Zijn gezicht onderging een subtiele verandering. 'Weet je man dat je een moordenares bent?'

Met alle haat die ze in zich had, keek ze hem aan. 'Sodemieter op, voor ik ga gillen.'

'Harleigh.' Weer die brede grijns. 'Weet je nu nog niet hoe heerlijk ik het vind als een vrouw gilt?'

Ze schoof langs de muur bij hem weg. Haar benen trilden toen ze naar de deur liep. Ze deed hem open. Liep de vrijwel verlaten gang op. Bij de liften stonden twee mannen. Twee andere mannen gingen het herentoilet binnen. Liz zat op een bank tegen de muur. Ze had haar iPad op schoot en haar telefoon in haar hand. Leigh stapte op haar af, met haar handen tot vuisten gebald, want ze wist niet waar ze met alle adrenaline in haar lijf heen moest.

'Jacob is in de rechtszaal,' zei Liz. 'Hij neemt de vragenlijsten door. We hebben nog tien minuten.'

'Mooi.' Leigh keek de gang door en probeerde haar ongerustheid te verdrijven. 'Verder nog iets?'

'Nee.' Liz was klaar met haar elektronica en stond op. 'Of eigenlijk ja.'

Leigh kon er niet nog meer slecht nieuws bij hebben. 'Wat is er?'

'Ik bedacht net dat ik je nog nooit aangeslagen heb gezien. Als je haar in brand zou staan, zou je me vragen een glas water te halen op een moment dat mij uitkwam.' Ze keek even naar het vergaderkamertje. 'Wil je dat ik erbij ben? Of Jacob? Want ik krijg ook de rillingen van die vent.'

Leigh kon zich nu niet druk maken om haar gevoelens die voor iedereen zichtbaar waren. Ze voelde nog steeds de druk van Andrews knie toen hij haar benen uiteen probeerde te wringen. Ze wilde niet terug naar die kamer, maar het enige wat nog erger was dan alleen zijn met Andrew, was hem van publiek voorzien.

Die beslissing werd haar bespaard toen ze Dante Carmichael uit de lift zag stappen. De aanklager had een heel team bij zich. Miranda Mettes, zijn secondant, liep rechts van hem. Aan zijn linkerzij had hij Barbara Klieg, de rechercheur die het onderzoek naar de zaak-Tammy Karlsen leidde. Hekkensluiters waren twee geüniformeerde politieagenten van DeKalb County.

'Shit,' fluisterde Leigh. Ze had Andrews verhaal dat hij overvallen was en zijn kapotte enkelband als twee aparte zaken beschouwd. Nu zag ze dat ze een geheel vormden. Er was weer een vrouw aangevallen. Andrew was met de zaak in verband gebracht. Ze kwamen hem arresteren.

'Harleigh?' Andrew hield haar privémobiel omhoog. 'Wie is Walter? Hij probeert je te bellen.'

Leigh griste de telefoon uit zijn hand. 'En je bek houden,' waarschuwde ze.

Hij trok een wenkbrauw op, want hij beschouwde het als één grote grap. 'Maak je je zorgen om je gezin, Harleigh?'

'Collier!' riep Dante. 'Ik moet je cliënt spreken.'

Leigh klemde haar telefoon zo stevig vast dat ze de randen tegen haar vingerbotjes voelde drukken. Ze keken haar allemaal afwachtend aan. Er zat niets anders op dan hun de bitchy strafrechtadvocaat te tonen die ze verwachtten. 'Fuck off, Dante. Die krijg je niet te spreken.'

'Ik wilde alleen maar een paar dingen ophelderen,' zei Dante, alsof hij de redelijkheid zelve was. 'Wat maken een paar vragen nu uit?'

'Nee,' zei Leigh. 'Hij gaat niet –'

'Harleigh,' onderbrak Andrew haar. 'Ik wil met alle plezier vragen beantwoorden. Ik heb niets te verbergen.'

Barbara Klieg had ondertussen stilletjes met haar telefoon Andrews verwondingen gefotografeerd. 'Zo te zien probeer je een paar akelige wonden en blauwe plekken te verbergen, makker.'

'Klopt, mákker.' Andrews glimlach was huiveringwekkend. Hij was totaal niet bang. 'Zoals ik al tegen mijn advocaat zei, ben ik gisterochtend bij het hardlopen overvallen. Vast een junk die op snel geld uit was. Dat zei je toch, Harleigh?'

Leigh beet op haar lip om niet gek te worden. Nog even en de spanning spleet haar in tweeën. 'Andrew, ik raad je aan om –'

'Heb je aangifte gedaan?' vroeg Klieg.

'Nee, rechercheur,' zei Andrew. 'Gezien mijn recente interacties met de politie leek het me niet de moeite waard om hulp te vragen.'

'Hoe zat het met gisteravond?' wilde Klieg weten. 'Je enkelband heeft ruim drie uur uit gestaan.'

'Iets wat ik onmiddellijk aan mijn reclasseringsbeambte heb doorgegeven.' Hij keek naar Leigh, maar niet uit wanhoop. Hij wilde haar radeloosheid zien. 'Mijn advocaat kan bevestigen dat zij ook op de hoogte was. Dat klopt toch?'

Leigh zweeg. Ze keek naar haar telefoon. Het wapen van Maddy's school zat op de achterkant. Ze wist dat Andrew het had gezien.

Maak je je zorgen om je gezin, Harleigh?

Walter had gelijk. Het was een dwaze gedachte van haar geweest dat ze dit monster in een apart vakje kon opbergen.

'Kun je verklaren waar je gisteren was tussen vijf uur en halfacht 's avonds?' vroeg Klieg.

'Andrew,' waarschuwde Leigh, die hem stilletjes smeekte om te stoppen. 'Ik adviseer je te zwijgen.'

Andrew negeerde het advies. 'Gisteren aan het eind van de dag vond bij mij thuis mijn huwelijksplechtigheid plaats. Ik heb de cateraars rond halfzes binnengelaten. Mijn moeder arriveerde om klokslag zes uur om ervoor te zorgen dat alles goed verliep. U weet ongetwijfeld dat mijn reclasseringsbeambte, Teresa Singer, om halfzeven verscheen om mijn enkelband te resetten. Tegen die tijd kwamen er al gasten binnen voor cocktails en lichte hors-d'oeuvres. Rond acht uur zijn Sidney en ik in het huwelijksbootje gestapt. Heb ik uw vraag naar tevredenheid beantwoord?'

Klieg en Dante wisselden een blik. Ze waren geen van beiden gelukkig met zijn antwoord. Er waren te veel potentiële getuigen.

'Ik wil u de foto's wel laten zien die ik met mijn telefoon heb genomen,' bood Andrew aan. 'De metadata zullen mijn alibi ongetwijfeld bekrachtigen. Alles heeft een tijd- en locatiestempel.'

Leigh dacht aan wat Reggie over metadata had gezegd, dat ze vervalst konden worden als je wist wat je deed. Ze hoopte al niet meer dat Andrew zijn mond hield, maar bad dat hij wist wat hij deed.

'Laat die foto's maar zien,' zei Klieg.

'Andrew,' zei Leigh, maar alleen omdat het van haar verwacht werd.

Hij stak zijn hand al in zijn binnenzak. 'Alsjeblieft.' Hij hield het schermpje schuin zodat iedereen het kon zien toen hij door de foto's scrolde. Andrew die poseerde met een rij cateraars achter zich. Andrew naast Linda, die een champagneglas omhooghield. Andrew die een spandoek hielp ophangen met de tekst GEFELICITEERD MR EN MRS ANDREW TENANT!

De foto's spraken voor zich, maar het echte verhaal werd verteld door wat er niet op stond. Er waren geen aparte foto's van taarten en versieringen. Geen gasten bij de voordeur. Geen Sidney in haar trouwjurk. Op elke foto stond Andrew, en vanuit elke invalshoek zag je de schrammen en blauwe plekken op zijn gezicht en in zijn hals.

'Vind je het goed als ik je telefoon meeneem en onze experts ernaar laat kijken?' vroeg Klieg.

Leigh gaf het op. Andrew deed toch wat hij zelf wilde. Het was de moeite niet om haar mond te openen en hem te waarschuwen.

'Het wachtwoord is zes enen.' Hij lachte vol zelfspot, want het was wel heel simpel. 'Verder nog iets, rechercheur?'

Klieg was zichtbaar teleurgesteld, maar ze nam met enig omhaal een bewijszak uit de zak van haar blazer en hield die open zodat Andrew zijn telefoon erin kon laten vallen.

'Ik wil je onder vier ogen spreken,' zei Dante tegen Leigh.

De misselijkheid kwam weer opzetten. Hij ging Andrew een nieuwe deal voorstellen en die moest ze van hem dan weer weigeren, want hij was haar altijd drie stappen voor.

Leigh volgde Dante naar de vergaderkamer. Met haar armen over elkaar ging ze tegen de muur staan, terwijl hij de deur sloot. Hij had een map in zijn handen. Leigh had meer dan genoeg van al die mannen die haar de afgrijselijke inhoud van hun mappen wilden laten zien.

Dante zei niets. Waarschijnlijk verwachtte hij weer een 'fuck off' van haar, maar Leighs voorraad fucks was uitgeput. Ze pakte haar privételefoon. Ze had twee gemiste telefoontjes van Walter. Waarschijnlijk had hij de scheidingsdocumenten ondertekend. Waarschijnlijk was hij van gedachten veranderd en mocht ze geen afscheid meer nemen van Maddy. Waarschijnlijk was hij al bijna de stad uit.

'We worden over vijf minuten bij de rechter verwacht,' zei ze. 'Wat is je deal?'

'Schuldig aan moord.' Hij liet de map op tafel vallen.

Leigh zag de randen van glossy kleurenfoto's eruit steken. Als hij haar wilde laten schrikken, was hij te laat. Cole Bradley had dit twee dagen geleden al voorspeld.

Gluurder wordt verkrachter. Verkrachter wordt moordenaar.

'Wanneer?' Ze wist dat het vaststellen van het tijdstip van overlijden eerder kunst dan wetenschap was. 'Hoe weet je dat ze gisteren tussen vijf uur en halfacht is vermoord?'

'Om vijf uur heeft ze nog met haar gezin gebeld. Het lichaam is rond halfacht in Lakehaven Park gevonden.'

Leigh wist dat er een meer was bij de countryclub vlak bij Andrews huis. Ze ging ervan uit dat het lichaam op dezelfde manier als dat van de anderen was achtergelaten, weer in een park op een kwartier lopen van zijn huis. Ze perste haar lippen op elkaar terwijl ze probeerde te bedenken hoe Andrew dat had geflikt. Oppervlakkig gezien had hij een waterdicht alibi. De metadata van de foto's gaven aan dat hij thuis was geweest. Sidney zou alles bevestigen wat hij zei. Linda was de onzekere factor. Leigh wist niet of Andrews moeder onder ede zou verklaren dat de foto met het champagneglas op het aangegeven tijdstip was genomen. En dan waren er nog de wonden en blauwe plekken op Andrews gezicht en hals.

Opeens bedacht ze iets. 'Het duurt twee tot drie uur voor dat soort donkere kneuzingen te zien is,' zei ze. 'Je hebt de foto's op zijn telefoon gezien. De plekken op Andrews hals werden paars tegen de tijd dat de cateraars verschenen, om halfzes. De snee op zijn kaak bloedde niet meer.'

'En deze foto's?' Dante sloeg de dossiermap open. Met een klap legde hij de politiefoto's op tafel. Het theatrale gebaar waarmee hij dat deed was overbodig. Leigh was te afgestompt om nog geschokt te kunnen zijn. Wat hij liet zien, had ze allemaal al eens eerder gezien.

Een tot moes geslagen vrouwengezicht, waarvan de trekken niet meer te onderscheiden waren.

Tandafdrukken rond de open wond waar ooit een tepel had gezeten.

Een snee op het linkerbovenbeen, net boven de dijbeenader.

Het metalen heft van een mes dat tussen haar benen uit stak.

'Stop.' Leigh herkende het werk van Andrew. Ze stelde dezelfde vraag die ze de laatste tijd aan iedere man in haar leven had gesteld. 'Wat wil je van me?'

'Dat vroeg het slachtoffer waarschijnlijk ook toen je cliënt haar verkrachtte en vermoordde.' Dante hield de laatste foto tussen zijn twee handen. 'Je weet dat hij dit gedaan heeft, Collier. Mij hoef je niks wijs te maken. We zijn hier onder elkaar. Andrew Tenant is zo schuldig als de pest.'

Daar was Leigh niet zo zeker van, in elk geval niet deze keer. De verkleuring van de bijtafdrukken zat haar dwars. Ze had in haar privépraktijk zo vaak zaken rond huiselijk geweld langs zien komen dat ze waarschijnlijk als getuige-deskundige aan de slag kon. 'Je zei dat het slachtoffer om vijf uur met haar gezin had gebeld. Als jij beweert dat Andrew het slachtoffer vlak na dat telefoontje aanviel, toen om halfzes thuiskwam om de cateraars binnen te laten – of dat hij uiterlijk om halfzeven thuis was toen zijn reclasseringsbeambte verscheen om zijn enkelband te resetten – dan moet je die donkere plekken op zijn hals eens aan me uitleggen.'

'Ik denk dat je de bijtafdrukken bedoelt, maar wat dan nog?' Dante haalde zijn schouders op. 'Jij laat jouw expert de ene verklaring afleggen en ik laat mijn expert de andere verklaring afleggen.'

'Laat eens zien.' Met een knik gaf Leigh aan dat hij de laatste foto op tafel moest leggen. Die had Dante om een bepaalde reden achtergehouden.

Deze keer liet hij het zwierige gebaar achterwege toen hij de foto voor haar neerlegde.

Weer een close-up. Het achterhoofd van het slachtoffer. Er waren happen uit haar sluike zwarte haar genomen. De hoofdhuid vertoonde diepe groeven van iets scherps en wreeds waarmee tot ver in de wortels was gehakt.

Leigh had dat soort wonden nog maar één keer eerder in haar leven gezien. Ze was toen tien geweest en had met een glasscherf in haar hand een van Callies kwelgeesten op de speelplaats aangevallen.

Ik heb haar op de grond geduwd en haar haar afgesneden tot haar hoofdhuid begon te bloeden.

Leigh voelde zweet over haar hals glijden. De muren kwamen op haar af. Dit had Andrew gedaan. Hij had naar Leigh geluisterd toen ze vertelde hoe ze het valse kind had afgestraft en toen had hij het bij wijze van ziek, verwrongen eerbetoon nagedaan.

Opeens sloeg de paniek Leigh om het hart. Haar ogen schoten over de foto's, maar de vrouw had geen staakdunne benen. Ze zag geen spuitsporen of oude littekens van naalden die in haar aderen waren afgebroken. Evenmin was het babyvet te zien waarover haar eigen beeldschone dochter zich totaal overbodig druk stond te maken voor de spiegel.

'Het slachtoffer,' zei Leigh. 'Hoe heet ze?'

'Ze is niet zomaar een slachtoffer, Collier. Ze was een moeder, een echtgenote, een zondagsschooljuf. Ze heeft een dochter van zestien, net als jij.'

'Bewaar de violen maar voor je eindpleidooi,' zei Leigh. 'Zeg hoe ze heet.'

'Ruby Heyer.'

15

'Fuck yeah!' schreeuwde Sidney naar de lucht die om haar BMW cabrio zweepte. Uit de radio schetterde een nummer waarin het N-woord vaker werd gebruikt dan op een bijeenkomst van witte nationalisten. Sidney zong mee, bij elke maat pompend met haar vuist in de lucht. Ze was stomdronken na drie kannen mimosa, knetterstoned van de molly die Callie stiekem in haar laatste glas had gestopt, en als ze haar blik niet heel snel op de weg richtte, verloor ze straks ook de macht over het stuur.

De BMW maakte een slinger bij een stoplicht. Sidney sloeg haar handpalm op de claxon. Ze gaf plankgas. 'Aan de kant, klootzak!'

'Woehoe!' riep Callie, die uit solidariteit ook een vuist in de lucht stak. Ondanks alles genoot ze. Sidney was hilarisch. Ze was jong, dom en had haar leven nog niet compleet verkloot, hoewel ze duidelijk hard op weg was.

'Fucker!' schreeuwde Sidney tegen een andere automobilist, terwijl ze door rood scheurde. 'Krijg de pestpokken, motherfucker!'

Callie lachte toen de wat oudere man beide middelvingers naar hen opstak. Haar hoofd sloeg op hol. Haar hart leek net een kolibrie. Voor haar ogen barstte een kleurenfestijn los: neongroene bomen, vlammend gele zon, felblauwe hemel, helderwitte trucks, sirenerode auto's en flitsende gele strepen, die uit het gitzwarte asfalt opdoken.

Ze was vergeten hoe heerlijk het was om uit je dak te gaan. Voor ze haar nek brak, had ze coke, mollies, bennies, meth en addies geprobeerd, want ze had gedacht dat ze als antwoord op al haar problemen de wereld als een razende moest laten rondtollen.

De oxy had daar verandering in gebracht. De allereerste keer dat de drug in haar lijf was doorgedrongen, had ze beseft dat ze zich aan de traagheid moest overgeven. Als bij een aap waren haar voeten in vuisten veranderd. Ze kon op één plek blijven hangen, terwijl de wereld aan haar voorbijtrok. De zen van die eerste gedrogeerde tijd was te gek geweest. Weken verstreken, toen maanden, toen jaren, tot haar stilstaande leven zich had vernauwd tot de jacht op steeds meer heroïne.

Ze viste een pillenpotje uit haar tas en pakte weer een adderall. Die legde ze op haar tong en liet hem aan Sidney zien.

Sidney boog zich opzij en zoog de pil van Callies tong. Hun lippen versmolten met elkaar. Sidneys mond was warm. Het voelde opwindend. Callie probeerde het gevoel vast te houden, maar Sidney schoof weg en richtte haar aandacht weer op de auto. Callie huiverde, want haar lichaam ontwaakte zoals al jaren niet was gebeurd.

'Godverdomme!' riep Sidney, die met plankgas door een straat in een woonwijk slalomde. In een scherpe bocht slipte de BMW en kwam met een schok tot stilstand. 'Fuck.'

Callie schoot naar voren toen Sidney de auto in zijn achteruit zette. Rubber brandde over het wegdek. Ze ging een paar meter naar achteren, schakelde weer en toen reden ze over een lange oprit naar een reusachtig wit huis.

Andrews huis.

In het restaurant had Callie voorgesteld het feestje naar haar zogenaamde hotelkamer te verplaatsen, maar ze had tussen neus en lippen opgemerkt dat ze dan stil moesten zijn, waarop Sidney het antwoord had gegeven waarvoor Callie al een voorzet had gedaan.

Stil m'n reet kom we gaan naar mijn huis.

Het had haar niet hoeven verbazen dat Andrew woonde in iets wat nog het meest weg had van het gruwelpaleis van een seriemoordenaar. Op de suikerklontvormige struiken na was alles wit. Het huis was de steen geworden morsdode vibe die Andrew in de stadiontunnel had uitgestraald.

En het was de meest voor de hand liggende plek om de videoband van de moord op Buddy te verbergen.

Callie drukte op haar gescheurde nagel om door de pijn weer naar de werkelijkheid terug te keren. Ze was hier niet om te feesten. Sidney was jong en onschuldig, maar dat was Maddy ook. Slechts één van hen had een psychopathische verkrachter in haar leven. Dat wilde Callie zo houden.

Sidney reed de auto met een zwaai naar de achterkant van het huis. De

BMW kwam voor een industrieel uitziende glazen garagedeur gierend tot stilstand. Ze drukte op een knop onderaan de achteruitkijkspiegel. 'Rustig maar,' zei ze tegen Callie. 'Hij is de hele dag bezig.'

'Hij' was een van de woorden waarmee ze naar Andrew verwees. Ook noemde ze hem 'mijn stomme vriendje' of 'mijn debiele echtgenoot', maar ze had zijn naam nog nooit uitgesproken.

De auto slingerde de garage in en raakte bijna de achterwand.

'Fuck!' Sidney sprong achter het stuur vandaan. 'Het feest kan beginnen!'

Callie stak haar hand uit naar de knop waarmee de motor werd uitgeschakeld. Sidney had haar sleutels in de bekerhouder laten liggen, samen met haar telefoon en portefeuille. Callie speurde om zich heen om te zien of er ergens een plek was waar je een videoband kon verbergen, maar de garage was een steriele witte doos. Zelfs de vloer was smetteloos.

'Hou je van zwemmen?' Sidney reikte onder haar shirt om haar bh uit te trekken. 'Ik heb nog wel een extra badpak dat je past.'

Even werd het Callie zwaar te moede toen ze dacht aan de littekens en spuitplekken onder haar spijkerbroek en de lange mouwen van haar shirt. 'Het is mij te warm, maar ik kijk graag.'

'Vast.' Sidney trok haar bh door haar mouw naar buiten. Ze rommelde met de knopen van haar shirt zodat Callie een blik werd gegund op haar v-vormige decolleté. 'Fuck, je hebt gelijk. Laten we maar lekker in de airco ladderzat worden.'

Callie keek haar na toen ze het huis in verdween. Haar knie schoot op slot bij het uitstappen. Ze probeerde de pijn te voelen, maar haar zenuwen waren afgestompt door de chemicaliën die door haar lichaam raasden. In het restaurant was ze voorzichtig geweest, had ze gezorgd dat ze zichzelf niet te veel liet gaan. Het probleem was dat ze niets liever wilde dan zichzelf laten gaan. De receptoren in haar hersenen waren al zo lang van middelen verstoken geweest, dat het voelde alsof er elke seconde een nieuwe wakker werd en smeekte om meer.

Ze pakte weer een xanax uit haar tas om zichzelf wat te dempen.

Andrews huis wenkte haar naar binnen. Sidney had haar bh en schoenen op de vloer laten liggen. Callie keek naar haar Doc Martens, maar die kreeg ze alleen uit als ze op de vloer ging liggen en eraan trok. Ze liep een lange, witte gang door. De temperatuur daalde, alsof ze een museum binnenliep. Geen vloerkleden. Muren en plafond waren kaal en wit. Alle armaturen waren wit. Zwart-witte kunst toonde buitengewoon sexy vrouwen in kunstzinnige bondageposes.

Callie was zo gewend aan het geborrel van aquariumfilters dat ze het pas hoorde toen ze in het hoofdgedeelte van het huis was aangekomen. Blikvanger was het uitzicht op de achtertuin, maar dat negeerde ze. Een hele wand was gewijd aan een schitterend rifaquarium. Zacht en hard koraal. Anemonen. Zee-egels. Zeesterren. Koraalduivels. Franse keizersvissen. Lipvissen. Koekopvissen.

Sidney kwam zo dicht naast haar staan dat hun schouders elkaar raakten. 'Mooi, hè?'

Het enige wat Callie nog wilde, was op de bank zitten, een handvol oxy nemen en dan naar de rondzwevende kleurige wezens kijken tot ze in slaap viel of Kurt Cobain tegen het lijf liep. 'Ben je soms met een tandarts getrouwd?'

Sidney liet een hese lach horen. 'Met een autoverkoper.'

'Krijg nou wat.' Callie dwong zichzelf de reusachtige woonkamer rond te kijken, die esthetisch het midden hield tussen een Apple Store en iets uit de Sovjet-Unie. Witleren banken. Witleren stoelen. Salon- en bijzettafels van staal en glas. Staande lampen die als lepreuze kraanvogels hun witte metalen koppen bogen. De tv was een gigantische zwarte rechthoek aan de muur. Van de onderdelen was niets zichtbaar.

'Misschien moet ik ook maar auto's gaan verkopen,' grapte Callie.

'Fuck, Max, ik zou alles kopen wat jij verkocht.'

Callie was nog niet gewend aan haar nepnaam. Het duurde even voor ze haar focus terug had. 'Waarom zou je betalen als je het gratis kunt krijgen?'

Weer lachte Sidney, en ze wenkte Callie mee naar de keuken.

Callie liep langzaam achter haar aan, luisterend of ze het gezoem van elektronica hoorde die de tv voedde. Boekenplanken ontbraken, evenals opbergbakken. Nergens was iets waar een videorecorder achter schuil kon gaan, of een videotape. Zelfs de deuren waren weggewerkt, alleen een dunne zwarte lijn gaf aan dat ze bestonden. Ze had geen idee hoe ze opengingen zonder knoppen.

'Zijn moeder gaat over het geld.' Sidney stond in de keuken haar handen te wassen boven de spoelbak van de bar. Ze hadden allebei hun mondkapje bij het restaurant achtergelaten. 'Dat is me toch een vuile bitch. Ze gaat over alles. Het huis staat niet eens op zijn naam. Ze gaf hem een som geld om het in te richten. Ze zei zelfs naar welke winkels hij moest gaan.'

De aanblik van de ultramoderne keuken deed pijn aan Callies tanden. Witmarmeren werkbladen, witte hoogglanskasten. Zelfs het fornuis was wit. 'Die heeft vast de overgang al achter de rug.'

Sidney snapte de grap niet, wat begrijpelijk was. Ze had een kleine afstandsbediening in haar hand. Toen ze op een knop drukte, vulde de ruimte zich met muziek. Callie had nog meer dreunende N-woorden verwacht, niet Ed Sheeran die over 'love drunk' zwijmelde.

Een andere knop werd ingedrukt. Het licht werd getemperd en alles werd zachter. Met een knipoog vroeg Sidney: 'Whisky, bier, tequila, rum, wodka, absint?'

'Tequila.' Callie ging op een van de martelende barkrukken met lage rugleuning zitten. De romantische sfeer werkte ontregelend, dus ze deed alsof er niets aan de hand was. 'Je zou niet de eerste vrouw zijn die niet met haar schoonmoeder kon opschieten.'

'Ik haat dat mens.' Sidney trok met een zwaai een van de bovenste kastjes open. De drankflessen stonden allemaal op gelijke afstand van elkaar, met de etiketten naar voren, precies zoals je bij een seriemoordenaar kon verwachten. Ze pakte een prachtige amberkleurige fles. 'In de week voor ons trouwen bood ze me honderdduizend dollar aan als ik afhaakte.'

'Dat is niet mis.'

Sidney wees om zich heen. 'Wat dacht je hiervan?'

Callie lachte. Ze moest het Sidney nageven dat ze het goed had bekeken. Waarom zou ze genoegen nemen met een vette fooi als ze de Tenant-koe kon uitmelken zolang ze met Andrew getrouwd bleef? Vooral nu voor Andrew de gevangenis dreigde. Het was geen verkeerde gok.

'Hij is zo'n slijmbal wat zijn moeder betreft,' vertrouwde Sidney haar toe. 'Tegen mij zegt hij dan: "Ik haat dat kutwijf. Was ze maar dood." Maar dan loopt ze de kamer binnen en is hij opeens weer het debiele moederskindje.'

Callie voelde een steek van verdriet. Het enige wat voor haar als een paal boven water had gestaan toen ze op Andrew had gepast, was dat Linda onvoorwaardelijk van haar zoon had gehouden. De moeder had haar hele bestaan in dienst van zijn veiligheid gesteld en had er alles aan gedaan om hun leven beter te maken.

'Dat is slim van hem,' zei ze. 'Ik zou haar ook te vriend houden gezien wat ze allemaal geeft.'

'Het is sowieso van hem.' Met haar tanden trok Sidney het plastic zegel van de fles. Don Julio Añejo, een tequila om van te nippen. 'Zodra dat ouwe kreng dood is, gaat hij het een en ander veranderen. Ze doet allerlei stomme shit alsof het internet nooit is uitgevonden. Het was zijn idee om virtueel te gaan toen de pandemie toesloeg.'

Callie had begrepen dat veel mensen op het briljante idee waren gekomen om virtueel te gaan toen de pandemie toesloeg. 'Wauw.'

'Zeg dat wel,' zei Sidney. 'Wil je margarita's of puur?'

Callie grijnsde. 'Allebei?'

Lachend boog Sidney zich voorover om de blender te pakken. Haar kont ging weer naar achteren. Die meid was een wandelende softporno-foto. 'Ik zweer het, ik ben zo blij dat ik jou ben tegengekomen. Ik moest vandaag eigenlijk werken, maar dat gaat mooi niet gebeuren.'

'Waar werk je?'

'Ik beantwoord de telefoon bij het autobedrijf, maar dat is alleen om-dat ik het zat was dat mijn ouders er maar over bleven zeiken dat ik de rest van mijn leven op de uni zou blijven. Bij het autobedrijf heb ik Andy ontmoet.' Als Sidney al besefte dat ze voor het eerst zijn naam had uitge-sproken, liet ze het niet merken. 'We werken in dezelfde vestiging.'

'Andy?' zei Callie. 'Dat klinkt echt als een moederskindje.'

'Ja hè?' Sidney duwde tegen een van de kastjes. De deur sprong open. Met de handigheid van een barmeid pakte ze borrel- en margaritaglazen. Callie keek hoe ze zich bewoog. Ze was echt heel bijzonder. Onwillekeurig vroeg ze zich af wat deze vrouw in Andrew zag. Het kon niet alleen om geld gaan.

Met een klap zette Sidney de glazen op de bar. 'Ik weet dat je in de stad bent voor een sollicitatiegesprek, maar wat doe je voor werk?'

Callie haalde haar schouders op. 'Niks, eigenlijk. Mijn man heeft me genoeg geld nagelaten, maar ik weet wat er gebeurt als ik te veel vrije tijd heb.'

'Daar zeg je zoiets.' Sidney schonk twee borrelglazen tot aan de rand vol.

Callie hief haar glas om te proosten en nam een slokje, terwijl Sidney het hare in één keer achteroversloeg, iets wat je alleen kon doen als je nek niet aan de onderkant van je schedel zat vastgeklonken. Ze keek toe terwijl Sidney zich bijschonk. Die was al aan een derde toe toen Callie haar glas neerzette om het weer te laten vullen.

'O fuck.' Kennelijk schoot Sidney iets te binnen. Ze duwde een twee-de kastje open en pakte een rond houten doosje. Dat zette ze op de bar, waarna ze het deksel eraf tikte. Ze likte aan haar vinger en stak die in het doosje. Toen ze hem eruit haalde, zaten er allemaal zwarte zoutkorreltjes aan. Met omhooggetrokken wenkbrauwen zoog ze het zout van haar vin-gertopje.

Ze keken elkaar aan, en het kostte Callie moeite haar blik weer los te maken. 'Ik kan me niet herinneren wanneer ik voor het laatst een zoutvaatje heb gezien.'

'Heet dat zo?' Sidney ging weer aan de slag. Ze duwde tegen een ander kastje, maar deze keer floepte er een lange hendel naar buiten. Ze trok de koelkast open. 'Het was een huwelijkscadeau van een van die rijke wijven met wie Linda bevriend is. Ik heb het op internet opgezocht. Handgesne-den Keniaans hout, wat dat ook is. Dat stomme ding kost driehonderd dollar.'

Callie woog het vaatje op haar hand. Het zout was zwart als obsidiaan en rook vaag naar houtskool. 'Wat is dit?'

'Weet ik het, een of ander duur goedje uit Hawaii. Kost per gram meer dan coke.' Toen ze zich omdraaide, had ze zes limoenen in haar handen. 'Shit, ik doe een moord voor wat coke.'

Daar wist Callie wel raad mee. Ze stak haar hand in haar tas en haalde twee zakjes tevoorschijn.

'Fuck.' Sidney griste er eentje weg. Ze hield het tegen het licht om te kijken of ze de glinsterende *flakes* zag die op puurheid wezen, wat haar in de categorie beroepscokegebruikers plaatste. 'Jezus, dat ziet er dodelijk uit.'

Callie betwijfelde het. Sidney tripte al op voldoende middelen om een gnoe neer te halen. Dat soort tolerantie kreeg je niet van recreatief ge-bruik.

Als om het te bewijzen trok Sidney een la open en pakte er een spie-geltje met een scheermesje en een verguld rietje van tien centimeter uit, dat bedoeld was om buitengewoon welgestelde peuters te helpen bij hun sapconsumptie of om verwende rijke sukkels coke mee te laten snuiven.

'Heb je weleens gespoten?' vroeg Callie voorzichtig.

Voor het eerst leek Sidney op haar hoede. 'Shit, man, dan heb je het wel over een heel nieuw level.'

'Laat maar zitten.' Callie opende een zakje en schudde het zuivere witte poeder uit op de spiegel. 'Hoelang kennen jullie elkaar al?'

'Eh... een jaar of twee?' Sidney keek gretig naar de coke. Misschien ging het al bergafwaarts met haar leven. 'Hij heeft een vriend, Reggie, een echte eikel. Die kwam soms de zaak binnenlopen alsof hij er de baas was. Hij was altijd met me aan het flirten, maar vergeet het maar.'

Callie wist wat ze bedoelde. Sidney ging haar jeugd en schoonheid niet vergooien aan een man die het zich niet kon veroorloven.

'En toen kwam Andrew op een dag naar me toe en raakten we in gesprek, en ik had zoiets van: wat een verrassing, nu eens een keer geen complete lul. Wat een wonder mocht heten, na een gast als Reggie.'

Callie begon nogal nadrukkelijk met het mesje door het witte poeder te hakken. Ze luisterde naar Sidney, die doordramde over Reggie: dat hij altijd naar haar loerde, dat hij in feite Andrews schoothondje was, maar ondertussen keek ze al even gretig naar het mesje als Sidney.

Als een wetenschapper de opdracht had gekregen een drug te ontwikkelen waaraan mensen al hun geld verspilden, zou hij cocaïne hebben uitgevonden. De roes duurde zo'n vijftien tot twintig minuten, waarna de kans groot was dat je de rest van je ellendige leven die eerste rush najoeg, want het zou nooit beter worden dan die eerste grote, schitterende kick. De grap was dat twee mensen een hele trailer vol coke konden wegwerken om vervolgens vast te stellen dat ze nog een trailer nodig hadden om echt high te worden.

Daarom had Callie de coke met fentanyl versneden.

Ze sneed vier lijntjes. 'En hoe legde hij het met je aan?'

'Hij betrapte me op het lezen van een van mijn psychologieboeken voor mijn studie en zo raakten we aan de praat, en in tegenstelling tot negenennegentig procent van al die stomme mansplainers die me iets willen bijbrengen wat ik al zo'n jaar of zes bestudeer, wist hij waar hij het over had.' Haar blik was al die tijd op Callies hand gericht geweest, maar nu kwam ze weer in beweging. Nog meer kastjes gingen open. Een marmeren snijplankje verscheen. Ze pakte een keramische schaal voor de limoenen. 'Hij begon met me te flirten, zo erg dat ik de telefoon niet meer kon beantwoorden, en ik zei: "Gast, als je zo doorgaat word ik ontslagen." En toen zei hij: "Gast, als je niet met me uitgaat, ontsla ik je."'

Callie bedacht dat het bij uitstek een voorbeeld was van intimidatie op de werkvloer. Toch zei ze: 'Doe mij maar een man die weet wat hij wil.'

Sidney trok weer een la open. 'Vind je dat ook lekker bij vrouwen?'

Callie wilde al antwoorden, maar toen zag ze wat Sidney uit de la pakte. Het scheermes glipte uit haar vingers en kraste over het spiegeltje.

Gebarsten houten heft. Gekarteld lemmet dat drie kanten op boog. Het steakmes leek iets wat Linda in de supermarkt had gekocht. Callie had er Andrews hotdog mee in stukjes gesneden. Toen had ze er Buddy's been mee opengehaald.

'Max?' zei Sidney.

Callie probeerde iets te zeggen. Het geluid van haar hartslag was overdonderend, overstemde de zachte muziek, dempte Sydneys diepe stem. 'Dat… Dat is een nogal goedkoop huwelijkscadeau.'

Sidney keek naar het mes. 'Ja. Andy wordt kwaad wanneer ik het gebruik, alsof hij er niet nog vijftig van kan kopen. Hij heeft het ooit van zijn oppas of zo gestolen. Ik ken het verhaal niet. Hij doet er nogal vreemd over.'

Callie keek toe hoe het lemmet een limoen doormidden sneed. Haar longen voelden bibberig. 'Heeft hij een soort oppasfetish?'

'Meid,' zei Sidney, 'hij heeft een allesfetish.'

Er trok een lichte pijnscheut door Callies duim. Het scheermes had een dun laagje huid afgeschaafd. Bloed sijpelde over haar pols. Ze was hier gekomen met een plan, maar dat mes had haar teruggevoerd naar de keuken van de Waleski's.

B-Bel een ambulance, liefje. Bel een…

Callie pakte het rietje. Ze boog zich voorover en snoof alle vier de lijntjes achter elkaar op. Ze ging weer rechtop zitten. Tranen stroomden uit haar ogen. Haar hart sloeg over. Haar oren suisden, en haar botten beefden.

'Fuck.' Sidney wilde niet achterblijven. Ze schudde het tweede zakje leeg op het spiegeltje. Snel sneed ze de lijntjes, zo gehaast om aan de pret mee te kunnen doen dat ze de naar achteren gestoken kont en de knipoog oversloeg en zelf vier lijntjes naar binnen schoffelde. 'Fuck! Jezus christus!'

Callie wreef het restje over haar tandvlees. Ze proefde de fentanyl, als een geheime boodschap aan haar lichaam.

'Yes!' Sidney danste de keuken rond. Schreeuwend verdween ze in de woonkamer. 'Fuck ja!'

Callie had het gevoel dat haar ogen achter in haar hoofd wilden rollen. Sidney had het mes op het werkblad laten liggen. Callie zag zichzelf weer in de keuken van de Waleski's, waar ze het handvat in bleekmiddel liet weken en met een tandenstoker langs de randjes peuterde. Ze bracht haar vingers naar haar keel. Ze voelde hoe haar hart zich omhoogstuwde, naar haar mond. De coke begon te werken, op de hielen gezeten door de fentanyl. Wat had haar in godsnaam bezield? De video's waren hier. Sidney was hier. Andrew was in de rechtszaal, maar straks kwam hij eruit en wat ging hij dan doen? Wat was hij met Maddy van plan?

Ze pakte de xanax uit haar tas en slikte er drie voor Sidney de keuken weer binnenkwam.

'Maxie, kom eens naar de vissen kijken.' Ze nam Callie bij haar hand en trok haar mee de woonkamer in.

De muziek klonk luider. Het licht werd nog gedempter. Sidney dumpte de afstandsbediening op de salontafel en liet Callie met een rukje van haar hand op de bank plaatsnemen.

Callie zonk weg in de zachte kussens. De bank was zo diep dat haar voeten de vloer niet raakten. Ze trok haar benen op en liet haar arm op een stapel kussens rusten. Hoe ze de stem van Michael Bublé door de speakers had herkend bleef haar fascineren, tot ze afgeleid werd door een koraalduivel die achter een rots schoot, met allemaal rode en zwarte strepen op zijn vele stekels. Door de giftige rugvinnen was de vis een van de gevaarlijkste roofdieren in de zee, maar hij gebruikte zijn wapen alleen als verdedigingsmiddel. De andere vissen waren veilig zolang ze te groot waren om in de gapende tunnel van zijn bek te passen.

'Max?' Sidneys stem klonk zacht en zwoel. Ze speelde met Callies haar en krabbelde zachtjes met haar nagels over haar hoofdhuid.

Diep vanbinnen voelde Callie iets trillen door de sensatie, maar ze was te geconcentreerd op de eenhoornvis, die langs een geschrokken zeester flitste, om er echt aandacht aan te schenken. Toen voegde de doktersvis zich bij het feestje. Toen begon het zeegras met zijn slanke vingers in haar richting te wuiven. Het was onmogelijk te zeggen hoelang ze naar de kleurige parade zat te kijken, maar ze merkte aan de doffere kleuren dat de xanax haar eindelijk wat afvlakte.

'Max?' zei Sidney nogmaals. 'Wil je me spuiten?'

Callies aandacht dwaalde af van het aquarium. Sidney leunde tegen haar aan en streek nog steeds met haar vingers door haar haar. Haar pupillen waren heel groot. Haar lippen waren weelderig en vochtig. Ze was er rijp voor.

Callie had spuiten in haar tas. Een afbindriem. Een aansteker. Watten. Zo had ze het gepland: ze zou Sidney overhalen telkens iets meer te nemen, en nog iets meer, tot ze een naald in haar arm zou steken en haar van de draak zou laten proeven die dat kind tot in een diepe, donkere put van wanhoop na zou jagen.

Als de dood haar niet eerst te pakken kreeg.

'Hé daar.' Sidney beet op haar onderlip. Ze was zo dichtbij dat Callie de tequila op haar adem kon proeven. 'Weet jij wel hoe fucking lekker je bent?'

Callies lichaam reageerde nog vóór haar mond. Ze streek met haar vingers door Sidneys dikke, zijdezachte haar. Haar huid was ongelooflijk zacht. De kleur van haar ogen deed haar denken aan het kostbare zout in het handgesneden vaatje.

Sidney kuste haar op haar mond. De eerste twee keer dat hun lippen elkaar hadden geraakt, had Callie zich teruggetrokken, maar nu gaf ze zich over. Sidneys mond was volmaakt. Ze had een fluwelen tong. Tintelingen trokken over Callies ruggengraat. Voor het eerst in twintig jaar voelde ze geen pijn. Ze ging achterover op de bank liggen. Sidney lag boven op haar, drukte haar mond op Callies hals, op haar borsten, toen knoopte ze haar jeans los en schoof haar vingers bij haar naar binnen.

Callie kreunde. Tranen welden op in haar ogen. Het was zo verdomd lang geleden dat ze iemand binnen in zich had gehad die ze ook werkelijk binnen in zich wilde hebben. Ze schokte tegen Sidneys hand. Zoog op haar mond, op haar tong. Het gevoel zwol aan. Ze werd duizelig op het moment dat lucht haar open longen binnendrong. Ze sloot haar ogen. Ze opende haar mond om Sidneys naam uit te roepen…

Meeademen ik ben bijna klaar kom op.

Ze opende haar ogen. Haar hart sloeg tegen haar borst. Er was geen gorilla, alleen het onmiskenbare geluid van Buddy Waleski's stem.

Buddy, alsjeblieft, het doet zo'n pijn alsjeblieft stoppen alsjeblieft…

Haar eigen stem, veertien jaar oud. Vol pijn. Doodsbang.

Buddy stop alsjeblieft ik bloed ik kan niet –

Callie wierp Sidney van zich af. Het geluid kwam uit de speakers.

Hou je bek Callie stil blijven liggen zei ik.

Buddy's stem was overal, dreunde uit de speakers, weergalmde door de steriele witte kamer. Callie griste de afstandsbediening van de salontafel. Als een razende drukte ze op de knoppen in een poging het geluid uit te zetten.

Fucking bitch niet tegenspartelen zei ik of anders –

Stilte.

Callie wilde zich niet omdraaien, maar ze deed het toch.

Ze wilde niet naar de tv kijken, maar ze deed het toch.

Het hoogpolige tapijt vol vlekken. Straatlantaarnlicht dat rond de rimpelige randen van de oranje-bruine gordijnen laserde. De geel-bruine fauteuils met zweetplekken op de rugleuning en brandgaatjes op de armleuningen. De oranje bank met aan weerszijden een deprimerende hij-en-zijafdruk.

Het geluid stond uit, maar in haar hoofd hoorde ze Buddy's stem…

Kom op, schatje. Dan maken we het af op de bank.

Wat op de tv gebeurde, was geen weerspiegeling van de herinneringen in haar hoofd. De video vertekende ze, veranderde ze in iets smerigs en wreeds.

Zwijgend maalde Buddy zich haar veertienjarige lichaam binnen. Zijn enorme gewicht drukte zo hard naar beneden dat het frame van de bank in het midden doorboog. Callie zag haar jongere zelf vechten om vrij te komen, naar hem krabben, hem van zich af proberen te worstelen. Hij nam haar twee handen in één vlezige hand. Met zijn andere hand rukte hij de riem uit de lussen van zijn broek. Tot haar ontzetting zag Callie hoe hij haar polsen vastbond met de riem, haar omdraaide en haar van achteren begon te verkrachten.

'Nee…' fluisterde ze, want zo was het niet gegaan. Niet toen ze er eenmaal aan gewend was geraakt. Niet toen ze had geleerd hoe ze hem met haar mond klaar kon maken.

'Vind je ruig nog steeds lekker?' vroeg Sidney.

Callie hoorde gekletter. Ze had de afstandsbediening laten vallen. Die lag in stukken op de vloer. Langzaam draaide ze zich om. Alle schoonheid was uit Sidneys gezicht geweken. Ze leek even koud en genadeloos als Andrew.

'Waar is de video?' vroeg Callie met bevende stem.

'Video's,' zei Sidney op harde toon. 'Meervoud. Als in: meer dan één.'

'Hoeveel?'

'Tientallen.' Sidney stopte haar vingers in haar mond en zoog er smakkend de smaak van Callie af. 'We kunnen er wel meer kijken als je wilt.'

Callie stompte haar in haar gezicht.

Verdoofd door de klap strompelde Sidney naar achteren. Bloed stroomde uit haar gebroken neus. Ze knipperde met haar ogen als een stomme trut die voor het eerst een joint rookte op het schoolplein.

'Waar zijn ze?' vroeg Callie, maar ze liep de kamer al door en duwde met haar hand tegen de muren in haar zoektocht naar nog een verborgen kast. 'Zeg op, waar zijn ze?'

Sidney liet zich op de bank vallen. Bloed droop op het witte leer en vormde een plasje op de vloer.

Callie raakte nog steeds de muren aan, zodat er bloederige afdrukken van haar eigen gewonde handen op achterbleven. Ten slotte klikte een deur open. Ze zag een wastafel en een toilet. Ze duwde tegen een andere deur. Warmte sloeg haar tegemoet vanaf een rek met elektronische apparatuur. Ze streek erlangs met haar vinger, maar er was geen videorecorder.

'Dacht je nou echt dat het zo makkelijk was?' vroeg Sidney.

Callie keek naar haar. Ze stond weer overeind, met haar handen langs haar zij, terwijl het bloed over haar gezicht en hals stroomde. Haar witte shirt kleurde rood. Ze leek hersteld van de plotselinge stomp tegen haar gezicht. Likkend schoof ze haar tong naar buiten om een bloedstraaltje van haar lip op te vangen.

'De volgende keer is het minder makkelijk,' waarschuwde ze.

Callie ging niet met die hoer in gesprek. Dit was niet het einde van een aflevering van *Batman*. Met grote stappen liep ze de keuken in. Haar hand ging automatisch naar Linda's keukenmes.

Ze liep het huis door, langs een damestoilet, een fitnessruimte. Geen opbergkasten. Geen andere kasten. Geen videobanden. De volgende kamer was Andrews kantoor. De bureauladen waren smal en gevuld met pennen en paperclips. In de kast lagen stapels papieren, kaartjes en dossiers. Met haar arm als een schep zwiepte Callie de hele zooi op de vloer.

'Je vindt ze toch niet,' zei Sidney.

Callie drong zich langs haar, stapte door een tweede lange gang met nog meer bondagefoto's. Achter zich hoorde ze Sidney. Ze sloeg de lijsten van de muren zodat ze in stukken op de vloer vielen. Sidney slaakte een gil toen ze op glasscherven stapte. Callie schopte deuren open. Logeerkamer. Niets. Nog een logeerkamer. Niets. Hoofdslaapkamer.

In de deuropening bleef Callie staan.

In plaats van wit was alles hier zwart. Muren, plafond, tapijt, de zijden lakens op het bed. Ze sloeg tegen de schakelaar. De kamer vulde zich met licht. Slepend met haar laarzen liep ze over het tapijt. Ze rukte de laden van de nachtkastjes open. Handboeien, dildo's en buttplugs vielen op de donkere vloer. Geen videobanden. De tv aan de muur was bijna even hoog als Callie lang was. Ze keek erachter, rukte aan de kabels. Niets. Ze zocht naar verborgen panelen op de muren. Niets. Wel vond ze de inloopkast. Zwarte kastjes. Zwarte laden. Even zwart als de verrotting in dit klotehuis.

De kluis stond gewoon in de kamer en had ongeveer de afmetingen van een minikoelkast. Een combinatieslot. Callie draaide zich om, want ze wist dat Sidney in de buurt was. De vrouw leek zich niets aan te trekken van het bloed op haar gezicht, van de bloederige voetsporen die als broodkruimels naar de kastdeur voerden.

'Openmaken,' gebood ze.

'Calliope.' Sidney schudde haar hoofd al even treurig als Andrew in de tunnel had gedaan. 'Zelfs als ik het wou, denk je nu echt dat Andrew me de combinatie heeft gegeven?'

Callie klemde haar kiezen op elkaar. Ze inventariseerde de inhoud van haar tas. Ze kon genoeg heroïne in het smerige kutwijf pompen om haar een hartverlamming te bezorgen. 'Wanneer wist je dat ik het was?'

'O, meisje toch, vanaf het moment dat je die bijeenkomst binnen kwam wandelen.' Sidney glimlachte, maar haar mond was nu verre van leuk of sexy, want ze had Callie al die tijd in de maling genomen. 'Ik moet zeggen, Máx, dat je fantastisch afgekickt bent.'

'Waar zijn de banden?'

'Andy had gelijk.' Nu keek Sidney haar weer openlijk aan en keurde haar lichaam. 'Je bent echt een perfect neukpoppetje, hè?'

Callies neusvleugels trilden.

'Waarom blijf je niet, schatje?' Sidneys grijns was misselijkmakend vertrouwd. 'Over een paar uur komt Andy thuis. Ik kan geen beter huwelijkscadeau bedenken dan hem te laten toekijken terwijl ik jou neuk.'

Callie keek naar haar hand. Ze hield nog steeds Linda's mes vast. 'En als ik het vel eens van je gezicht snij en aan de voordeur hang?'

Sidney keek geschrokken, alsof het nog niet bij haar was opgekomen dat het een slecht idee was om met een spuitjunk te sollen die al twintig jaar op straat had overleefd.

Callie gunde haar de tijd niet om over de gevolgen na te denken.

Ze haalde naar de vrouw uit, met het mes recht naar voren. Sidney gilde. Ze viel op haar rug. Haar hoofd sloeg tegen de vloer. Callie rook een vleugje tequila toen ze boven op haar sprong. Ze hief het mes hoog boven haar hoofd. Sidney wrong zich in bochten om zichzelf te verdedigen en pakte Callies vuist met beide handen vast. Haar armen trilden toen ze probeerde te voorkomen dat het mes in haar gezicht werd gestoken.

Callie liet Sidney zich op het mes concentreren, want dat mes was alleen belangrijk als je het spel eerlijk speelde. Callie had niet meer eerlijk gespeeld sinds ze Buddy Waleski in stukken had gehakt. Ze ramde haar knie zo hard tussen Sidneys benen dat ze haar knieschijf voelde kraken toen die tegen haar bekken sloeg.

'Fuck!' gilde Sidney, die zich op haar zij liet rollen, met haar handen tussen haar benen. Braaksel spoot haar mond uit. Haar hele lichaam trilde. Tranen stroomden over haar gezicht.

Callie greep haar bij haar haren en rukte haar hoofd naar achteren. Ze liet Sidney het mes zien.

'Alsjeblieft!' smeekte Sidney. 'Niet doen, alsjeblieft!'

Callie drukte de punt van het mes in Sidneys zachte wang. 'Wat is de combinatie?'

'Weet ik niet!' jammerde Sidney. 'Alsjeblieft! Die wil hij me niet geven!'

Callie drukte nog iets harder, zag de huid meebuigen met het lemmet en uiteindelijk openspringen waarna er een streep helderrood bloed verscheen.

'Alsjeblieft...' Sidney snikte hulpeloos. 'Alsjeblieft... Callie... Het spijt me. Alsjeblieft.'

'Waar is de videoband van zonet?' Callie gaf haar een paar tellen om te antwoorden, maar toen ze dat niet deed, begon ze het lemmet naar beneden te trekken.

'Het rek!' schreeuwde Sidney.

Callie stopte. 'Ik heb al in het rek gekeken.'

'Nee...' Ze hijgde en haar ogen vulden zich met tranen van angst. 'De videospeler is achter... Er is ruimte achter het rek. Hij ligt op de... Er is een plank.'

Callie trok het mes niet weg van haar gezicht. Ze zou nu moeiteloos naar beneden kunnen reiken, Sidneys been kunnen opensnijden en kunnen toekijken hoe haar leven langzaam wegvloeide. Maar dat was niet goed genoeg. Andrew zou het niet zien. Hij zou niet lijden zoals Callie hem wilde zien lijden. Ze wilde hem doodsbang zien, bloedend, niet in staat de pijn te stoppen, zoals zijzelf daar niet toe in staat was geweest elke keer dat zijn vader haar had verkracht.

'Zeg maar tegen Andy dat hij zijn mes moet komen halen als hij het terug wil.'

16

Leigh had haar emoties op pauze gezet toen ze met Dante Carmichael in dat krappe vergaderkamertje zat. Ze had geweten dat ze de rest van de dag alleen zou overleven door zichzelf te splitsen in de advocaat die ze was en al het andere wat haar leven behelsde. Het ene vak kon niet overvloeien in het andere, want dan zou er geen stukje overblijven om nog te categoriseren.

Dante had de foto's van Ruby Heyers verminkte lichaam verspreid over de tafel achtergelaten, maar Leigh had er niet meer naar gekeken. Ze had ze op elkaar gestapeld. Ze had ze weer in hun map gestopt. Ze had de map in haar tas gedaan, en toen was ze de gang op gelopen en had tegen haar cliënt gezegd dat hij zich gereed moest maken voor de juryselectie.

Nu keek ze op de klok aan de muur van de rechtszaal, terwijl ze wachtte tot de schoonmaker de getuigenbank had ontsmet voor het volgende potentiële jurylid. Ze hadden nog een halfuur te gaan. De zaal voelde bedompt. Volgens het pandemieprotocol mochten alleen de rechter, de bode, een agent, de griffier, de openbare aanklager, de verdediging en de verdachte in de zaal aanwezig zijn. Normaal zaten er tientallen toeschouwers op de tribune, of er was in elk geval een waarnemer. Zonder publiek voelde het proces geënsceneerd, alsof ze allemaal acteurs waren die hun rol speelden.

Dat zou voorlopig wel zo blijven. Tot nu toe waren negen juryleden geselecteerd. Er moesten er nog drie bij, plus twee plaatsvervangers. De eerste vragenronde door de rechter had het aantal van achtenveertig tot zevenentwintig teruggebracht. Er moesten nog zes mensen ondervraagd worden, en voor de volgende ochtend stond een nieuwe groep op het programma.

Andrew ging verzitten. Leigh meed zijn blik, wat niet zo gemakkelijk was als iemand vlak naast je zat. Liz zat met gebogen hoofd aan het uit-einde van de tafel aantekeningen neer te krabbelen. Jacob zat links van Andrew en bladerde door de overgebleven vragenlijsten in een poging er een detail uit te pikken waarmee hij kon laten zien hoe briljant en nuttig hij was.

Een van Leighs docenten tijdens haar rechtenstudie had beweerd dat een zaak tijdens de juryselectie werd gewonnen of verloren. Leigh had altijd met veel genoegen geprobeerd het systeem naar haar hand te zetten door de juiste persoonlijkheden voor het juryoverleg eruit te pikken en die te kiezen: de leiders, de volgers, de vragenstellers, de compromisloze ware gelovigen. Die dag was de gang van zaken vooral betekenisvol omdat het waarschijnlijk de laatste keer zou zijn dat Leigh als advocaat aan de tafel van de verdediging zat.

Walter had nog twee pogingen gedaan haar te bellen voor ze beide tele-foons had uitgeschakeld. Tijdens de zitting werden alle apparaten geacht op stil te staan, maar dat was niet de reden dat ze niet opnam. In het wereldje van de Hollis Academy verplaatste roddel zich met de snelheid van het licht. Leigh wist dat Walter belde over de gruwelijke moord op Ruby Heyer. Ze wist dat Walter Maddy met zijn moeder mee zou sturen. Ze wist dat hij uiteindelijk naar het politiebureau zou gaan om de smeris-sen alles te vertellen, want alleen zo kon Maddy's veiligheid gegarandeerd worden.

Tenminste, dat maakte Leigh zichzelf om het uur wijs.

De overige uren zei ze tegen zichzelf dat Walter haar nooit zou aan-geven. Op dit moment haatte hij haar, maar hij was niet onbezonnen of wraaklustig. Leigh vermoedde dat hij eerst met haar zou praten voor hij naar de politie ging. Maar dan bedacht ze weer hoe afschuwelijk Walter de moord op Ruby's moeder zou vinden en dat hij zich grote zorgen zou maken om Maddy's veiligheid, en vervolgens rolde het achtbaankarretje weer naar boven.

De schoonmaker had de getuigenbank eindelijk gedesinfecteerd na het laatste potentiële jurylid, een gepensioneerde lerares Engels die duidelijk te kennen had gegeven dat ze niet onpartijdig kon zijn. Normaal zaten de juryleden in groepjes in de rechtszaal, maar door het covidprotocol waren ze nu verspreid over een lange gang en zaten ze tot in de overlegruimte. Ze mochten boeken meebrengen en gebruikmaken van de wifi van het gerechtsgebouw, maar het wachten kon geestdodend saai zijn.

De griffier opende de deur. 'Drieëntwintig, u bent aan de beurt!' riep hij.

Ze keken allemaal op toen een oudere man zijn plek innam om de eed af te leggen. Jacob schoof Leigh de juryvragenlijst toe. Andrew leunde achterover, zonder ook maar naar de pagina te kijken. Zijn belangstelling was verdampt zodra hij had beseft dat hij geen psychologische spelletjes kon spelen. Hier ging het alleen om vragen, antwoorden en intuïtie. De wet was nooit wat je dacht dat ze was of wat je wilde dat ze was.

Nummer drieëntwintig heette Hank Bladel. Hij was drieënzestig en was veertig jaar getrouwd. Leigh bestudeerde zijn verweerde gezicht toen hij ging zitten. Bladel had wat grijs in zijn baard en de pezige armen van een man die aan zijn conditie werkte. Kaalgeschoren hoofd. Rechte schouders. Resolute stem.

Jacob had twee horizontale strepen in de hoek van Bladels vragenlijst gezet, wat betekende dat hij er niet uit was of de man al dan niet goed voor Andrew zou zijn. Leigh wist naar welke kant ze zelf neigde, maar ze probeerde objectief te blijven.

'Goedemiddag, Mr Bladel.' Dante had zijn ondervragingen kort gehouden. Het was al laat. Iedereen was moe. Zelfs de rechter leek te knikkebollen, te oordelen naar de manier waarop hij met zijn hoofd over zijn papieren zat gebogen en traag met zijn ogen knipperde, terwijl hij deed alsof hij luisterde.

Turner had zich tot dusver naar verwachting gedragen en zich tot het uiterste ingespannen om Andrew de wittemannenvoorkeursbehandeling te geven. Leigh had door schade en schande geleerd in aanwezigheid van deze rechter op haar woorden te letten. Hij eiste het soort formaliteit dat je van een rechter van het Hooggerechtshof verwachtte. Ze had meer dan eens een zaak verloren omdat hij vrouwen niet verdroeg die goed van de tongriem waren gesneden.

Ze richtte zich weer op de ondervraging door Dante, die volgens het voorspelbare patroon verliep. Bladel was nooit slachtoffer van aanranding geweest. Hij was nooit slachtoffer van een misdaad geweest. Zijn familieleden evenmin, voor zover hij wist. Zijn vrouw was verpleegkundige. Zijn beide dochters waren ook verpleegkundige. De een was met een ambulancebroeder getrouwd, de ander met de opzichter van een pakhuis. Vóór covid had hij fulltime gewerkt als chauffeur op een luchthavenbusje, maar nu werkte hij parttime en deed hij vrijwilligerswerk voor de Boys &

Girls Club of America. Dat waren allemaal pluspunten voor de verdediging, op één ding na: hij had twintig jaar in het leger gezeten.

Daarom wilde Leigh Bladel liever niet in de jury. De verdediging wilde mensen die kritisch waren over het systeem. De aanklager wilde mensen die dachten dat de wet altijd eerlijk was, dat de politie nooit loog en dat het recht blind was.

De afgelopen vier jaar in aanmerking genomen was het steeds moeilijker geworden mensen te vinden die meenden dat het systeem voor iedereen op dezelfde manier werkte. Militairen vertrouwden het systeem nog steeds, dus het leger was de plek bij uitstek om conservatievere kandidaten uit te betrekken. Dante had van de toegestane negen keer al zeven keer gebruikgemaakt van zijn recht op wraking, dat inhield dat een jurylid op allerlei gronden geweigerd kon worden, met uitzondering van ras. Dankzij de inschikkelijkheid van rechter Turner had Leigh nog vier wrakingen over, plus nog een voor de selectie van de twee plaatsvervangers.

Ze bekeek haar lijst met geselecteerde juryleden. Zes vrouwen. Drie mannen. Gepensioneerd docent. Bibliothecaresse. Accountant. Barkeeper. Postbode. Twee thuisblijfmoeders. Een verpleeghulp. Ze had een goed gevoel bij deze samenstelling, maar de samenstelling deed er niet toe, want niets van dit alles zou het proces halen. Het achtbaankarretje zat weer in de neerwaartse spiraal, waarbij Walter met de politie had gepraat en zowel Leigh als Andrew vóór maandagochtend een aparte aanklacht kon verwachten.

Andrew had een plan B, namelijk een video waarop Leigh zijn vader vermoordde.

Leigh had haar cliënt zelf horen toegeven dat hij in het bezit was van een grote voorraad kinderporno, waarin haar destijds veertienjarige zusje een hoofdrol speelde.

'Edelachtbare,' zei Dante. 'De eiser accepteert dit jurylid en verzoekt hem in de jury plaats te laten nemen.'

Turners hoofd ging met een ruk omhoog. Hij bladerde door zijn papieren en gaapte langdurig vanachter zijn mondkapje. 'Ms Collier, de ondervraging is aan u.'

Met een diepe zucht liet Dante zich onderuitzakken op zijn stoel, want hij ging ervan uit dat Leigh haar kans zou benutten om de man te wraken.

Leigh stond op. 'Mr Bladel, bedankt voor uw aanwezigheid hier. Ik ben Leigh Collier. Ik vertegenwoordig de beklaagde.'

Hij knikte. 'Aangenaam.'

'Ik wil u ook bedanken voor uw diensten aan het land. Twintig jaar. Dat is bewonderenswaardig.'

'Dank u.' Weer knikte hij.

Leigh lette op zijn lichaamstaal. Benen gespreid. Armen langs zijn zij. Kaarsrechte houding. Hij maakte eerder een open dan een gesloten indruk. Vergeleken met hem leek de man die voor hem op zijn stoel had gezeten Quasimodo wel.

'U bent chauffeur op een luchthavenbusje geweest,' zei ze. 'Hoe was dat?'

'Eh...' begon hij. 'Heel interessant. Toen besefte ik pas hoeveel internationale reizigers de stad aandoen. Wist u dat Atlanta de drukste passagiersluchthaven ter wereld heeft?'

'Nee, dat wist ik niet,' antwoordde Leigh, ook al wist ze het wel. Het ging haar er niet zozeer om allerlei details aan de man te ontlokken, als wel om erachter te komen wat voor persoon Hank Bladel was. Kon hij onpartijdig zijn? Kon hij naar de feiten luisteren? Begreep hij het bewijs? Was hij in staat anderen over te halen? Doorgrondde hij de ware betekenis van gerede twijfel?

'In uw vragenlijst vermeldde u dat u acht jaar in het buitenland gestationeerd bent geweest. Spreekt u vreemde talen?'

'Daar heb ik nooit aanleg voor gehad, maar één ding is zeker: de meesten van mijn vliegveldpassagiers beheersen de Engelse taal beter dan mijn kleinkinderen.' Hij grinnikte samen met de rechter, twee oude mannen die hun verbijstering over de jongere generatie deelden. 'Sommigen zijn wel in voor een praatje, maar bij anderen heb je al snel door dat je stil moet zijn, dat je ze moet laten bellen, dat je je aan de snelheidslimiet moet houden en ze op tijd op hun bestemming moet afleveren.'

Leigh knikte, terwijl ze zijn antwoord analyseerde. Hij stond open voor nieuwe ervaringen, was bereid om te luisteren. Hij zou een uitstekende juryvoorzitter zijn. Ze wist alleen niet welke kant hij zou kiezen. 'U zei tegen mijn collega dat u vrijwilligerswerk doet voor de Boys & Girls Club. Hoe is dat?'

'Eerlijk gezegd is dat een van de dankbaarste dingen in mijn leven.'

Leigh knikte, waarna hij vertelde hoe belangrijk het was om jonge mensen op het goede spoor te zetten. Met zijn gevoel voor goed en kwaad was niets mis, en dat beviel haar wel, maar ze wist nog steeds niet of dat in Andrews voordeel zou werken.

'Bent u lid van bepaalde organisaties?' vroeg ze.

Bladel glimlachte trots. 'Ik hoor bij de Yaarab Shriners, die deel uitmaken van de Ancient Arabic Order of the Nobles of the Mystic Shrine for North America.'

Leigh draaide zich om zodat ze Dantes gezicht kon zien. Hij keek alsof iemand zojuist zijn hond had doodgeschoten. Shriners waren een wat vrijzinniger tak van de vrijmetselaars. Ze hielden clownsoptochten, droegen grappige hoeden en brachten miljoenen dollars bijeen voor kinderziekenhuizen ter ondersteuning van Amerika's abominabel ongelijke gezondheidssysteem. Leigh had nog nooit een Shriner in een jury gehad die niet tot het uiterste ging om te begrijpen wat de gevolgen van 'buiten gerede twijfel' waren in het echte leven.

'Kunt u me iets over de organisatie vertellen?' vroeg ze.

'We zijn een broederschap gebaseerd op de vrijmetselaarsprincipes van broederliefde, ondersteuning en waarheid.'

Leigh liet hem praten, van het rechtszaaltheater genieten. Ze liep voor de getuigenbank heen en weer, bedacht waar Bladel zou zitten in de jury, hoe ze haar betoog zou inkleden, wanneer ze zich op de forensische aspecten zou richten, wanneer ze haar experts in stelling zou brengen.

Toen draaide ze zich om en zag de vervelde uitdrukking op Andrews gezicht.

Hij keek met een lege blik naar de griffier, totaal niet geïnteresseerd in het kruisverhoor. Hij had de blocnote die ze hem had gegeven maar één keer gebruikt, namelijk vlak nadat ze hun plaatsen hadden ingenomen. Andrew had willen weten waar Tammy was. Hij had verwacht zijn slachtoffer in de rechtszaal te zullen zien, want hij begreep niet hoe een strafproces in zijn werk ging. De staat Georgia had Andrew Tenant beschuldigd van zware misdrijven. Tammy Karlsen was getuige van de staat. De sekwestratieregel verbood haar aanwezigheid bij het proces tot ze als getuige moest aantreden. Zelfs als ze zich heel even op de tribune had laten zien, zou dat waarschijnlijk al op nietigverklaring zijn uitgelopen.

'Dank u,' zei Leigh, die gebruikmaakte van een adempauze bij Mr Bladel. 'Edelachtbare, we aanvaarden deze getuige en verzoeken hem in de jury te laten plaatsnemen.'

'Uitstekend.' Weer gaapte Turner luid vanachter zijn mondkapje. 'Neem me niet kwalijk. Hiermee is deze zitting beëindigd. Ze wordt morgen om tien uur voortgezet. Ms Collier, Mr Carmichael, zijn er nog zaken die mijn aandacht verdienen?'

Tot Leighs verbazing stond Dante op.

'Edelachtbare,' zei hij, 'als punt van huishoudelijke aard zou ik mijn lijst met getuigen graag willen wijzigen. Ik heb twee toevoegingen –'

'Edelachtbare,' onderbrak Leigh hem. 'Het is aan de late kant om opeens met twee nieuwe getuigen te komen.'

De rechter schonk haar een snijdende blik. Mannen die interrumpeerden hadden hart voor hun zaak. Vrouwen die dat deden waren lastig. 'Ms Collier, ik meen me te herinneren dat ik heb ingestemd met uw eigen buitengewoon late verzoek om wisseling van advocaat.'

Het was een waarschuwing. 'Dank u, edelachtbare, voor het goedkeuren van de wisseling. Ik wil maar al te graag doorgaan, maar ik zou graag willen verzoeken om uitstel van –'

'Uw twee beweringen zijn met elkaar in tegenspraak,' zei Turner. 'Of u wilt graag doorgaan of u wilt dat niet.'

Leigh wist dat ze de strijd had verloren. Dante wist het ook. Hij gaf haar het dossier toen hij naar de rechter liep om hem een kopie te overhandigen. Leigh zag dat hij Lynne Wilkerson en Fabienne Godard had toegevoegd, twee vrouwen van wie ze nog nooit had gehoord. Toen ze de pagina aan Andrew voorlegde, keurde hij die amper een blik waardig.

'Goedgekeurd,' zei Turner. 'Zijn we klaar?'

'Edelachtbare,' zei Dante, 'ik zou ook om een spoedbehandeling willen verzoeken ter herroeping van de voorwaardelijke invrijheidsstelling.'

'Ben je hele–' Leigh hield zich net op tijd in. 'Edelachtbare, dat is belachelijk. Mijn cliënt is al ruim een jaar voorwaardelijk vrij en heeft alle gelegenheid gehad om te vluchten. Hij is hier om met al zijn inzet aan zijn verdediging deel te nemen.'

'Ik heb een schriftelijke verklaring van Mr Tenants reclasseringsbeambte waarin vijf afzonderlijke gevallen worden genoemd waarbij Mr Tenant heeft gerommeld met de werking van zijn enkelband.'

'Dat is een zeer belastende omschrijving van wat duidelijk een technische kwestie is die de reclassering nog moet oplossen,' zei Leigh.

Met een handgebaar verzocht Turner om de verklaring. 'Laat eens zien.'

Weer kreeg Leigh een eigen kopie. Vluchtig nam ze de bijzonderheden door, die minder dan één pagina besloegen en bestonden uit de tijdstippen en data waarop het alarm was afgegaan, maar de mogelijke oorzaken werden slechts kort genoemd: mogelijk geknoei met optische kabel, mogelijk blokkeren van gps-signaal, mogelijke verbreking van ingestelde gebiedsgrens.

Ze deed haar mond al open om erop te wijzen dat 'mogelijk' geen 'bewijs' was, maar ze hield zich in. Waarom probeerde ze Andrew uit de gevangenis te houden?

Het plan B. De videobanden. Callie. Maddy.

Leigh voelde het achtbaankarretje langzaam heuvelopwaarts klikken. Waarom was ze er zo zeker van dat Walter haar had aangegeven? Waar was dat intuïtieve gevoel op gebaseerd?

Misschien is het een slecht idee om weer een tienermeisje aan een vuile verkrachter bloot te stellen?

'Ms Collier, ik wacht,' zei Turner.

Snel schakelde ze over op haar rol als verdediger. 'Dit valse alarm heeft de afgelopen twee maanden vier keer plaatsgevonden, edelachtbare. Waarin verschilt het laatste geval, behalve dat we vier dagen van het proces verwijderd zijn en dat we midden in een pandemie zitten, van de andere? Hoopt Mr Carmichael dat mijn cliënt besmet raakt in de cel?'

Turner schonk haar een scherpe blik. Je werd geacht te zwijgen over het feit dat gevangenen kanonnenvoer voor corona waren. 'Let op uw woorden, Ms Collier.'

'Ja, edelachtbare,' zei ze aarzelend. 'Ik wil simpelweg nogmaals benadrukken dat mijn cliënt niet vluchtgevaarlijk is.'

'Mr Carmichael,' zei Turner. 'Wat is daarop uw reactie?'

'Vluchten is hier niet aan de orde, edelachtbare,' zei Dante. 'We baseren ons verzoek op het feit dat Mr Tenant van vergelijkbare misdrijven wordt verdacht. Hij heeft met zijn enkelband geknoeid om ontdekking te voorkomen.'

Turner keek ontstemd door het gebrek aan details. 'Over wat voor misdrijven gaat het?'

Dante probeerde zich om de vraag heen te bluffen. 'Daar ga ik liever niet nader op in, edelachtbare, maar laat ik volstaan met te zeggen dat het een halsmisdaad betreft.'

Dat hij de doodstraf aan de orde stelde, vond Leigh ontmoedigend. Het was duidelijk een gok van Dante. Wat de moord op Ruby Heyer betrof ontbrak het hem aan bewijs. Of hij probeerde tijd te kopen om Andrews alibi onderuit te kunnen halen, of hij wilde Andrew zo bang maken dat hij bekende.

'Edelachtbare,' zei ze, 'zoals u weet is dat een zeer ernstige beschuldiging. Ik verzoek de aanklager zijn zaak hard te maken of zijn mond te houden.'

Turner keek Leigh met samengeknepen ogen aan. Ze dreef het te veel op de spits. 'Ms Collier, zou u dat laatste willen herformuleren?'

'Nee, edelachtbare, dank u. Het is denk ik duidelijk wat ik bedoel. Mr Carmichael heeft geen bewijs dat er met de enkelband van mijn cliënt is geknoeid. Hij komt met mógelijke redenen, maar heeft niets concreets. Wat die halsmisdaad betreft, worden we soms geacht in het verlengde van zijn –'

Turner legde haar met opgestoken hand het zwijgen op. Hij leunde achterover. Zijn vingers rustten op de onderkant van zijn mondkapje. Hij keek naar de lege tribune.

Nu zijn vrijheid in het geding was, toonde Andrew eindelijk enige interesse. Hij hief zijn kin om Leigh bij zich te roepen zodat ze kon uitleggen wat er aan de hand was. Ze stak een vinger op ten teken dat hij moest wachten.

Op tv deden rechters gewoonlijk snel uitspraak, maar dat kwam doordat hun tekst in een script stond. In het echte leven namen ze alle tijd om over de details na te denken, de opties af te wegen, te anticiperen op de mogelijkheid dat hun vonnis in hoger beroep nietig zou worden verklaard. Dan leek het alsof ze zomaar wat voor zich uit staarden. Turner stond erom bekend hier uitzonderlijk veel tijd voor te nemen.

Leigh ging weer zitten. Ze zag Jacob op een blocnote schrijven om het zwijgen van de rechter aan Andrew uit te leggen. Andrew had nog niet gereageerd op de twee nieuwe namen op Dantes getuigenlijst. Lynne Wilkerson en Fabienne Godard. Behoorden ze tot de drie eerdere slachtoffers van wie Reggie lucht had gekregen? Of waren het nieuwe slachtoffers, die zich hadden gemeld toen ze hadden gezien dat Andrew voor de rechter moest verschijnen?

Walter had het vaak bij het rechte eind, maar nooit zo onomstotelijk als wat Leighs rol betrof bij de wandaden van Andrew Tenant. Door haar zwijgen kon hij nog steeds anderen iets aandoen. Ze had het bloed van Ruby Heyer aan haar handen. Erger nog, want Leigh was bereid geweest Tammy Karlsen aan te pakken om te voorkomen dat Andrew de video's naar buiten bracht. Ze had niet te diep willen nadenken over de gevolgen van Andrews invrijheidstelling. Nog meer misbruikte vrouwen. Nog meer geweld. Nog meer vernietigde levens.

Hun prachtige dochter die haar huis moest ontvluchten.

'Goed,' zei Turner.

Leigh en Dante stonden op.

Turner keek Andrew aan. 'Mr Tenant?'

Leigh gebaarde dat Andrew moest opstaan.

'Ik vind deze berichten over de defecten aan uw enkelband zeer verontrustend,' zei Turner. 'Hoewel niet duidelijk is waarom het alarm is afgegaan, moet u goed begrijpen dat ik uw vrijstelling van voorlopige hechtenis niet herroep zolang er verder niets meer gebeurt. Is dat duidelijk?'

Andrew keek Leigh aan.

Ze schudde haar hoofd, want de rechter had in zijn voordeel beslist. 'Je voorwaardelijke invrijheidstelling wordt niet ingetrokken. Dus niet meer met je enkelband kloten.'

Ze voelde Andrews grijns. 'Ja, edelachtbare. Dank u.'

Turner gaf een klap met zijn hamer. De bode kondigde het einde van de zitting aan. De griffier begon haar spullen te verzamelen.

Jacob zei tegen Leigh: 'Ik stel profielen op en die mail ik je later vanavond. Ik ga ervan uit dat we het weekend doorwerken?'

'Ja.' Leigh zette haar werktelefoon weer aan. 'Ik wil dat jij morgen de ondervragingen doet. Ik zeg tegen Cole Bradley dat ik je tot mijn co-advocaat benoem.'

Jacob keek verbaasd, maar hij was te opgetogen om naar de reden te vragen. 'Dank je!'

Leigh kreeg een brok in haar keel. Het voelde goed om voor de verandering iets positiefs te doen. 'Je hebt het verdiend.'

Ze keek op haar telefoon toen Jacob wegliep. Ze begon een mail aan Bradley op te stellen. Haar handen trilden nog niet. Dante en Miranda schakelden bij het verlaten van de zaal ook hun telefoons in. Het achtbaankarretje viel weer recht naar beneden, naar Walter die met de politie praatte. Leigh moest Callie die avond nog zien te vinden. Haar zus had het recht om te weten wat voor hel ze kon verwachten.

'Harleigh.'

Leigh had Andrew even uit haar gedachten gebannen. Nu keek ze op.

Zijn mondkapje was af. Hij stond bij de getuigenbank. 'Komt Tammy hier te zitten?'

Leigh verzond de mail naar Bradley en liet haar telefoon in haar tas vallen. 'Wie zijn Lynne Wilkerson en Fabienne Godard?'

Hij rolde met zijn ogen. 'Jaloerse ex-vriendinnen. De een is aan de drank, de ander is gestoord.'

'Je zult met een beter verhaal moeten komen,' zei Leigh. 'Die vrouwen hebben niet in een impuls besloten om zich vandaag te melden. Dante heeft ze achter de hand gehouden. Die vrouwen zitten straks op de getuigenbank en dan doen ze precies waarvoor ik je met het oog op Sidney heb gewaarschuwd.'

'En dat is?'

'Voor een jury getuigen dat je een sadist bent die te ruig is in bed.'

'Daar kan ik niks tegen inbrengen,' zei Andrew. 'Maar de geschiedenis leert dat ze zich met een financieel lokkertje snel laten overhalen om het erbij te laten.'

'Dat heet omkoping en beïnvloeding van getuigen.'

Hij haalde zijn schouders op, want het boeide hem niet. 'Reggie wacht je op bij je auto. Geef hem de lijst met de juryleden die tot nu toe geselecteerd zijn. Die gaat hij bestuderen om te zien of er zwakke plekken zijn die we kunnen benutten.'

'Hoe weet Reggie waar mijn auto staat?'

'Tss,' siste hij, hoofdschuddend om zoveel domheid. 'Snap je nu nog niet, Harleigh, dat ik jou of je zus op elk gewenst moment weet te vinden?'

Leigh weigerde hem te laten merken hoezeer ze van slag was. Andrew volgde haar met zijn blik toen ze de rechtszaal uit liep. Ze keek op haar privételefoon. Met haar duim drukte ze op de aan-uitknop. Ze bleef naar het schermpje kijken, in afwachting van het signaal.

Ze was in het trappenhuis toen de berichten binnenstroomden. Walter had zes keer gebeld. Maddy twee keer. Ze hadden allebei een voicemail ingesproken. Met haar telefoon tegen haar borst gedrukt daalde ze de trap af. Ze ging de voicemails beluisteren als ze in de auto zat. Dan mocht ze huilen van zichzelf. Ze ging haar zus zoeken. Daarna zou ze bedenken wat haar te doen stond.

Er liepen nog allerlei mensen in de hal rond. De metaaldetectoren waren afgesloten. Er werd die dag geen recht meer gesproken. Twee agenten stonden op wacht bij de uitgang. Ze knikte naar Walters vriend. Hij knip-oogde bij wijze van antwoord.

Zonlicht spoelde over haar gezicht toen ze het plein overstak. Weer zoemde haar telefoon. Deze keer was het niet Walter of Maddy, maar Nick Wexler met een nieuwe DTF?. In gedachten nam Leigh al een reeks beleefde afwijzingen door, tot ze besefte dat het Nick niets uitmaakte. Ze waren nauwelijks minnaars geweest. Ze waren nooit bevriend geweest. En zodra haar misdaden geopenbaard werden, zouden ze waarschijnlijk elkaars vijanden zijn.

Ze liet haar arm met de telefoon weer zakken. Bij het stoplicht stak ze de straat over. Ze had haar Audi geparkeerd in de garage tegenover het plein. Vóór covid had het er vol gestaan met auto's van bezoekers van de restaurants, bars en boetieks langs de straten van het centrum van Decatur. Die ochtend had ze al op de begane grond een mooie plek gevonden.

De plafondlampen flikkerden manisch toen ze door de parkeergarage liep. Schaduwen dansten om de drie auto's die dicht bij de ingang aan de voorkant stonden geparkeerd. De overige plekken waren leeg, op die van haar Audi na, die onderaan de helling stond. Uit gewoonte liet ze haar huissleutel tussen haar vingers uitsteken. Met die donkere schaduwen en het lage plafond was dit bij uitstek een plek waar vrouwen verdwenen.

Leigh huiverde. Ze wist hoe het afliep met vrouwen die verdwenen.

Ze keek op haar telefoon om te zien hoe laat het was. Reggie was waar-schijnlijk al onderweg om de jurylijst in ontvangst te nemen. Leigh had voldoende ervaring met bittere echtscheidingszaken om te weten hoe de privédetective haar Audi zou opsporen. Ze streek met haar hand langs de onderkant van de achterbumper. Ze voelde in de wielkasten. De gps-tracker zat in een magnetische doos boven haar rechterachterwiel.

Leigh smeet de doos op de grond. Ze opende haar kofferbak. Zonder nadenken toetste ze de combinatie in van de kluis die ze met bouten aan de vloer had laten bevestigen. Ze was dan wel een voorstedelijke moeder, dom was ze niet. Haar Glock lag in de kluis. Soms stopte ze haar tas erin als ze geen zin had die met zich mee te slepen. Nu had ze een plek nodig om de politiefoto's van Ruby Heyer in te bewaren. Ze liet haar hand op het dossier rusten. Ze dacht aan het mes dat uit de vrouw had gestoken. Aan de staat van Andrews blauwe plekken.

'Leigh?'

Ze draaide zich om en zag tot haar schrik Walter staan. Ze keek achter hem om te zien of hij de politie had meegenomen.

Walter draaide zich ook om. 'Wat is er?' vroeg hij.

Leigh slikte het speeksel weg dat haar mond was binnengestroomd. 'Is Maddy veilig?'

'Ze is bij mijn moeder. Ze zijn vertrokken nadat we vanochtend gepraat hadden.' Hij sloeg zijn armen over elkaar. Zijn woede was nog niet bedaard, maar was nu wel gericht. 'Ruby Heyer is dood. Wist je dat?'

'Andrew heeft het gedaan,' zei Leigh.

Hij keek niet verbaasd, want niets van dit alles verbaasde hem nog. Natuurlijk was Andrew een stap verder gegaan. Natuurlijk had hij iemand uit Leighs omgeving vermoord. Walter had dat de vorige avond al voorspeld.

'Keely moest gesedeerd worden,' zei hij. 'Maddy is er kapot van.'

Leigh verwachtte dat hij nu ging opbiechten wat hij had gedaan, maar toen besefte ze hoe wreed het was om hem de woorden te laten uitspreken. 'Het geeft niet. Ik weet dat je naar de politie bent geweest.'

Hij fronste zijn wenkbrauwen. Zijn mond ging open, toen weer dicht, toen weer open. 'Denk je dat ik mijn eigen vrouw aan de smerissen verlink?'

Leigh stond met haar mond vol tanden.

'Fuck, Leigh. Denk je echt dat ik je dat zou aandoen? Je bent de moeder van mijn kind.'

Schuldgevoel spoelde haar stalen vastberadenheid weg. 'Het spijt me. Je was zo kwaad op me. Je bent nog steeds heel kwaad.'

'Wat ik zei...' Hij strekte zijn armen naar haar uit, maar liet ze toen weer zakken. 'Wat ik zei was verkeerd, Leigh, maar je dacht niet na. Of je dacht te diep na en ging ervan uit dat alles goed zou komen omdat je veel te slim bent om het te laten ontsporen.'

Haperend haalde ze adem.

'Je bént ook slim, Leigh. Je bent verdomd slim. Maar je hebt niet alles in de hand. Je moet anderen toelaten.'

Hij zweeg om haar te laten reageren, maar het ontbrak haar aan woorden.

'Wat jij nu doet, de hele handel afbreken in de veronderstelling dat jij de enige bent die het weer op kan bouwen, dat werkt niet. Dat heeft nog nooit gewerkt.'

Daar kon ze niets tegen inbrengen. In de loop van de jaren hadden ze over duizenden variaties op dit thema van mening verschild, maar nu accepteerde ze voor het eerst dat hij honderd procent gelijk had.

Ze sprak de mantra hardop uit die ze altijd voor zich had gehouden. 'Het is mijn schuld. Het is allemaal mijn schuld.'

'Voor een deel wel, maar wat dan nog?' Walter deed alsof het zo eenvoudig was. 'Laten we de koppen bij elkaar steken en een oplossing bedenken.'

Ze sloot haar ogen. Ze dacht aan die broeierige avond in Chicago toen Callie hun haar geschenk had gebracht. Vóór die dramatische klop op de deur had Leigh uiteindelijk toegegeven en was bij Walter op schoot gekropen. Ze had zich als een kat tegen hem aan gevlijd. Nog nooit had ze zich bij iemand zo veilig gevoeld.

Nu zei ze wat ze toen niet tegen hem had kunnen zeggen. 'Ik kan niet leven zonder jou. Ik hou van je. Je bent de enige man voor wie ik zoiets ooit zal voelen.'

Hij aarzelde, en weer brak haar hart. 'Ik hou ook van jou, maar zo gemakkelijk is het niet. Ik weet niet of we dit ooit achter ons kunnen laten.'

Leigh slikte. Ze had eindelijk de bodem bereikt van zijn schijnbaar bodemloze put van vergevingsgezindheid.

'Laten we het over het probleem hebben dat voor ons ligt,' zei hij. 'Hoe kunnen we je redden? Hoe kunnen we Callie redden?'

Leigh veegde haar tranen weg. Het zou zo gemakkelijk zijn om Walter een deel van de last te laten dragen, maar toch zei ze: 'Nee, schat, ik mag jou hier niet bij betrekken. Maddy heeft een van ons als ouder nodig.'

'Ik onderhandel niet,' zei hij, alsof hij een keuze had. 'Je zei dat Andrew een plan b heeft. Dat betekent dat iemand anders kopieën van de video's heeft. Klopt dat?'

'Dat klopt,' zei Leigh om hem tegemoet te komen.

'Dus, wie kan dat zijn?' Walter voelde haar weerstand. 'Kom op, sweetheart. Wie vertrouwt Andrew? Hij heeft vast niet veel vrienden. Het moet iets tastbaars zijn, een usb-stick of een externe harde schijf. Hij pleegt een telefoontje, zijn plan b haalt het ding tevoorschijn, zet het op internet en gaat ermee naar de politie. Waar zou het bewaard worden? In een bankkluis? In een safe? Een bagagekluis op het station?'

Leigh wilde haar hoofd al schudden, maar opeens dook het meest voor de hand liggende antwoord op, dat vanaf het allereerste begin binnen bereik was geweest.

Zowel de hoofdserver als de back-upserver zitten in die afgesloten kast daar.

'Andrews privédetective, Reggie,' zei ze. 'Hij heeft een server. Hij schepte op over de fantastische encryptie en dat hij geen back-up naar de cloud maakt. Ik wil wedden dat hij de kopieën op die server heeft opgeslagen.'

'Weet Reggie er ook van?'

Ze haalde haar schouders op, maar tegelijkertijd schudde ze haar hoofd. 'Hij is er nooit bij wanneer Andrew met zijn bullshit aankomt. Het enige waar hij om geeft is geld. Andrew is zijn bank. Mocht Andrew gearresteerd worden, dan voert hij het plan B uit, zonder dat er vragen worden gesteld.'

'Oké, dan gaan we achter die server aan.'

'Je bedoelt dat we gaan inbreken?' Nu moest Leigh een grens stellen. 'Nee, Walter. Dat sta ik niet toe, en het lost ook niets op. Andrew heeft nog altijd de originelen.'

'Help me dan iets anders te bedenken.' Haar redenering irriteerde hem, dat was duidelijk. 'Maddy heeft haar moeder nodig. Ze heeft de hele dag gehuild en gevraagd waar je was.'

De gedachte aan Maddy die om haar riep terwijl ze er niet was, was hartverscheurend.

'Sorry dat ik zo'n waardeloze moeder ben,' zei ze. 'En vrouw. En zus. Je had gelijk. Ik probeer alles van elkaar gescheiden te houden en het enige wat het oplevert, is dat iedereen gestraft wordt.'

Walter sloeg zijn ogen neer. Hier viel niets op te zeggen. 'We gaan de server stelen, oké? En dan moeten we de originelen zien te vinden. Waar zou Andrew die bewaren? Niet op dezelfde plek als de server. Waar woont hij?'

Leigh perste haar lippen op elkaar. Hij dacht het niet ver genoeg door. Reggies kantoor was 's avonds waarschijnlijk gesloten. Er was geen zichtbare beveiliging. Het haakslot op zijn kast was moeiteloos open te breken. Je had alleen een schroevendraaier nodig om de schroeven te verwijderen.

Bij Andrew thuis waren camera's en een beveiligingssysteem en hoogstwaarschijnlijk ook Andrew zelf, die al iemand had vermoord en er geen misverstand over liet bestaan dat hij bereid was anderen iets aan te doen.

'Leigh?' zei Walter. Hij was er helemaal klaar voor. 'Vertel eens over Andrews huis. Waar woont hij?'

'We zijn niet *Ocean's Eleven*, Walter. We hebben geen ninja en geen kluizenkraker.'

'Dan kunnen we –'

'Zijn auto opblazen? Zijn huis in de fik steken?' Leigh kon het even bont maken als hij. 'Of misschien kunnen we hem martelen tot hij het vertelt. We kleden hem uit, ketenen hem aan een stoel, rukken zijn nagels uit, trekken zijn tanden. Had je zoiets in gedachten?'

Walter wreef over zijn wang. Hij deed hetzelfde wat Leigh had gedaan dat eerste jaar na haar verhuizing naar Chicago.

Mr Patterson. Coach Holt. Mr Humphrey. Mr Ganza. Mr Emmett.

Leigh had duizenden keren gefantaseerd hoe ze op gruwelijke wijze een einde aan hun walgelijke bestaan zou maken – door hen levend te verbranden, hun pik af te snijden, hen te vernederen, te straffen, te vernietigen – tot ze had beseft dat haar moordlust was uitgedoofd in de troosteloze keuken van de Waleski's aan Canyon Road.

'Toen ik Buddy doodde,' zei ze, 'verkeerde ik in een soort… laten we het schemertoestand noemen. Ik was het. Ik deed het. Maar ik was het niet. Het was het meisje dat hij in de auto had gemolesteerd. Het was het meisje van wie hij het zusje had verkracht, het zusje dat rondgecommandeerd werd, aangeraakt en bepoteld en uitgelachen, dat voor leugenaar, bitch en hoer werd uitgemaakt. Begrijp je wat ik zeg?'

Hij knikte, maar hij kon het onmogelijk echt begrijpen. Walter was nooit met zijn sleutels tussen zijn vingers naar zijn auto gelopen. Hij had nooit vol zwarte humor grapjes gemaakt over verkracht worden in een parkeergarage, want fysieke kwetsbaarheid zat niet in het emotiepakket van haar man.

Ze legde haar hand tegen zijn borst. Zijn hart ging tekeer. 'Sweetheart, ik hou van je, maar je bent geen moordenaar.'

'We bedenken wel een andere manier.'

'Er is geen…' Ze zweeg, want op de timing van Reggie Paltz was niets aan te merken. Hij sprong over het hek in plaats van om te lopen naar de ingang. 'Hij is hier. Die privédetective. Laat me even met hem praten, oké?'

Walter keek achterom.

Toen keek hij nog eens.

'Is dat 'm?' vroeg hij. 'Reggie, de privédetective?'

'Ja,' zei Leigh. 'Ik zou hier –'

Zonder te waarschuwen zette Walter het op een rennen.

Reggie was op tien meter afstand. Hij kreeg de tijd niet om te reageren. Hij deed zijn mond open om te protesteren, maar Walter sloeg die weer dicht met zijn vuist.

'Walter!' Leigh rende op hem af om hem tegen te houden. 'Walter!'

Hij zat schrijlings op Reggie, maaiend met zijn vuisten. Bloed spatte over het beton. Ze zag een stuk tand, slierten bloederig slijm. Botten die kraakten als aanmaakhoutjes. Reggies neus werd platgeslagen.

'Walter!' Leigh probeerde zijn hand te grijpen. Als ze hem niet tegenhield, vermoordde hij Reggie. 'Walter, alsjeblieft!'

Een laatste klap, en Reggies mond barstte open. Zijn kaak hing opzij. Zijn lichaam verslapte. Walter had hem knock-out geslagen. Toch hief hij opnieuw zijn vuist om hem nog eens te raken.

'Nee!' Nu had ze zijn hand te pakken, die ze zo stevig mogelijk vastklemde. Zijn spieren waren als kabels. Zo had ze hem nog nooit meegemaakt. 'Walter.'

Hij keek naar haar op, nog steeds razend. Woede verwrong zijn gezicht. Zijn borst zwoegde bij elke ademtocht. Bloed striemde over zijn shirt, doorsneed zijn gezicht.

'Walter,' fluisterde ze, terwijl ze het bloed uit zijn ogen veegde. Hij was drijfnat van het zweet. Ze voelde dat hij zijn spieren spande om het beest in zichzelf in toom te houden. Ze keek de parkeergarage rond. Er was niemand, maar ze wist niet hoelang dat nog duurde. 'We moeten hier weg. Opstaan.'

'Hij was het.' Walter liet zijn hoofd hangen. Hij klemde haar hand vast. Ze keek naar zijn op- en neergaande schouders toen hij zichzelf weer onder controle probeerde te krijgen. 'Hij was daar.'

Leigh keek weer om zich heen. Ze waren op meters afstand van een gerechtsgebouw vol politie. 'Vertel het maar in de auto. We moeten hier weg.'

'De musical,' zei Walter. 'Daar was Reggie. Hij zat in het publiek tijdens Maddy's musical.'

Leigh liet zich op de grond zakken. Ze was weer verdoofd, zo ontdaan dat ze alleen nog maar kon luisteren.

'In de pauze.' Walter hijgde nog steeds. 'Hij kwam een praatje met me maken. Ik weet niet meer met wat voor naam hij zich voorstelde. Hij zei dat hij nieuw was. Hij zei dat zijn dochter daar op school zat. Hij zei dat zijn broer bij de politie was, en toen hadden we het over de vakbond en...'

Leigh sloeg haar hand voor haar mond. Ze dacht weer aan de pauze, aan het moment waarop ze van haar stoel was opgestaan en de aula had rondgekeken op zoek naar Walter. Hij had staan praten met een man met kort, donker haar, die de hele tijd met zijn rug naar haar toe had gestaan.

'Leigh.' Walter keek haar aan. 'Hij vroeg naar Maddy. Hij vroeg naar jou. Ik dacht dat hij ook een vader was.'

'Dat was een smoes.' Leigh kon het niet aanhoren, dat schuldgevoel dat op zijn stem sloeg. 'Je kon er niks aan doen.'

'Wat weet hij nog meer?' vroeg Walter. 'Wat zijn ze van plan?'

Weer keek Leigh om zich heen. Er was nog steeds niemand. De enige aanwezige camera's registreerden de auto's die in en uit reden. Reggie was over het hek gesprongen in plaats van de ingang aan de voorkant te nemen.

'Stop hem in de kofferbak,' zei ze. 'Daar komen we wel achter.'

17

Leigh deed een stap terug toen Walter de kofferbak opende. Reggie was nog buiten westen. Het was niet nodig geweest een stuk van de sleepkabel te snijden of zijn handen vast te binden met de rol ducttape die Leigh in haar pechset bewaarde. Haar man, haar lieve, wijze man, had hem bijna vermoord.

Walter draaide zich om en keek om zich heen. Het parkeerterrein bij Reggies kantoor was verlaten, maar de straat was twintig meter verderop en werd slechts door een rommelige rij leylandcipressen aan het oog onttrokken. Walter had de Audi naast de afbrokkelende betonnen trap geparkeerd. De zon was inmiddels onder, maar het terrein baadde in het licht van xenonlampen.

Ze hield de Glock in haar hand uit angst voor wat Walter zou doen als hij de kans kreeg het wapen te gebruiken. Zo bruut had ze hem nog nooit meegemaakt. Hij bevond zich duidelijk op de rand van een donkere afgrond. Leigh weigerde over haar aandeel in zijn neergang na te denken, maar ze wist dat zij die in gang had gezet door er dom genoeg van uit te gaan dat ze alles onder controle had.

Walter wilde Reggie al pakken, maar toen keek hij Leigh weer aan. 'Is er een alarm?'

'Dat weet ik niet,' zei Leigh. 'Ik kan me niet herinneren dat ik er een gezien heb, maar waarschijnlijk wel.'

Walter stak zijn hand in Reggies voorzak en haalde er een volle sleutelbos uit. Die gaf hij aan Leigh. Er zat voor haar niets anders op dan hem bij de auto achter te laten zodat zij de glazen voordeur kon openen. Ze liet haar blik door de hal gaan op zoek naar het toetsenpaneel van een alarm.

Niets.

Grommend begon Walter Reggie uit de kofferbak te hijsen.

Ze probeerde verschillende sleutels voor ze er een kon ronddraaien. De deur ging open. Ze knikte naar Walter. Ze keek even de straat door en liet haar blik over het parkeerterrein gaan. Haar hart klopte zo luid in haar oren dat ze haar man niet meer hoorde grommen en kreunen toen hij Reggie in een brandweergreep over zijn schouders hees. Worstelend onder het gewicht beklom Walter de trap, waarna hij Reggie op de vloer van de hal dumpte.

Leigh keek niet. Ze wilde Reggies gehavende gezicht niet zien. Ze draaide de glazen deur op slot. 'Zijn kantoor is boven,' zei ze tegen Walter.

Walter hees Reggie weer op zijn schouders. Hij ging als eerste naar boven. Leigh stak de Glock diep in haar tas, maar ze hield haar hand om het wapen. Haar vinger lag langs de trekkerbeugel, zoals Walter het haar had geleerd. Je legde je vinger pas om de trekker als je het wapen wilde gebruiken. De veiligheidspal ontbrak op het pistool. Als je de trekker overhaalde, ging het af. Leigh wilde niet voor nog een moord worden aangeklaagd omdat ze in haar schrik een vreselijke fout had begaan.

Maar ze maakte zich niet alleen zorgen om zichzelf. Bij moord maakte het niet uit wie de trekker had overgehaald. Vanaf het moment waarop Walter Reggie in de kofferbak had gelegd, waren ze medeplichtig aan elkaars misdaden.

Op het tussenbordes bleef Walter even staan om Reggies gewicht te verplaatsen. Hij haalde weer zwoegend adem, meer beest dan man. Tijdens de rit had hij heel weinig gezegd. Ze hadden geen plan gemaakt, want er viel niets te plannen. Ze gingen de server zoeken. Ze gingen het plan B vernietigen. Over wat er daarna gebeurde, wilden ze geen van beiden nadenken.

Leigh passeerde het tussenbordes. Ze dacht aan Andrew, die nog maar drie dagen geleden op dezelfde plek had gestaan. Hij was kwaad geweest toen hij het over het verlies van zijn vader had gehad. Ze had haar interne waarschuwingssignaal genegeerd. Ze was bezeten geweest van de vraag wat Andrew echt wilde, terwijl hij het recht in haar gezicht had gezegd.

Ons leven was kapot toen mijn vader verdween. Ik wil dat degene die voor zijn verdwijning verantwoordelijk is, weet hoe dat voelde.

Dat was wat Andrew Tenant wilde: wat er nu met Walter gebeurde, dat hun prachtige dochter zich moest verschuilen, dat Callie nergens te vinden was. Andrew wilde dat alles waarom Leigh gaf, alles waarvan ze ooit had gehouden tot chaos verviel, zoals zijn leven was verwoest toen Buddy stierf. Ze had hem recht in de kaart gespeeld.

Walter was inmiddels aan het einde van de gang. Hij boog zich voorover. Reggies voeten gingen naar de grond en zijn rug ging tegen de muur. Walter hield hem met zijn vuist tegen zijn borst overeind. Reggie kreunde en rolde met zijn hoofd.

'Hé!' Walter gaf hem een tik in zijn gezicht. 'Wakker worden, eikel.'

Weer rolde Reggies hoofd heen en weer. Het licht van het parkeerterrein viel door het raam en bescheen de schade die Walter had aangericht. Het linkeroog van de man was zo opgezwollen dat het dicht zat. Zijn kaak hing er vreemd los bij. Van de rug van zijn neus was alleen wat rozig bot over omdat de huid daar was weggeslagen.

Leigh zocht naar de sleutel van Reggies kantoor en stak met trillende handen de sleutels een voor een in het slot.

'Kom op.' Walter gaf Reggie weer een klap. 'Wakker worden, verdomme.'

Reggie hoestte.

Bloed spoot tegen Walters gezicht, maar hij vertrok geen spier. 'Wat is de code van het alarm?'

Reggies kaak knakte. Hij ademde zacht piepend uit.

'Kijk me aan, klootzak.' Met zijn duimen tegen Reggies ogen drukte Walter ze open. 'Zeg wat de code van het alarm is of ik sla je hartstikke dood.'

Leigh kreeg kippenvel van angst. Ze keek op van het slot. Ze wist dat het geen loos dreigement van Walter was. Reggie wist het ook. Het gepiep werd luider toen hij geluid probeerde te produceren met een kaak die Walter uit de scharnieren had geslagen.

'D-Drie...' begon hij. Het cijfer kwam moeizaam en gedempt over zijn lippen. 'Negen... zes... drie.'

Leigh voelde de laatste sleutel aan de ring in het slot glijden, maar ze maakte de deur niet open. 'Het kan een truc zijn,' zei ze tegen Walter. 'Misschien gaat er dan een stil alarm af.'

'Als dat gebeurt, schieten we een kogel door zijn kop en nemen we de server mee. Dan zijn we weg voor de politie hier is.'

Hij klonk zo vastberaden dat het Leigh koud om het hart werd.

Om Reggie een kans te geven vroeg ze: 'Weet je het zeker van die code? Drie-negen-zes-drie?'

Reggie hoestte puffend. Pijn trok groeven in zijn gezicht.

'Laat hem het pistool zien,' zei Walter.

Aarzelend haalde ze de Glock uit haar tas. Ze zag het wit van Reggies ogen toen hij naar het wapen staarde. Stilletjes zei ze tegen zichzelf dat Walter blufte. Hij moest wel bluffen. Ze gingen niemand vermoorden.

Walter wrong het wapen uit haar hand. Hij drukte de loop tegen Reggies voorhoofd. Zijn vinger lag langs de trekkerbeugel. 'Wat is de code?' herhaalde hij.

Reggies hele lijf verkrampte toen hij hoestte. Zijn mond ging niet meer dicht. Kwijl mengde zich met bloed toen het van zijn lip op zijn shirt droop.

'Vijf.' Walter begon af te tellen. 'Vier. Drie.'

Leigh zag zijn vinger naar de trekker glijden. Hij blufte niet. Ze deed haar mond al open om hem tegen te houden, maar Reggie was haar voor.

'Achterstevoren,' zei hij. Het woord klonk morsig van inspanning. 'Drie, zes, negen, drie.'

Walter hield het wapen nog steeds tegen Reggies hoofd. 'Probeer eens,' zei hij tegen Leigh.

Ze draaide de sleutel om en opende de deur. Gepiep vulde het donkere ontvangsthalletje. Ze volgde het geluid door de korte gang. Het toetsenpaneel zat in het kantoor zelf. Een rode knop flikkerde. Het gepiep werd sneller, telde de seconden af tot het alarm overging.

Leigh voerde de code in. Er gebeurde niets. Voorovergebogen probeerde ze te bedenken wat ze moest doen. Het gepiep werd nog sneller. Het alarm kon elk moment afgaan. De telefoon zou rinkelen, iemand zou naar een wachtwoord vragen, en dat ging Reggie echt niet geven. Als hij tegen die tijd nog leefde, want Walter had al gezegd wat er zou gebeuren.

'Fuck,' fluisterde ze, terwijl ze de cijfers bekeek. Het woord UIT stond in kleine letters onder de 1-knop. Ze toetste de code weer in en eindigde met de 1.

Het paneel gaf een laatste, lange piep.

De rode knop werd groen.

Leigh sloeg haar hand tegen haar hart, maar ze was nog steeds bang dat de telefoon zou overgaan. In de stilte spitste ze haar oren. Het enige wat ze hoorde, was de deur in de aangrenzende ruimte die werd dichtgedaan, toen het slot dat werd omgedraaid, toen de zware voetstappen van Walter, die Reggie de gang door sleepte.

Het licht ging aan. Leigh liet haar tas op de bank vallen. Ze liep naar het raam om de jaloezieën te sluiten. Twee vragen joegen elkaar na in haar hoofd. *Wat moesten ze doen? Hoe liep dit af?*

Walter duwde Reggie op een van de stoelen. Ze schrok toen hij de rol ducttape achter uit zijn broek haalde. Die had hij uit de kofferbak van haar auto meegenomen, wat betekende dat hij alles doorgedacht had. Erger nog: hij had een plan en Leigh had het hem aangereikt.

We kleden hem uit, ketenen hem aan een stoel, rukken zijn nagels uit, trekken zijn tanden.

'Walter,' zei ze op smekende toon om hem tot bezinning te brengen.

'Zit daar de server?' Walter wees naar de metalen deur in de achterwand. Het veiligheidsslot had een zwart hangslot dat rechtstreeks uit een militaire catalogus leek te komen.

'Ja,' antwoordde Leigh, 'maar –'

'Maak open.' Walter wikkelde tape om Reggies borst om hem aan de stoel vast te binden. Hij controleerde of zijn polsen nog aan elkaar vast zaten, waarna hij zich op zijn knie liet zakken en Reggies enkels aan de stoelpoten bevestigde.

Leigh was sprakeloos. Het was alsof ze haar man tot waanzin zag vervallen. Hij liet zich niet tegenhouden. Ze kon hem alleen maar volgen tot hij weer bij zinnen was. Ze trok aan het hangslot. De beugel bleef zitten. Er zaten kruiskopschroeven in de metalen deur en in de lijst. In de pechset in de auto had ze een schroevendraaier. Ze had Walter ermee geplaagd toen hij de set in haar kofferbak had gezet, maar nu wilde ze terug in de tijd en het ding in de garage van haar appartementengebouw laten staan, want hij kon haar elk moment naar beneden sturen om het te halen.

Leigh wist dat als ze de twee mannen in de kamer achterliet, ze bij terugkomst maar één van hen levend zou aantreffen.

Walter wikkelde nog meer tape om Reggies polsen. 'En je gaat praten, klootzak.'

Leigh bestudeerde Reggies sleutelbos. Geen enkele sleutel zag eruit alsof hij paste. Het moest een korte sleutel zijn met gedrongen tanden. Toch waagde ze een poging.

Walter sleepte de tweede stoel door de kamer en ging tegenover Reggie zitten, zo dichtbij dat hun knieën elkaar raakten. Het pistool lag op zijn schoot. Zijn vinger rustte tegen de zijkant.

'Waarom was je op de school van mijn dochter?' vroeg hij.

Reggie zweeg. Hij keek naar Leigh, die bij de kast bezig was.

'Niet naar mijn vrouw kijken. Kijk me aan.' Pas toen Reggie deed wat hij zei, herhaalde hij zijn vraag. 'Waarom was je op de school van mijn dochter?'

Reggie antwoordde nog steeds niet.

Met één hand wierp Walter het pistool in de lucht en ving het op bij de loop. Hij gaf Reggie een klap met de kunststof kolf. Die kwam zo hard aan dat zijn stoel bijna omtuimelde.

Leigh had haar hand voor haar mond geslagen om het niet uit te schreeuwen. Op haar schoenen zaten bloedspatten. Op het tapijt zag ze stukjes tand.

Reggies schouders verkrampten. Hij braakte over de voorkant van zijn shirt. Zijn hoofd tolde in het rond. Zijn gezicht was opgezwollen. Zijn linkeroog was verdwenen. Zijn mond hing zo los dat hij zijn tong niet binnen kon houden.

Ontvoering. Zware mishandeling. Marteling.

'Krijg je dat hangslot open?' vroeg Walter.

Leigh schudde haar hoofd. 'Walter –'

'Hé!' Hij sloeg Reggie met zijn volle hand tegen zijn hoofd. 'Waar is-ie, teringlijer? Waar is de sleutel?'

Reggies ogen rolden weer in hun kassen.

Leigh rook de stank van zijn braaksel. 'Hij heeft een hersenschudding,' zei ze. 'Als je hem weer slaat, raakt hij bewusteloos. Of erger.'

Walter keek haar aan, en tot haar ontzetting zag ze dezelfde kille doodsheid die ze in Andrews ogen had gezien.

'Alsjeblieft, Walter,' smeekte ze. 'Denk aan wat we aan het doen zijn. Aan wat we al gedaan hebben.'

Walter wendde zijn blik af. Hij zag alleen het gevaar voor Maddy. Hij richtte de Glock op Reggies gezicht. 'Waar is de sleutel?'

'Walter.' Leighs stem beefde. 'We kunnen de schroeven eruit draaien, oké? We hoeven alleen de schroeven er maar uit te draaien. Alsjeblieft, schat. Leg dat pistool weg, oké?'

Langzaam legde Walter het wapen weer op zijn schoot. 'Opschieten.'

Op trillende benen liep Leigh naar het bureau. Op zoek naar het sleuteltje trok ze laden open en dumpte de inhoud op de vloer. Ze hoopte met heel haar hart dat Walter niet aan de schroevendraaier in haar auto dacht. Ze moest haar man hier weg zien te krijgen, hem weer tot bezinning brengen. Ze moesten hiermee stoppen. Ze moesten Reggie naar het ziekenhuis brengen. En dan zou Reggie rechtstreeks naar de politie gaan, zou Walter gearresteerd worden, zou Andrew de video's openbaar maken en –

Met een schok kwamen Leighs gedachten tot stilstand.

Op de achtergrond had haar brein allerlei verbanden getrokken, haar ingefluisterd dat er iets niet klopte. Ze inventariseerde de voorwerpen op Reggies bureau. Laptop. Zwartleren vloeiblad. Presse-papier van gekleurd glas. Gepersonaliseerde visitekaarthouder.

De briefopener van het merk Tiffany 1837 Makers ontbrak.

Leigh wist dat het achttien centimeter lange, zilveren bureauaccessoire driehonderdvijfenzeventig dollar had gekost. Een paar jaar geleden had ze met kerst eenzelfde exemplaar voor Walter gekocht. Het ding leek op een mes en had een zeer mannelijke uitstraling.

'Walter,' zei ze. 'Ik wil je even op de gang spreken.'

Hij verroerde zich niet. 'Haal de schroevendraaier uit je auto.'

Leigh liep naar de bank. Ze stak haar hand in haar tas. De politiefoto's van Ruby Heyer zaten nog in de map. 'Walter, je moet meekomen naar de gang. Nu.'

Haar afgemeten toon slaagde er op de een of andere manier in door de mist te dringen. Walter stond op. Tegen Reggie zei hij: 'We staan aan de andere kant van die deur. Zodra je iets flikt, schiet ik een kogel door je rug. Begrepen?'

Reggie hief zijn hoofd. Zijn ogen zaten dicht, maar hij kon nog wel bevestigend knikken.

Leigh kwam pas in beweging toen Walter naar de deur liep. Ze voerde hem mee de gang op, maar hij bleef staan voor ze bij de ontvangsthal waren aangekomen, in de buurt van de deur om Reggie in de gaten te houden.

'Wat is er?' vroeg hij met opeengeklemde kaken.

'Herinner je je die briefopener die ik ooit voor je gekocht heb?' vroeg ze. 'Heb je die nog?'

Langzaam keerde Walter zijn hoofd naar haar toe. 'Wat?'

'De briefopener, die van Tiffany die ik ooit voor je gekocht heb. Weet je nog?'

Heel geleidelijk maakte verwarring zich meester van Walters gezicht. Hij leek bijna weer op de man die ze kende.

Leigh bladerde door het dossier van Ruby Heyer, maar schermde de foto's af om te voorkomen dat Walter weer door het lint ging. Ze vond de close-up van het mes dat tussen Ruby's benen uit stak. Maar ze liet hem nog steeds niet zien. Walters carrière had zich grotendeels voor de telefoon of achter een bureau afgespeeld. Hij had nooit een strafzaak gedaan, laat staan met een gewelddadige moord te maken gehad.

'Ik laat je een foto zien,' zei ze. 'Die is erg expliciet, maar je moet hem wel zien.'

Walter keek even achterom naar Reggie. 'Jezus, Leigh, zeg het nou maar.'

Omdat ze wist dat hij er nog niet klaar voor was, nam ze eerst de bijzonderheden met hem door. 'Andrew heeft een alibi voor de moord op Ruby. Luister je?'

Walter knikte, maar hij luisterde niet echt.

'Andrew is gisteravond getrouwd,' zei Leigh, die de informatie even eenvoudig en droog wilde houden als ze voor een jury zou doen. 'Toen de politie hem vanochtend confronteerde met de moord op Ruby, had hij een alibi. Hij liet ze foto's op zijn telefoon zien. Op een van die foto's stond Andrew samen met de cateraar, op een andere met zijn moeder tijdens de cocktailparty en op weer een andere met vrienden terwijl ze wachtten op Sidney zodat het huwelijk voltrokken kon worden.'

Walter spande zijn kaak. Zijn geduld met haar was bijna op.

'Vanochtend vóór de zitting heb ik Andrew gezien. Hij had bijtafdrukken op zijn hals, en hier had hij een schram.' Ze bracht haar hand naar haar gezicht en wachtte tot Walter keek. 'Dat waren afweerwonden. Andrew had vanochtend afweerwonden.'

'Ruby vocht terug,' zei Walter. 'Dus?'

'Nee, denk eens aan die alibifoto's van de vorige avond. Je ziet de bijtafdrukken op Andrews hals, maar de blauwe plekken komen al op. De timing klopt niet. Het bleef me dwarszitten, want ik weet hoelang het duurt voor kneuzingen zo donker worden. Andrew heeft die bijtafdrukken gistermiddag rond een uur of drie, vier opgelopen. Ruby heeft om vijf uur nog met haar gezin gebeld. Andrew heeft foto's waarop hij om halfzes de cateraars ontvangt. De politie denkt dat Ruby rond zes of zeven uur is vermoord. Haar lichaam is om halfacht gevonden. Andrew was de hele tijd thuis, omringd door getuigen.'

Walters ongeduld was tastbaar.

Leigh legde haar hand plat op zijn borst, zoals ze altijd deed wanneer ze zijn onverdeelde aandacht wilde.

Eindelijk keek hij haar aan. Ze zag hem in gedachten de bijzonderheden nalopen en een poging doen er de hoofdpunten uit te halen. 'Ga door,' zei hij ten slotte.

'Ik geloof niet dat Andrew Ruby heeft vermoord. Volgens mij heeft iemand anders dat voor hem gedaan. De moordenaar gebruikte dezelfde modus operandi die Andrew bij zijn andere slachtoffers toepaste. En Andrew zorgde ervoor dat hij een keihard, onwrikbaar alibi had voor het tijdstip waarop het gebeurde.'

Nu had ze Walters onverdeelde aandacht.

'Toen ik drie dagen geleden op Reggies kantoor was, lag er een briefopener op zijn bureau. Hetzelfde soort briefopener dat ik jou ooit voor kerst heb gegeven.' Ze zweeg even om er zeker van te zijn dat hij er klaar voor was. 'Die briefopener ligt niet meer op Reggies bureau. Ook niet in zijn laden.'

Walter keek naar de map. 'Laat maar zien.'

Leigh trok de foto van de plaats delict eruit. Op het stompe, zilveren handvat van de mesvormige briefopener had een slagstempel T&CO MAKERS in het metaal geslagen.

Alle hardheid verliet Walters gezicht. Hij zag de briefopener niet. Hij verbond de stippen in Leighs verhaal niet. Hij zag de vrouw met wie hij had gelachen tijdens tuinbarbecues. De moeder van de vriendin van zijn dochter. Iemand met wie hij grapjes had gemaakt tijdens ouderraadvergaderingen en schoolevenementen. De vrouw wier wrede, intieme dood was vastgelegd op de foto die Leigh hem voorhield.

Zijn hand ging naar zijn hoofd. Tranen sprongen in zijn ogen.

Leigh kon zijn smart niet aanzien. Ze begon ook te huilen. Ze hield de foto bij hem weg. Van al het leed dat ze hem tijdens hun huwelijk had aangedaan, voelde dit het wreedst.

'Je beweert dus… Je bedoelt dat hij…' Het verdriet op Walters gezicht was ondraaglijk. 'Keely heeft er recht op –'

'Ze heeft er recht op het te weten,' maakte Leigh zijn zin af.

'Ik weet niet…' Walter draaide zich om. Hij keek naar Reggie. 'Wat gaan we nu doen?'

Leigh stak haar hand naar het wapen uit en trok het uit zijn samengeklemde vingers. 'Jij gaat weg. Maddy mag jou niet ook nog eens verliezen. Dit is mijn verantwoordelijkheid. Deze hele toestand is mijn schuld. Neem mijn auto en –'

'Nee.' Walter keek naar zijn handen. Hij boog en strekte zijn vingers. Zijn knokkels bloedden. Zweet gutste van zijn lichaam. Zijn DNA zat verspreid over het hele kantoor, in de Audi, in de parkeergarage. 'We moeten nadenken, Leigh.'

'Er valt niks na te denken,' zei ze, want het enige wat ertoe deed, was dat Walter zo ver mogelijk van dit alles verwijderd moest zijn. 'Alsjeblieft, schat, stap in mijn auto en –'

'We kunnen hier gebruik van maken,' zei hij. 'Het is een drukmiddel.'

'Nee, we kunnen niet…' Leigh brak haar zin halverwege af. Er viel niets aan dat 'we kunnen niet' toe te voegen, want ze wist dat hij gelijk had. Ze hadden Reggie ontvoerd en gemarteld, maar Reggie had Ruby Heyer vermoord.

Wederzijds verzekerde vernietiging.

'Ik ga met hem praten,' zei Leigh. 'Goed?'

Na enige aarzeling knikte Walter.

Leigh schoof de map onder haar arm. Ze liep het kantoor weer in.

Reggie hoorde haar komen. Hij keek op met zijn ene troebele oog. Hij draaide zijn hoofd en wierp een blik op Walter, die in de deuropening stond. Toen keek hij weer naar Leigh.

'Dit is niet *good cop, bad cop*.' Leigh toonde hem het pistool. 'Dit zijn twee mensen die je al ontvoerd en geslagen hebben. Denk je dat moord een te grote stap is?'

Reggie bleef afwachtend naar haar opkijken.

'Waar was je gisteravond?'

Reggie zweeg.

'Heeft Andrew je op zijn huwelijk uitgenodigd?' vroeg ze. 'Want je staat op geen van de foto's die hij aan de politie heeft laten zien. Hij heeft alles met zijn telefoon vastgelegd. Hij heeft een onwrikbaar alibi.'

Reggie knipperde met zijn ogen, maar ze voelde zijn onzekerheid. Hij wist niet welke kant dit op ging. Ze kon hem bijna zien rekenen. *Hoeveel wisten ze? Wat gingen ze doen? Hoe groot was de kans dat hij zich hieruit redde? Hoelang zou het duren voor Andrew het hun betaald zette dat ze hem te grazen hadden genomen?*

Leigh besloot Dante Carmichaels methode toe te passen. Ze sloeg de map open en verspreidde met een zwierig gebaar de foto's van de plaats delict over het bureau. In plaats van de close-up van Ruby's hoofdhuid achter te houden, hield ze de foto met de briefopener van Tiffany achter.

'Waar was je gisteravond?' vroeg ze opnieuw.

Hij keek naar de uitgestalde foto's en toen weer naar Leigh. Zijn mond sloot niet omdat zijn kaak los hing. 'Wie?' bromde hij.

'Wie?' herhaalde ze, want die vraag had ze niet verwacht. 'Je weet niet hoe de vrouw heet die je van Andrew moest vermoorden?'

Reggie knipperde nogmaals met zijn ogen. Hij keek oprecht verward. 'Wat?'

Ze liet hem de close-up van de briefopener zien. Opnieuw was zijn reactie onverwacht.

Hij boog zich voorover en draaide zijn hoofd om het beter te kunnen zien met zijn goede oog. Hij bekeek de foto aandachtig. Toen ging zijn blik naar zijn bureau, alsof hij de briefopener zocht. Ten slotte keek hij Leigh weer aan. Hij schudde zijn hoofd.

'Nee,' zei hij. 'Nee-nee-nee.'

'Je was zondagavond op Maddy's school,' zei Leigh. 'Je zag me met Ruby Heyer praten. Heb je Andrew over haar verteld? Moest je haar daarom vermoorden?'

'Ik...' Reggie hoestte. Zijn kaakspieren verkrampten. Voor het eerst keek hij bang. 'Nee. Ik niet. Zei tegen Andrew dat ze bij d'r man weg was. Dat ze het met haar fysiotherapeut deed. Naar een hotel was verkast. Maar ik heb niet... Nee, dat nooit. Alles was oké met haar.'

'Je wilt beweren dat je Ruby Heyer naar het hotel bent gevolgd en dat je Andrew hebt verteld waar ze was, maar dat je verder niets hebt gedaan?'

'Ja.' Hij bleef naar de foto's kijken. 'Ik niet. Nooit.'

Leigh keek naar wat er over was van zijn gezicht. Vanaf het begin had ze hem als een open boek beschouwd. Daar was ze nu minder zeker van. Reggie Paltz toonde haar het soort angst dat ze niet één keer bij Andrew Tenant had gezien.

'Leigh.' Walter zag het ook. 'Weet je het zeker?'

Leigh wist niets meer zeker. Andrew was haar altijd drie stappen voor. Was hij Reggie nu ook al te slim af?

'Ook al is het waar wat je beweert,' zei ze tegen Reggie, 'dan loop je toch kans te worden beschuldigd van samenspanning tot moord. Je hebt tegen een man die verdacht wordt van verkrachting gezegd waar hij een kwetsbare vrouw kon vinden die pas haar gezin had verlaten en nu ergens in haar eentje woonde.'

Huiverend probeerde Reggie zijn angst te onderdrukken.

'En wat je vertelde over hoe Andrew mij op het spoor is gekomen? Je zei dat je hem het artikel in *Atlanta INtown* had laten lezen en dat hij mijn gezicht had herkend. Is dat waar?'

Hij knikte een paar keer snel. 'Ja. Dat zweer ik. Ik las het artikel. Liet het hem zien. Hij herkende je.'

'En toen droeg hij je op mij en mijn gezin te volgen?'

'Ja. Hij betaalde. Dat is alles.' Reggie keek weer naar de foto's. 'Niet dit. Dat zou ik nooit doen. Zou ik niet kunnen.'

Leigh had sterk het gevoel dat hij de waarheid sprak. Ze wisselde een blik met Walter. Zwijgend stelden ze elkaar dezelfde vraag. *Wat nu?*

'De…' Reggies hoest klonk vochtig. Hij richtte zijn oog op de kast met de server. 'Op de rand.'

Walter liep naar de kastdeur. Hij tastte langs de bovenkant van de lijst. Toen liet hij Leigh de sleutel van het hangslot zien. Zijn ogen weerspiegelden Leighs angst.

Ook zonder interne alarmbel wist ze dat dit niet goed was. Ze dacht weer na over de afgelopen vijf minuten, en toen over de afgelopen paar dagen. Reggie was bereid geweest een paar wetten voor Andrew te overtreden. Ze achtte hem zelfs tot moord in staat als hij er goed voor betaald kreeg. Maar dat hij zó'n moord zou plegen ging er bij haar niet in. De bruutheid waarmee Ruby Heyer was afgeslacht, was duidelijk het werk van iemand die genoot van wat hij deed. Een dergelijke mate van razernij kon je niet kopen.

'Moest je van Andrew misschien ook digitale bestanden opslaan?' vroeg ze.

Reggie knikte met een van pijn vertrokken gezicht.

'En die moest je openbaar maken als hem iets overkwam?'

Weer een knikje.

Leigh zag Walter de sleutel in het slot draaien. Hij opende de deur.

Ze had een groot rek verwacht met flitsende onderdelen, iets uit een Jason Bourne-film. Wat ze zag waren twee lichtbruine metalen kisten die op een dossierkast stonden. Ze hadden elk het formaat van een vierliterpak melk. Aan de voorkant flikkerden groene en rode lampjes. Blauwe snoeren kronkelden uit de achterkant en waren met een modem verbonden.

'Heb je die bestanden bekeken?' vroeg ze.

'Nee.' Reggie spande zijn halsspieren toen hij iets wilde zeggen. 'Hij betaalde. Dat is alles.'

'Het zijn filmpjes waarop een kind wordt verkracht.'

Reggie sperde zijn ogen open. Hij begon te beven. Nu was hij pas echt bang.

Leigh kon niet zien of hij walgde of benauwd was voor de juridische gevolgen. Vrijwel alle pedofielen die de FBI ooit had gearresteerd, beweerden geen idee te hebben dat er kinderporno op hun apparaten stond. Als ze vervolgens een deel van hun leven in de gevangenis sleten, vroegen ze zich af of ze met een andere smoes hadden moeten aankomen.

'En nu?' vroeg ze.

'Daar.' Reggie wees met zijn hoofd schuin naar de dossierkast. 'Bovenste la. Achterin.'

Walter verroerde zich niet. Hij was zichtbaar uitgeput. De adrenalinegolf die hem hiernaartoe had gevoerd, was weggeëbd en had plaatsgemaakt voor afschuw over zijn eigen gewelddaden.

Leigh kon dat voorlopig niet verhelpen. Ze trok de bovenste la van de dossierkast open. Ze zag rijen tabs met klantennamen. Toen ze de achterste vijf mappen zag, voelde ze haar hart verschrompelen.

CALLIOPE 'CALLIE' DEWINTER

HARLEIGH 'LEIGH' COLLIER

WALTER COLLIER

MADELINE 'MADDY' COLLIER

SANDRA 'PHIL' SANTIAGO

'Wacht jij maar in de auto,' zei ze tegen Walter.

Hij schudde zijn hoofd. Hij had een te goed hart om haar nu in de steek te laten.

Leigh trok de mappen er met een ruk uit. Ze liep ermee naar het bureau, zodat Walter niet over haar schouder kon kijken. Ze begon met Maddy's dossier, want dat was het belangrijkst.

Als advocaat had ze honderden rapporten van privédetectives onder ogen gehad. Ze zagen er allemaal hetzelfde uit: een logboek, foto's, bonnen. Dat van Maddy verschilde er slechts in één opzicht van: Reggies aantekeningen waren allemaal met de hand geschreven in plaats van als spreadsheet uitgeprint.

Het verslag van haar dochters activiteiten was twee dagen voor de uitvoering van *The Music Man* begonnen en liep door tot aan de vorige middag.

8.12   – carpool naar school met Keely Heyer, Necia Adams en Bryce
        Diaz
8.22   – langs de McDonald's, via drive-through, eet onderweg in auto
8.49   – aankomst bij Hollis Academy
15.05 – gesignaleerd in aula voor repetitie musical
15.28 – op sportveld voor voetbaltraining (vader aanwezig)
17.15 – met vader naar huis

Leigh dacht aan Andrew, die met zijn enkelband had geknoeid, maar ze
weigerde de mogelijkheid te overwegen dat Andrew in de aula had gezeten toen Maddy bij de jongere kinderen was gaan kijken of dat hij bij het
stadion had rondgehangen waar Maddy drie keer per week voetbaltraining had, want de geladen Glock was binnen handbereik.

In plaats daarvan bladerde ze door de dikke stapel kleurenfoto's achter
het logboek. Meer van hetzelfde. Maddy in de auto. Maddy op het podium. Maddy die rekoefeningen deed langs de zijlijn.

Leigh liet de foto's niet aan Walter zien. Hij mocht niet weer in het
beest veranderen dat bereid was Reggie Paltz te doden.

Vervolgens pakte ze Callies map. Het logboek was één dag na dat van
Maddy begonnen. Callie dealde drugs op Stewart Avenue. Ze werkte in
de kliniek van dokter Jerry. Ze verbleef in het motel, daarna was er die
ontmoeting met Leigh, toen zaten ze in haar auto, toen liep Callie naar
het huis van Phil. De foto's waren ter illustratie van het logboek, maar er
was meer: haar zus stond te wachten bij de bushalte, liet haar kat binnen
via het raam in Phils huis, liep langs een winkelcentrum dat Leigh zo goed
kende dat haar ogen prikten toen ze het zag.

Een foto van Callie in een overdekte passage. Ze bevond zich precies
op de plek waar ze de geslachte hompen van Buddy Waleski's lichaam
hadden begraven.

'Waar was je gisteravond?' vroeg Leigh.

'Ik hield…' Hij schraapte zijn keel. Reggie keek angstig. Hij wist dat dit
er slecht uitzag. Hij wist dat zelfs als hij erin slaagde hier weg te komen,
Andrew of de politie hem zou opwachten.

Leigh nam Callies logboek van de vorige dag door. Ze was naar de bibliotheek geweest, daarna was ze naar Maddy's voetbaltraining gegaan, en toen had ze de bus terug naar huis gepakt. Volgens Reggies aantekeningen had hij bij Phils huis staan posten van vijf uur 's middags tot middernacht.

Detectives werden per uur betaald. Het werd doorgaans niet gewaardeerd als je tijd verspilde door een huis in de gaten te houden, tenzij de kans bestond dat de persoon in kwestie naar buiten kwam. Ook zonder het logboek te raadplegen wist Leigh dat Callie nooit buiten kwam nadat ze zich voor de nacht had geïnstalleerd. Haar zus was gehandicapt. Haar verslavingen maakten haar kwetsbaar. Ze ging 's avonds alleen de straat op als het moest.

'Wist Andrew dat je om vijf uur bij Callie postte?' vroeg Leigh.

'Ik belde. Ik moest blijven.' Reggie wist wat haar volgende vraag zou zijn. 'Wegwerptelefoon. De andere... moest ik hier laten.'

'En je logboeken zijn met de hand geschreven, zonder een back-up naar de computer,' zei Leigh.

Reggie knikte bijna onmerkbaar. 'Geen kopieën.'

Leigh keek naar Walter, maar die bestudeerde het kapotte vel op de rug van zijn hand.

'Waar was je op de avond dat Tammy Karlsen werd verkracht?' vroeg ze.

De verbijsterde blik in Reggies ogen maakte van het ene op het andere moment plaats voor ontzetting. 'Andrew huurde... Ik volgde Sidney.'

'Hoe zit het met de geheugenkaartjes van de camera? Heeft Andrew die ook?'

Reggie knikte kort.

'En hij betaalde contant, toch? Dus er zijn geen facturen.'

Hij antwoordde niet, maar dat was ook niet nodig.

Leigh wist dat Reggie niet bij de rest had stilgestaan. Daarom deed ze Andrews volledige plan uit de doeken. 'Hoe zit het met die andere avonden, met de drie vrouwen die werden verkracht in de buurt van plekken waar Andrew vaak kwam? Waar was je toen?'

'Aan het werk,' zei Reggie. 'Exen aan het volgen.'

Leigh dacht aan de namen van de twee nieuwe getuigen op Dantes lijst. 'Misschien Lynne Wilkerson en Fabienne Godard?'

Reggie slaakte een zachte, angstige zucht.

'Jezus,' zei Leigh, want alles viel nu op zijn plaats. 'Hoe zit het met de gps van je auto?'

Hij had zijn oog gesloten. Uit de ooghoek sijpelde bloed. 'Uitgeschakeld.'

Leigh zag hem in gedachten de puzzel leggen. Reggie had voor geen van de verkrachtingen een alibi. Hij had geen alibi voor de moord op Ruby Heyer. Hij had zijn aantekeningen niet op zijn computer ingevoerd. Er waren geen facturen waarop zijn werkzaamheden stonden gespecificeerd. Er was geen telefoon of camera of geheugenkaartje waarop zijn locatie ten tijde van de aanvallen werd aangegeven. Aangevoerd kon worden dat hij het volgsysteem in zijn auto had uitgeschakeld om beschuldiging te vermijden.

Daarom was Andrew geen moment bang geweest. Hij had het zo geregeld dat Reggie voor zijn misdaden opdraaide.

'Fucker,' zei Reggie, want hij besefte het nu ook.

'Walter,' zei Leigh. 'Pak jij de servers. Dan neem ik de laptop.'

Leigh duwde zijn laptop in haar tas. Ze wachtte tot Walter alle kabels en stekkers uit de metalen kisten had getrokken. In plaats van te vertrekken liep ze weer naar de dossierkast. Ze zocht de dossiers van Lynne Wilkerson en Fabienne Godard. Die voegde ze bij de stapel op het bureau, zodat Reggie ze kon zien. 'Ik hou deze allemaal. Ze vormen je enige alibi, dus als jij mij verneukt, verneuk ik jou terug, en niet zo zuinig ook. Begrepen?'

Hij knikte, maar ze wist dat hij zich om de dossiers geen zorgen maakte. Hij maakte zich zorgen om Andrew.

Leigh vond de schaar tussen de spullen uit de bureaula die ze op de vloer had gedumpt. Tegen Reggie zei ze: 'Als ik jou was, zou ik naar het ziekenhuis gaan en daarna een verdomd goeie advocaat zoeken.'

Reggie keek toe terwijl ze de tape om zijn polsen doorknipte.

Dat was alle hulp die ze hem bood. Ze legde de schaar in zijn hand.

Ze verzamelde de gestolen waar. 'Kom, we gaan,' zei ze tegen Walter.

Leigh liet hem als eerste de kamer uit gaan. Ze vertrouwde er nog steeds niet op dat hij Reggie niet weer aanvloog. Zwijgend droeg haar man de servers de trap af. Door de hal. Door de deur naar buiten. Ze gooide alles in de kofferbak. Walter zette de twee servers erbij.

Hij had op de heenweg gereden, maar nu kroop Leigh achter het stuur van haar auto. Ze reed achteruit de parkeerplaats af. Haar lampen streken langs de voorgevel van het gebouw. Ze zag de schim van Reggie Paltz bij het raam van zijn kantoor staan.

'Hij gaat naar de politie,' zei Walter.

'Hij zorgt er eerst voor dat hij weer toonbaar is, en dan pakt hij het eerste vliegtuig naar Vanuatu, Indonesië of de Malediven,' zei Leigh, die een paar van de voorkeurslanden noemde waarmee de Verenigde Staten geen uitleveringsverdrag hadden. 'We moeten Callies filmpjes op zijn server zien te vinden en die vernietigen. De rest bewaren we bij wijze van verzekering.'

'Waarvoor?' vroeg Walter. 'Andrew heeft de originelen nog. We zitten nog steeds klem. Hij heeft ons nog steeds waar hij ons hebben wil.'

'Echt niet,' zei Leigh. 'Dat heeft hij niet.'

'Hij heeft die klootzak betaald om Maddy te schaduwen. Hij weet waar ze is geweest, waar ze naartoe gaat. Hij heeft foto's gemaakt. Ik zag je gezicht toen je die zag. Je was doodsbang.'

Leigh ging er niet tegen in, want hij had gelijk.

'En wat hij met Ruby heeft gedaan. Jezus christus, ze was verminkt. Hij heeft haar niet zomaar vermoord. Hij heeft haar gemarteld en...' Uit Walters keel maakte zich een gesmoorde, smartelijke kreet los. Hij nam zijn hoofd in zijn handen. 'Wat moeten we doen? Maddy is nooit meer veilig. We raken hem nooit meer kwijt.'

Leigh zette de auto aan de kant van de weg. Ze was niet ver van de plek waar ze de auto na de eerste bijeenkomst in het kantoor van Reggie Paltz had stilgezet. Toen was ze misselijk van paniek geweest. Nu nam haar stalen vastberadenheid het over.

Ze hield Walters handen vast. Ze wachtte tot hij haar aankeek, maar dat deed hij niet.

'Ik snap het,' zei hij. 'Ik snap waarom je het gedaan hebt.'

Leigh schudde haar hoofd. 'Waarom ik wat gedaan heb?'

'Callie is altijd meer een soort dochter dan een zus van je geweest. Je hebt je altijd verantwoordelijk voor haar gevoeld.' Eindelijk keek Walter haar aan. In de afgelopen twintig minuten had hij meer gehuild dan ze hem in bijna twintig jaar had zien doen. 'Toen je me vertelde dat je hem had vermoord, dacht ik... Ik weet het niet. Het was te veel om te bevatten. Ik begreep het niet. Er is goed en kwaad en... en dan is er wat jij hebt gedaan...'

Leigh kreeg een brok in haar keel.

'Ik kon me niet voorstellen dat ik ooit iemand zoiets zou aandoen,' ging hij verder. 'Maar toen ik Reggie herkende in de parkeergarage en toen ik besefte welk gevaar Maddy liep… toen zag ik niets meer. Ik was blind van woede. Ik ging hem vermoorden, Leigh. Je wist dat ik hem ging vermoorden.'

Leigh perste haar lippen op elkaar.

'Ik begrijp niet alles van wat je me over toen hebt verteld,' zei Walter. 'Maar dát begrijp ik wel.'

Leigh keek naar haar lieve, vriendelijke man. In het licht van het dashboard hadden de vegen zweet en bloed op zijn gezicht een paarse tint. Zij had hem dit aangedaan. Zij had hun dochter aan gevaar blootgesteld. Zij had haar man in een razende waanzinnige veranderd. Zij moest dit opknappen, en wel meteen.

'Ik moet Callie zoeken,' zei ze. 'Ze heeft het recht te weten wat er is gebeurd. Wat er gaat gebeuren.'

'Wat gaat er dan gebeuren?' vroeg Walter.

'Ik ga doen wat ik drie dagen geleden al had moeten doen,' zei Leigh. 'Ik ga mezelf aangeven.'

18

Callie stond voor de gesloten medicijnkast in de kliniek van dokter Jerry. Ze had Sidneys BMW cabrio dwars over twee parkeerplekken gezet. Het rijden was haar moeilijker afgegaan dan de laatste keer dat ze een auto had gestolen. Het was met veel starten en stoppen gepaard gegaan, al meteen in Andrews garage, waar ze met de rechterkant van de BMW de muur had geschampt toen ze naar buiten wilde rijden. Op de oprit had de achterkant zijn wachttoren van een brievenbus geraakt. De velgen waren tegen verscheidene stoepranden geknald omdat ze bochten verkeerd had ingeschat.

Dat de auto haar verblijf in het spuithol aan Stewart Avenue had overleefd, getuigde van het afstompende effect van heroïne. Ze had Sidneys portefeuille en telefoon mee naar binnen genomen om ze te verhandelen, maar niemand had de dure wielen gestript. Niemand had de raampjes ingeslagen om de radio eruit te rukken. Ze waren of te high om een plan op te stellen of te wanhopig om te wachten tot de heler een koerier had gestuurd.

Callie was daarentegen jammerlijk helder geweest. Het afkicken met methadon had niet hetzelfde effect gehad als al die keren daarvoor. Ze had meteen die verrukkelijke euforische rush verwacht, maar haar lichaam had de heroïne er zo snel doorheen gejast dat ze de high had moeten najagen langs een eeuwige spiraal van wanhoop. De plotselinge misselijkheid die secondelang aanhield, terwijl de vloeistof haar lichaam binnendrong, de vijf korte minuten van gelukzaligheid, de zwaarte die nog geen uur duurde, waarna haar brein zei dat ze *meer, meer, meer* moest hebben.

Dat heette tolerantie, of sensitisatie, wat inhield dat het lichaam een hogere dosis van de drug nodig had om hetzelfde resultaat te bereiken. Uiteraard speelden de mu-receptoren een grote rol bij tolerantie. Herhaalde blootstelling aan opiaten dempte het pijnstillende effect, en hoeveel nieuwe mu's je lichaam ook aanmaakte, die mu's zouden allemaal het geheugen erven van de mu's die eraan vooraf waren gegaan.

Tolerantie was trouwens de reden waarom verslaafden drugs gingen mengen, er fentanyl, oxy of benzo's aan toevoegden of, zoals in de meeste gevallen, zich inspoten met zoveel shit dat ze uiteindelijk met Kurt Cobain zaten te lachen om het feit dat zijn dochter nu ouder was dan hij was geweest op de dag dat hij dat geweer tegen zijn kin had gedrukt.

Misschien zou hij zachtjes dat zinnetje van Neil Young zingen dat hij had aangehaald in zijn zelfmoordbrief: *Better to burn out than to fade away*.

Callie keek naar de medicijnkast, terwijl ze haar woede wakker probeerde te roepen. Andrew in de stadiontunnel. Sidney die lag te kronkelen op de vloer van de kledingkast. Het walgelijke filmpje van Callie en Buddy dat op de tv werd vertoond. Maddy die over het heldergroene veld rende, volkomen zorgeloos omdat ze gekoesterd en bemind werd en zich altijd zo zou voelen.

De eerste sleutel gleed in het slot. Toen de tweede sleutel. Toen was de kast open. Met het lichte gebaar van een expert streek Callie met haar vingers langs de flacons. Methadon, ketamine, fentanyl, buprenorfine. Als het een andere dag was geweest, zou ze zoveel mogelijk flacons in haar zakken hebben gepropt. Nu liet ze ze staan en pakte de lidocaïne. Ze wilde de kast al sluiten toen haar brein haar tegenhield. Op de onderste plank stonden verschillende flacons pentobarbital. De vloeistof was blauw, dezelfde kleur als glasreiniger. De flesjes waren bijna drie keer zo groot als de andere. Ze pakte er een en deed de deuren op slot.

In plaats van naar een behandelkamer ging ze naar de receptie, aan de voorkant van de kliniek. De met tralies beveiligde ramen van vlakglas boden zicht op het parkeerterrein. De straatlantaarns waren kapotgegooid, maar Callie kon Sidneys glimmende cabrio heel goed zien. Verder was het parkeerterrein leeg, op een eenzame rat na die op weg was naar de afvalcontainer. De kapper was dicht. Dokter Jerry zat waarschijnlijk thuis sonnetten voor te lezen aan Meowma Cass, de kitten die nog de fles kreeg. Ze probeerde zichzelf wijs te maken dat het een goed idee was geweest om hier te komen, maar na een leven van overhaaste beslissingen merkte ze dat haar gebruikelijke onverschilligheid ten aanzien van mogelijke gevolgen het liet afweten.

Zeg maar tegen Andy dat hij zijn mes moet komen halen als hij het terug wil.
Callie was niet volslagen atechnisch. Ze wist dat auto's signalen door-
gaven aan gps-satellieten zodat mensen precies wisten waar ze waren. Ze
wist dat Sidneys belachelijk dure BMW fungeerde als een reusachtig neonbord dat Andrew naar haar locatie wees. Ze wist ook dat er al uren waren
verstreken sinds Andrew van zijn juryselectie was ontslagen.

Waarom was hij haar niet komen opzoeken?

Op weg naar de koffiekamer griste Callie een chirurgische set mee.
Haar been deed zo'n pijn dat ze strompelde tegen de tijd dat ze bij de
tafel was aangekomen. Voorzichtig zette ze een kleine en een grote flacon
op tafel. Ze opende de set. Met haar hand op haar dijbeen ging ze zitten.
Onder de spijkerstof voelde het abces in haar been als een roodborsteitje.
Ze drukte erop, want de uitwendige fysieke pijn was beter dan de pijn die
ze vanbinnen voelde.

Ze sloot haar ogen. Ze staakte het gevecht in haar brein tegen het onvermijdelijke en liet in gedachten de film afdraaien.

De veertienjarige Callie die klem lag op de bank.

Alsjeblieft, Buddy, het doet zo'n pijn stop alsjeblieft…

Buddy's enorme lijf dat zich in haar wrong.

Bek houden Callie stil blijven liggen zei ik godverdomme.

Zo had ze het zich niet herinnerd. Waarom had ze het zich zo niet herinnerd? Wat was er mis met haar hoofd? Wat was er mis met haar ziel?

Met een vingerknip kon Callie zich tot in het kleinste detail tienduizend vreselijke dingen herinneren die Phil had gedaan toen ze klein was,
of ze haar nu bewusteloos had geslagen, haar langs de kant van de weg
had achtergelaten of haar midden in de nacht de stuipen op het lijf had
gejaagd omdat de aluhoedjesmannen buiten stonden te wachten met hun
sondes.

Waarom had Callie zich niet één keer in de afgelopen drieëntwintig
jaar willen herinneren hoe vaak Buddy haar had bedreigd, haar door de
kamer had gesmeten, haar had geschopt, bij haar naar binnen was gedrongen, haar had vastgebonden en haar zelfs bijna had gewurgd? Waarom had ze de herinnering verdrongen aan de tienduizend keer dat hij had
gezegd dat het haar schuld was omdat ze te veel huilde of te veel smeekte
of al die dingen niet kon doen die ze van hem moest doen?

Callie hoorde haar lippen smakken. Haar brein had een rechtstreekse
lijn getrokken van Phil naar Buddy naar de gesloten medicijnkast.

Methadon. Ketamine. Buprenorfine. Fentanyl.

Ze had haar rugzak bij Phil opgepikt toen ze het strakke zwarte topje had verwisseld voor haar gescheurde Care Bears-shirt en haar regenboogjasje van geel satijn. Ze had het tot aan haar hals dichtgeknoopt want dat voelde veiliger, bijna als een knuffeldekentje. Haar dopekit zat in de rugzak. Haar afbindriem. Haar aansteker. Haar lepel. Een gebruikte spuit. Een zakje tot aan de rand gevuld met grijswit poeder.

Zonder erbij na te denken ging haar hand naar beneden. Gedachteloos opende ze de kit, en haar spiergeheugen legde de aansteker, de afbindriem en het volle zakje met zijn onbevattelijke mysteries klaar.

De dealer die haar de heroïne had verkocht, was een onbekende geweest. Ze had geen idee waarmee hij het spul had versneden – met baksoda, poedermelk, meth, fenty, strychnine – of zelfs maar hoe zuiver het was geweest voor hij was begonnen. Op dat moment had alleen geteld dat ze veertig dollar had plus wat pillen op recept die waren overgebleven van het debacle met Sidney, en dat die gast voldoende heroïne had om een olifant te doden.

Callie slikte het bloed in haar mond door. Haar lip bleef bloeden omdat ze er steeds weer op beet. Met moeite slaagde ze erin haar aandacht van de dope af te leiden. Ze hees zichzelf iets omhoog uit haar stoel om haar jeans te kunnen uittrekken. In het licht van de plafondlamp had haar bovenbeen de kleur van Elmer's-lijm, met uitzondering van de helderrode, met pus gevulde klodder erbovenop. Voorzichtig streek ze met haar vingers over het abces. Een kloppende warmte drong tot in haar vingertoppen door. Spikkeltjes opgedroogd bloed markeerden de plekken waar ze door de infectie heen had gespoten.

En dat alles voor minder dan vijf minuten van een high die ze nooit, maar dan ook nooit meer te pakken zou krijgen, hoe vaak ze er ook achteraanjoeg.

Fucking junkies.

Ze trok een paar milliliter lidocaïne op, zonder de dosis goed af te meten. Ze keek hoe de naald in het abces verdween. De moeite werd beloond met weer een straaltje bloed. Een pijnscheut bleef uit, want alles in haar lichaam deed nu pijn. Haar nek, haar armen, haar rug, haar knieschijf, die ze in Sidneys kruis had geramd. Het zware gevoel van de heroïne dat haar altijd in een bewusteloze slaap had gebracht, was veranderd in een gewicht waaronder ze uiteindelijk zou bezwijken.

Ze sloot haar ogen toen de lidocaïne zich door het abces verspreidde. Ze luisterde of ze de gorilla hoorde. Probeerde zijn hete adem in haar nek te voelen. De eenzaamheid was grimmig. Sinds die avond in de keuken had ze geleefd met de dreiging van de rondsluipende gorilla aan de horizon, maar nu was er niets. Een paar tellen voor ze Andrew had aangevallen, was het monster de stadiontunnel in verdwenen. De vraag waarom bleef aan Callie knagen. Als ze de vergelijking tot het uiterste doordreef, was de oplossing eenvoudig: al die jaren was niet Buddy Waleski de gorilla geweest.

De woeste, bloeddorstige demon was ze al die tijd zelf geweest.

'Hallo, vriendin,' zei dokter Jerry.

Met een ruk draaide Callie zich naar hem toe, en haar ziel ontvlamde van schaamte. Dokter Jerry stond in de deuropening. Zijn blik gleed over de tafel. Haar dopekit met het volle zakje heroïne. De chirurgische set. De injectiespuit met lidocaïne. De grote flacon pentobarbital.

'Hemeltje.' Nu richtte dokter Jerry zijn aandacht op de enorme rode knobbel op haar been. 'Zal ik daarmee helpen?'

Verontschuldigingen vulden Callies mond, maar haar lippen weigerden ze door te laten. Voor deze situatie bestonden geen excuses. Haar schuld lag uitgesteld als bewijs tijdens een rechtszaak.

'Eens kijken wat we hier hebben, jongedame.' Dokter Jerry ging zitten. Zijn laboratoriumjas was gekreukt. Zijn bril stond scheef. Zijn haar was ongekamd. Ze rook de zurige slaaplucht van zijn adem toen hij voorzichtig met zijn vingers rond het abces drukte. 'Als je een lapjeskat was, zou ik zeggen dat je in een akelig gevecht verzeild was geraakt. Wat uiteraard niet ongebruikelijk is voor een lapjeskat. Die kunnen behoorlijk vechtlustig zijn. Heel anders dan mopshonden, dat zijn notoire babbelkousen. Vooral als je er een paar borrels in giet.'

Callies blik werd wazig van de tranen. De schaamte had zich naar alle uithoeken van haar wezen uitgebreid. Ze kon hier niet doodleuk naar zijn verhalen zitten luisteren.

'Ik zie dat je al bent begonnen met de lidocaïne.' Hij betastte haar been. 'Voelt dit verdoofd genoeg, denk je?'

Callie merkte dat ze knikte, hoewel ze de infectie nog fel voelde branden. Ze moest iets zeggen, maar wat kon ze zeggen? Hoe kon ze haar spijt betuigen voor het feit dat ze hem had bestolen? Zijn praktijk in gevaar had gebracht? Keihard tegen hem had gelogen?

Zich onbewust van dit alles pakte dokter Jerry een paar handschoenen uit de chirurgische set. Voor hij begon, glimlachte hij naar Callie, en hij leidde de behandeling in op dezelfde sussende toon die hij tegen een doodsbange whippet zou aanslaan. 'Het komt goed, jongedame. Het is voor ons allebei een beetje onprettig, maar ik doe het zo snel mogelijk en dan voel je je straks een stuk beter.'

Callie keek naar de koelkast achter hem toen hij het abces opensneed. Ze voelde hoe hij met zijn vingers de infectie uitdrukte, de plek schoonveegde met een gaasje en toen nog eens drukte tot de blaas leeg was. De zoutoplossing waarmee hij de opening spoelde, droop koel langs haar been. Ze kon niet naar beneden kijken, maar ze wist dat hij nauwgezet te werk ging, want hij besteedde altijd alle zorg aan elk ongelukkig dier dat zich bij hem meldde.

'Kijk, alweer klaar.' Dokter Jerry trok zijn handschoenen uit. Hij nam de eerstehulpdoos uit de la en koos een middelgrote pleister. Terwijl hij die over het sneetje plakte, zei hij: 'We moeten het ook even over antibiotica hebben, als je daar geen bezwaar tegen hebt. Ik neem de mijne het liefst verstopt in een stukje kaas.'

Callie kreeg er nog steeds geen woord uit. Ze duwde zich omhoog op de stoel om haar jeans weer aan te trekken. De taille slobberde om haar buik. Ze moest ergens een riem zien te vinden.

Riem.

Ze keek naar haar handen. Ze zag Buddy zijn riem uit zijn broek trekken en strak om haar polsen binden. Drieëntwintig jaar waarin ze alles was vergeten, kwamen tot ontlading in een flikkerende horrorshow die ze niet kon stopzetten.

'Callie?'

Toen ze opkeek, zag ze dokter Jerry geduldig wachten tot ze weer aandacht voor hem had.

'Gewoonlijk kaart ik het onderwerp gewicht niet aan,' zei hij, 'maar in jouw geval lijkt dit me het juiste moment om het over tussendoortjes te hebben. Je hebt duidelijk behoefte aan wat meer calorieën.'

Toen ze haar mond opende, stroomden de woorden naar buiten. 'Het spijt me, dokter Jerry. Ik hoor hier niet te zijn. Ik had niet terug moeten komen. Ik ben een vreselijk mens. Ik verdien uw hulp niet. Of uw vertrouwen. Ik heb u bestolen en ik ben –'

'Mijn vriendin,' zei hij. 'Want dat ben je. Je bent mijn vriendin, al vanaf je zeventiende.'

Ze schudde haar hoofd. Ze was zijn vriendin niet. Ze was een parasiet.

'Herinner je je nog die eerste keer dat je hier aanklopte?' vroeg hij. 'Ik had een briefje opgeplakt dat ik hulp zocht, maar stiekem hoopte ik dat die hulp van een bijzonder iemand zou komen, iemand als jij.'

Zoveel vriendelijkheid kon Callie niet aan. Ze begon zo hard te huilen dat ze naar adem hapte.

'Callie.' Hij hield haar hand vast. 'Niet huilen, alsjeblieft. Er is hier niets wat me verbaast of schokt.'

Ze had opluchting moeten voelen, maar ze voelde zich nog ellendiger, want hij had nooit iets gezegd. Hij had het spel meegespeeld en haar het gevoel gegeven dat ze ermee wegkwam.

'Je hebt het met de kaarten heel slim aangepakt en je hebt je sporen goed verborgen, mocht dat enige troost zijn.'

Het was geen troost. Het was een aanklacht.

'Het bizarre is dat ik ze misschien niet meer allemaal op een rijtje heb, maar zelfs ik zou me een Akita met heupdysplasie nog weten te herinneren.' Hij gaf haar een knipoog, alsof diefstal van receptgeneesmiddelen niets voorstelde. 'Je weet zelf wat een krengetjes die Akita's kunnen zijn.'

'Het spijt me, dokter Jerry.' Tranen stroomden over haar gezicht. Het snot liep uit haar neus. 'Er zit een gorilla op mijn rug.'

'Aha, dan weet je dus dat er de laatste tijd demografische verschuivingen in de gorillawereld hebben plaatsgevonden die tot afwijkend gedrag hebben geleid.'

Een glimlach trilde om Callies lippen. Hij wilde haar niet de les lezen. Hij wilde haar een dierenverhaal vertellen.

Ze ademde haperend in. 'Vertel,' zei ze.

'Zolang je ze de ruimte geeft, zijn gorilla's doorgaans heel vreedzaam. Maar door de mens is die ruimte gekrompen en soms heeft het beschermen van soorten uiteraard ook negatieve gevolgen, met name dat dergelijke soorten zich dan in groten getale weer gaan verspreiden. Heb je ooit een gorilla ontmoet?' vroeg hij.

Ze schudde haar hoofd. 'Niet voor zover ik weet.'

'Nou, dat is dan mooi, want vroeger was het zo dat één bofkont aan het hoofd van de troep stond en alle meiden voor zichzelf had, en reken maar dat-ie tevreden was.' Dokter Jerry bouwde een pauze in voor een dramatisch effect. 'In plaats van erop uit te trekken om zelf een troep te vormen, blijven de jonge mannetjes tegenwoordig waar ze zijn, en omdat ze geen uitzicht op liefde hebben, vallen ze zwakkere, solitaire mannetjes aan. Dat is toch niet te geloven?'

Callie veegde met de rug van haar hand langs haar neus. 'Dat is vreselijk.'

'Dat is het zeker. Jonge mannen zonder doel kunnen heel lastig zijn. Neem mijn jongste zoon bijvoorbeeld. Op school werd hij vreselijk gepest. Heb ik je ooit verteld dat hij met verslaving worstelde?'

Callie schudde haar hoofd, want ze had nog nooit van een jongere zoon gehoord. Ze wist alleen van de zoon in Oregon.

'Zachary was veertien toen hij begon te gebruiken. Het kwam door gebrek aan vriendschap, weet je. Hij was heel eenzaam, maar hij werd wel geaccepteerd door een groep jongeren van het soort waarvan we liever niet hadden dat hij ermee omging. Ze waren de *stoners* van de school,' legde dokter Jerry uit, 'als dat woord nog in gebruik is. En lidmaatschap van de club betekende dat je met drugs experimenteerde.'

Toen Callie op de middelbare school zat, was ze een vergelijkbare groep in gezogen. Nu waren die mensen allemaal getrouwd, hadden ze kinderen en reden ze in mooie auto's, terwijl zij narcotica stal van de enige man die haar ooit oprechte vaderlijke liefde had getoond.

'Een week voor zijn achttiende verjaardag stierf Zachary.' Dokter Jerry liep door de koffiekamer, trok kastjes open en deed ze weer dicht tot hij het trommeltje met Animal Crackers had gevonden. 'Ik heb Zachary niet voor je geheim willen houden, lieve kind. Hopelijk begrijp je dat bepaalde onderwerpen te moeilijk zijn om over te praten.'

Callie knikte, want ze begreep meer dan hij wist.

'Mijn schat van een vrouw en ik hebben er alles aan gedaan om onze zoon te helpen. Daarom ging zijn broer aan de andere kant van het land wonen. Bijna vier jaar lang was al onze aandacht op Zachary gericht.' Dokter Jerry kauwde een handvol Animal Crackers weg. 'Maar we konden niets doen, weet je. De arme jongen zat hopeloos verstrikt in zijn verslaving.'

Callies junkiebrein maakte een rekensommetje. Een jongste zoon moest in de jaren tachtig zijn opgegroeid, en dat betekende crack. Als cocaïne verslavend was, dan was crack verwoestend. Callie had Crackhead Sammy het vel van zijn arm zien krabben omdat hij ervan overtuigd was dat parasieten zich aan het ingraven waren.

'Tijdens Zachary's korte leven was er al veel onderzoek naar het destructieve verloop van verslaving gedaan, maar als het om je eigen kind gaat hoop je dat het anders loopt. Je gaat ervan uit dat ze beter weten, of dat ze op de een of andere manier anders zijn, maar hoe bijzonder ze ook zijn, ze zijn net als ieder ander. Ik schaam me als ik mijn gedrag overdenk. Als ik die laatste paar maanden kon overdoen, zou ik de kostbare uren benutten om tegen Zachary te zeggen dat ik van hem hield in plaats van tegen hem te schreeuwen dat hij aan een moreel gebrek leed, geen karakter had, zijn familie haatte en dat hij daardoor niet wilde stoppen.'

Hij rammelde met de koekjestrommel. Callie wilde niet, toch stak ze haar hand uit en keek toe hoe hij er tijgers, kamelen en neushoorns uit schudde.

Dokter Jerry nam zelf ook een handvol en ging weer zitten. 'De dag nadat we Zachary hadden begraven, kreeg June de diagnose borstkanker.'

Callie had hem zelden de naam van zijn vrouw hardop horen uitspreken. Ze had June nooit ontmoet. De vrouw was al dood geweest toen Callie het briefje op het raam van de kliniek had gelezen. Deze keer hoefde er geen junkierekenkunde aan te pas te komen. Toen ze bij dokter Jerry had aangeklopt, was ze zeventien geweest, even oud als Zachary toen hij aan een overdosis was bezweken.

'Vreemd genoeg doet de pandemie me denken aan die periode in mijn leven. Eerst verloren we Zachary, en nog voor we tijd hadden gehad om te rouwen, lag June in het ziekenhuis. En daarna ging het heel snel met haar. Een zegen, maar ook een schok. Ik vergelijk het als volgt met het heden: op dit moment in ons leven ervaart de hele wereld een soort rouwuitstel. Alleen al in de Verenigde Staten zijn ruim een half miljoen mensen gestorven. Het aantal is te overweldigend om te kunnen accepteren, en daarom gaan we door met ons leven en doen wat we kunnen, maar uiteindelijk haalt dat onthutsende verlies ons in. Het weet je altijd te vinden, toch?'

Callie pakte nog wat Animal Crackers toen hij haar de trommel voorhield.

'Je ziet er niet goed uit, vriendin,' zei hij.

Omdat ze daar niets tegen in kon brengen, zweeg ze.

'Een tijdje geleden had ik toch zo'n vreemde droom,' zei hij. 'Die ging over een heroïneverslaafde. Heb je er weleens eentje ontmoet?'

Callie kreeg een zwaar gevoel. Ze hoorde niet thuis in zijn grappige verhalen.

'Ze leven op de donkerste, eenzaamste plekken, wat heel treurig is, want het is algemeen bekend dat het geweldig zorgzame schepsels zijn.' Hij hield zijn hand voor zijn mond, alsof hij haar een geheimpje toevertrouwde. 'Vooral de dames.'

Callie hield een snik in. Dit verdiende ze niet.

'Heb ik verteld dat ze een voorliefde voor katten hebben? Niet om op te eten, maar als disgenoten.' Dokter Jerry hief zijn handen. 'O, en ze staan bekend om hun innemendheid. Het is vrijwel onmogelijk om niet van ze te houden. Alleen een door en door hardvochtig individu zou aan die neiging weerstand kunnen bieden.'

Callie schudde haar hoofd. Hij mocht haar niet zomaar vrijpleiten.

'Bovendien zijn ze befaamd om hun vrijgevigheid!' Dokter Jerry keek verrukt bij dat woord. 'Er zijn er die honderden dollars in de kas hebben gestort om andere, kwetsbaardere schepsels te helpen.'

Callie had nu zo'n loopneus dat ze het niet meer op kon snuiven.

Dokter Jerry haalde zijn zakdoek uit zijn achterzak en bood haar die aan.

Callie snoot haar neus. Ze dacht aan zijn droom over de vasthoudende, oplossende vis en over de ratten die gif opsloegen in hun stekelige vacht en voor het eerst bedacht ze dat dokter Jerry misschien helemaal niet van de metaforen was.

'Weet je wat het is met verslaafden?' zei hij. 'Als je je hart eenmaal voor die schavuiten hebt opengesteld, moet je wel van ze houden. Wat er ook gebeurt.'

Ze schudde haar hoofd, weer omdat ze zijn liefde niet verdiende.

'Pulmonale cachexie?' vroeg hij.

Callie snoot haar neus om haar handen iets te doen te geven. Ze was de hele tijd zo verdomd doorzichtig geweest. 'Ik wist niet dat u ook verstand had van mensendokterdingen.'

Hij leunde achterover, met zijn armen over elkaar geslagen. 'Je verbruikt meer calorieën om te kunnen ademen dan je binnenkrijgt via je voedsel. Daarom word je zo mager. Cachexie is een slopende ziekte. Maar dat weet je, hè?'

Callie knikte weer, want een andere arts had dat al eens uitgelegd. Ze moest meer eten, maar niet te veel eiwitten, want haar nieren waren naar de knoppen, en ook niet te veel bewerkt voedsel, want haar lever functioneerde nauwelijks. Verder had hij geknetter in haar longen gehoord, was er op haar röntgenfoto's een wit waas als van gemalen glas te zien, vielen haar nekwervels uit elkaar, had ze vroege artritis in haar knie, en zo waren er nog wat dingen, maar tegen die tijd had ze al niet meer geluisterd.

'Je hebt niet lang meer, hè?' vroeg dokter Jerry. 'Niet als je zo doorgaat.'

Callie beet op haar lip tot ze weer bloed proefde. Ze dacht aan haar jacht op de high in het spuithol, aan het groeiende besef dat ze een punt had bereikt waarop de heroïne alleen de pijn niet meer wegnam.

'Mijn oudste zoon, mijn enig overgebleven zoon, wil dat ik bij hem kom wonen,' zei hij.

'In Oregon?'

'Dat vraagt hij al sinds die miniberoertes. Ik zei dat ik bang was dat ik als ik naar Portland verhuis van Antifa geen gluten meer mag eten, maar...' Hij slaakte een diepe zucht. 'Mag ik je iets toevertrouwen?'

'Natuurlijk.'

'Ik ben hier al vanaf je vertrek gistermiddag. Meowma Cass vond al die aandacht heerlijk, maar...' Hij haalde zijn schouders op. 'Ik was de weg naar huis vergeten.'

Callie beet hard op haar lip. Ze was hier al drie dagen niet meer geweest. 'Zal ik het voor u opschrijven?'

'Ik heb het op mijn telefoon opgezocht. Wist je dat dat kan?'

'Nee,' zei ze. 'Wat verbazingwekkend.'

'Zeg dat wel. Die wijst je de weg en zo, maar ik vind het zeer verontrustend dat mensen zo makkelijk te vinden zijn. Ik mis anonimiteit. Mensen hebben het recht te verdwijnen als ze dat willen. Dat is toch een persoonlijke beslissing? Iedereen heeft recht op autonomie. Als medemensen zijn we steun aan ze verschuldigd wat hun beslissingen betreft, ook al zijn we het er niet mee eens.'

Callie wist dat het nu niet meer over het internet ging. 'Waar is uw pick-up?'

'Die staat achter geparkeerd,' zei hij. 'Raar, hè?'

'Idioot,' zei ze, hoewel dokter Jerry zijn pick-up altijd aan de achterkant parkeerde. 'Ik wil wel met u meegaan zodat u de weg naar huis terugvindt.'

'Dat is heel nobel van je, maar niet nodig.' Weer pakte hij haar hand. 'Alleen dankzij jou heb ik de afgelopen maanden kunnen werken. En ik begrijp wat een offer je daarvoor hebt gebracht. Wat het je kost om dit te kunnen doen.' Hij keek naar haar dopekit op tafel.

'Het spijt me,' zei ze.

'Je hoeft je nooit maar dan ook nooit tegenover mij te verontschuldigen.' Hij bracht haar hand naar zijn mond en drukte er een kusje op voor hij losliet. 'Goed, wat willen we hier bereiken? Ik zou het vreselijk voor je vinden als het fout gaat.'

Callie keek naar de pentobarbital. Op het etiket stond euthasol, en de naam gaf al aan waarvoor het gebruikt werd. Dokter Jerry dacht te begrijpen waarom ze het uit de kast had gepakt, maar hij vergiste zich.

'Ik ben een levensgevaarlijke Deense dog tegengekomen,' zei ze.

Hij krabde nadenkend over zijn kin. 'Dat is ongebruikelijk. Zoiets is duidelijk aan de eigenaar te wijten. Deense doggen zijn doorgaans zeer vriendelijke, barmhartige kameraden. Ze worden niet voor niets zachtaardige reuzen genoemd.'

'Deze heeft anders niets zachtaardigs,' zei Callie. 'Hij heeft het op vrouwen voorzien. Hij verkracht ze, martelt ze. En hij dreigt mensen om wie ik geef iets aan te doen. Zoals mijn zus. En mijn… En de dochter van mijn zus. Maddy. Die is nog maar zestien. Ze heeft haar hele leven nog voor zich.'

Nu begreep dokter Jerry het. Hij pakte de flacon. 'Hoe zwaar is dat beest?'

'Ik schat tachtig kilo.'

Hij bestudeerde het etiket. 'Freddy, de schitterende Deense dog die wereldrecordhouder grootste hond op aarde was, woog bijna negentig kilo.'

'Wat een enorme hond.'

Hij zweeg. Ze zag dat hij in gedachten aan het rekenen was.

Ten slotte zei hij: 'Voor alle zekerheid zou ik zeggen dat je minstens twintig milliliter nodig hebt.'

Callie liet de lucht tussen haar lippen door ontsnappen. 'Dat is een grote spuit.'

'Het is ook een grote hond.'

Callie dacht na over haar volgende vraag. Normaal gebruikten ze een infuus en sedeerden ze een dier voor ze het lieten inslapen. 'Hoe zou u dat toedienen?'

'De halsader is heel geschikt.' Hij dacht nog even door. 'De snelste manier is intracardiaal. Rechtstreeks in het hart. Dat heb je toch weleens gedaan?'

Callie had het in de kliniek gedaan, maar vóór narcan zo gemakkelijk verkrijgbaar was, had ze het ook op straat gedaan. 'En verder?' vroeg ze.

'Het hart zit op een as in het lichaam. De linkerkamer zit dus het verst naar achteren en is het gemakkelijkst te bereiken, klopt dat?'

Het duurde even voor Callie het had gevisualiseerd. 'Dat klopt.'

'Binnen enkele seconden treedt het sedatieve effect al in werking, maar om het schepsel naar het hiernamaals te sturen is de gehele dosis nodig. En uiteraard verkrampen de spieren. Je hoort ook een doodsrochel.' Hij glimlachte, maar zijn ogen stonden bedroefd. 'Neem me niet kwalijk dat ik het zeg, maar het lijkt me een zeer gevaarlijke onderneming voor iemand met jouw tengere bouw.'

'Dokter Jerry,' zei Callie, 'weet u nu nog niet dat ik leef voor gevaar?'

Hij grijnsde, maar de droefheid bleef.

'Ik vind het heel erg,' zei ze, 'wat er met uw zoon is gebeurd, maar u moet weten dat hij altijd van u gehouden heeft. Hij wilde stoppen. Een deel van hem, in elk geval. Hij wilde een normaal leven zodat u trots op hem kon zijn.'

'Ik waardeer je woorden meer dan ik kan zeggen,' zei dokter Jerry. 'Je bent een heerlijk lichtpunt in mijn leven geweest, vriendin. Onze band heeft me alleen maar vreugde gebracht. Beloof me dat je dat niet vergeet.'

'Beloofd,' zei ze. 'En hetzelfde geldt voor u.'

'Aha.' Hij tikte tegen de zijkant van zijn voorhoofd. 'Dat is iets wat ik nooit zal vergeten.'

Toen zat er voor hem niets anders op dan te vertrekken.

Callie vond Meowma Cass opgerold op de bank in de spreekkamer. De poes was te slaperig om beledigd te protesteren toen ze in de kattenmand werd gezet. Callie mocht haar zelfs op haar ronde buikje kussen. De flesvoeding had haar vruchten afgeworpen. Cass was nu sterker. Die redde het wel.

Dokter Jerry was lichtelijk verbaasd toen hij zag dat zijn pick-up achter het gebouw geparkeerd stond, maar Callie bewonderde zijn vermogen zich aan nieuwe situaties aan te passen. Ze hielp hem eerst een veiligheidsriem rond de draagmand te bevestigen en hielp hem toen met zijn eigen riem. Ze zeiden geen van beiden iets toen hij de motor startte. Ze bracht haar hand naar zijn gezicht. Toen boog ze zich vooover en kuste hem op zijn mottige wang, waarna ze hem liet vertrekken. De pick-up reed langzaam de steeg uit. De linkerrichtingaanwijzer begon te knipperen.

'Fuck,' mompelde Callie, en ze zwaaide om zijn aandacht te trekken. Ze zag hem terugzwaaien. De linkerrichtingaanwijzer ging uit en de rechter ging aan.

Zodra hij om de hoek was verdwenen, liep ze het gebouw weer in. Ze voelde een paar keer aan de deur om er zeker van te zijn dat hij in het slot was gevallen. Als ze even niet oppletten, glipten die fucking junkies naar binnen.

De spuiten van twintig milliliter werden in de kennel bewaard. Ze werden zelden gebruikt. Toen Callie er een in haar hand hield, was haar enige gedachte dat hij veel groter was dan ze had verwacht. Ze nam hem mee naar de koffiekamer. Ze haalde de dop van de naald. Ze trok de juiste dosis pentobarbital uit de flacon. De plunjer stond bijna bovenaan. Toen ze de dop er weer op deed, was de spuit van boven naar onderen ongeveer zo hoog als een paperback.

Callie stopte de volle spuit in haar jaszak. Hij paste precies van hoek tot hoek.

Ze stak haar hand in haar andere zak. Haar vingers raakten het mes.

Gebarsten houten heft. Gebogen lemmet. Callie had er Andrews hotdog mee in stukken gesneden, want anders zou hij het hele ding in zijn mond hebben gepropt en erin zijn gestikt.

Waar was Andrew nu?

Sidneys auto stond buiten, als een welkomstbord bij een parkeerhaven. Callie had zijn lievelingsmes gestolen. Ze had ervoor gezorgd dat zijn vrouw de eerstkomende zes weken niet recht zou kunnen pissen. Ze had zijn videorecorder en zijn videoband achter het rek in de elektronicakast gevonden. Ze had gaten gestoken in zijn witleren banken en lange, felle strepen over zijn smetteloze muren gekrast.

Waar wachtte hij nog op?

Callies oogleden werden zwaar. Het was bijna middernacht. De dag had haar uitgeput en de volgende dag werd het er niet gemakkelijker op. Nu ze dokter Jerry de waarheid had verteld, had haar lichaam op de een of andere manier geaccepteerd dat ze eindelijk de rekening gepresenteerd kreeg voor haar verdorven gedrag. Alles deed pijn. Alles voelde verkeerd.

Ze keek naar haar dopekit. Ze zou nu kunnen spuiten, kunnen proberen de high na te jagen, maar je zou net zien dat Andrew opdook wanneer ze begon te knikkebollen. Het was niet de bedoeling dat de patholoog de gigantische spuit in haar zak vond. Die was bedoeld om Andrew te laten inslapen, zodat Maddy veilig zou zijn en Leigh verder kon met haar leven.

Het idee was niet eens een plan, maar afgezien daarvan was het even dwaas als gevaarlijk. Dokter Jerry had gelijk. Callie was te tenger en Andrew was te fors, en het moest in één keer goed, want bij een nieuwe poging zou hij erop voorbereid zijn dat ze finaal over de rooie ging.

Ze zou de volgende vijf minuten of uren kunnen benutten om een betere manier te bedenken, een slinksere manier, maar Callie had nooit te ver vooruit kunnen kijken, en door de pinnen en staven in haar nek kon ze al helemaal niet achteromkijken. Het enige wat in haar voordeel werkte, was haar vastberadenheid om dit af te maken. Misschien kwam het uiteindelijk niet goed, maar het zou in elk geval het einde zijn.

Vrijdag

19

Het had net middernacht geslagen toen Leigh door de beveiligingstralies tuurde die op de voorste ramen van dokter Jerry's donkere wachtkamer zaten. Ze was ervan uitgegaan dat de oude man dood was, maar de surveillancefoto's die Reggie had gemaakt toonden aan dat hij nog leefde. Op de Facebook-pagina van de kliniek stonden recente foto's van dieren die er behandeld waren. Aan de namen had Leigh het werk van Callie herkend. Cleocatra. Mewssolini. Meowma Cass. Binx, wat kennelijk de echte naam was van Fucking Bitch, of kortaf Fitch.

Natuurlijk was Callie de kat uit *Hocus Pocus* niet vergeten, een film die ze zo vaak hadden gezien dat zelfs Phil stukken tekst was gaan citeren. Leigh zou hebben gelachen als ze niet zo wanhopig op zoek was geweest naar haar zus. Meestal was het een opluchting als ze Callie twee dagen niet had gesproken. Nu spookten alleen de ergste scenario's door haar hoofd: gedonder met Andrew, een verkeerde dosis drugs, een telefoontje van de spoedeisende hulp, een agent aan de deur.

'Weet je zeker dat ze hier is?' vroeg Walter.

'Dat was dokter Jerry die we net passeerden. Ze moet hier zijn.' Leigh tikte met haar vingers op de ruit. Ze vertrouwde de zilverkleurige BMW niet die twee parkeerplekken voor het gebouw in beslag nam. Ze waren niet in zomaar een slechte buurt, ze waren in Fulton County. Volgens de kentekenplaat kwam de auto uit DeKalb, waar Andrew woonde.

'Het is laat, sweetheart.' Walter legde zijn hand onder op haar rug.

'Over zeven uur hebben we die afspraak met de advocaat. Misschien vinden we Callie niet voor die tijd.'

Leigh kon hem wel door elkaar schudden, want hij begreep het niet. 'We moeten haar nu vinden, Walter. Zodra Andrew Reggie niet kan bereiken, weet hij dat er iets mis is.'

'Maar hij weet niet wat.'

'Hij is een roofdier. Hij volgt zijn instinct,' zei Leigh. 'Denk eens na. Reggie is weg, dan verneemt Andrew dat voir dire is uitgesteld, en ik ben nergens te vinden. Ik zweer je dat hij dan alle video's online zet of dat hij de oorspronkelijke moordfilm aan de politie laat zien, of... Wat hij ook doet, Callie mag hier niet zijn als hij wraak komt nemen. We moeten haar zo snel mogelijk de stad uit zien te krijgen.'

'Die gaat de stad niet uit,' zei Walter. 'Dat weet jij ook. Dit is haar thuis.'

Leigh was niet van plan de keuze aan haar zus te laten. Callie moest verdwijnen. Daar viel niet over te discussiëren. Ze tikte nog harder op de ruit.

'Leigh,' zei Walter.

Zonder naar hem te luisteren liep ze een eindje door. Ze maakte een kommetje van haar handen om beter in de donkere wachtkamer te kunnen kijken. Haar hart klopte in haar keel. Haar vecht-of-vluchtmodus tolde als een reuzenrad rond. Ze kon haar leven alleen nog in brokjes van vijf minuten aan, want als ze voorbij die vijf minuten probeerde te denken, zou er een sneeuwbaleffect ontstaan en zou ze het feit onder ogen moeten zien dat het leven zoals ze dat kende elk moment voorbij kon zijn.

Ze moest en zou haar zus beschermen tegen de naderende lawine.

'Leigh,' zei Walter opnieuw.

Als ze niet zo bezorgd was geweest om haar man, zou ze hebben geschreeuwd dat hij niet de hele tijd haar naam moest zeggen.

Ze waren allebei uitgeput en in shock door wat ze met Reggie hadden gedaan. Dat ze het grootste deel van de avond doelloos hadden rondgereden, had hun onrust niet doen afnemen. Ze waren langzaam langs Phils huis gereden, hadden op deuren geklopt in Callies goedkope motel, hadden in naburige motels receptionisten wakker gemaakt, waren langs drugsholen gereden, hadden de balie van het politiebureau gebeld, verpleegkundigen van vijf verschillende spoedafdelingen gesproken. Het was net als vroeger, en het was nog steeds vreselijk en emotioneel slopend, en ze hadden haar zus nog steeds niet gevonden.

Leigh gaf het niet op. Ze was het aan Callie verplicht haar voor de video's te waarschuwen.

Ze was het aan Callie verplicht haar eindelijk de waarheid te vertellen.

'Daar.' Walter wees door de tralies net toen het licht aanging in de wachtkamer. Callie droeg jeans en een jasje van geel satijn, dat Leigh nog kende van de brugklas. Ondanks de hitte had ze het tot aan haar hals dichtgeknoopt.

'Cal!' riep Leigh vanachter het raam.

Niet dat haar zus ook maar iets sneller ging lopen bij het horen van haar dringende toon. Walter had gelijk wat dat kleurtje betrof. Callies huid leek wel van goud. Maar het ziekelijke was er ook nog, dat pijnlijk magere, die holle blik in haar ogen.

In het schelle licht was haar aftakeling goed te zien toen ze eindelijk bij de deur was aangekomen. Ze bewoog moeizaam. Ze had een lege uitdrukking op haar gezicht. Ze ademde door haar mond. Maar ongeacht de situatie was Callie altijd blij als ze Leigh zag, al was het aan de andere kant van een metalen tafel in het huis van bewaring. Nu keek ze echter behoedzaam. Haar blik schoot over het parkeerterrein toen ze een sleutel in het slot stak.

De glazen deur zwaaide naar achteren. Een tweede sleutel ontsloot het veiligheidshek. Van dichtbij zag Leigh vervaagde make-up op het gezicht van haar zus. Uitgelopen eyeliner. Vlekkerige oogschaduw. Callies lippen waren donkerroze gevlekt. Leigh had haar zus al jaren niet meer met make-up op gezien, afgezien van de kattensnorharen die ze soms in een malle bui op haar gezicht tekende.

Callie richtte zich eerst tot Walter. 'Lang geleden, makker.'

'Fijn om je te zien, makker,' zei Walter.

Leigh verdroeg hun Knabbel & Babbel-geneuzel nu niet. 'Gaat het wel goed met je?' vroeg ze.

Callie gaf een typisch Callie-antwoord. 'Gaat het ooit echt goed met iemand?'

Leigh wees met een knik naar de BMW. 'Van wie is die auto?'

'Die staat hier al de hele avond,' zei Callie, wat eigenlijk geen antwoord was.

Leigh deed haar mond al open om door te vragen, maar ze besefte dat het geen zin had. Die auto was niet belangrijk. Ze was gekomen om met haar zus te praten. Tijdens de eindeloos lange avond had ze haar verhaal geoefend. Het enige wat ze van Callie verlangde, was tijd, een van de weinige dingen die Callie in overvloed bezat.

'Ik laat jullie alleen,' zei Walter, alsof het zo was afgesproken. 'Fijn je te zien, Callie.'

Callie salueerde. 'We houden contact.'

Leigh wachtte niet tot Callie haar binnen vroeg. Ze liep het gebouw in en trok het hek achter zich dicht. De receptie was in al die jaren niet veranderd. Zelfs de geur was vertrouwd: natte hond met een zweempje bleekwater. Callie boende desnoods op handen en knieën de vloer om dokter Jerry werk uit handen te nemen.

'Harleigh,' zei Callie. 'Wat is er aan de hand? Waarom ben je hier?'

Leigh antwoordde niet. Ze draaide zich om en keek waar Walter was. Zijn schim zat roerloos op de passagiersstoel van haar Audi. Hij keek naar zijn handen. Ze had hem bijna een vol uur zijn vingers zien strekken en buigen voor ze had gezegd dat hij daarmee moest stoppen. En toen was hij aan de open wondjes op zijn knokkels gaan peuteren tot bloed in straaltjes over zijn handen liep en op de zitting droop. Het was alsof hij een blijvende herinnering wilde aan het geweld waarmee hij Reggie Paltz had aangepakt. Telkens weer probeerde ze hem erover te laten praten, maar Walter wilde niet praten. Voor het eerst in hun huwelijk kon ze hem niet doorgronden. Weer een leven dat ze had verwoest.

Ze draaide zich om. 'Laten we naar achteren gaan,' zei ze tegen Callie.

Callie vroeg niet waarom ze niet in de wachtkamer konden zitten. In plaats daarvan ging ze Leigh voor door de gang, naar de spreekkamer van dokter Jerry. Net als in de andere ruimtes was hier niets veranderd. De grappige lamp met een mollige chihuahua als voet. De verbleekte aquarellen aan de muur met dieren in vroegnegentiende-eeuwse kledij. Zelfs de oude groen-wit geruite bank was dezelfde. Alleen Callie was anders. Ze zag er afgemat uit. Het was alsof het leven haar eindelijk had ingehaald.

Leigh wist dat ze het nog erger ging maken.

'Oké.' Callie leunde tegen het bureau. 'Vertel op.'

Deze keer liet Leigh de gedachten die door haar hoofd maalden de vrije loop. 'Walter en ik hebben Reggie Paltz, de privédetective van Andrew, ontvoerd.'

'Huh,' was Callies enige commentaar.

'Hij had het plan B,' ging Leigh verder. 'Maar ik ga mezelf wel aangeven, en ik vond dat ik het eerst aan jou moest vertellen, want jij staat ook op die video's.'

Callie schoof haar handen in de zakken van haar jasje. 'Ik heb een paar vragen.'

'Dat doet er niet meer toe. Ik heb het besloten. Ik moet dit doen voor de veiligheid van Maddy. Voor de veiligheid van anderen, want ik weet niet wat hij nog meer gaat doen.' Leigh zweeg even om de paniek weg te slikken die door haar keel naar boven kwam. 'Ik had het moeten doen zodra Andrew en Linda zich in Bradleys kantoor lieten zien. Ik had het aan hen allemaal moeten opbiechten, dan zou Ruby nog leven, dan zou Maddy niet op de vlucht zijn en –'

'Harleigh, doe eens rustig,' zei Callie. 'De laatste keer dat we elkaar spraken, had ik een paniekaanval op een zolder, en nu vertel je me dat er een plan B is, dat je jezelf gaat aangeven, dat er een zekere Ruby dood is en dat er iets met Maddy is?'

Leigh besefte dat ze nog erger was dan haar dochter in haar poging het hele verhaal eruit te gooien. 'Sorry. Maddy is oké. Ze is veilig. Walter heeft haar net gebeld.'

'Waarom heeft Walter haar gesproken? Waarom jij niet?'

'Omdat…' Het kostte Leigh moeite haar gedachten op een rij te zetten. Het besluit om zichzelf aan te geven had een zekere rust gebracht. Maar nu ze oog in oog met haar zus stond, nu het moment eindelijk was aangebroken om Callie alles te vertellen, bedacht ze allerlei redenen om het niet te doen.

'Ruby Heyer is… was een bevriende moeder van school. Ze is woensdagavond vermoord. Ik weet niet of Andrew haar zelf heeft gedood of dat hij het iemand anders heeft laten opknappen, maar ik weet absoluut zeker dat hij erbij betrokken is geweest.'

Callie reageerde niet op de informatie. 'En dat plan B?' vroeg ze.

'Reggie had twee servers op zijn kantoor. Andrew had hem gevraagd back-ups van Buddy's video's te bewaren, als een plan B. Als er iets met Andrew gebeurde, moest Reggie ze openbaar maken. Walter en ik hebben die servers gestolen. Op zijn laptop stond de encryptiesleutel waarmee ze geopend kunnen worden. We hebben veertien videobestanden gevonden, plus de moordvideo.'

Alle kleur trok weg uit Callies gezicht. Haar nachtmerrie was uitgekomen. 'Heb je ze bekeken? Heeft Walter –'

'Nee,' loog Leigh. Ze had Walter de kamer uit gestuurd, want ze moest weten waar ze mee te maken hadden. Van de paar glimpen van de filmpjes met Callie die ze had gezien, was ze al misselijk geworden. 'De bestandsnamen gaven ons wat we nodig hadden: jouw naam en een nummer, van één tot veertien. Op de moordvideo stonden jouw naam en de mijne. Het sprak voor zich. We hoefden ze niet te bekijken om het te weten.'

Callie beet op haar lip. Ze was al even ondoorgrondelijk als Walter. 'En verder?'

'Andrew had Reggie ingehuurd om jou te schaduwen,' zei Leigh. 'Hij volgde je in de bus naar de bibliotheek, naar Phil, naar hier. Ik heb zijn logboeken gezien, zijn foto's. Hij wist alles wat je deed, en dat vertelde hij aan Andrew.'

Het leek Callie niet te verbazen, hoewel er een zweetdruppel over de zijkant van haar gezicht gleed. Het was te warm in de kamer voor het jasje. Ze had het tot aan haar hals dichtgeknoopt.

'Heb je gehuild?' vroeg Leigh.

Callie antwoordde niet. 'Weet je zeker dat Maddy veilig is?'

'Walters moeder heeft haar meegenomen op een tripje. Ze is wat in de war, maar...' Leigh slikte. Er bekroop haar een gevoel van onzekerheid. Callie was er duidelijk slecht aan toe. Dit was het verkeerde moment. Ze zou moeten wachten, maar wachten had het alleen maar erger gemaakt. Met het verstrijken van de tijd was haar geheim in een leugen veranderd en haar leugen in verraad.

'Cal, dat alles doet er niet toe,' zei ze. 'Andrew heeft nog steeds de originele videobanden. Maar het gaat niet alleen om die banden. Zolang hij op vrije voeten is, zijn we geen van allen veilig – jij, ik, Walter, Maddy. Andrew weet waar we zijn. En hij gaat door met het aanranden en mogelijk vermoorden van vrouwen. Ik kan hem alleen stoppen als ik mezelf aangeef. Zodra ik in hechtenis zit, leg ik een belastende verklaring af en sleur ik Andrew mee in mijn ondergang.'

Even bleef het stil, toen zei Callie: 'Dus dat is je plan, jezelf offeren?'

'Het is geen offer, Callie. Ik heb Buddy vermoord. Ik heb de wet geschonden.'

'Wíj hebben Buddy vermoord. Wíj hebben de wet geschonden.'

'Er is geen wíj, Callie. Jij verdedigde jezelf. Ik doodde hem.' Leigh had de moordvideo van het begin tot het eind bekeken. Ze had Callie in doodsangst naar Buddy zien uithalen. Ze had gezien dat zijzelf de man met opzet had vermoord. 'Er is nog iets. Iets wat ik je nooit verteld heb. Ik wil dat je het van mij hoort, want tijdens het proces zal het allemaal naar buiten komen.'

Callie streek met haar tong langs haar tanden. Ze wist altijd wanneer Leigh haar iets ging vertellen wat ze niet wilde horen. Normaal bedacht ze dan een manier om Leigh af te leiden, en dat was nu niet anders. 'Ik heb Sidney gestalkt bij de AA, toen heb ik ervoor gezorgd dat ze stoned werd, waarna we naar Andrews huis zijn gegaan, en daar heeft ze me geneukt en toen hebben we gevochten, maar ik heb haar een keihard knietje tussen haar benen gegeven, en ik denk dat de originele banden in de kluis in zijn kledingkast zitten.'

Het was alsof Leigh een steen had ingeslikt. 'Je hebt wát?'

'Ik heb dit ook gestolen.' Callie haalde een mes uit haar jaszak.

Leigh knipperde met haar ogen, want ze geloofde niet wat ze zag, hoewel ze nog precies wist hoe het mes eruitzag. *Gebarsten houten heft. Gebogen lemmet. Scherpe karteltanden.*

Callie schoof het mes weer in haar zak. 'Ik zei tegen Sidney dat ze tegen Andrew moest zeggen dat hij het mes maar moest komen halen als hij het terug wilde.'

Leigh liet zich op de bank zakken voor haar benen het begaven.

'Het lag in de keukenla,' zei Callie. 'Sidney sneed er limoenen mee voor onze margarita's.'

Leigh had het gevoel dat ze het verhaal maar half tot zich nam. 'Heeft ze je verneukt, of heeft ze je geneukt?'

'Allebei misschien?' Callie haalde haar schouders op. 'Sidney weet van die video's, dat wou ik zeggen. Niet dat ze dat rechtstreeks tegen me gezegd heeft, maar ze liet doorschemeren dat de originelen in de kluis in Andrews kledingkast liggen. En ze weet dat het mes belangrijk is. Dat ik het vroeger gebruikte, toen Andrew klein was.'

Hoofdschuddend probeerde Leigh grip te krijgen op wat ze had gehoord. Stoned, geneukt, gevochten, geschopt, kluis. Uiteindelijk was dat alles niet erger dan wat ze Reggie Paltz had laten ondergaan. 'Jezus christus, elke dag gaan we een beetje meer op Phil lijken.'

Callie ging ook op de bank zitten. Ze had nog een verrassing in petto. 'Die auto buiten is de BMW van Sidney.'

Autodiefstal.

'Ik dacht dat je Andrew was toen je aanklopte,' zei Callie. 'Hij heeft me nog niet opgezocht. Ik weet niet waarom niet.'

Leigh keek naar het plafond. Haar hersens konden dit alles niet in één keer verwerken. 'Jij hebt zijn geliefde uitgeschakeld. Ik heb zijn privé-detective weggejaagd. Hij is vast razend.'

'Gaat het wel goed met Walter?' vroeg Callie.

'Nee, ik ben bang van niet.' Leigh keerde zich naar Callie toe en keek haar aan. 'Ik zal Maddy alles moeten vertellen.'

'Je mag haar niet over mij vertellen,' zei Callie met klem. 'Dat wil ik niet, Leigh. Ik ben alleen maar de aarde. Ik heb haar voor jou en Walter in me laten groeien. Ze is nooit van mij geweest.'

'Met Maddy komt het wel goed,' zei Leigh, maar diep in haar hart wist ze dat ze er geen van allen ongeschonden uit zouden komen. 'Je had haar moeten zien toen we de eerste keer in lockdown gingen. Al mijn vriendinnen klaagden over hun kinderen, maar Maddy hield zich zo groot, Cal. Ze had alle recht om woedend te worden of iets stoms te doen of ons het leven zuur te maken. Ik vroeg haar ernaar, en toen zei ze dat ze medelijden had met de kinderen die er veel erger aan toe waren.'

Zoals gewoonlijk had Callie iets anders gevonden om haar aandacht op te richten. Ze keek strak naar de oude schilderijen aan de muur, alsof die het allerbelangrijkste in de kamer waren. 'Haar vader was een goeie vent. Je zou hem vast aardig hebben gevonden.'

Leigh zweeg. Callie had het nog nooit over Maddy's biologische vader gehad, en Walter of zij had nooit de moed kunnen opbrengen om naar hem te vragen.

'Hij nam wat van mijn eenzaamheid weg. Hij ging nooit tegen me tekeer, sloeg me nooit. Hij dwong me nooit rottigheid uit te halen om te scoren.' Callie hoefde Leigh niet te vertellen waartoe vrouwen gewoonlijk gedwongen werden. 'Hij leek veel op Walter, ook al was hij een heroïne-verslaafde met één tepel.'

Leigh moest er hardop om lachen. En toen sprongen de tranen in haar ogen.

'Hij heette Larry. Ik heb zijn achternaam nooit geweten, of misschien ook wel, maar dan ben ik die vergeten.' Callie ademde langzaam uit. 'Hij nam een overdosis in de Dunkin' Donuts bij Ponce de Leon. Als je zijn naam wilt weten, die staat waarschijnlijk in het politierapport. We zaten samen te spuiten in het toilet. Ik was stoned, maar toen ik de smerissen hoorde komen, liet ik hem daar achter want ik wilde niet gearresteerd worden.'

'Hij gaf om je,' zei Leigh, die wist hoe onmogelijk het was om níét om haar zus te geven. 'Hij had vast niet gewild dat je gearresteerd werd.'

Callie knikte, maar toen zei ze: 'Ik denk dat hij liever had gehad dat ik lang genoeg was gebleven om hem te reanimeren zodat hij het overleefde.'

Leigh hield haar hoofd naar Callie toe gekeerd om haar scherpe gelaatstrekken te bestuderen. Callie was altijd mooi geweest. Ze miste het achterdochtige en kribbige waar Leigh altijd last van had gehad. Eigenlijk had haar zus alleen maar naar genegenheid verlangd. Dat ze er zo moeilijk aan had kunnen komen, was niet haar schuld.

'Oké,' zei Callie ten slotte. 'Vertel het maar.'

Leigh ging dit niet omzichtig aanpakken, want het was onmogelijk de harde waarheid te verzachten. 'Buddy heeft het eerst met mij geprobeerd.'

Callie verstijfde, maar ze zei niets.

'De eerste avond nadat ik op Andrew had gepast, bracht Buddy me naar huis,' vervolgde Leigh. 'Hij stond erop me thuis te brengen. Toen parkeerde hij de auto voor het huis van de familie Deguil en randde me aan.'

Callie zei nog steeds niets, maar Leigh zag dat ze over haar arm begon te wrijven, zoals ze altijd deed wanneer ze overstuur was.

'Het is maar één keer gebeurd,' zei Leigh. 'Toen hij het nog eens probeerde, zei ik nee, en daar hield het mee op. Hij heeft nooit meer iets geprobeerd.'

Callie sloot haar ogen. Tranen sijpelden uit haar ooghoeken. Het liefst had Leigh haar vastgehouden, getroost, ervoor gezorgd dat alles goed kwam, maar ze was zelf de oorzaak van het leed van haar zus. Ze had het recht niet haar eerst te verwonden en daarna troost te bieden.

Ze dwong zichzelf door te gaan. 'Later vergat ik het. Ik weet niet hoe of waarom, maar het verdween simpelweg uit mijn hoofd. En ik waarschuwde je niet. Ik zei dat je voor hem moest gaan werken. Ik heb je rechtstreeks zijn pad op gestuurd.'

Callie zoog op haar onderlip. Nu huilde ze. Dikke, treurige tranen biggelden over haar wangen.

Leighs hart brak in stukken. 'Ik kan wel zeggen dat het me spijt, maar wat betekent dat eigenlijk?'

Callie zweeg.

'Hoe kan het dat ik het was vergeten, dat ik jou voor hem liet werken, dat ik alles negeerde toen je begon te veranderen? Want ik zag wel dat je was veranderd, Callie. Ik zag het gebeuren, maar ik trok er geen conclusie uit.' Leigh nam een adempauze. 'Ik kon me de bijzonderheden pas echt weer herinneren toen ik het gisteravond aan Walter vertelde. Het kwam allemaal weer boven. De sigaren en de goedkope whisky en dat nummer op de radio. Het was er al die tijd, maar ik zal het wel begraven hebben.'

Callie ademde sidderend uit. Ze schudde haar hoofd, een strakke, afgepaste boog op haar verstijfde ruggengraat.

'Alsjeblieft, Cal,' zei Leigh. 'Zeg wat je denkt. Of je kwaad bent of me haat of me nooit meer wilt –'

'Wat was dat voor nummer?'

De vraag overviel Leigh. Ze had verwijten verwacht, niet iets onbenulligs.

Callie ging verzitten op de bank zodat ze Leigh aan kon kijken. 'Wat was dat voor nummer op de radio?'

'Hall & Oates,' zei Leigh. '"Kiss on My List."'

'Ah,' zei Callie, alsof Leigh iets interessants had gezegd.

'Het spijt me.' Leigh wist dat het excuus zonder betekenis was, maar ze moest het zeggen. 'Het spijt me zo dat ik dit met je liet gebeuren.'

'Echt?' vroeg Callie.

Leigh slikte. Hier had ze geen antwoord op.

'Ik was het ook vergeten.' Callie wachtte even, alsof ze de woorden wat lucht wilde geven. 'Ik was niet alles vergeten, maar wel het meeste. In elk geval de erge dingen. Die was ik ook vergeten.'

Leigh kon nog steeds geen woorden vinden. Al die jaren had ze gedacht dat Callie aan de heroïne was omdat ze zich alles herinnerde.

'Hij was een pedo.' Callie sprak zachtjes, testte nog steeds het gewicht van haar woorden. 'We waren kinderen. We waren plooibaar. Dat wilde hij: een kind waarvan hij misbruik kon maken. Het maakte niet uit wie van ons tweeën hij het eerst te pakken had. Wat voor hem wél uitmaakte, was wie van ons hij zover kreeg dat ze terugkwam voor meer.'

Leigh slikte zo hard dat haar keel pijn deed. Haar verstand zei dat Callie gelijk had. Haar hart bleef volhouden dat het haar niet gelukt was haar zusje te beschermen.

'Ik vraag me af met wie hij het nog meer heeft gedaan,' zei Callie. 'Je weet dat we niet de enigen waren.'

Leigh was verbijsterd. Ze had er nooit bij stilgestaan dat er andere slachtoffers waren, maar natuurlijk waren er andere slachtoffers. 'Ik... Ik weet het niet.'

'Misschien Minnie hoe-heet-ze-ook-alweer?' zei Callie. 'Die paste op Andrew toen jij in de jeugdinrichting zat. Weet je nog?'

Leigh wist het niet meer, maar ze kon zich nog goed Linda's ergernis herinneren over al die vorige oppassen die haar zoon schijnbaar zonder aanleiding in de steek hadden gelaten.

'Hij gaf je het gevoel dat je heel bijzonder was.' Callie veegde haar neus af aan haar mouw. 'Zo deed Buddy dat. Hij deed alsof jij de enige was. Dat hij een doodgewone vent was geweest tot jij verscheen, en nu was hij verliefd op jou omdat jij bijzonder was.'

Leigh perste haar lippen op elkaar. Buddy had haar niet het gevoel gegeven bijzonder te zijn. Wel had ze zich smerig gevoeld en ze had zich geschaamd. 'Ik had je moeten waarschuwen.'

'Nee.' Callie had zelden zo beslist geklonken. 'Luister goed, Harleigh. Wat gebeurd is, is gebeurd. We waren allebei zijn slachtoffer. We waren allebei vergeten hoe erg het was, want alleen zo konden we overleven.'

'Het was niet...' Leigh maakte haar zin niet af, want er was geen tegenargument. Ze waren allebei kinderen geweest. Ze waren allebei slachtoffer geweest. Ze kon alleen maar terugkeren naar waar ze was begonnen. 'Het spijt me.'

'Je kunt geen spijt hebben van iets waar je geen controle over had. Snap je dat niet?'

Leigh schudde haar hoofd, maar in haar hart wilde ze wanhopig graag geloven dat het waar was wat Callie zei.

'Nu moet je goed naar me luisteren,' zei Callie. 'Als dat de schuld is die je al je hele volwassen leeftijd met je meezeult, dan leg je die als de bliksem af, want die schuld ligt niet bij jou. Die ligt bij hem.'

Leigh had zoveel gehuild dat ze haar eigen tranen niet eens meer opmerkte. 'Het spijt me zo.'

'Wat dan?' wilde Callie weten. 'Het is jouw schuld niet. Het is nooit jouw schuld geweest.'

De draai die ze aan de vertrouwde mantra gaf, brak iets in Leigh. Met haar hoofd in haar handen begon ze zo hard te snikken dat ze niet meer overeind kon blijven.

Callie sloeg haar armen om Leigh heen en nam een deel van de last van haar schouders. Ze drukte haar lippen op Leighs hoofd. Zo had ze haar nog nooit vastgehouden. Meestal was het omgekeerd. Meestal was Leigh degene die troostte, want Walter had gelijk. Vanaf het allereerste begin was Phil nooit een echte moeder voor hen geweest. Leigh en Callie waren destijds op elkaar aangewezen, en dat was nog steeds zo.

'Het komt goed.' Callie kuste Leigh op haar hoofd zoals ze dat ook met haar kat deed. 'We slaan ons hierdoorheen, oké?'

Leigh ging weer rechtop zitten. Ze had een loopneus. Haar ogen prikten van de tranen.

Callie stond op van de bank. Ze nam een pakje tissues uit het bureau van dokter Jerry. Ze haalde er een paar voor zichzelf uit en gaf de rest aan Leigh. 'En nu?'

Leigh snoot haar neus. 'Wat bedoel je?'

'Het plan,' zei Callie. 'Jij hebt altijd een plan.'

'Het is Walters plan,' zei Leigh. 'Hij zorgt dat het goed komt.'

Callie ging weer zitten. 'Walter is altijd al veel taaier geweest dan hij lijkt.'

Leigh wist niet of dat iets goeds was. Ze pakte een schone tissue en veegde ermee onder haar ogen. 'Over een paar uur ga ik met Maddy facetimen. Ik wilde haar persoonlijk spreken, maar we kunnen niet riskeren dat Andrew ons volgt naar Maddy's locatie.'

'Via de satellieten, bedoel je?'

'Ja.' Het verbaasde Leigh dat Callie überhaupt wist wat een gps-tracker was. 'Walter heeft zijn moeder al naar een tankstation gestuurd. Ze hebben onder de camper gekeken of er trackers zaten. Ik heb er een op mijn auto gevonden, maar die heb ik weggegooid.'

'Ik dacht dat Andrew mij via de gps in Sidneys BMW zou opzoeken,' zei Callie.

'Wilde je door hem gevonden worden?'

'Dat zei ik toch… Ik zei tegen Sidney dat ze tegen Andrew moest zeggen dat ik het mes had als hij het terug wilde.'

Leigh zag af van commentaar op deze zelfmoordmissie, want 'de beuk erin' was nu eenmaal een dominant familietrekje. 'Om zeven uur hebben we een afspraak met mijn advocaat. Hij is een vriend van Walter. Ik heb hem over de telefoon al iets verteld. Het is een felle, precies wat ik nodig heb.'

'Kan hij je hieruit redden?'

'Dat is hier niet aan de orde,' zei Leigh. 'Om twaalf uur hebben we een afspraak met de openbare aanklager. Dan doen we een voorstel. Zoiets wordt ook wel Queen for a Day genoemd. Ik word in staat gesteld ze de waarheid te vertellen, maar niets van wat ik zeg mag tegen me gebruikt worden. Hopelijk kom ik met bewijs tegen Andrew waardoor hij de bak in gaat.'

'Heb je geen geheimhoudingsplicht of zo?'

'Dat maakt niet uit. Ik kan toch nooit meer als advocaat aan de slag.' Leigh voelde zichzelf bijna bezwijken onder het gewicht van haar woorden. Toch ging ze door. 'Theoretisch kan ik onder die plicht uit komen als ik denk dat mijn cliënt misdaden pleegt of als hij een gevaar voor anderen vormt. Op Andrew zijn beide criteria van toepassing.'

'Wat gaat er met jou gebeuren?'

'Ik ga naar de gevangenis,' zei Leigh, want zelfs de felle advocaat was van mening dat ze niet onder haar straf uit kon komen. 'Als ik geluk heb voor vijf tot zeven jaar, dus vier als ik me goed gedraag.'

'Dat lijkt me nogal wrang.'

'Het is dat filmpje, Cal. Andrew gaat het vrijgeven. Dat kan ik niet tegenhouden.' Leigh snoot haar neus. 'Als dat eenmaal openbaar wordt gemaakt, als mensen zien wat ik gedaan heb, wordt het allemaal te politiek. Van de openbare aanklager wordt verwacht dat hij er vol ingaat.'

'Maar wat er met mij is gebeurd dan?' vroeg Callie. 'Wat Buddy met mij heeft gedaan? Wat hij met jou heeft gedaan? Telt dat niet mee?'

'Wie weet,' zei Leigh, maar ze had voldoende rechtszaken meegemaakt om te weten dat aanklagers en rechters meer om beeldvorming gaven dan om het recht. 'Ik ga me op het ergste voorbereiden, en als het ergste uitblijft, heb ik meer geluk dan de meesten.'

'Kunnen ze je ook voorwaardelijk geven?'

'Dat kan ik niet zeggen, Callie.' Leigh wilde haar het grotere plaatje laten zien. 'Niet alleen de moordvideo zal daar worden vertoond. Ook de rest. De veertien filmpjes die Buddy heeft opgenomen van jullie samen.'

Callie reageerde anders dan ze had verwacht. 'Denk je dat Sidney ook in het complot zit?'

In Leighs hoofd floepte een gigantisch licht aan, want dat Sidney in het complot zat, leek meer dan logisch.

Andrew had een stevig onderbouwd alibi voor de moord op Ruby Heyer. Als ze Reggies logboekaantekeningen moest geloven, had hij op de avond van de moord bij Phils huis staan posten. Dan bleef er nog maar één persoon over om de moord te plegen. Andrew had overduidelijke aanwijzingen achtergelaten. Op zijn telefoon stonden geen trouwfoto's van Sidney. Hij had laten doorschemeren dat ze pas vlak voor de ceremonie was gearriveerd. Ze had ruim de tijd gehad om Ruby Heyer te vermoorden, haar trouwjurk aan te trekken en om acht uur klaar te zijn voor de plechtigheid.

'Ruby had haar man voor iemand anders in de steek gelaten,' zei Leigh. 'Ze verbleef in een hotel. Reggie heeft me toevertrouwd dat hij haar locatie aan Andrew had doorgegeven. Andrews trouwfoto's verschaffen hem een onwrikbaar alibi, dus blijft Sidney over.'

'Weet je dat zeker?'

'Dat weet ik zeker,' zei Leigh. 'De manier waarop Ruby is vermoord... Sidney heeft de bijzonderheden van Andrew moeten horen. Anders had ze nooit kunnen weten wat ze moest doen. Hoe ze het moest doen. En het was duidelijk dat Sidney het lekker vond.'

'Ze vond het ook lekker om met mij te neuken. En me te verneuken, als ik eerlijk ben,' zei Callie. 'Wat betekent dat we niet met één psychoot te maken hebben. Het zijn er twee.'

Leigh knikte, maar niets van dit alles veranderde iets aan wat er nu moest gebeuren. 'Ik heb tienduizend dollar in de auto. Walter en ik willen dat je de stad uit gaat. Je kunt hier niet blijven nu dit speelt. Ik meen het. We brengen je terug naar Phil. Daar pik je Binx op. We brengen je naar de bushalte. Ik kan dit alleen doen als ik weet dat je veilig bent.'

'Zou Maddy voor hem willen zorgen?' vroeg Callie.

'Tuurlijk. Dat zou ze geweldig vinden.' Leigh probeerde niet te veel achter de vraag te zoeken. Het liefst zou ze haar zus met haar dochter laten kennismaken. 'Walter neemt hem vanavond mee naar huis, oké? Dan wacht hij Maddy op als ze thuiskomt.'

Callie beet op haar lip. 'Je moet wel weten dat hij al zijn geld in bitcoin heeft zitten.'

'Klotebelasting.'

Callie glimlachte.

Leigh glimlachte terug.

'Ik kan je nog altijd terugbrengen naar de afkickkliniek,' bood ze aan.

'*I said no, no no.*'

Leigh moest lachen om haar Amy Winehouse-act. Dat moest ze aan

Walter vertellen, dat Callie aan een gebeurtenis in de popcultuur had gerefereerd die na 2003 had plaatsgevonden.

'Laten we maar gaan,' zei Callie.

Leigh stond op. Ze reikte naar Callies hand om haar van de bank overeind te helpen. Haar zus bleef haar hand vasthouden toen ze de spreekkamer uit liepen. Op de smalle gang stootten hun schouders tegen elkaar. Callie liet nog steeds niet los toen ze in de wachtkamer waren. Zo liepen ze vroeger altijd naar school. Ook toen ze ouder waren en het raar leek, had Callie Leighs hand altijd stevig vastgehouden.

'De BMW staat er nog.' Callie klonk teleurgesteld toen ze de auto buiten zag staan.

'Andrew is een controlfreak,' zei Leigh. 'Hij laat ons wachten omdat hij weet dat we daar gek van worden.'

'Dan pakken we hem zijn controle af,' zei Callie. 'We rijden nu naar zijn huis en halen die videobanden op.'

'Nee,' zei Leigh. Die weg had ze al met Walter bewandeld. 'We zijn geen criminelen. We weten niet hoe we moeten inbreken, hoe we mensen moeten bedreigen en hoe we kluizen moeten kraken.'

'Spreek voor jezelf.' Callie duwde de deur open.

Leighs hart miste een slag.

Walter zat niet in de Audi.

Ze keek naar links, toen naar rechts.

Callie deed hetzelfde. 'Walter?' riep ze.

Ze luisterden, maar het bleef stil.

'Walter?' riep Callie weer.

Deze keer wachtte Leigh niet op antwoord. Ze zette het op een rennen. Haar hakken priemden in het gebarsten beton toen ze langs de kapper draafde. Ze ging de hoek om. Picknicktafel. Lege bierblikjes. Hopen rommel. De achterkant van het gebouw bood dezelfde aanblik. Weer zette ze het op een rennen, ditmaal liep ze met een boog naar de voorkant. Ze stopte pas toen ze Callie zag, die langs het open portier van de Audi naar binnen leunde.

Callie kwam weer overeind. In haar hand hield ze een afgescheurd stuk papier.

'Nee…' fluisterde Leigh. Haar voeten zetten zich weer in beweging, en met pompende armen rende ze naar de auto. Ze griste het briefje uit Callies hand. Haar ogen weigerden zich te richten. Lichtblauwe lijnen. Donkerrood bloed dat vanaf het gescheurde hoekje het papier binnendrong. Eén zin dwars over het midden.

Andrews handschrift was niet veranderd sinds hij in Leighs schoolboeken had gekrabbeld. Destijds had hij dinosaurussen en motoren getekend met gedachtewolkjes vol onzin. Nu had hij een dreigement opgeschreven dat hij rechtstreeks van Callie had gepikt.

Als je je man terug wilt, kom je hem maar halen.

20

Leighs kots spetterde voor Callies voeten op de grond. Ze deed snel een stap terug. Haar zus stond voorovergebogen, kapot van angst. Een bijna dierlijk gejank ontsnapte aan haar keel.

Callie keek het parkeerterrein rond. De BMW stond er nog. Het was donker op straat, er reden geen auto's. Andrew was gekomen en weer verdwenen.

'O god!' Leigh liet zich op haar knieën zakken. Ze nam haar hoofd in haar handen. 'Wat heb ik gedaan?'

Andrews briefje was op de grond gedwarreld. In plaats van Leigh te troosten bukte Callie zich en raapte het op. Zijn slordige handschrift was haar even vertrouwd als dat van haarzelf.

'Callie!' jammerde Leigh, die haar hoofd nu tegen het asfalt drukte. Weer stootte ze een afgrijselijke jammerklacht uit. 'Wat moet ik doen?'

Callie voelde zich even ver verwijderd van Leighs leed als de laatste keer dat haar zus kapot van wanhoop was geweest. Ze hadden in de slaapkamer van Linda en Buddy Waleski gestaan. Leigh was Callie komen redden, maar had uiteindelijk haar eigen leven verwoest.

Alweer.

De avond dat ze Buddy Waleski hadden gedood en in stukken hadden gehakt, was niet de eerste of laatste keer geweest dat Callie haar zus ten val had gebracht. Dat ging terug tot hun vroege jeugd. Callie was jankend thuisgekomen nadat een meisje op de speelplaats haar had gepest. Leigh was in een jeugdinrichting beland omdat ze het kind bijna met een glasscherf had gescalpeerd.

Leighs tweede verblijf in de inrichting kwam ook door Callie. Leighs vuilak van een baas had iets gezegd over Callies tepels die tegen haar T-shirt drukten. Die avond was Leigh gearresteerd omdat ze zijn banden had doorgesneden.

Er waren meer voorbeelden, groot en klein, maar die varieerden van Leigh die haar loopbaan op het spel zette door een junkie geld te geven om voor Callies wandaden op te draaien tot Leigh die haar man verloor omdat Callie een psychopaat openlijk had getart.

Ze keek nog eens goed naar Sidneys BMW. Andrew had de auto niet meegenomen, want hij had geduldig gewacht op een beter pressiemiddel. Het was puur toeval dat Walter voorhanden was geweest in plaats van Maddy.

'Nee!' bracht Leigh snikkend uit. 'Ik kan niet zonder hem. Dat kan ik niet.'

Callie propte het briefje samen in haar vuist. Haar knie kraakte toen ze naast haar zus neerknielde. Ze legde haar hand op Leighs rug. Ze liet de verdrietsuitbarsting uitwoeden, er zat niets anders op. Na een leven waarin Callie alleen had gekeken naar wat zich vlak voor haar neus bevond, had ze opeens tot haar vreugde ontdekt dat ze ook verder vooruit kon kijken.

'Wat moeten we nou?' riep Leigh uit. 'O god, Callie. Wat moeten we nou?'

'Wat we al eerder hadden moeten doen.' Callie trok aan Leighs schouders tot ze rechtop zat. Zo werkte het. Ze mochten niet allebei tegelijk instorten. 'Flink zijn, Harleigh. Later mag je flippen, wanneer alles weer goed is met Walter.'

Leigh veegde haar mond af aan haar onderarm. Ze trilde. 'Ik wil hem niet kwijt, Callie. Dat wil ik niet.'

'Je raakt niemand kwijt,' zei Callie. 'We gaan nu naar Andrews huis en dan maken we hier een eind aan.'

'Wat?' Leigh schudde haar hoofd. 'We kunnen niet zomaar –'

'Goed luisteren.' Callie klemde Leighs schouders nog steviger vast. 'We gaan naar Andrews huis. We doen wat we moeten doen om Walter terug te krijgen. We verzinnen wel een manier om die kluis open te krijgen. We pakken de videobanden en vertrekken.'

'Ik…' Leigh leek weer iets van haar gebruikelijke vastberadenheid terug te krijgen. Als de bliksem toesloeg, ging zij altijd voor Callie staan. 'Ik kan je daar niet bij hebben. Dat wil ik niet.'

'Je hebt geen keuze.' Callie wist hoe ze haar paniek weer kon oprakelen. 'Andrew heeft Walter te pakken. Hoelang denk je dat het duurt voor hij achter Maddy aan gaat?'

Leigh keek ontzet. 'Hij… Ik kan niet –'

'Kom op.' Callie dwong haar overeind. Ze stapte om de kots heen. 'We bedenken onderweg wel wat we gaan doen.'

'Nee.' Het kostte Leigh zichtbaar moeite om haar kalmte te herwinnen. Ze greep Callies hand en draaide haar met een ruk om. 'Je kunt niet met me mee.'

'Dat staat niet ter discussie.'

'Dat klopt,' zei Leigh. 'Ik moet dit alleen doen, Cal. Dat weet jij ook.'

Callie beet op haar lip. Het getuigde van Leighs ontreddering dat ze het niet goed doordacht. 'Je kunt dit niet in je eentje. Hij heeft vast een wapen of –'

'Ik heb ook een wapen.' Leigh reikte in de auto, pakte haar tas en haalde de Glock tevoorschijn die ze bij het motel op Trap en Diego had gericht. 'Als het moet, schiet ik hem neer.'

Ze meende het, daar twijfelde Callie niet aan. 'En terwijl jij je leven op het spel zet, moet ik zeker hier blijven wachten.'

'Hier, het geld.' Deze keer haalde Leigh een dikke envelop vol bankbiljetten uit haar tas. 'Je moet nu de stad uit. Ik kan dit pas oplossen als ik weet dat jij veilig bent.'

'En hoe wou je het oplossen?'

Leigh had een krankzinnige blik in haar ogen. Ze ging dit oplossen door nog meer olie op het vuur te gooien. 'Ik moet weten dat jij veilig bent.'

'Ik moet ook weten dat jij veilig bent,' was Callies weerwoord. 'Ik ga niet bij je weg.'

'Dat klopt. Jij gaat niet bij mij weg. Ik ga bij jou weg.' Leigh legde het geld met een klap in Callies hand. 'Dit is tussen Andrew en mij. Jij hebt er niets mee te maken.'

'Je bent geen crimineel,' zei Callie, die haar zus aan haar eigen woorden herinnerde. 'Je weet niet hoe je moet inbreken, hoe je mensen moet bedreigen of hoe je kluizen moet kraken.'

'Daar kom ik wel achter.' Leigh klonk vastbesloten. Er viel niet met haar te praten als ze in zo'n bui was. 'Beloof me dat je goed op jezelf past zodat ik kan doen wat ik vier dagen geleden had moeten doen.'

'Jezelf aangeven?' Callie lachte wat moeizaam. 'Leigh, denk je nou echt dat je door nu naar de politie te gaan voorkomt dat Andrew doet wat hij van plan is te doen?'

'Er is maar één manier om hem tegen te houden,' zei Leigh. 'Ik maak die gestoorde klootzak op dezelfde manier af als ik zijn vader heb afgemaakt.'

Callie keek toe terwijl Leigh naar de bestuurderskant van de auto liep. In al hun jaren samen had ze haar zus nog nooit zo verbeten op haar doel zien afgaan. 'Harleigh?'

Leigh draaide zich om. Haar mond stond strak. Ze verwachtte duidelijk een tegenwerping.

'Wat je me over Buddy hebt verteld,' zei Callie. 'Er valt niets te vergeven. Maar als je het wilt horen, dan vergeef ik je.'

Leigh slikte. Heel even was ze los van haar blinde woede, maar meteen gaf ze zich er weer aan over. 'Ik moet gaan.'

'Ik hou van je,' zei Callie. 'Ik kan me geen moment in mijn leven herinneren dat ik niet van je hield.'

Leigh gaf haar tranen de vrije loop. Ze probeerde iets te zeggen, maar uiteindelijk kon ze alleen maar knikken. Toch hoorde Callie haar woorden. *Ik hou ook van jou.*

Het portier sloeg dicht. De motor kwam grommend tot leven. Leigh reed met een zwaai van de parkeerplaats. Callie volgde de achterlichten toen ze vaart minderde voor de afslag. Haar blik bleef op de chique auto gericht tot die verdween op het verlaten kruispunt aan het einde van de straat.

Callie had daar de hele nacht kunnen blijven staan, als een hond die op de terugkeer van zijn beste vriend wachtte, maar daarvoor had ze geen tijd. Toen ze de kliniek weer in liep, liet ze haar duim over de dikke stapel honderdjes in de envelop gaan. Ze stopte de envelop in dokter Jerry's geldkist. Ze overdacht haar volgende stap. De reusachtige, volle injectiespuit zat nog in haar rechterjaszak. Ze pakte haar dopekit en schoof die in haar linkerzak.

Sidneys autosleutels zaten in haar rugzak. Callie ging de BMW nog één keer op zijn staart trappen.

Leighs paniek had haar zoals altijd kwetsbaar gemaakt. Callie had van die wetenschap gebruikgemaakt door ervoor te zorgen dat haar zus haar niet voor de voeten liep. Andrew had Walter niet meegenomen naar zijn smetteloze seriemoordenaarsvilla. Er was maar één plek waar dit kon eindigen, namelijk de plek waar het allemaal begonnen was.

Het mosterdkleurige huis aan Canyon Road.

Callie zweette in het geelsatijnen regenboogjasje, maar ze hield het tot aan haar hals dichtgeknoopt toen ze de straat uit liep. Phil was de oprit al afgescheurd in Sidneys BMW. Het was de tweede keer in haar leven dat Callie haar moeder aan een gestolen auto had geholpen om te verpatsen.

De eerste keer was toen ze Buddy's Corvette aan haar had doorgegeven. Haar voeten hadden maar net bij de pedalen gekund. Ze had zo dicht op het stuur moeten zitten dat het in haar ribben stak. Hall & Oates hadden zachtjes door de speakers geklonken toen ze voor Phils huis slingerend tot stilstand was gekomen. *Voices* was Buddy's lievelings-cd. Hij was gek op 'You Make My Dreams' en 'Everytime You Go Away', maar vooral op 'Kiss on My List', dat hij dan met een raar falsetstemmetje meezong.

Buddy had dat nummer voor Callie gedraaid die eerste avond dat hij haar naar huis had gebracht nadat ze op Andrew had gepast. Ze had willen lopen, maar hij had aangedrongen. Ze had niet van de rum-cola willen drinken die hij voor haar had neergezet, maar hij had aangedrongen. En toen had hij de auto voor het huis van de familie Deguil geparkeerd, halverwege tussen zijn eigen huis en dat van Phil. Hij had zijn hand op haar knie gelegd, toen op haar bovenbeen, en toen had hij zijn vingers in haar geduwd.

Jezus, je lijkt net een baby zo'n zacht huidje ik kan de donshaartjes voelen.

Toen Callie in de spreekkamer van dokter Jerry naar Leighs bekentenis had geluisterd, had ze eerst blinde jaloezie gevoeld. En toen verdriet. En daarna had ze zich ongelooflijk dom gevoeld. Buddy had niet zomaar hetzelfde met Leigh gedaan. Hij had precíés hetzelfde met Leigh gedaan.

Callie haalde diep adem. Ze klemde het mes in haar jaszak stevig vast toen ze langs het huis van de Deguils liep. De volle 20-milliliterspuit drukte tegen de rug van haar hand. Ze had de voering aan de bovenkant losgescheurd om het mes aan het oog te onttrekken.

Ze richtte haar blik omhoog. De maan hing laag aan de hemel. Ze had geen idee hoe laat het was, maar ze schatte dat Leigh ondertussen halverwege Andrews huis was. Ze hoopte maar dat de paniek van haar zus nog niet was weggeëbd. Leigh was onbesuisd, maar ze bezat dezelfde instinctieve sluwheid als Callie. Ze zou voelen dat er iets niet klopte. Uiteindelijk zou haar verstand ontdekken wát er niet klopte.

Callie had te gemakkelijk toegegeven. Ze had het idee in Leighs hoofd geplant dat ze naar Andrews huis moest gaan. Leigh was zonder nadenken weggescheurd, en zodra ze nadacht, zou ze beseffen dat ze moest omdraaien.

Wachten tot dat inderdaad ging gebeuren vond Callie zinloze tijdverspilling. Leigh ging doen wat Leigh moest doen. Callie moest zich nu op Andrew richten.

In een misdaadroman brak altijd het moment aan waarop de rechercheur kort en bondig zei dat alles erop wees dat de moordenaar gepakt wilde worden. Andrew Tenant wilde niet gepakt worden. Hij maakte het spel steeds gevaarlijker, want hij was verslaafd aan de adrenalinestoot die vrijkwam bij het nemen van grote risico's. Callie, Leigh en Walter hadden hem een dienst bewezen door achter Sidney aan te gaan en Reggie Paltz te ontvoeren. Leigh dacht dat Andrew in paniek was geraakt omdat hij de controle kwijt was. Callie wist dat hij achter zijn high aan joeg, zoals zij dat deed met heroïne. Er was geen drug zo verslavend als de drugs die door je eigen lichaam werden aangemaakt.

Net als met opioïden was er een wetenschap die zich bezighield met adrenalinejunkies. Risicovol gedrag beloonde het lichaam door het te overspoelen met een intense golf adrenaline. Adrenoreceptoren waren net als mu's, hun wat simpele neefjes, dol op de buitengewoon agressieve prikkel, die dezelfde route aflegde als het vecht-of-vluchtinstinct. De meeste mensen moesten niets hebben van dat riskante, losgeslagen gevoel, maar adrenalinejunkies leefden ervoor. Het was geen toeval dat het pseudoniem van adrenaline epinefrine was, een hormoon dat zowel bij bodybuilders als bij recreatieve gebruikers populair was. Een adrenalinestoot gaf je het gevoel een god te zijn. Je hart sloeg op hol, je spieren werden sterker, je focus werd scherper, je voelde geen pijn, en je kon nog harder neuken dan een konijn.

Zoals iedere verslaafde had ook Andrew een steeds hogere dosis van de drug nodig om high te worden. Daarom had hij een vrouw verkracht die de klank van zijn stem kon herkennen. Daarom was Leighs vriendin op gruwelijke wijze vermoord. En daarom had hij Walter ontvoerd. Hoe hoger het risico, hoe groter de beloning.

Callie opende haar mond om dieper te kunnen inademen. Ze was twintig meter verwijderd van het huis toen ze de mosterdkleurige gevelbeplating zag. In de overwoekerde voortuin stond nog steeds het bord TE KOOP

AANGEBODEN DOOR EIGENAAR. Toen ze dichterbij kwam, zag ze dat de graffitikunstenaars uit de buurt de uitdaging waren aangegaan. Het telefoonnummer werd aan het oog onttrokken door een spuitende penis, met ballen waaraan een soort snorharen ontsproten.

Een zwarte Mercedes stond naast de brievenbus geparkeerd. Handelaarskenteken. Tenant Automotive Group. Weer nam Andrew een ingecalculeerd risico. Het huis was nog steeds dichtgetimmerd, dus de buurt ging er ongetwijfeld van uit dat een drugsdealer een van zijn spuitholen kwam bevoorraden. Als de politie langsreed, zou die zich afvragen wat er aan de hand was.

Callie keek in de auto om te zien of Walter erin zat. De stoelen waren leeg. De auto was smetteloos schoon. Er stond alleen een flesje water in een van de bekerhouders. Ze legde haar hand op de motorkap. Die voelde koel. Ze wilde in de kofferbak kijken, maar de portieren zaten op slot.

Ze keek nog eens goed naar het huis, verzamelde moed en liep de oprit op. Ze zag niets afwijkends, maar alles voelde fout. Hoe dichter ze het huis naderde, hoe meer de paniek het dreigde over te nemen. Op bibberige benen stapte ze om de olievlek heen op de plek waar Buddy vroeger zijn Corvette had geparkeerd. Het was donker in de carport, met schaduwen die over schaduwen vielen. Haar Doc Martens knerpten over het beton. Ze keek naar beneden. Iemand had een getto-inbraakalarm aangelegd door glasscherven voor de ingang naar de carport te strooien.

'Staan blijven,' zei Sidney.

Callie zag haar niet, maar ze vermoedde dat ze zich bij de deur naar de keuken bevond. Ze stapte over het glas. Toen zette ze nog een stap naar voren.

Klik-klak.

Callie herkende het typische geluid van de slede van een 9mm-pistool die naar achteren werd getrokken.

'Ik zou het enger vinden als ik het wapen kon zien,' zei ze.

Sidney stapte uit de schaduwen tevoorschijn. Ze hield het pistool vast als een amateur, met haar vinger om de trekker en het pistool zijwaarts gericht, als in een gangsterfilm. 'En nu dan, Máx?'

Callie was haar schuilnaam bijna vergeten, maar ze was niet vergeten dat Sidney waarschijnlijk Leighs vriendin had vermoord. 'Het verbaast me dat je nog kunt lopen.'

Om het te bewijzen deed Sidney weer een stap naar voren. In het licht van de straatlantaarn zag Callie dat de zakelijke kledij was verdwenen. Leren broek. Strak leren vest. Geen shirt. Zwarte mascara. Zwarte eyeliner. Bloedrode lippen. Ze zag Callie kijken. 'Vind je het mooi?'

'Heel mooi,' zei Callie. 'Als je er eerder zo lekker had uitgezien, zou ik je waarschijnlijk teruggeneukt hebben.'

Sidney grijnsde. 'Ik vond het rot dat ik je niet heb laten klaarkomen.'

Callie deed weer een stap naar voren. Ze was nu zo dichtbij dat ze Sidneys penetrante parfum kon ruiken. 'We kunnen het altijd overdoen.'

Sidney bleef grijnzen. Callie herkende een medejunk. Sidney was even verslaafd aan de rush als haar zieke klootzak van een echtgenoot.

'Hé,' zei Callie. 'Wat dacht je van een vluggertje in de kofferbak?'

De grijns werd nog breder. 'Andrew heeft eerste keus.'

'Die mag lekker nasoppen.' Callie voelde de loop van het pistool tegen haar borst. Ze keek naar beneden. 'Leuk speeltje.'

'Ja hè?' zei Sidney. 'Heeft Andy voor me gekocht.'

'Heeft hij je ook laten zien waar de veiligheidspal zit?'

Sidney draaide het wapen om en zocht naar de knop.

Callie deed wat ze al eerder had moeten doen. Ze duwde het pistool weg. Ze nam het mes uit haar zak en stak Sidney vijf keer in haar buik.

'O.' Verbaasd deed Sidney haar mond open. Haar adem rook naar kersen.

Warm bloed spoelde over Callies hand toen ze het lemmet er dieper in draaide. De trilling van de karteltanden tegen bot trokken langs haar arm omhoog. Callies mond was zo dicht bij die van Sidney dat hun lippen langs elkaar streken. 'Had je me maar moeten laten klaarkomen,' zei ze.

Het mes kwam er met een zuigend geluid weer uit.

Sidney strompelde naar voren. Het pistool kletterde op de grond. Bloed spatte over het gladde beton. Haar voeten raakten verstrikt bij de enkels. Ze viel in slow motion, met haar lichaam kaarsrecht en haar handen tegen haar ingewanden gedrukt. Er klonk een misselijkmakend geknerp toen ze met haar gezicht op de glasscherven viel. Helderrood bloed verspreidde zich vanaf haar romp, waardoor ze net een sneeuwengel leek.

Callie keek naar de verlaten straat. Er waren geen toeschouwers. Sidneys lichaam was grotendeels in het donker van de carport neergekomen. Als iemand nieuwsgierig werd, zou hij de oprit op moeten lopen om haar te kunnen zien.

Het mes verdween weer in Callies jaszak. Ze raapte het pistool op toen ze verder de carport in liep. Met haar duim ontgrendelde ze de veiligheidspal. Op haar geheugen vond ze de keukendeur. Haar ogen raakten pas aan het donker gewend nadat ze haar been had opgetild en door de opening was geklommen die Leigh twee avonden daarvoor had gemaakt.

Er hing nog steeds een methlucht, maar nu met een rokerig zweem dat ze niet kon thuisbrengen. Opeens was Callie blij dat Leigh haar al een keer naar dit hellegat had meegesleept. De herinneringen kwamen nu niet als een klap in haar gezicht, zoals die eerste keer. Ze zag de spookcontouren van de tafel en stoelen niet meer, van de blender en het broodrooster. Ze zag een smerig spuithol waar verloren zielen kwamen om te sterven.

'Sid?' riep Andrew.

Callie ging op het geluid van zijn stem af en liep de woonkamer in.

Andrew stond achter de bar. Voor hem stonden een grote fles tequila en twee borrelglaasjes. Het wapen in zijn hand was identiek aan dat wat Callie vasthield. Ze kon dat zien in het verder donkere, lege huis omdat er overal kaarsen brandden. Kleine en grote. Langs het blad van de bar, langs de plinten en op de vensterbanken voor de groezelige ramen. Licht flakkerde als demonische tongen langs de muren omhoog. Rookwolkjes verzamelden zich tegen het plafond.

'Calliope.' Hij legde het pistool op de bar. De krabwond langs de zijkant van zijn gezicht gloeide opzichtig in het kaarslicht. Haar bijtafdrukken in zijn hals waren zwart geworden. 'Wat aardig van je om te komen.'

Ze keek om zich heen. Dezelfde vuile matrassen. Hetzelfde walgelijke tapijt. Hetzelfde hopeloze gevoel. 'Waar is Walter?'

'Waar is Harleigh?'

'Die steekt waarschijnlijk je monsterlijke pooiervilla in de fik.'

Andrew had zijn handen plat op de bar gelegd, met het pistool binnen handbereik, net als de fles tequila. 'Walter ligt in de gang.'

Callie liep er zijwaarts naartoe, met het wapen op Andrew gericht. Walter lag plat op zijn rug. De enige zichtbare wond was een kapotte lip. Zijn ogen zaten dicht. Zijn mond hing open. Hij was niet vastgebonden, maar hij bewoog ook niet. Callie drukte haar vingers tegen de zijkant van zijn hals. Ze voelde een regelmatige hartslag.

'Wat heb je met hem gedaan?' vroeg ze aan Andrew.

'Die overleeft het wel.' Andrew pakte de tequilafles. Hij draaide de dop eraf. Hij had harige knokkels, maar er zat geen vuil onder zijn nagels. Buddy's zware gouden horloge hing los om zijn smalle pols.

Schenk mij ook eens in, popje.

Callie knipperde met haar ogen, want het waren Buddy's woorden, maar ze kwamen uit háár mond.

'Doe je mee?' Andrew schonk twee glaasjes vol.

Met het pistool voor zich uit liep Callie naar de bar.

In plaats van de dure drank die hij thuis had, had Andrew Jose Cuervo meegenomen, goedkoop dronkenmansbocht. Hetzelfde spul dat ze had gedronken toen Buddy haar had laten kennismaken met de genoegens van alcohol.

Ze proefde bloed, ze had op haar lip gebeten. Alsof Buddy haar met wat voor genoegens ook had laten kennismaken. Hij had haar tot drinken gedwongen zodat haar lichaam zou ontspannen en ze niet meer zou huilen.

Callie wierp een blik in de gang, Walter verroerde zich nog steeds niet.

'Ik heb hem roofies gegeven,' zei Andrew. 'Van hem hebben we geen last.'

Callie was niet vergeten dat Andrews voorkeur naar rohypnol uitging. 'Je vader vond het ook lekker als zijn slachtoffers buiten westen en hulpeloos waren,' zei ze.

Andrews kaak verstrakte. Hij schoof een van de glaasjes over de bar. 'Laten we ons niet verdiepen in historisch revisionisme.'

Callie keek naar de witte vloeistof. Rohypnol was kleurloos en had geen smaak. Ze greep de tequila bij de hals en dronk rechtstreeks uit de fles.

Andrew wachtte tot ze klaar was voor hij zijn glas achteroversloeg. Hij draaide het om en zette het met een klap op de bar. 'Naar al dat bloed te oordelen ga ik ervan uit dat Sydney er niet best aan toe is.'

'Ga er maar van uit dat ze dood is.' Callie bestudeerde zijn gezicht, maar zijn blik toonde geen enkele emotie. Ze stelde zich voor dat Sidney op dezelfde manier zou hebben gereageerd. 'Heb jij haar Leighs vriendin laten vermoorden?'

'Ik heb nooit tegen haar gezegd wat ze moest doen,' antwoordde Andrew. 'Ze beschouwde het als een huwelijkscadeau. Zo nam ze wat druk van mijn schouders. En had ze ook eens een lolletje.'

Callie twijfelde er niet aan of Sidney had er lol aan beleefd. 'Was ze al verknipt voor je haar ontmoette, of heb jij haar zo gemaakt?'

Andrew zweeg even. 'Ze was vanaf het begin al bijzonder,' zei hij.

Callies vastberadenheid begon te wankelen. Het kwam door die korte stilte. Hij had alles onder controle, tot aan het ritme van hun gesprek. Hij was niet bang voor het wapen. Hij was niet bang voor haar vermogen tot geweld. Leigh had gezegd dat Andrew je altijd drie stappen voor was. Hij had haar hiernaartoe gelokt. Hij was iets vreselijks van plan.

Dat was het verschil tussen de twee zussen. Leigh zou alle invalshoeken hebben berekend. Callie kon alleen maar naar de fles tequila kijken, smachtend naar nog een slok.

'Momentje graag.' Andrew haalde zijn telefoon uit zijn zak. De blauwe gloed viel op zijn gezicht. Hij liet Callie het schermpje zien. Zijn beveiligingscamera's hadden hem ongetwijfeld geattendeerd op onraad bij zijn huis. Leighs chique auto stond op zijn oprit. Callie zag haar zus nog net naar de voordeur lopen, met de Glock langs haar zij, voor Andrew het scherm weer op zwart zette.

'Harleigh ziet er ontdaan uit,' zei hij.

Callie legde Sidneys pistool op de bar. Nu moest ze er vaart achter zetten. Leigh was snel geweest. Ze zou op de terugweg nog harder rijden. 'Dat wou je toch?'

'Je geur zat nog aan Sids vingers toen ik thuiskwam.' Hij keek haar onderzoekend aan, hopend op een reactie. 'Je smaakt even zoet als ik dacht.'

'Laat ik je dan als eerste feliciteren met je mondherpes.' Callie draaide het glaasje weer om en schonk het vol. 'Wat wil je met dit alles, Andrew?'

'Je weet wat ik wil.' Andrew liet haar niet raden. 'Vertel eens over mijn vader.'

Callie begon bijna te lachen. 'Je hebt de verkeerde dag uitgekozen om me naar die hufter te vragen.'

Andrew zei niets. Hij keek haar aan met de kille blik die Leigh had beschreven. Callie besefte dat ze te dicht op zijn huid zat, te roekeloos was. Andrew kon het pistool pakken. Misschien lag er een mes onder de bar of hij gebruikte zijn handen, want van zo dichtbij zag ze opeens hoe groot hij was, dat de spierbundels onder zijn shirt niet voor de show waren. Als het weer tot een handgemeen kwam, had ze geen enkele kans.

'Tot gisteren zou ik hebben gezegd dat Buddy zijn demonen had, maar dat hij verder wel oké was,' zei ze.

'Wat is er gisteren gebeurd?'

Hij deed alsof Sidney hem niet alles had verteld. 'Ik heb een van die filmpjes gezien.'

Nu was Andrews nieuwsgierigheid geprikkeld. 'Wat vond je ervan?'

'Wat ik ervan vond...' Callie had nog niet kunnen verwerken wat ze ervan vond, behalve dat ze had gewalgd van haar eigen wanen. 'Ik heb mezelf heel lang wijsgemaakt dat hij van me hield, maar toen zag ik wat hij met me deed. Dat kun je toch geen liefde noemen?'

Hij haalde zijn schouders op. 'Het werd een beetje ruig, maar er waren ook momenten dat je ervan genoot. Ik zag de blik in je ogen. Die kun je niet faken. Niet als je een kind bent.'

'Je vergist je,' zei Callie, want ze had het haar hele leven al gefaket.

'O?' zei Andrew. 'Kijk wat er met je gebeurde toen je hem niet meer had. Zodra hij dood was, ging jij de vernieling in. Zonder hem had je geen enkele betekenis.'

Als Callie van één ding overtuigd was, was het dat haar leven betekenis had. Ze had een kind voor Leigh gebaard. Ze had haar zus iets gegeven wat Leigh zichzelf nooit had durven geven. 'Wat kan het jou schelen, Andrew? Buddy kon je niet uitstaan. Het laatste wat hij tegen je zei was dat je je slaapmedicijn moest drinken en als de sodemieter naar bed moest gaan.'

Aan Andrews blik zag ze dat de klap was aangekomen. 'We zullen nooit weten wat mijn pa van me vond. Harleigh en jij hebben ons van de kans beroofd elkaar te leren kennen.'

'We hebben je een dienst bewezen,' zei Callie, hoewel ze daar niet zo zeker van was. 'Weet je moeder wat er is gebeurd?'

'Die bitch geeft alleen om haar werk. Je bent er zelf bij geweest. Ze had toen al nooit tijd voor me, en nu nog steeds niet.'

'Alles wat ze heeft gedaan, deed ze voor jou,' zei Callie. 'Ze was de beste moeder uit de buurt.'

'Dat is net zoiets als zeggen dat ze de beste hyena van de roedel was.' Andrew klemde zijn kaken op elkaar, waarbij het bot in een vreemde hoek uitstak. 'Ik praat met jou niet over mijn moeder. Daarvoor zijn we hier niet.'

Callie draaide zich om. De kaarsen hadden haar afgeleid. De rook en de spiegels. Walters roerloze lichaam in de gang. Het was haar nog niet opgevallen dat sommige matrassen verplaatst waren. Drie grotere waren op elkaar gestapeld. Ze lagen op de plek waar ooit de bank had gestaan.

Nog voor ze besefte dat Andrew achter haar stond, voelde ze zijn adem al in haar nek. Hij had zijn handen op haar heupen gelegd. Ze drukten op haar botten.

Nu spreidde hij zijn handen over haar buik. Hij bracht zijn mond tot vlak bij haar oor. 'Kijk eens hoe klein je bent.'

Callie proefde gal. Buddy's woorden. Andrews stem.

'Eens kijken wat hieronder zit.' Hij rommelde met de drukknopen van haar satijnen jasje. 'Vind je dit lekker?'

Callie voelde koele lucht op haar buik. Zijn vingers gleden onder haar shirt. Ze beet op haar lip toen hij zijn hand om haar borsten sloeg. Zijn andere hand schoof hij tussen haar benen. Haar knieën bogen naar buiten. Het was alsof ze op de platte laadschop van een shovel zat.

'Wat een lief klein poesje.' Hij begon haar jasje uit te trekken.

'Nee.' Callie probeerde weg te komen, maar met zijn hand tussen haar benen hield hij haar in een bankschroefachtige greep.

'Maak je zakken leeg.' Hij klonk dreigend. 'Nu.'

Angst sijpelde door tot in elke hoek van Callies lichaam. Ze begon te beven. Haar voeten raakten amper de grond. Ze voelde zich net de pendule van een klok, die scharnierde op de hand tussen haar benen.

Hij verstevigde zijn greep. 'Toe dan.'

Ze stak haar hand in haar rechterzak. Sidneys bloed kleefde aan het mes. De volle spuit streek langs de achterkant van haar vingers. Langzaam trok ze het mes naar buiten, vurig hopend dat Andrew niet verder zou zoeken.

Hij wrong het mes uit haar hand en smeet het op de bar. 'Wat heb je nog meer?'

Nog steeds bevend stak Callie haar hand in haar linkerzak. Haar dopekit voelde zo persoonlijk dat het was alsof ze haar hart uit haar lichaam verwijderde.

'Wat is dat?' vroeg hij.

'Mijn... Mijn...' Callie kon niet antwoorden. Ze huilde nu. De angst was te groot. Alles borrelde weer naar boven. Haar rozige, vage herinneringen aan Buddy botsten tegen de koude, harde woede van zijn zoon. Ze hadden dezelfde handen. Ze hadden dezelfde stem. En ze hadden er allebei van genoten om haar pijn te doen.

'Maak open,' beval Andrew.

Ze probeerde met haar duimnagel het deksel open te wrikken, maar door het beven lukte het niet. 'Ik kan niet –'

Andrew griste de kit weg. Zijn hand gleed tussen haar benen vandaan.

Callie voelde zich uitgehold vanbinnen. Ze strompelde naar de stapel matrassen. Ze ging zitten en trok haar jasje om zich heen.

Andrew kwam voor haar staan. Hij had de kit opengemaakt. 'Waar is dit voor?'

Callie keek naar de afbindriem in zijn hand. De bruine reep leer was van Maddy's vader geweest. Aan het ene uiteinde zat een lus. Het andere uiteinde was afgekauwd van al die keren dat Larry en later Callie het tussen hun tanden hadden geklemd om de tourniquet zo strak te trekken dat er een ader zichtbaar werd.

'Kom op,' gebood Andrew. 'Waar is dat voor?'

'Je...' Callie schraapte haar keel. 'Ik gebruik hem niet meer. Het is om... Ik heb geen aderen meer in mijn armen die ik kan gebruiken. Ik spuit in mijn been.'

Andrew zweeg even. 'Waar in je been?'

'In de d-dijbeenader.'

Andrew opende zijn mond, maar hij leek sprakeloos. Het licht van de kaarsen weerspiegelde zich flakkerend in zijn kille ogen. Ten slotte zei hij: 'Laat zien hoe je het doet.'

'Ik kan niet –'

Hij greep haar hals. Callie voelde haar adem stokken. Ze klauwde naar zijn vingers. Hij sloeg haar met haar rug tegen de matras. Zijn gewicht was ondraaglijk. Hij perste het laatste beetje lucht uit haar lichaam. Haar oogleden begonnen te trillen.

Andrew hing nu boven haar, bestudeerde haar gezicht, genoot van haar doodsangst. Hij hield haar met slechts één hand neergedrukt. Het enige wat ze nog kon doen was wachten op het moment dat hij haar doodde.

Maar dat deed hij niet.

Hij nam zijn hand van haar hals. Hij trok de knoop van haar jeans los. Hij rukte de rits naar beneden. Callie bleef plat op haar rug liggen, wetend dat ze hem niet kon tegenhouden terwijl hij aan haar broek sjorde. Hij scheen zichzelf bij met een kaars, zodat hij haar been kon zien.

'Wat is dat?' vroeg hij.

Callie hoefde niet om nadere uitleg te vragen. Hij ramde zijn vinger op de pleister waarmee dokter Jerry het abces had bedekt. Er trok een scherpe pijnscheut door haar been toen het sneetje openspleet.

'Geef antwoord.' Hij drukte nog harder.

'Dat is een abces,' zei ze. 'Van het spuiten.'

'Gebeurt dat vaak?'

Callie moest slikken voor ze kon praten. 'Ja.'

'Interessant.'

Ze huiverde toen hij met zijn vingers over haar been naar boven kriebelde. Ze sloot haar ogen. Alle wilskracht had haar lichaam verlaten. Het enige wat ze wenste, was dat Leigh de deur openbrak, Andrew in zijn gezicht schoot, Walter hielp, haar redde van wat er nu ging gebeuren.

Callie verbeet haar hulpeloosheid. Ze mocht het niet zover laten komen. Ze moest het zelf doen. Uiteindelijk zou Leigh hier arriveren. Callie wilde er niet de oorzaak van zijn dat haar zus nog meer bloed aan haar handen kreeg.

'Help me eens overeind,' zei ze.

Andrew greep haar arm. Haar nekwervels knakten toen hij haar omhoogrukte. Ze keek om zich heen, zoekend naar haar dopekit. Die had hij open op de rand van de matras gezet.

'Ik moet water hebben,' zei ze.

Hij aarzelde. 'Maakt het uit of er iets in zit?'

'Nee,' loog ze.

Andrew liep naar de bar.

Callie pakte haar lepel. De steel was tot een ring verbogen zodat ze hem beter vast kon houden. Ze nam de fles water van Andrew aan. Ze ging ervan uit dat hij Walter eruit had laten drinken. Ze had geen idee wat de rohypnol zou doen, maar dat boeide haar niet.

'Wacht even.' Andrew zette de kaarsen wat dichterbij zodat hij kon zien wat ze deed.

Callie voelde dat haar keel zich spande. Dit deed je niet om de geilheid. Je deed het in alle beslotenheid, of je deed het met andere junkies, want het proces was van jou en van jou alleen.

'Waar is dit voor?' Andrew wees naar het wattenbolletje in haar kit.

Callie antwoordde niet. Haar handen trilden niet meer nu ze haar lichaam gaf wat het wilde. Ze maakte het zakje open. Ze tikte het grijswitte poeder in de lepel.

'Is dat genoeg?' vroeg Andrew.

'Ja,' zei Callie, hoewel het in feite te veel was. 'Maak de fles eens open.'

Ze wachtte tot Andrew deed wat ze vroeg. Ze hield een slok water in haar mond en spoot het toen op de lepel, als een rode kardinaal die zijn jongen voerde. In plaats van haar aansteker te gebruiken, pakte ze een van de kaarsen van de vloer. De dope rook sterk naar schoonmaakazijn toen hij langzaam tot vloeistof kookte. De dealer had haar genaaid. Hoe sterker de geur, hoe meer troep ermee versneden was.

Haar blik zocht die van Andrew boven de rook die van de lepel opsteeg. Zijn tong stak naar buiten. Dit had hij vanaf het begin gewild. Buddy had tequila gebruikt en Andrew gebruikte heroïne, maar uiteindelijk wilden ze hetzelfde: Callie bedwelmen zodat ze zich niet kon verzetten.

Met haar vrije hand trok ze een plukje van de wattenbol. Ze pakte de spuit. Beet met haar tanden de dop eraf. Ze legde de naald op het wattenplukje en trok de plunjer op.

'Het is een filter,' zei Andrew, alsof een groot raadsel was opgelost.

'Oké.' Callies mond had zich met speeksel gevuld zodra de geur tot haar keel was doorgedrongen. 'Het is klaar.'

'Wat ga je nu doen?' Andrews aarzeling bood haar voor het eerst een glimp van de jongen die hij ooit was geweest. Hij was gretig, opgewonden nu hij iets nieuws en verbodens leerde. 'Mag ik… Mag ik het doen?'

Callie knikte, want haar mond was zo vol dat ze niet kon praten. Ze draaide haar lichaam zodat ze haar voeten op de matras kon leggen. Haar bleke dijen gloeiden in het kaarslicht. Ze zag wat iedereen zag. De botten van haar bovenbenen en knieën tekenden zich zo scherp af dat ze net een skelet leek.

Andrew onthield zich van commentaar. Hij ging liggen, bij haar benen, steunend op zijn elleboog. Ze dacht aan al die keren dat hij met zijn hoofd op haar schoot in slaap was gevallen. Hij had het heerlijk gevonden om tijdens het voorlezen vastgehouden te worden.

Nu keek hij naar Callie op in afwachting van aanwijzingen over hoe hij haar met heroïne moest injecteren.

Callie zat in een te scherpe hoek om het bovenste gedeelte van haar dijbeen te kunnen zien. Ze trok de pleister weg. Tastend zocht ze het midden van het leeggedrukte abces. 'Hier.'

'In het…' Andrew aarzelde nog. Hij kon het lege abces beter zien dan zij ooit zou kunnen. 'Dat ziet er ontstoken uit.'

Callie vertelde hem zowel de waarheid als dat wat hij wilde horen. 'De pijn voelt lekker.'

Andrews tong schoot weer naar buiten. 'Oké, wat doe ik nu?'

Callie leunde naar achteren op haar handen. Het satijnen jasje viel open. 'Tik tegen de spuit, en dan druk je de plunjer voorzichtig in om de lucht eruit te laten lopen.'

Andrews handen waren verre van vast. Hij was weer even opgewonden als toen ze hem het paartje tweekleurige slijmvissen had laten zien dat ze in de dierenwinkel had gekocht. Hij verzekerde zichzelf ervan dat Callie keek en tikte toen met zijn vinger op het kunststof buisje.

Tik-tik-tik.

Trev, tik je nou toch op het aquarium, ook al zei ik dat het niet mocht?

'Mooi,' zei ze. 'Nu zorg je dat je het luchtbelletje kwijtraakt.'

Hij probeerde de plunjer uit en hield de spuit tegen het kaarslicht zodat hij kon zien dat het luchtbelletje het buisje uit ging. Een straaltje vloeistof sijpelde langs de naald. Op elk ander moment zou Callie het hebben afgelikt.

'Je moet de ader hebben, oké?' zei ze. 'Dat is die blauwe streep. Zie je hem?'

Hij boog zich zo dicht over haar been dat ze zijn adem kon voelen. Met zijn vinger drukte hij in het abces. Even keek hij op om te zien of het goed was.

'Dat voelt lekker,' zei ze. 'Druk maar wat harder.'

'Fuck,' fluisterde Andrew, die zijn nagel erin liet verdwijnen. Het leek wel of hij huiverde. Hij vond dit hele avontuur vreselijk opwindend. 'Zo?'

'Ja,' zei Callie, hoewel ze zich verbeet.

Weer ving hij haar blik voor hij met zijn vingertopje langs de ader streek. Ze keek naar de bovenkant van zijn hoofd. Zijn haar groeide op dezelfde manier uit de kruin als vroeger bij Buddy. Callie wist nog dat ze haar vingers over zijn schedel had getrokken. Hoe opgelaten Buddy had gekeken als hij zijn kalende plek had bedekt.

Ik ben maar een ouwe vent popje waarom wil je ook maar iets met me te maken hebben?

'Hier?' vroeg Andrew.

'Ja,' zei ze. 'Duw de naald er langzaam in. Pas op de plunjer drukken als ik zeg dat hij op de goeie plek zit. De naald moet in de ader glijden, niet erdoorheen.'

'Wat gebeurt er als hij erdoorheen gaat?'

'Dan komt het niet in de bloedbaan,' zei Callie, 'maar in de spier, en dan doet het eigenlijk niets.'

'Oké,' zei hij, want hij had geen idee hoe het echt zat.

Ze keek toe terwijl hij weer aan de slag ging. Hij verplaatste zijn elleboog voor een prettigere houding. Zijn hand was vast toen hij de spuit naar het midden van het abces bracht.

'Klaar?'

Hij wachtte niet op haar toestemming.

Er kwam een geluid uit Callies mond toen ze het prikje van de naald voelde. Ze sloot haar ogen. Ze ademde nu even snel als hij. Ze probeerde zichzelf terug te halen van de rand van de afgrond.

'Zo goed?' vroeg Andrew.

'Zachtjes,' zei ze flemend, en ze schoof haar hand over zijn rug naar beneden. 'Draai de naald maar wat rond daarbinnen.'

'Fuck,' zei Andrew kreunend. Ze voelde zijn stijve tegen haar been drukken. Hij schommelde tegen haar aan, terwijl hij de naald in en uit haar ader liet glijden.

'Doorgaan,' fluisterde ze, met haar vingers over zijn ruggengraat strijkend. Ze voelde zijn ribben bewegen op zijn ademhaling. 'Dat is lekker, schat.'

Andrews hoofd viel tegen haar heup. Ze voelde zijn tong op haar huid. Zijn adem was warm en vochtig.

Ze stak haar hand in haar jaszak. Ze wipte de dop van de 20-milliliterspuit.

'Oké,' zei ze toen haar vingers de plek tussen zijn negende en tiende rib hadden gevonden. 'Druk maar in, maar langzaam, oké?'

'Oké.'

De misselijkheid van het eerste beetje heroïne zeurde als een virus.

Ze trok de spuit uit haar zak. De blauwe vloeistof leek dof in het kaarslicht. Ze aarzelde niet. Hij mocht de deur nooit meer uit lopen. Ze stak schuin naar beneden, dwars door spier en zenuw, en dreef de naald rechtstreeks in de linkerkamer van Andrews hart.

Hij had pas door dat er iets heel erg mis was toen ze de plunjer al naar beneden drukte.

Tegen die tijd was het te laat voor hem om er iets aan te doen.

Hij werkte haar niet van zich af. Hij schreeuwde niet. Hij riep niet om hulp. De verdovende werking van de pentobarbital beroofde hem van laatste woorden. Ze hoorde de doodsrochel waarvoor dokter Jerry haar had gewaarschuwd, de hersenstamreflex die klonk alsof hij naar adem hapte. Andrews rechterhand was het laatste deel van zijn lichaam waarover hij nog enige controle had. Daarmee spoot hij de heroïne zo snel Callies lichaam in dat het voelde alsof haar dijbeenader in vuur veranderde.

Ze klemde haar kiezen op elkaar. Het zweet gutste van haar af. Ze hield de 20-milliliterspuit stevig vast en drukte met trillende duim de dikke blauwe vloeistof door de naald. Dankzij de adrenaline stortte ze niet in elkaar. Er was nog een halve dosis over. Ze keek naar de plunjer, die langzaam zakte. Ze moest hem de volledige dosis geven voor de adrenaline was uitgewerkt. Leigh kon hier elk moment zijn. Dit moest anders gaan dan de vorige keer. Ze wilde niet dat haar zus het karwei dat zij was begonnen weer moest afmaken.

De plunjer had eindelijk de bodem bereikt. Callie zag het laatste beetje van het medicijn Andrews zwarte hart binnenstromen.

Haar hand gleed opzij. Ze viel weer op de matras.

De heroïne nam het over, sloeg in golven over haar heen, bracht geen euforie maar de langzame bevrijding van haar lichaam, dat zich eindelijk overgaf aan het onvermijdelijke.

De scherpe azijnlucht. De dosis die groter was dan normaal. De rohypnol in het water. De fentanyl die ze uit de medicijnkast van dokter Jerry had gepakt en met het grijswitte poeder had versneden.

Andrew Tenant was niet de enige die de deur niet meer uit zou lopen.

Eerst bevrijdden haar spieren zich uit hun strakke knopen. Toen deden haar gewrichten geen zeer meer, evenmin als haar nek, en liet haar lichaam de pijn los waaraan het zich zoveel jaren had vastgeklampt dat Callie de tel was kwijtgeraakt. Ze ademde nu vrijer. Haar longen hoefden geen lucht meer. Haar hartslag was als een trage klok die de seconden aftelde die nog over waren van haar leven.

Callie staarde naar het plafond, met ogen star als die van een uil. Ze dacht niet aan de honderden keren dat ze vanaf de bank naar datzelfde plafond had gestaard. Ze dacht aan haar briljante zus, aan Leighs geweldige man, en aan hun beeldschone dochter die over het voetbalveld rende. Ze dacht aan dokter Jerry en Binx, en zelfs aan Phil, en eindelijk, onvermijdelijk, dacht ze aan Kurt Cobain.

Hij wachtte haar niet meer op. Hij was hier, zat te kletsen met Mama Cass en Jimi Hendrix, te lachen met Jim Morrison en Amy Winehouse en Janis Joplin en River Phoenix.

Ze zagen Callie allemaal op hetzelfde moment. Ze renden op haar af, strekten hun armen naar haar uit, hielpen haar overeind.

Ze voelde zich licht in haar lichaam, bestond opeens uit veren. Ze keek neer op de vloer en zag die in zachte wolken veranderen. Ze wierp haar hoofd in haar nek en keek op naar de helderblauwe hemel. Ze keek naar links, naar rechts, en toen achter zich. Ze zag vriendelijke paarden en mollige honden en slimme katten, en toen gaf Janis haar een fles en Jimi reikte haar een joint aan en Kurt vroeg of hij haar een paar van zijn gedichten mocht voorlezen, en voor het eerst in haar leven wist Callie dat ze ergens thuishoorde.

EPILOOG

Leigh zat naast Walter op een klapstoeltje. Op een paar tjilpende vogels in de boom bij het graf na was het stil op de begraafplaats. Ze keken toe terwijl Callies pastelgele kist in de aarde werd neergelaten. Gekraak en gekreun van de katrollen bleef uit. Haar zusje had nog geen vijfenveertig kilo gewogen toen ze bij de patholoog was afgeleverd. Het autopsieverslag maakte melding van een lichaam dat was verwoest door ziekte en langdurig drugsgebruik. Callies lever en nieren waren aangetast. Haar longen hadden slechts op halve kracht gewerkt. Ze had een dodelijke cocktail van narcotica en gif binnengekregen.

Heroïne, fentanyl, rohypnol, strychnine, methadon, baksoda, waspoeder.

Geen van de bevindingen was echt verrassend. Evenmin als het gegeven dat alleen Callies vingerafdrukken op de lepel, de kaars en het poederzakje waren aangetroffen. Op de spuit in Callies been zaten ook Andrews vingerafdrukken, maar op de dodelijke dosis pentobarbital die ze recht in Andrews hart had gedreven, zaten alleen die van Callie.

Jarenlang had Leigh zichzelf wijsgemaakt dat ze een schuldig soort opluchting zou voelen wanneer Callie uiteindelijk stierf, maar het enige wat ze nu voelde, was overweldigend verdriet. Haar eeuwige nachtmerrie dat ze laat op de avond gebeld werd, dat er op de deur werd geklopt, dat een rechercheur haar vroeg om het lichaam van haar zus te identificeren, was niet uitgekomen.

Er was alleen Callie geweest, liggend op een stapel smerige matrassen in het huis dat haar ziel sinds haar veertiende niet meer had verlaten.

In elk geval was Leigh aan het einde bij haar zusje geweest. Ze had al in Andrews verlaten villa gestaan toen ze had beseft dat Callie haar beet had gehad. De rit vanaf Brookhaven was in een waas aan haar voorbijgegaan. Het eerste wat ze zich herinnerde, was dat ze in de carport over Sidneys

435

lijk struikelde. Ze had helemaal niet gezien dat Walter in de gang lag, want al haar aandacht was gericht geweest op de twee lichamen die op een stapel matrassen lagen, op de plek waar vroeger de lelijke oranje bank had gestaan.

Andrew lag dwars over Callie heen. Uit zijn rug stak een grote, lege injectiespuit. Leigh had hem van haar zusje af geduwd. Ze had Callies hand gegrepen. Haar huid had koud aangevoeld. De warmte trok al weg uit haar broze lichaam. Leigh had de naald genegeerd die uit het bovenbeen van haar zus stak en naar de trage, steeds zachtere geluiden van Callies ademhaling geluisterd.

Eerst verstreken er twintig seconden tussen het rijzen en dalen van haar borst. Toen dertig seconden. Toen vijfenveertig. Toen was er alleen nog een lange, diepe zucht voordat Callie het uiteindelijk opgaf.

'Goedemorgen, vrienden.' Dokter Jerry liep naar de voet van Callies graf. Op zijn mondkapje stonden springende kittens, hoewel Leigh niet kon zeggen of hij het voor Callie had opgedaan of dat hij het toevallig ergens had liggen.

Hij sloeg een dun boekje open. 'Ik wil graag een gedicht voorlezen van Elizabeth Barrett Browning.'

Walter wisselde een blik met Leigh. Dat was nogal ironisch. Maar dokter Jerry had waarschijnlijk geen idee dat de dichteres het grootste deel van haar leven aan morfine verslaafd was geweest.

'Ik heb het populairste sonnet van de oude dame uitgekozen, dus voelt u zich vrij om mee te doen.'

Phil snoof vanaf de andere kant van Callies graf.

Dokter Jerry kuchte beleefd en stak van wal: '"Hoe ik je liefheb? Laat me 't eens nagaan./Ik heb je lief zo diep en hoog en wijd/als mijn ziel reikt…"'

Walter sloeg zijn arm om Leighs schouders. Door zijn masker heen kuste hij de zijkant van haar hoofd. Ze was hem dankbaar voor zijn warmte. Het weer was omgeslagen en het was koud. Ze had die ochtend haar jas niet kunnen vinden. Ze had zich laten afleiden door een langdurig telefoongesprek met de beheerder van de begraafplaats, die maar bleef volhouden dat een grafsteen met konijnen en katjes eerder bij een kind paste.

Callie wás haar kind, had ze willen schreeuwen, maar ze had de telefoon aan Walter gegeven omdat ze anders dwars door de lijn heen de man zijn kop zou hebben afgerukt.

Dokter Jerry ging door: '"Bij elk klein ongerief van het bestaan,/heb ik je lief, bij zon, in schemertijd./Ik heb je lief om niet, als uit gerechtigheid./Ik heb je zuiver lief, al wijkt de lof voor blaam."'

Ze keek over het open graf heen naar Phil. Haar moeder droeg geen mondkapje, hoewel de eerste grote coviduitbraak in Georgia tijdens een begrafenis had plaatsgevonden. Phil zat er uitdagend bij, met haar benen wijd en haar handen tot vuisten gebald. Ze had zich voor de begrafenis van haar jongste dochter niet anders gekleed dan voor een dag huur innen. Hondenhalsband. Zwart Sid Vicious-shirt, want heroïne was zo gaaf. Oogmake-up rechtstreeks uit de collectie 'hondsdolle wasbeer'.

Leigh wendde haar blik af voor de woede kon toeslaan die ze altijd voelde in haar moeders nabijheid. Ze keek naar de camera die de begrafenis streamde. Het absurde was dat Phils moeder nog leefde en in een seniorenflat in Florida woonde. Nog verrassender was dat Cole Bradley had gevraagd of hij op afstand zijn deelneming mocht betuigen. Theoretisch was hij nog Leighs baas, hoewel ze vermoedde dat het slechts een kwestie van tijd was voor ze weer bij hem werd geroepen. Voor de beeldvorming zag het er ongunstig uit, in managementtermen uitgedrukt. Leighs zus had haar cliënt en zijn jonge vrouw vermoord, waarna ze een overdosis had genomen, en dat alles schijnbaar zonder verklaring.

Leigh had er geen misverstand over laten bestaan dat zij niet met die verklaring zou komen, en er had zich niemand anders gemeld om de reusachtige leemte te vullen. Reggie Paltz in elk geval niet, die heel voorspelbaar zijn biezen had gepakt. Ook geen vriend of buur of advocaat of bankier of geldbeheerder of betaalde informant.

Maar er moest iemand zijn die de waarheid wist. Andrews kluis had wijd opengestaan op de avond dat Leigh in zijn huis had ingebroken.

De kluis was leeg geweest.

Ze had tegen zichzelf gezegd dat ze dat niet erg vond. De banden waren nog ergens. Uiteindelijk zou iemand ermee naar de politie gaan of Leigh benaderen of... wat dan ook. Hoe het ook gebeurde, Leigh zou de gevolgen aanvaarden. Het enige waarover ze iets te zeggen had, was hoe ze in de tussentijd haar leven inrichtte.

Dokter Jerry las de laatste regels: '"Ik heb je lief met vuur dat bijna doofde in rouw/omdat mijn engel ging./Ik heb je lief als deelgenoot/in vreugde en verdriet, en als 'k op God vertrouw/verdiept mijn liefde zich nog na de dood."'

Walter slaakte een diepe zucht. Leigh wist wat hij voelde. Misschien begreep dokter Jerry meer dan ze dachten.

'Dank u.' Dokter Jerry sloot het boek. Hij zond Callie een handkus. Toen stapte hij op Phil af om haar te condoleren.

Leigh was bang voor wat haar moeder tegen de vriendelijke oude man zou zeggen.

'Gaat het?' fluisterde Walter. Bezorgd keek hij haar aan. Vorig jaar rond deze tijd zou ze zich eraan hebben geërgerd dat hij niet van haar zijde week, maar nu werd ze overspoeld door dankbaarheid. Ergens was het gemakkelijker van Walter te houden nu hij begreep hoe het voelde als je gebroken was.

'Het gaat wel,' zei ze, in de hoop dat het waar was als ze de woorden hardop uitsprak.

Dokter Jerry liep met een boog om het graf heen. 'Kijk aan, jongedame.'

Walter en Leigh stonden op om hem te woord te staan.

'Fijn dat u gekomen bent,' zei Leigh.

Zijn mondkapje was nat van de tranen. 'Onze Calliope was zo'n prachtig meisje.'

'Dank u,' zei Leigh, die haar eigen mondkapje aan haar gezicht voelde plakken. Telkens als ze dacht dat ze geen tranen meer had, kwamen er nieuwe. 'Ze hield heel veel van u, dokter Jerry.'

'Tja.' Hij klopte op haar hand. 'Mag ik je een geheim vertellen dat ik heb ontdekt toen mijn lieve vrouw overleed?'

Leigh knikte.

'Je band met iemand houdt niet op bij de dood. Die wordt alleen maar sterker.' Hij knipoogde. 'Vooral omdat ze je niet meer kunnen vertellen dat je je vergist.'

Leighs keel kneep samen.

Walter bespaarde haar een reactie. 'Dokter Jerry, die Chevy van u is een echte klassieker. Mag ik hem eens bekijken?'

'Met alle genoegen, jongeman.' Dokter Jerry liet zich door Walter meevoeren. 'Vertel eens, heb jij weleens een klap in je gezicht gehad van een inktvis?'

'Fuck me.' Phil leunde achterover op haar stoel. 'Die ouwe baas is dement. Gaat naar Oregon verhuizen met Antifa of dat soort shit.'

'Mond houden, ma.' Leigh nam haar mondkapje af. Ze zocht in haar tas naar een tissue.

'Ze was wel mijn dochter, hoor!' riep Phil over Callies graf heen. 'Wie heeft er voor haar gezorgd? Naar wie kwam ze altijd terug?'

'Walter komt morgen de kat halen.'

'Stomme Kut?'

Leigh was verbijsterd, maar toen moest ze lachen. 'Ja, Stomme Kut komt bij mij wonen. Dat wilde Callie.'

'Fuck.' Nu ze hoorde dat ze de kat kwijtraakte, leek ze geschokter dan toen Leigh haar op de hoogte had gebracht van Callies dood. 'Dat is een verdomd fijne kat. Ik hoop dat jullie er raad mee weten.'

Leigh snoot haar neus.

'Weet je, ik zal je één ding vertellen.' Phil zette haar handen in haar zij. 'Het probleem met jou en je zus was dat Callie altijd achteromkeek en jij met alle geweld altijd vooruit wilde kijken.'

Ze had gelijk, moest Leigh tot haar ergernis bekennen. 'Volgens mij was het echte probleem dat we een ongelooflijk waardeloze moeder hadden.'

Phil deed haar mond open, maar klapte hem meteen weer dicht. Ze zette grote ogen op en keek over Leighs schouder met een blik alsof er een geest was verschenen.

Leigh draaide zich om. Het was erger dan een geest.

Linda Tenant leunde tegen een zwarte Jaguar. Een sigaret bungelde uit haar mond. Ze droeg nog steeds parels en een opstaande kraag, maar ze had een blouse met lange mouwen aan vanwege het koelere weer. De laatste keer dat Leigh Andrews moeder had gezien, hadden ze rond de vergadertafel op Cole Bradleys kamer gezeten en het over de verdediging van haar zoon gehad.

'We zouden…' Leigh zweeg, want Phil liep op hoge poten de andere kant op. 'Bedankt, ma.'

Na diep te hebben ingeademd begon ze aan de moeizame meters die haar van Andrews moeder scheidden. Linda leunde nog steeds tegen de Jag. Ze had haar armen over elkaar geslagen. Ze was duidelijk gekomen om op Callies begrafenis stennis te schoppen. Leigh herkende het schaamteloze optreden als iets wat ze zelf had kunnen doen. De zoon en schoondochter van de vrouw waren vermoord. Dat het gezin van Ruby Heyer of Tammy Karlsen en Andrews drie overige slachtoffers nooit recht zou worden gedaan, deed er niet toe. Linda Tenant wilde uitleg.

Toch kreeg ze die niet van Leigh, maar ze mocht Linda het recht niet ontzeggen tegen iemand tekeer te gaan.

Linda tikte haar sigaret in het gras toen Leigh haar naderde. 'Hoe oud was ze?'

Die vraag had Leigh niet verwacht, maar ze moesten toch ergens beginnen. 'Zevenendertig.'

Linda knikte. 'Dus ze was elf toen ze voor me ging werken.'

'Twaalf,' zei Leigh. 'Een jaar jonger dan ik toen ik begon.'

Linda viste een pakje sigaretten uit haar kakipantalon. Ze schudde er een uit. De aansteker lag vast in haar hand. Ze blies een rookpluim de lucht in. Ze zag er zo kwaad uit dat Leigh er niet van zou opkijken als ze tegen haar zou uitvallen of met haar auto over haar heen zou rijden.

Ze deed niets van dat alles. 'Geen smetje te bekennen,' zei ze.

Leigh keek naar haar zwarte jurk, die wel heel erg verschilde van de jeans en het Aerosmith-shirt dat ze die eerste avond had gedragen. 'Dank je?' Het was meer een vraag dan wat anders.

'Ik heb het niet over je kleren.' Linda plukte de sigaret tussen haar lippen vandaan. 'Jullie waren altijd al nette meisjes, maar zo schoon hadden jullie de boel nog nooit achtergelaten.'

Leigh schudde haar hoofd. Ze hoorde de woorden, maar ze kon er niets van maken.

'De keukenvloer glom toen ik thuiskwam uit het ziekenhuis.' Linda nam weer een hijs. 'En het rook zo sterk naar bleek dat de tranen in mijn ogen sprongen.'

Leighs mond viel open van verbazing. Linda had het over het huis aan Canyon Road. Nadat ze zich van het lijk hadden ontdaan, had Callie op haar knieën de vloeren geboend. Leigh had de spoelbakken uitgeschrobd. Ze hadden gestofzuigd, werkbladen afgenomen, deurknoppen en plinten gepoetst, zonder er ook maar een moment bij stil te staan wat Linda Waleski zou denken als ze bij thuiskomst zag dat ze haar gewoonlijk zo vochtige, smerige huis tot in de kieren hadden schoongemaakt.

'Huh?' zei Leigh, en ze hoorde een echo van Callie wanneer die niet wist wat ze moest zeggen.

'Ik dacht dat jullie hem voor het geld hadden vermoord,' zei Linda. 'En toen bedacht ik dat er misschien iets ergs was gebeurd. Je zusje... de volgende dag... dat was vreselijk. Ze had duidelijk gevochten of... of zoiets. Ik wilde de politie bellen. Het liefst had ik dat stuk stront dat jij een moeder noemt in elkaar geslagen. Maar dat kon ik niet.'

'Waarom niet?' was het enige wat Leigh eruit kreeg.

'Omdat het er niet toe deed waarom jullie het hadden gedaan. Het enige wat ertoe deed, was dat jullie hem uit de weg hadden geruimd, en dat jullie ervoor betaald waren, leek me niet meer dan eerlijk.' Linda zoog hard aan haar sigaret. 'Ik heb nooit vragen gesteld, want ik kreeg wat ik wilde. Hij had me nooit laten gaan. Ik heb het één keer geprobeerd, maar toen sloeg hij me helemaal verrot. Hij ging op me los tot ik het bewustzijn verloor en liet me vervolgens op de vloer liggen.'

Leigh vroeg zich af hoe Callie zich zou hebben gevoeld bij het horen van deze informatie. Verdrietig, waarschijnlijk. Ze was dol op Linda geweest. 'Kon je niet bij je familie terecht?'

'Ik had zelf mijn gat gebrand, hè?' Linda plukte wat tabak van haar tong. 'Nadat jullie hem om zeep hadden geholpen, moest ik op mijn knieën voor mijn klootzak van een broer. Die zou me het liefst op straat hebben gezet. Ik moest hem smeken om onderdak. Hij liet me een maand wachten, en zelfs toen mocht ik zijn huis niet in. We werden in een gore flat boven de garage ondergebracht, alsof we godbetert personeel waren.'

Leigh zweeg. Er waren ergere plekken denkbaar.

'Maar ik bleef met die vraag zitten. Niet de hele tijd, maar af en toe vroeg ik me af waarom jullie tweeën het gedaan hadden. Wat had hij eigenlijk voor die constructieklus gekregen, vijftigduizend?'

'Er zat vijftigduizend in zijn tas,' zei Leigh. 'In de rest van het huis vonden we nog eens zesendertigduizend.'

'Fijn voor jullie. Maar nog steeds klopte het niet. Dat soort meiden waren jullie niet. Sommige andere jongeren in de buurt – zonder meer. Die zouden voor tien dollar je keel doorsnijden, en voor zesentachtigduizend zouden ze god mag weten wat doen. Maar jullie tweetjes niet. Zoals ik al zei, het bleef me dwarszitten.' Linda haalde de afstandsbediening van haar riem. Ze legde haar duim op een knop. 'En toen vond ik deze in mijn garage, en eindelijk snapte ik het.'

De kofferbak klikte open.

Leigh liep om de Jaguar heen naar de achterkant. In de kofferbak lag een zwarte plastic vuilniszak. De bovenkant was open. Ze zag een stapel VHS-cassettes. Ze hoefde ze niet te tellen om te weten dat het er vijftien waren. Veertien met Callie in de hoofdrol. Een met Callie en Leigh.

'Op de avond dat Andrew stierf, kwam hij naar mijn huis. Ik hoorde hem in de garage. Ik vroeg hem niet wat-ie daar deed. Hij gedroeg zich vreemd, dat wel, maar hij gedroeg zich altijd vreemd. Een paar dagen ge-

leden moest ik er opeens weer aan denken. Ik vond de vuilniszak weggestouwd achter in een van de bergkasten. Ik heb het niet tegen de politie
gezegd, maar ik zeg het nu tegen jou.'

Leighs keel kneep weer dicht. Ze keek op naar Linda.

De vrouw had zich niet verroerd, behalve om de ene na de andere sigaret op te steken. 'Ik was pas dertien toen ik zijn vader ontmoette. Ik
had het zwaar van hem te pakken. Na drie jaar waarin ik steeds wegliep,
bij mijn grootouders werd ondergebracht en zelfs naar kostschool werd
gestuurd, beseften ze dat ik hem niet zou opgeven en lieten ze me uiteindelijk met hem trouwen. Wist je dat?'

Leigh wilde de zak pakken, maar Linda had hier de regie. Misschien
waren er kopieën. Misschien was er nog een server.

'Ik had nooit gedacht...' Linda maakte haar zin niet af, maar nam nog
een trek. 'Heeft hij het ook met jou geprobeerd?'

Leigh stapte bij de kofferbak vandaan. 'Ja.'

'En kreeg hij het voor elkaar?'

'Eén keer.'

Linda schudde een nieuwe sigaret uit het pakje. Ze stak hem aan met de
oude. 'Ik hield van dat meisje. Ze was een schatje. En ik vertrouwde haar
helemaal met Andrew. Ik heb geen moment gedacht dat er iets ergs kon
gebeuren. Maar dat het dus wel gebeurde... dat ze er zo slecht aan toe was
dat hij ook nadat hij er niet meer was toch een manier vond om haar pijn
te blijven doen...'

Leigh zag tranen over haar wangen glijden. De vrouw had Callies naam
niet één keer genoemd.

'Goed.' Linda hoestte, waardoor de rook haar mond en neus uit kwam.
'Ik vind het heel erg wat hij jou heeft aangedaan. En ik vind het nog veel
erger wat hij haar heeft aangedaan.'

Leigh stelde haar dezelfde vraag die Walter haar had gesteld. 'Je hebt er
nooit bij stilgestaan dat een pedo die jou op je dertiende had aangerand
ook andere meisjes van dertien kon aanranden?'

'Ik was verliefd.' Ze lachte bitter. 'Eigenlijk moet ik mijn verontschuldigingen aanbieden voor wat er met je man is gebeurd. Gaat het weer goed
met hem?'

Leigh antwoordde niet. Walter was bewusteloos geslagen, was onder
schot gehouden en had een rapedrug moeten drinken. Het zou nog heel
lang duren voor het weer goed met hem ging.

Linda had de sigaret tot op de filter opgezogen. Ze herhaalde haar handelingen van daarvoor, schudde een nieuwe uit het pakje en stak die aan met de oude. 'Hij heeft die vrouw verkracht, hè? En heeft hij die andere vermoord?'

Leigh begreep dat ze het nu over Andrew en Sidneys wandaden had. Ze deed een poging Linda de namen van Tammy Karlsen en Ruby Heyer te laten uitspreken. 'Over welke vrouwen heb je het?'

Linda schudde haar hoofd, terwijl ze weer een rookwolk uitblies. 'Doet er niet toe. Hij was even verrot als zijn vader. En die meid met wie hij trouwde... die was al even erg.'

Leigh keek naar de tapes. Linda had ze met een bepaald doel gebracht. 'Wil je weten waarom Callie Andrew en Sidney heeft gedood?'

'Nee.' Ze gooide de sigaret in het gras. Ze liep naar de achterkant van de auto, haalde de vuilniszak eruit en liet die op de grond vallen. 'Dit zijn de enige kopieën, voor zover ik weet. Als er meer blijken te zijn, zeg ik dat het een leugen is. Een deepfake. Of hoe dat ook heet. Ik sta achter je, net als vroeger, dat wou ik zeggen. En voor wat het waard is, ik heb tegen Cole Bradley gezegd dat het jouw schuld niet is wat er gebeurd is.'

'En moet ik nu "dank je wel" zeggen?'

'Nee,' zei Linda. 'Ik bedank jou, Harleigh Collier. Zoals ik het zie, heb je een beest voor me afgemaakt. Je zus heeft het andere beest afgemaakt.'

Linda stapte in haar auto. Ze gaf een dot gas en reed weg.

Leigh keek de gestroomlijnde zwarte Jaguar na toen hij de begraafplaats uit gleed. Ze dacht na over Linda's woede, over het manische kettingroken, de totale afwezigheid van compassie, de komische gedachte dat Linda Waleski zichzelf al die jaren had voorgehouden dat haar man was vermoord door twee ongelooflijk hygiënische tienerkillers.

Callie zou vragen hebben gehad.

Leigh zou niet weten waar ze met haar antwoorden moest beginnen. Ze keek omhoog. Er was regen voorspeld, maar de lucht vulde zich met witte wolken. Het liefst fantaseerde ze dat haar zusje daarboven Chaucer voorlas aan een kat die digitaal geld gebruikte om de belasting een loer te draaien, maar de realiteit weerhield haar ervan erin mee te gaan.

Ze hoopte dat het goed ging met dokter Jerry. Ze wilde een blijvende band met haar zus houden. Ze wilde de Callie die niet aan de heroïne was, die bij een dierenarts werkte, zich bekommerde om pasgeboren beestjes, elk weekend kwam lunchen en Maddy aan het lachen maakte met grapjes over schildpadden, dat het zulke stinkende sukkels waren.

Voorlopig moest Leigh het doen met hun laatste moment samen in de spreekkamer van dokter Jerry. Toen Callie haar had vastgehouden. Toen ze haar had vergeven voor haar leugen die in een geheim was veranderd dat tot een etterend verraad was uitgegroeid.

Als dat de schuld is die je al je hele volwassen leeftijd met je meezeult, dan leg je die als de bliksem af.

Leigh had de last niet van zich af voelen glijden toen Callie die woorden had uitgesproken, maar met elke verstrijkende dag voelde ze het lichter worden in haar borst, alsof het gewicht – misschien – heel langzaam uiteindelijk op een dag verdwenen zou zijn.

Er waren tastbaardere herinneringen die Callie voor Leigh had achtergelaten. Dokter Jerry had Callies rugzak in de koffiekamer gevonden. Er had een bonte verzameling spullen in gezeten: een lidmaatschapskaart voor een zonnestudio op naam van Juliabelle Gatsby, een bibliotheekpasje van DeKalb County op naam van Himari Takahashi, een paperback over slakken, een wegwerptelefoon, twaalf dollar, een extra paar sokken, Leighs rijbewijs uit Chicago dat Callie uit haar portefeuille had gestolen, en een hoekje van het dekentje waarin Maddy was gewikkeld toen ze in de kattenmand had gelegen.

Vooral de laatste twee voorwerpen waren van betekenis. Waar Callie zich de afgelopen zestien jaar ook had bevonden – in de politiecel, de gevangenis, de zoveelste afkickkliniek, het een of andere goedkope motel of op straat – ze had dus altijd een foto van Leigh en een stukje van Maddy's babydekentje bij zich gedragen.

Haar dochter had dat dekentje nog. Ze wist nog steeds niet waarom er een hoekje aan ontbrak. Walter en Leigh hadden het er nooit over eens kunnen worden of het juiste moment was aangebroken om haar de waarheid te vertellen. Telkens wanneer ze hadden besloten eerlijk te zijn en elkaar ervan hadden overtuigd dat ze geen keuze hadden – dat het geheim al in een leugen was veranderd en dat het binnen afzienbare tijd in verraad zou ontaarden – had Callie hen weten om te praten.

Ze had in haar rugzak een briefje voor Leigh achtergelaten waarvan de woorden een weerspiegeling waren van het briefje dat ze zestien jaar geleden bij Maddy had achtergelaten. Ze moest het hebben geschreven na hun gesprek in de spreekkamer van dokter Jerry, omdat ze diep vanbinnen moest hebben geweten dat ze Leigh nooit meer zou zien.

Neem alsjeblieft je prachtige leven als geschenk van me aan. Ik ben zo

trots op je, geweldige zus. Ik weet dat wat er ook gebeurt, Walter en jij altijd
zullen zorgen dat Maddy gelukkig en veilig is. Ik vraag je alleen haar nooit
ons geheim te vertellen, want haar leven zal zoveel beter zijn zonder mij. IK
HOU VAN JE. IK HOU VAN JE.

'Hé.' Walter stampte Linda's smeulende sigaretten uit. 'Wie was die
dame in de Jag?'

'Andrews moeder.' Leigh keek toe terwijl Walter een blik in de vuilniszak wierp. Hij draaide de VHS-banden om zodat hij de etiketten kon lezen.
Callie #8. Callie #12. Harleigh & Callie.

'Wat wilde ze?' vroeg Walter.

'Vergiffenis.'

Walter stopte de banden weer in de zak. 'En, heb je die haar geschonken?'

'Nee,' zei Leigh. 'Die moet je verdienen.'

DANKWOORD

Allereerst gaat mijn dank uit naar Victoria Sanders en Kate Elton, die me langer kennen dan ik mezelf ken. Verder wil ik Emily Krump en Kathryn Cheshire bedanken, knopendoorhakkers die ze zijn, en het hele team bij GPP. Bij VSA ben ik heel blij met Bernadette Baker-Baughman, die over onuitputtelijk geduld schijnt te beschikken (of anders heeft ze een pop die op me lijkt waar ze elke ochtend spelden in steekt).

Kaveh Khajavi, Chip Pendleton en Mandy Blackmon hebben mijn merkwaardige vragen over skeletten en gewrichten beantwoord. David Harper helpt me al twintig jaar mensen te vermoorden en zoals gewoonlijk was zijn inbreng weer buitengewoon nuttig, en dat terwijl hij de verwoestende sneeuw- en ijsstormen van Texas moest doorstaan met zijn mobiele telefoon en een stel waterpomptangen. Elise Diffie heeft me geholpen met allerlei dierenkliniektrucjes, hoewel alle snode oplossingen op mijn conto geschreven moeten worden. Bovendien is zij misschien de enige lezer van dit boek die beseft hoe hilarisch de naam Deux Claude is voor een Pyrenese berghond.

Alafair Burke, Patricia Friedman en Max Hirsh hebben me met de juridische kant van de zaak geholpen. Eventuele fouten zijn uitsluitend aan mij te wijten (helaas is de wet nooit wat je ervan verlangt). Mocht iemand van jullie het zich afvragen: op 14 maart 2020 stelde de president van het Hooggerechtshof in Georgia voor de hele staat een verbod in op alle juryprocessen, 'vanwege het vereiste aantal aanwezige mensen in gerechtsgebouwen'. In oktober werd het verbod ingetrokken, maar toen de infectiecijfers weer een hoge vlucht namen, voelde de president zich genoodzaakt een paar dagen voor Kerstmis het verbod opnieuw in te stellen. Op 9 maart 2021 werd het verbod weer opgeheven, met als aantekening dat de 'gevaarlijke stijging van het aantal COVID-19-gevallen de laatste tijd is afgenomen'. Op dat punt zijn we nu beland, en ik hoop met heel mijn hart dat het zo blijft.

Ten slotte wil ik D.A. bedanken voor haar geduld met mijn langdurige perioden van afwezigheid (zowel fysiek als mentaal) tijdens het schrijven van dit verhaal. Omdat ik al jaren afzondering als levensstijl beoefen, dacht ik dat de quarantaine gemakkelijker zou zijn. Helaas was dat niet het geval. Mijn vader bedank ik omdat hij er altijd is, wat er ook gebeurt. Nu we het ergste achter de rug hebben, hoop ik dat er snel weer soep met maisbrood wordt bezorgd. En voor mijn zus: dank je omdat je mijn zus bent.

Nog een allerlaatste ten slotte: ik heb me veel vrijheden veroorloofd op het gebied van drugs en hoe je ze gebruikt, want het is niet aan mij om een handleiding te bieden. Mocht je een van de velen zijn die met verslaving worstelen, weet dan dat er altijd iemand is die van je houdt.